視能学エキスパート

# 光学・眼鏡　第2版

シリーズ監修
**公益社団法人　日本視能訓練士協会**

編集
**松本富美子**　近畿大学病院眼科・技術科長代理（視能訓練士）
**大沼一彦**　Lente Verde 研究所代表
**石井祐子**　井上眼科病院・視能訓練士
**玉置明野**　独立行政法人地域医療機能推進機構中京病院眼科・主任視能訓練士

医学書院

〈視能学エキスパート〉
光学・眼鏡

| 発　　行 | 2018年4月15日　第1版第1刷 |
| --- | --- |
| | 2020年2月15日　第1版第2刷 |
| | 2023年2月1日　第2版第1刷© |

シリーズ監修　公益社団法人　日本視能訓練士協会

編　　集　松本富美子・大沼一彦・石井祐子・玉置明野

発行者　株式会社　医学書院
　　　　　代表取締役　金原　俊
　　　　　〒113-8719　東京都文京区本郷 1-28-23
　　　　　電話　03-3817-5600（社内案内）

印刷・製本　大日本法令印刷

本書の複製権・翻訳権・上映権・譲渡権・貸与権・公衆送信権（送信可能化権を含む）は株式会社医学書院が保有します．

ISBN978-4-260-05044-9

本書を無断で複製する行為（複写，スキャン，デジタルデータ化など）は，「私的使用のための複製」など著作権法上の限られた例外を除き禁じられています．大学，病院，診療所，企業などにおいて，業務上使用する目的（診療，研究活動を含む）で上記の行為を行うことは，その使用範囲が内部的であっても，私的使用には該当せず，違法です．また私的使用に該当する場合であっても，代行業者等の第三者に依頼して上記の行為を行うことは違法となります．

JCOPY 〈出版者著作権管理機構　委託出版物〉
本書の無断複製は著作権法上での例外を除き禁じられています．複製される場合は，そのつど事前に，出版者著作権管理機構（電話 03-5244-5088，FAX 03-5244-5089，info@jcopy.or.jp）の許諾を得てください．

# 執筆者一覧(執筆順)

| | | |
|---|---|---|
| 小林　克彦 | 帝京大学客員教授・医療技術学部視能矯正学科 | |
| 関谷　尊臣 | 公益社団法人日本視能訓練士協会・事務局長 | |
| 川守田拓志 | 北里大学准教授・医療衛生学部視覚機能療法学 | |
| 大沼　一彦 | Lente Verde研究所代表 | |
| 内川　惠二 | 東京工業大学名誉教授 | |
| 遠藤　雅和 | 株式会社ニデック　アイケア事業部開発本部光学開発課・課長 | |
| 山田　　毅 | 株式会社ニデック　アイケア事業部開発本部量産開発部・部長 | |
| 祁　　　華 | HOYA株式会社ビジョンケア部門技術研究開発部設計室 | |
| 四倉絵里沙 | 慶應義塾大学助教・眼科学 | |
| 根岸　一乃 | 慶應義塾大学教授・眼科学 | |
| 大本　美紀 | 慶應義塾大学助教・眼科学 | |
| 中村　　葉 | 大阪人間科学大学特任教授・医療福祉学科視能訓練専攻 | |
| 魚里　　博 | 東京眼鏡専門学校・校長 | |
| 塩入　　諭 | 東北大学教授・電気通信研究所 | |
| 林　　研一 | 株式会社トーメーコーポレーション営業部営業推進課・主幹 | |
| 神田　寛行 | 前・大阪大学大学院医学系研究科感覚機能形成学 | |
| 広原　陽子 | 株式会社トプコン　技術本部光学先端技術部光学技術課・シニアエキスパート | |
| 小林真理子 | 株式会社トプコン　技術本部光学先端技術部光学技術課・シニアエキスパート | |
| 山本　諭史 | 株式会社トプコン　技術本部光学先端技術部光学技術課・エキスパート | |
| 中島　　将 | 株式会社トプコン　技術本部アイケア先端開発部アイケア先端開発課 | |
| 内藤　朋子 | 株式会社トプコン　技術本部管理部知的財産課・エキスパート | |
| 上野　勇太 | 筑波大学医学医療系臨床医学域講師・眼科学 | |
| 廣野　泰亮 | 興和株式会社医薬事業部健康医療本部企画開発室・室長 | |
| 野田　　徹 | 国立病院機構東京医療センター医療情報部部長・眼科科長/東京医療保健大学大学院臨床教授・看護研究科 | |
| 石子　智士 | 旭川医科大学医工連携総研講座特任教授・眼科学 | |
| 山口　達夫 | 株式会社トプコン　技術本部アイケア先端開発部アイケア先端開発課・シニアエキスパート | |
| 田中　芳樹 | 中京眼科視覚研究所・研究員 | |
| 玉置　明野 | 独立行政法人地域医療機能推進機構中京病院眼科・主任視能訓練士 | |
| 小郷　　実 | 株式会社トーメーコーポレーション営業部営業推進課 | |

| | |
|---|---|
| 梶田　雅義 | 梶田眼科・院長 |
| 長谷部　聡 | 川崎医科大学教授・眼科学2 |
| 鈴木　栄二 | 東海光学ホールディングス株式会社開発本部・主席 |
| 秀野　良児 | 専門学校ワールドオプティカルカレッジ・講師 |
| 石井　雅子 | 新潟医療福祉大学教授・医療技術学部視機能科学科 |
| 西村　　淳 | 専門学校ワールドオプティカルカレッジ・教務部長 |
| 石井　祐子 | 井上眼科病院・視能訓練士 |
| 保沢こずえ | 自治医科大学附属病院眼科・主任視能訓練士 |
| 長谷部佳世子 | 川崎医科大学総合医療センター眼科・視能訓練士 |
| 松本富美子 | 近畿大学病院眼科・技術科長代理（視能訓練士） |
| 阿曽沼早苗 | 大阪大学大学院眼科学・主任視能訓練士 |
| 仲村　永江 | 関西医科大学附属病院眼科・主任視能訓練士 |
| 南雲　　幹 | 井上眼科病院・診療技術部部長（視能訓練士） |
| 綾木　雅彦 | 慶應義塾大学特任准教授・眼科学 |
| 菊池由夏子 | 日本大学病院アイセンター視能訓練室・主任視能訓練士 |
| 宮本　裕子 | アイアイ眼科医院・院長 |
| 月山　純子 | 医療法人心月会つきやま眼科クリニック・院長 |

# 視能学エキスパートシリーズ
## 第2版刊行にあたって

　このたび，《視能学エキスパート》シリーズは第2版を刊行することになりました．本シリーズは，視能訓練士に必要とされる視能検査学，視能訓練学，光学・眼鏡に関するさまざまな知識を集積し，すでに臨床で活躍している方々が日常業務を行ううえで熟思する際の参考に，またこれから視能訓練士を目指す学生の卒前教育にも広く役立てていただいています．

　初版が刊行されてから約5年が経ち，この間，2021（令和3）年には厚生労働省で視能訓練士学校養成所カリキュラム等改善検討会が実施されました．指定規則および教育ガイドラインの一部改正について検討が行われ，視能訓練士のさらなる資質の向上が求められています．年々，医療技術や検査機器は高度化しており，また加速する人口減少による社会構造の変化および国民のための医療，保健，福祉等へのニーズの高まりに対応できる視能訓練士であるためには，日々努力し専門性を向上させる必要があることは言うまでもありません．

　第2版では，可能な限り基礎から最新情報までを網羅し「具体的症例を取り入れた臨床に応用できる内容」「常に手元に置きたい教本」というコンセプトを踏襲し，各シリーズの内容のさらなる充実や，最新知識のアップデートを中心に企画し，臨床・研究の第一線でご活躍の先生方に改訂のご執筆のお願いをいたしました．

　この《視能学エキスパート》シリーズ第2版のすべての巻が研鑽を続ける視能訓練士の皆様の一助となること，また日本の国民がその長寿な人生においてできる限り快適な視能を保持するために貢献できることを心より願っております．

2023年1月

公益社団法人　日本視能訓練士協会
会長　南雲　幹

# 視能学エキスパートシリーズ
## 刊行にあたって

　1971年に視能訓練士法が制定され,視能訓練士は視能矯正分野を専門とする医療職として誕生しました.その後,医療の変遷と眼科診療の目覚しい進歩により,現在では視能矯正のほか,多岐にわたる眼科一般視機能検査,ロービジョンケア,健診と業務範囲は広がっています.

　視機能を評価し管理するわれわれ視能訓練士は,多様化・専門分化する眼科領域や国民の高まるニーズに対応するため基礎知識の習得に加え,自らの能力を向上させるため自己研鑽し続けることは必須です.そこで日本視能訓練士協会では,今後もさらに進歩するであろう眼科領域や社会からの要請に応え,歩んでいくために道しるべとなる必携の専門書を企画いたしました.

　《視能学エキスパート》シリーズでは,視能訓練士に必要とされる視能検査学,視能訓練学,光学・眼鏡に関する様々な知識を集積するだけでなく,エビデンスを踏まえた視能訓練や多岐にわたる視機能検査の方法,留意点,結果の評価などをわかりやすく系統立ててまとめています.すでに臨床で活躍している方々が日常業務を行ううえで熟思する際の参考に,またこれから視能訓練士を目指す学生のための教育にもぜひ,役立てていただければ幸いです.

　本シリーズでは,臨床・研究の一線で活躍されている方々に執筆していただきました.日々ご多忙の中,ご執筆を引き受けていただいた多くの先生,視能訓練士の方々,また企画から刊行まで親身にお力添えくださった編集担当の方々に心より御礼申し上げます.

　日本の医療は国民の健康寿命延伸に取り組んでおり,眼科医療には生活の質(quality of life)とともに視覚の質(quality of vision)を高めることが求められています.この《視能学エキスパート》シリーズのすべての巻が視能の専門職である視能訓練士の皆様の道標となること,また日本の国民がその長寿な人生においてできる限り快適な視生活を送るため貢献できることを念願いたします.

2018年1月

公益社団法人　日本視能訓練士協会
会長　南雲　幹

# 第 2 版の序

　《視能学エキスパート》シリーズは，公益社団法人日本視能訓練士協会の生涯教育制度の教育内容に対応できる，視能訓練士に必要な専門性の高い書籍として2018年に初版を企画したものです．初版発行後約5年が経過し，眼科臨床や視能訓練士の教育にも貢献できたものと思います．シリーズの中でも『光学・眼鏡』は，臨床で視能訓練士が最も高い頻度で行う重要な業務領域の1つです．また，近年の眼科医療機器の進歩は目覚ましく，その多くが光学の知識を必要とするものです．このため，企画は視能訓練士と光学専門家によって行い，視能訓練士が臨床で必要とする知識について網羅できるようにしました．
　項目は主に光学的検査，眼鏡処方検査，コンタクトレンズで構成しました．光学の基礎は，様々な臨床的機器による検査を行ううえで，機器の性質，検査データの評価ができる知識を得られるように，機器開発側の光学技術者に執筆をお願いしました．眼鏡については眼鏡作製技能士の誕生により眼科との連携を深め，国民の視的生活の向上に寄与できることとなりました．そのため，眼鏡レンズや特殊なフレームの知識も専門家により詳細な解説をお願いしました．また，眼鏡処方検査については，経験豊富な第一線の眼科医と視能訓練士に執筆をお願いし，多くの臨床例を通して検査のポイントや実際について具体的にわかりやすく示していただきました．コンタクトレンズについては変遷から付加価値コンタクトレンズ，光学的解説まで簡明にまとめていただきました．
　本書は卒前や卒後を通して皆様の自己研鑽に欠かせない，いつも傍らにある一生涯の専門書になると思っております．
　執筆者の先生方には，編集者の思いをご理解いただき，ご無理なお願いにも対応していただきましたことに心より感謝いたします．この本が臨床に必携の1冊となり，よりよい眼科医療の提供ができることを願います．

2023年1月

編集者一同

# 初版の序

　《視能学エキスパート》シリーズは，2006年4月から開始された公益社団法人日本視能訓練士協会の生涯教育制度の教育内容に対応できる，視能訓練士に必要な専門性の高い書籍として企画しました．シリーズの中でも『光学・眼鏡』は，臨床で視能訓練士が最も頻度高く行う重要な業務領域の1つです．また，近年の眼科医療機器の進歩は目覚ましく，その多くが光学の知識を必要とするものです．このため，企画は視能訓練士と光学専門家によって行い，視能訓練士が臨床で必要とする知識について網羅できるようにしました．

　項目は光学，光学的検査，眼鏡，眼鏡処方検査，コンタクトレンズで構成しました．光学の基礎は，様々な臨床的機器による検査を行ううえで，機器の性質，検査データの評価ができる知識を得られるように，機器開発側の光学技術者に執筆をお願いしました．眼鏡レンズやフレームの知識も専門家に詳細な解説をお願いすることにしました．また，眼鏡処方検査については，経験豊富な第一線の眼科医と視能訓練士に執筆をお願いし，多くの臨床例を通して検査のポイントや実際について具体的にわかりやすく示していただきました．コンタクトレンズについては変遷から付加価値コンタクトレンズまで簡明にまとめていただきました．

　本書は卒前や卒後を通して皆様の自己研鑽に欠かせない，いつも傍らにある一生涯の専門書になると思っております．

　執筆者の先生方には，編集者の思いをご理解いただき，ご無理なお願いにも対応していただきましたことに心より感謝いたします．この本が臨床に必携の一冊となり，よりよい眼科医療の提供ができることを願います．

2018年3月

編集者一同

# 目次

## 第1部 光学　　1

### 第1章 光の性質　　小林克彦　2

### 第2章 幾何光学　　15
- I　レンズによる像のでき方 ―――― 関谷尊臣　15
- II　バージェンス理論 ―――― 18
- III　プリズム ―――― 19
- IV　凹凸面鏡による像のでき方 ―――― 21
- V　入射瞳，射出瞳，絞り ―――― 22
- VI　倍率 ―――― 23
- VII　検査用具の光学 ―――― 川守田拓志　26

### 第3章 光学性能　　大沼一彦　32

### 第4章 物理量と感覚量（測光量）　　内川惠二　45

### 第5章 光安全性　　遠藤雅和　49

### 第6章 レーザー光学　　山田　毅　54

### 第7章 眼球光学　　祁　華　62

### 第8章 矯正の光学　　73
- I　正視と屈折異常 ―――― 祁　華　73
- II　矯正の理論 ―――― 77
- III　眼内レンズの光学 ―――― 79
  1. 非球面眼内レンズ …………… 四倉絵里沙，根岸一乃　79
  2. 高次非球面眼内レンズ …………… 80
  3. 着色眼内レンズ …………… 80
  4. トーリック眼内レンズ …………… 81
  5. 多焦点眼内レンズ …………… 大沼一彦　82
- IV　眼内レンズ度数計算式 ―― 大本美紀，根岸一乃　92
- V　屈折矯正手術の光学 ―――― 中村　葉　97
- VI　オルソケラトロジーの光学 ―――― 100

## 第2部 光学的検査　　105

### 第9章 視力検査　　魚里　博　106
- A.　視力と視力に影響する因子 …………… 106
- B.　視力表の種類と特徴 …………… 110

### 第10章 コントラスト感度検査　　塩入　諭　113

### 第11章 他覚的屈折検査　　121
- I　オートレフラクトメータ ―――― 川守田拓志　121
- II　ケラトメータ ―――― 126
- III　角膜形状解析装置 ―――― 林　研一　129
- IV　検影法 ―――― 小林克彦　135
- V　調節機能検査装置 ―――― 神田寛行　138

| VI 収差解析装置 ——— 広原陽子 140
| VII レンズメータ ——— 小林真理子 145

## 第12章 前眼部検査　149

I 細隙灯顕微鏡（スリットランプ）——— 山本諭史 149
II スペキュラーマイクロスコープ ——— 中島　将 152
III 眼圧計 ——— 内藤朋子 155
IV 前眼部 OCT ——— 上野勇太 158
V レーザーフレアメータ ——— 廣野泰亮 161

## 第13章 眼底検査　166

I 直像眼底鏡 ——— 野田　徹 166

II 眼底カメラ ——— 167
III OCT，SLO ——— 石子智士 177
IV 補償光学 ——— 山口達夫 180

## 第14章 視野検査　川守田拓志 183

## 第15章 色覚検査　189

I 色覚理論 ——— 内川惠二 189
II 色覚検査 ——— 田中芳樹，玉置明野 194

## 第16章 生体計測　小郷　実 198

# 第3部　眼鏡　207

## 第17章 調節　梶田雅義 208

A. 生理的機構 ............... 208
B. 加齢変化 ............... 210

## 第18章 眼鏡レンズ　212

I レンズの素材と特徴 ——— 祁　華 212
II フィルター，反射防止コート ——— 213
III 光学設計 ——— 213
   A. 面の屈折力，バージェンス，レンズの屈折力 ............... 213
   B. 単焦点レンズ（球面レンズ，非球面レンズ） ............... 215
   C. 二重焦点レンズ ............... 222
   D. 累進屈折力レンズ ............... 223
   E. 近視進行抑制眼鏡 ......... 長谷部聡 230

IV 着色レンズ ——— 鈴木栄二 233
V 遮光眼鏡 ——— 239
VI 偏光レンズ ——— 243
VII レンズコーティング ——— 244

## 第19章 眼鏡フレーム　秀野良児 248

A. 形状 ............... 248
B. 素材 ............... 251
C. 用途別フレーム ............... 254
D. 特殊フレーム ............... 257

## 第20章 眼鏡の加工　西村　淳 260

## 第21章 眼鏡のフィッティング
西村　淳 270

# 第4部　眼鏡処方検査　　283

## 第22章　屈折矯正の概念　　石井祐子　284

A. 明視域 .................................................. 284
B. 眼鏡レンズによる屈折矯正の概念 ........... 285

## 第23章　小児の眼鏡　　287

I　調節麻痺薬 ——————— 保沢こずえ　287
II　光学的弱視視能矯正 ——————— 290
III　調節性内斜視 ——————— 長谷部佳世子　294
IV　非屈折性調節性内斜視 ——————— 296
V　間欠性外斜視 ——————— 298
VI　調節障害 ——————— 石井祐子　300

## 第24章　成人眼鏡調整の基本的検査　　303

I　眼鏡用途の聞き取り ——————— 松本富美子　303
II　所持眼鏡の検査 ——————— 304
III　屈折検査 ——————— 304
IV　瞳孔間距離の測定 ——————— 306
V　装用度数の調整 ——————— 306
VI　眼鏡処方箋の作成 ——————— 石井祐子　313
VII　作製された眼鏡の確認 ——————— 315

## 第25章　成人の眼鏡　　318

I　単焦点レンズ ——————— 松本富美子　318
II　累進屈折力レンズ ——————— 318
III　二重焦点レンズ ——————— 322
IV　不同視への対応 ——————— 322
V　乱視への対応 ——————— 長谷部聡　326

## 第26章　プリズム眼鏡　　石井祐子　328

A. 適応 .................................................. 328
B. 検査 .................................................. 330
C. レンズへの組み込み ........................... 332
D. Fresnel膜プリズム ........................... 333
E. プリズムの合成と分解 ........................... 335
F. 融像野両眼単一視 ........................... 337

## 第27章　眼疾患の眼鏡処方検査　　339

I　角膜疾患 ——————— 阿曽沼早苗　339
　A. 角膜疾患 .................................................. 339
　B. 角膜移植後 .................................................. 341
　C. 屈折矯正手術後 ........................... 342
II　水晶体疾患 ——————— 石井祐子　344
　A. 白内障 .................................................. 344
　B. 高次収差 .................................................. 345
　C. 水晶体偏位 .................................................. 346
　D. 水晶体の形状異常 ........................... 348
III　眼内レンズ挿入後の眼鏡処方検査 ——— 349
　A. 単焦点IOL .................................................. 349
　B. 多焦点IOL .................................................. 350
　C. 小児IOL .................................................. 351
IV　調節障害 ——————— 長谷部聡　353
V　網膜疾患 ——————— 仲村永江　359
　A. 片眼が視力不良の場合 ........................... 359
　B. 両眼とも視力不良の場合 ........................... 361
VI　視野異常 ——————— 南雲幹　363
　A. 網膜色素変性症（求心性視野異常）........... 363
　B. 緑内障 .................................................. 364
　C. 半盲 .................................................. 365
VII　遮光レンズ ——————— 阿曽沼早苗　367
　A. 羞明を訴える場合 ........................... 368
　B. 小児の場合 .................................................. 370
　C. 公的補助が受けられる場合 ........... 371
VIII　LEDと着色レンズ，睡眠 ——— 綾木雅彦　372
IX　片眼疾患の眼鏡調整 ——————— 菊池由夏子　375
　A. オクルア®を使用した例 ........................... 375
　B. 遮閉膜(Bangerter occlusion foil)を
　　使用した症例 .................................................. 376
　C. 乱視を矯正せず等価球面値で対応した例
　　 .................................................. 377
　D. 術後不同視への対応 ........................... 378

# 第5部 コンタクトレンズ　　381

## 第28章 コンタクトレンズ　　382

- I　コンタクトレンズの種類と変遷 ── 宮本裕子　382
- II　コンタクトレンズの光学 ── 梶田雅義　386
- III　多焦点コンタクトレンズのパワー分布
  ── 大沼一彦　389
- IV　コンタクトレンズ処方のための検査
  ── 月山純子　393
- V　コンタクトレンズの可能性
  （付加価値コンタクトレンズ）── 宮本裕子　396

索引 ……………………………………… 399

### Column
眼鏡フレームの国内90％以上の
　生産シェアをもつ鯖江市 ……………… 石井雅子　259
照明光が変化しても
　同じ色に見える（色の恒常性） ……… 石井祐子　302

# 略語一覧

＊本書の症例では，下記の略語を用いて，フルスペルと日本語表記は省略した．

APCT　alternate prism cover test：交代プリズム遮閉試験
BSV　binocular single vision：両眼単一視
BV　binocular vision：両眼視力
CC　with correction, cum correction：矯正
ET　esotropia：内斜視
IOL　intraocular lens：眼内レンズ
JB　jetzig brille：現在の眼鏡
LV　left vision：左眼視力
n.c.　non corrigunt：矯正不能
NLV　near left vision：近見左眼視力
NRV　near right vision：近見右眼視力
OA　objective angle：他覚的斜視角
RV　right vision：右眼視力
SC　without correction, sin correction：裸眼
SCL　soft contact lens：ソフトコンタクトレンズ
SP　simultaneous perception：同時視

第 1 部

# 光学

# 第1章
# 光の性質

屈折異常のほとんどは幾何光学(geometrical optics)の考え方で理解することできる．しかし，同じ視力でもLASIK(laser *in situ* keratomileusis)前後で見え方のコントラストが違う．あるいは，白内障の進行に伴う見にくさのようなQOV(quality of vision)を正確に評価し，詳しく理解するためには，波動光学(wave optics)の考え方が必要となる．さらには，OCT(optical coherence tomography；光干渉断層計)画像を正確に読み取るためには，生体組織の組成の違いに対する，光の波としての作用の違いを波動光学的な観点から理解していなくてはならない．

本項では，光が波であることによって引き起こされる光学現象について，光の性質として述べ，波動光学と幾何光学との違いにも触れる．また，光の性質に関する基本について屈折矯正に必要な範囲で解説し，その臨床，あるいは臨床用測定装置との関連の詳細は，他項に譲る．

## 1 光学の分類

光学の考え方は，図1-1に示すように分類することができる．すなわち，物質中を伝搬する光は，すべて量子光学(quantum optics)の考え方で説明することができるが，物質が光の波長に対して十分に大きいときは線形光学(linear optics)で考え，物質が光の波長に等しいか，より小さいナノメートル(nm)寸法のときには非線形光学(nonlinear optics)で考えなくてはいけない．つまり，物質が回折限界(diffraction limit)(本章「回折理論」項，⇒8頁参照)を下回るくらい小

くなると，波動光学でも光の振る舞いを説明できなくなってしまう．

ただし，この非線形光学は，光露光によって記録密度の高い集積回路を作るようなときや光通信の分野で問題となる．つまり，光学系の精度が上がるにつれて，幾何光学，波動光学，量子光学の考え方を適用することになる．屈折矯正を考えるときには，非線形光学までは必要ないので，本書のほとんどの部分で，幾何光学と波動光学とを含む線形光学までを扱うが，偏光やレンズのコーティングに関しては，量子光学の考えを用いる．

## 2 光の本質

### a. 光は電磁波

光は，レントゲン撮影で使うX線や，地上デ

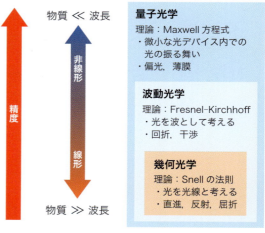

図1-1 光学の分類

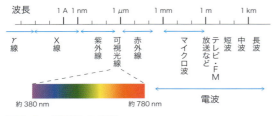

図1-2 電磁波の分類

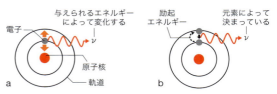

図1-4 熱放射(a)とルミネッセンス(b)
周波数νの電磁波＝波長c/νの電磁波(cは光速)

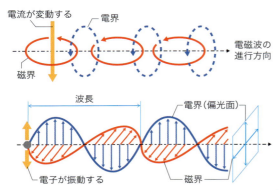

図1-3 電界と磁界の連鎖による電磁波の発生と波長
電子が振動する(＝電流が変動する)と磁界が発生し、電磁波が放出される.

ジタル放送や携帯電話で使われている電波と同じ電磁波(electromagnetic waves)なので、同じような位相で空間を伝わる。その違いは、周波数(frequency)(＝1/波長)だけである(図1-2)。ここで、電磁波とは、「電界(electric field)と磁界(magnetic field)の連鎖的な発生」で、電流の周りに磁界が発生し、その磁界の周りに電界が発生し、という連鎖が延々と続く現象のことである(図1-3)[1]。電界の振動方向が光の偏光面(本章「偏光」項、⇒11頁参照)になる。電磁波は振動方向に対して直角の方向へ進むので、横波(transverse waves)である。このとき、電流が周期的に変動すると、磁界も周期的に変動し、ある周期をもった電磁波となる。その電磁波の1周期の長さを波長という。このうち、人間の視覚に吸収され視感覚を生じさせる約380〜780 nm の波長の電磁波を可視光線とよんでいる[2]。

### b. 「光る」とは

電子が振動することは、電流が変動したことと同じなので、物質の中の電子が振動すると電磁波が発生し、その波長が約380〜780 nm のときに可視光線となる(図1-2)。すなわち、物質の中の電子が振動することで、物質が光源となるが、光源からの光には、熱放射(radiation heat)とルミネッセンス(luminescence)の2種類がある(図1-4)。

#### 1) 熱放射(白熱電球など)

元素は原子核とその周りの軌道を回る電子で構成される。白熱電球のフィラメントはタングステンでできているが、これに電流を流すと、タングステンは自身の電気抵抗により発熱し、元素の原子核の軌道を回っている電子が振動する。電子の振動数が周波数νであれば、光の速さをcとすると、波長c/νの電磁波が放出される。フィラメントに流す電流が少なければ、放出される電磁波の振動数は小さく(波長は長い)、電流が多ければ電磁波の振動数は大きく(波長は短い)。これが熱放射による光である。このことは、懐中電灯の光が、電池が新しいときには白っぽい光(振動数が高く波長の短い青い成分が多い)であるのに対して、電池が古くなると赤っぽい光(振動数が低く波長の長い赤い成分が多い)になる現象から確認できる(図1-4)。

#### 2) ルミネッセンス(蛍光灯、蛍、レーザーなど)

通常の軌道を回っている電子が励起エネルギー(強い光や強い磁界など)によって、外側の軌道を回り始めることがある。外側の軌道は不安定なの

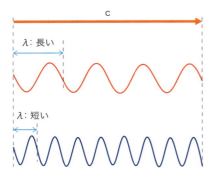

図 1-5　周波数と波長の関係
$\lambda$：波長，$\nu$：周波数，
$c$：光速（光が 1 秒間に進む距離）
$\nu = 1$ 秒間の波の数 $= \dfrac{c}{\lambda}$
波長長い（赤）⇒周波数低い
波長短い（紫）⇒周波数高い

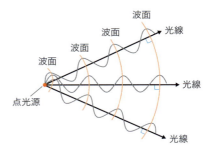

図 1-6　光の波と波面

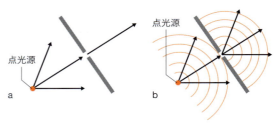

図 1-7　幾何光学（a）と波動光学（b）

で，電子は元の軌道に戻るが，このときに外側の軌道を回るエネルギーと内側を回るエネルギーとの差が電磁波として放出される．これがルミネッセンスによる光である．放出される電磁波の振動数は，与えられた励起エネルギーに関係なく，元素によって決まっている．このことは，例えば蛍光灯などの光は古くなると暗くはなるが，色が変わることはない現象から確認できる（図 1-4）．

### c. 波長と振動数との関係

光が空気中や真空中で 1 秒間に進む距離は，光速 $c ≒$ 約 $3.0 \times 10^8$ m/sec と決まっているので，1 秒間に進む距離の中に入る波の数が周波数 $\nu = c/\lambda$ ということになる．したがって，波長が長ければ周波数が低く（赤），波長が短ければ周波数が高い（紫）（図 1-5）．単位は，波長が nm，振動数は 1 秒間に振動する回数として Hz を用いる．

## 3 幾何光学と波動光学との違い

光源から出た光は振動しながら広がっていく（図 1-6）．広がっていく波の山と山とを結んだ線を波面（wave front）といい，波面と直交し，波が進む方向を表わす直線を光線（ray）という．このように広がっていく光を波として考えるのが波動光学で，光線だけを考えるのが幾何光学である．

したがって，幾何光学では光源から出てスリットに向かって直進した光は，スリットを通過した後はそのまま直進する（図 1-7）．これに対して，波動光学では，光源から出た波面がスリットを通過すると，再びスリットを光源とする波面として広がっていくと考える．

## 4 光の進み方

このように，光を波として，すなわち波動光学で考えることで，光のもつ種々の性質を説明することができる．

### a. 反射

図 1-8 は，入射する光の波面の山（この場合は平面波）を示す．境界面に対して角度 $\theta_i$ で到達した波 AD は，最初に境界面に達した A 点が反射（reflection）していく．波 AD が順次，境界に達し，D 点が境界に達したときには，A 点は C 点まで移動している．つまり，△ABD ≡ △BAC の関係が成り立つので，波 BC が反射する角度 $\theta_o$ は，$= \theta_i$ になる．

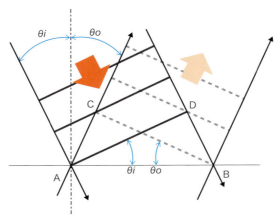

図 1-8 平面波の反射

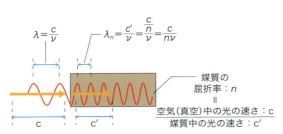

図 1-9 媒質中での光の速さと波長

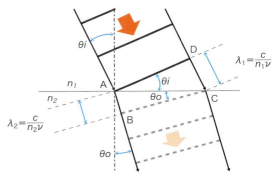

図 1-10 屈折率が異なる媒質の境界での光の屈折

境界面の法線に対する波の進行方向である入射角を $\theta_i$, 反射角を $\theta_o$, とすると, 反射の法則,

$$\theta_i = \theta_o$$

が成り立つ.

## b. 屈折（Snell の法則）

先に記したように, 光の速さは, 真空あるいは空気中では, $c \fallingdotseq$ 約 $3.0 \times 10^8$ m/sec だが, 屈折率 (refraction index) が $n$ の媒質 (medium) 中での速さは $c' = c/n$ になる. 実は, 真空あるいは空気中での光の速さに対する媒質中での速さの比がその媒質の屈折率である（図 1-9）. 空気中でも媒質中でも光の振動数は変わらないので, 媒質中での波長 (wavelength) は下記のようになる.

$$\lambda_n = \frac{c'}{\nu} = \frac{\frac{c}{n}}{\nu} = \frac{c}{n\nu}$$

ここで, 屈折率 $n_1$ と $n_2$ の媒質の境界を光が進むとき（図 1-10）, それぞれの媒質中での波長は, 下記のようになる.

$$\lambda_1 = \frac{c}{n_1 \nu} \qquad \lambda_2 = \frac{c}{n_2 \nu}$$

また,

$$\sin \theta_i = \frac{\lambda_1}{AC} \quad \text{より}$$

$$AC = \frac{\lambda_1}{\sin \theta_i} = \frac{c}{n_1 \nu \sin \theta_i}$$

$$\sin \theta_o = \frac{\lambda_2}{AC} \quad \text{より}$$

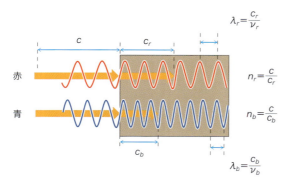

図1-11 同じ媒質中における波長の違い

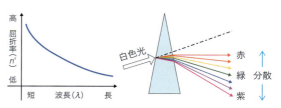

図1-13 波長により異なる屈折率とプリズムに入射した白色光の分散

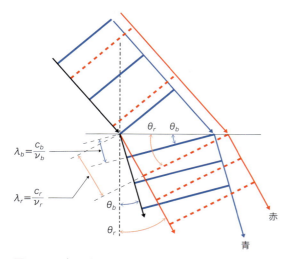

図1-12 色により異なる屈折角

$$AC = \frac{\lambda_2}{\sin\theta_0} = \frac{c}{n_2 \nu \sin\theta_0}$$

$$\therefore \frac{c}{n_1 \nu \sin\theta_i} = \frac{c}{n_2 \nu \sin\theta_0}$$

$$\frac{1}{n_1 \sin\theta_i} = \frac{1}{n_2 \sin\theta_0}$$

$$\therefore n_1 \sin\theta_i = n_2 \sin\theta_0$$

となり，Snell（スネル）の法則が成り立つ．

### c. 分散

同じ媒質に赤い光と青い光とが入射すると（図1-11），波長の短い青い光のほうが光速の遅くなりかたが大きい．媒質内での光速をそれぞれ，$c_r$, $c_b$ とすると，

$$c_b < c_r \qquad \nu_r < \nu_b$$

なので，

$$\lambda_b < \lambda_r$$

となる．

したがって，空気中から媒質に赤い光と青い光とが入射する場合を考えると，屈折後の波長の違いにより，屈折角に違いが生じる（図1-12）．また，図1-9に記したように，空気中での光の速さに対する媒質中での速さの比がその媒質の屈折率なので，同じ媒質に対して，光の波長によって屈折率が異なることがわかる．波長に対する屈折率は長波長ほど小さくなるので，プリズムに入射した白色光は分散（dispersion）する（図1-13）．

## 5 光の干渉

図1-14には，水面上の2つの点から広がる同じ波長の波の様子を示す．2つの波が重なり合ったところで，水面が大きく振動するところと，全く振動しないところが生じる．この現象を，波の断面で考えると，図1-15のようになる．すなわ

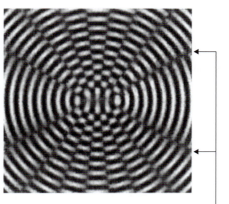

図 1-14 波の干渉

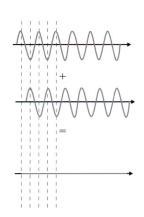

図 1-15 光の干渉

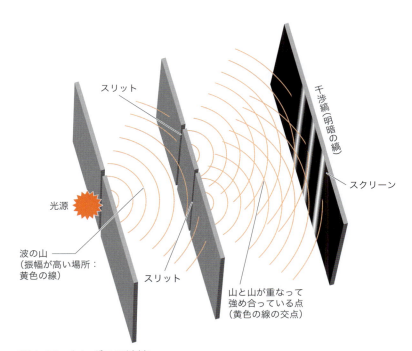

図 1-16 ヤングの干渉縞

ち，右方向に進む2つの波 a，b が重なると，山と山，谷と谷とが重なった部分はそれぞれ，強め合い，弱め合うので，c の波が合成される．また，2つの波が少しずれて，波の山と谷とが重なってしまうと，波が打ち消し合って変動はゼロになる．このような波の現象を干渉 (interference) という．

### a. Young の干渉縞実験

光も波なので，これと全く同じ現象が起こり，ヤングの干渉縞 (Young's experiment for interference) として知られている (図 1-16)．隙間を通った光は波のように広がり，横に回り込んで，斜めにも進む．波の山と山がぶつかると強め合って明るくなり，谷と谷がぶつかると弱め合って暗

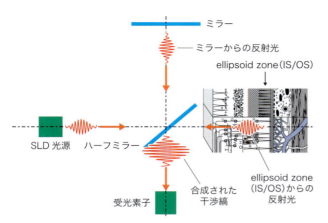

図 1-17　Michelson 干渉計の原理を使った OCT
SLD：Super luminescent diode

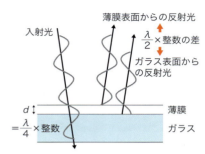

図 1-18　ガラス面の反射防止薄膜（コーティング）

くなり，スクリーンを置けば，縞模様ができる．

## b. OCT

OCT は，波の山と山がぶつかると強め合う現象を利用している．図 1-17 にマイケルソンの干渉計（Michelson interferometer）を使った OCT の基本原理を示す．光源を出た光が，同時にミラーと ellipsoid zone（IS/OS 層）に到達する．ハーフミラーからミラーまでの距離と ellipsoid zone までの距離とを等しく置くと，ミラーから返ってくる光と，反射率（reflectance）の高い ellipsoid zone から返ってきた光がハーフミラーで合成され，強く干渉し，受光素子に大量の光量が入る．その結果，OCT 画像では，ellipsoid zone は明るい層として示される（詳細は第 13 章「OCT，SLO」項参照，⇒177 頁）．

## c. 反射防止コーティング

眼鏡レンズなどの反射防止コーティング（anti-reflection coating）は，山（谷）と谷（山）がぶつかると打ち消し合う現象を利用している（図 1-18）．ガラスの上に屈折率がガラスより小さい物質で薄膜（thin film）を作ると，入射光の一部は薄膜表面とガラス表面で，位相（phase）が 180° 反転した反射光となる．薄膜の厚さを（λ/4）×整数にしておくと，それぞれの反射光の間に往復で（λ/2）×整数の光路差が生じ，互いに打ち消し合って，ガラスの表面では反射されず，すべてがガラスの中に入っていく（詳細は第 18 章「着色レンズ」項参照，⇒233 頁）．

## 6 光の回折

光には回り込む回折（diffraction）という性質がある．このために，カメラレンズでも，絞りの大きさによって画像の質（image quality）に差が出たりする．また，瞳孔の大きさが，視力検査の良し悪しに影響したりする．このような現象は，光の回折による．

## a. Huygens-Fresnel の原理

光が開口を通った後に直進せずに回り込む現象は，ホイヘンス-フレネルの原理（Huygens-Fresnel principle）によって説明できる．波面上にあるすべての点から出た 2 次波面の合成包絡面が次の波面となり，その波面上にあるすべての点から 2 次波面が出て，ということを繰り返して光が伝播していく（図 1-19）．光源に近いところでは，球面波（spherical wave），遠方では平面波（plane wave）となる．

## b. 回折理論

この均一な光強度の平面波が開口（aperture）を

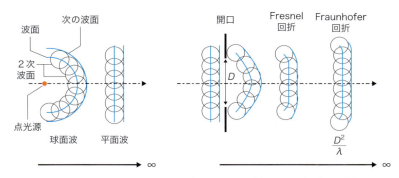

図 1-19　Huygens-Fresnel の原理と Fresnel 回折，Fraunhofer 回折

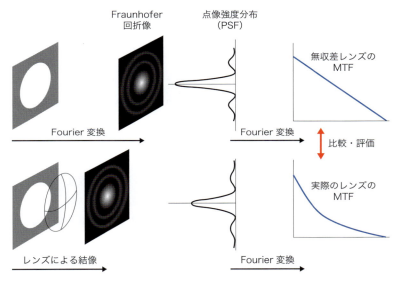

図 1-20　Fraunhofer 回折とレンズとの関係

通過するとき，回折の影響を受けてどのような強度分布になるのかを考えるのが回折理論（diffraction theorem）である．開口を通過した平面波は図 1-19 に示すように回折の影響を受ける．開口を通過した後の開口に近いところと，開口の直径を $D$ としたときに $D^2/\lambda$ より遠方にできる像をそれぞれ，フレネル回折像（Fresnel diffraction pattern），フラウンフォーファー回折像（Fraunhofer diffraction pattern）といい，光強度分布（intensity distribution）をフレネル-キルヒホッフの回折積分（integral theorem of Fresnel-Kirchhoff）に対する近似式によって求めることができる[3]．非常に複雑な計算式となるが，Fraunhofer 回折像については，これをフーリエ変換（Fourier transformation）の式に置き換えて，開口における光強度分布を表わす瞳関数 $i(x, y)$ を，その Fourier 変換 $I(x, y)$ として，比較的容易に求めることができる．また，実際の像は，通常は長い距離から観察しなければならない[3]．そこで，開口を収差のない凸レンズ（無収差レンズ）で置き換えると，その焦点 $f$ の位置にできる回折像は Fraunhofer 回折と等価になり，短い距離でも観察することができる（図 1-20）．したがって，一般的な光学機器では光学系の焦点位置での像が問題になるので，Fraunhofer 回折像を知ることで，光学系の評価を行うことが可能になる．

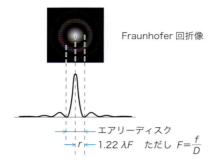

**図 1-21** Fraunhofer 回折像の強度分布
光強度の分布＝点像強度分布(PSF)

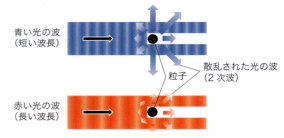

**図 1-23** 波長による散乱の違い
粒子の大きさ＜波長の 1/10

さらに，この点像強度分布を Fourier 変換すると，MTF(modulation transfer function：周波数伝達関数)を得ることができる．

開口の Fourier 変換＝無収差レンズの PSF

このため，実際に測定したレンズの点像強度分布から得た MTF を，開口の MTF と比較することで，レンズの評価ができる(図 1-20)．

# 7 散乱

(詳細は第 3 章「散乱」項参照，⇒41 頁)

光が進む媒質の中に，波長に対して無視できない程度の大きさの粒子があるときに散乱(scattering)という現象が生じる(図 1-22, 23)．

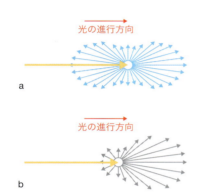

**図 1-22** 粒子の大きさと散乱の種類
a：粒子の大きさ＜波長の 1/10．波長に依存した散乱(Rayleigh 散乱)⇒空が青い，夕焼けは赤い．
b：粒子の大きさ＞波長の 1/10．波長に依存しない散乱(Mie 散乱)⇒雲は白い，厚くなるとグレー．

## a. 粒子の大きさの違いによる散乱の種類

光が進む媒質中の粒子の大きさが，波長のおおよそ 1/10 より小さいときには，波長に依存したレイリー散乱(Rayleigh scattering)が生じる．光は波なので，進む方向に粒子のような障害物があると，粒子が大きいときには，光の波は粒子を乗り越えることができずに散乱を起こす．一方，波長に対して粒子が小さいときには，光の波は粒子を乗り越えてしまうので，散乱が起こりにくくなる．この散乱光の強度は，周波数の 4 乗に比例することがわかっている[4]．

太陽からやってくる可視光の中の，青い光($\lambda$=0.4 nm，750 THz)と赤い光($\lambda$=0.7 nm，430 THz)に対して，空気に含まれる気体分子(0.1 nm)は大きさが無視できないので，Rayleigh 散

## c. Fraunhofer 回折像

(詳細は第 3 章「光学性能」項参照，⇒32 頁)

Fraunhofer 回折像は，中心部が明るく，その周りに同心円状に明るい輪と暗い輪とが繰り返す光強度分布になっている(図 1-21)．この光強度分布を，点像強度分布(PSF：point spread function)という．中心部の明るい部分をエアリーディスク(Airy disc)という．全光量の 84％ が集まっているので，これが，実質的には凸レンズによってできる実際の点像の大きさということになる．その半径 $r$ は，開口の直径：$D$(レンズの有効系)，像面までの距離：$f$(レンズの焦点距離)，波長：$\lambda$ とで下記のように決まる．

$$r = 1.22 \lambda F \quad \text{ただし，} F = \frac{f}{D}$$

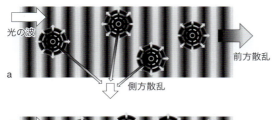

図1-24 粒子の密度と散乱の種類
a：希薄　b：高密度

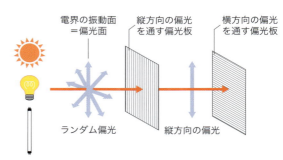

図1-25 偏光面と偏光板

乱が生じる．青い光による散乱光強度は赤い光による散乱光強度よりも，約9倍（750/430）も強い．したがって，昼間は，青い光が散乱されて空が青く見えるが，赤い光だけが空気を通ってくる夕日が赤く見える，という現象が起こる．

一方，媒質中の粒子の大きさが，大気中のかすみ，煙霧，霧などのように波長のおおよそ1/10より大きいときには，波長に依存しないミー散乱（Mie scattering）が生じ，可視光線だけではなく，赤外線も散乱の影響を受けるようになる[6]．

### b. 粒子の密度の違いによる散乱の種類（図1-24）

媒質中の粒子の密度が希薄な場合，粒子との干渉によって生じた光の波は，他の2次波と干渉することなく側方にも伝わっていき，媒質を出てから強め合う方向にも存在する．これに対して，粒子が高密度に存在する媒質中では，多数の粒子からの2次波は打ち消されてしまうので，側方散乱は存在しないことになる．これに加えて，前方散乱は強め合い，後方散乱は弱め合う性質があるので[4]，高密度な媒体を通過する光は前方散乱のみがあることになる．

## 8 偏光

（詳細は第2章「偏光フィルター，偏光レンズ」項参照，⇒29頁）

本章「光の本質」項（⇒2頁）で述べたように，光は振動する電子から発生する電磁波である．電磁波は磁界と電界とが振動を繰り返しながら進む横波だが，光の場合はこの電界の振動面を偏光（polarization）面という[3]．

### a. 偏光面と偏光板（図1-25）

太陽光，白熱電球，蛍光灯などの通常の光は，いろいろな方向に振動する電子によって電磁波が発生するので，様々な方向に振動する光の集まりである．この光をある方向に振動する光のみを通す偏光板を通すと，一方向のみに振動する偏光となる．この偏光は，偏光面と直交する偏光板を通過することはできない（図1-25）．

透明な媒質同士の境界面でランダム偏光が反射するとき，入射面と同一方向の偏光をP（parallel）偏光，これと直交する方向の偏光をS（senkrecht）偏光という．反射光と屈折光とのなす角が90°のときに，反射光のP偏光成分が0となる．このときの入射角をBrewster角といい，下記の式で決まる[7]（図1-26）．

$$\theta_1 + \theta_2 = 90°$$

### b. 偏光サングラス（図1-27）

光の偏光の性質を利用したものが偏光レンズである．水の中にいる魚からの反射光はランダム偏

光だが，水面からの反射光が強いと，水中をよく見ることができない．そこで，P 偏光のみを通す偏光レンズをかけることで，先に述べたように，S 偏光成分を多く含む水面からの反射光のほとんどがカットされる．水中からくる P 偏光のみが偏光レンズを通過するので，水中の魚をくっきりと見ることができる．

### c. 偏光の種類

光の偏光状態には，直線偏光（linear polarization），円偏光（circular polarization），楕円偏光（elliptic polarization）があり，光の進行方向に対する電界（偏光面）の変化の形状を示している[4]．

（図 1-28）．

### d. 位相変換素子（polarizer）[7]

適切な位相変換子を使えば，任意の形状の偏光を他の任意の形の偏光に変えることができる．

位相変換素子とは，単色光を，強度を変えないで2つの成分に分け，一方の位相を他の成分に対して遅らせ，次にこの2つの成分を再び結合して1本の光線にする作用をもった光学装置である．言い換えると，ある特定の2つの偏光のうちの一方の形状は変えないが，他の偏光の形状を変えるという光学装置である（図 1-29）．その2つの偏光の形状は素子の固有ベクトルによって，つまり，2つの成分間の位相差（retardation）で決まる．それが直線偏光であるか，円偏光であるか，楕円偏光であるかによって，直線位相板（linear polarizer），円位相板（circular polarizer），楕円位相版（elliptic polarizer）などの位相変換素子がある（図 1-30）．

### e. 位相変換素子の応用[8]

1/4 波長板（quarter-wave plate）を眼科用機器に応用すると，鏡面反射成分のみの眼底を観察することができる．すなわち，光源から出た光線が，直線偏光素子によって S 偏光に変換され，

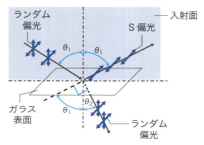

**図 1-26** 透明な媒質同士の境界面での反射と Brewster 角
$\theta_1 + \theta_2 = 90°$
が成り立つ $\theta_1$ を Brewster 角という

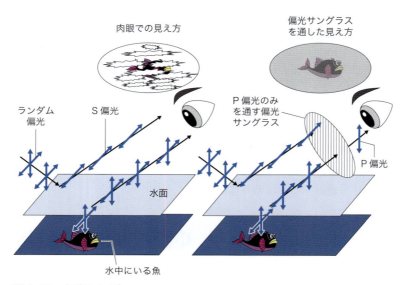

**図 1-27** 偏光レンズ

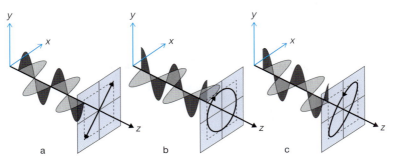

**図 1-28　偏光の種類**
a：直線偏光　b：円偏光　c：楕円偏光
(大津元一，田所利康：光学入門．pp44-50, 朝倉書店, 2008 より)

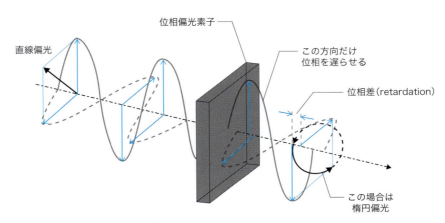

**図 1-29　位相変換素子の仕組み**

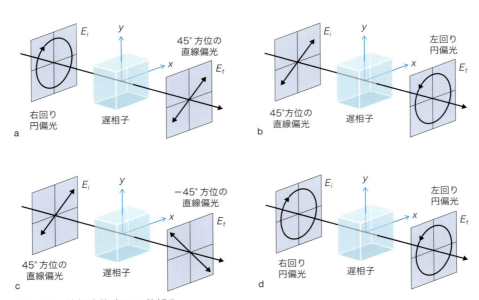

**図 1-30　位相変換素子の仕組み**
a：1/4 波長板による直線偏光への変換　b：1/4 波長板による円偏光への変換　c：1/2 波長板による偏光面の変換　d：1/2 波長板による偏光方向の変換
(大津元一，田所利康：光学入門．pp44-50, 朝倉書店, 2008 より)

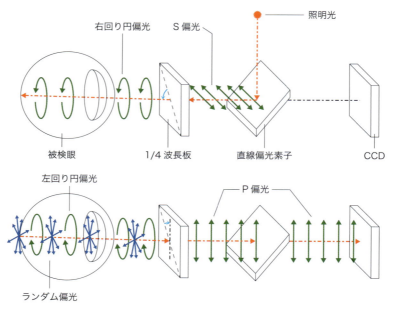

図 1-31 1/4 波長板による眼底からの鏡面反射成分の抽出
(Kobayashi K, Shibutani M, Takeuchi G, et al: Ocular single-pass MTF calculation and retinal image simulation from measurements of the polarized double-pass ocular point spread function. J Biomed Opt 9: 154-161, 2004 より)

さらに 1/4 波長板を通して右回り円偏光に変換されて，被検眼眼底に照射される．眼底からは，外境界膜や内境界膜などの鏡面構造で反射された左回り円偏光と，網膜内部構造からのランダム偏光とが返ってくる．1/4 波長板と直線偏光素子を通過できるのは P 偏光のみなので，鏡面反射成分のみが抽出される[8]（図 1-31）．

▶ 文献

1) 江馬一弘：ニュートン別冊　光とは何か．ニュートンプレス，2007
2) 日本視覚学会（編）：視覚情報処理ハンドブック．朝倉書店，2000
3) 飯塚啓吾：光工学．共立出版，1977
4) 大津元一，田所利康：光学入門．pp44-50, 朝倉書店，2008
5) 辻内順平：光学変換．井上英一，佐柳和男（編）：印写工学 I　画像解析．pp155-195, 共立出版，1975
6) Hackforth HL（著），和田正信，中野朝安（訳）：赤外線工学．近代科学社，1963
7) Shurcliff WA（著），福富斌夫，有賀那加夫，三輪啓二（訳）：偏光とその応用．pp78-80, 共立出版，1965
8) Kobayashi K, Shibutani M, Takeuchi G, et al: Calculation of ocular single-pass modulation transfer function and retinal image simulation from measurements of the polarized double-pass ocular point spread function. J Biomed Opt 9: 154-161, 2004

〔小林克彦〕

# 第2章

# 幾何光学

## I レンズによる像のでき方

本章では幾何光学(geometrical optics)に基づき,レンズの作用やプリズムの利用方法を解説していく.なお特に記載がない場合,レンズは厚みがない(薄い)理想光学系として捉えていることに留意されたい.

### 1 光線の性質

Snell の法則(Snell's law)に基づき,光線(light ray)はレンズを通過する際に屈折する.図 2-1 に,レンズを通過する光線の性質を示す.レンズの焦点距離(focal length)を $f$ とする.レンズの中心を通る光軸(optical axis)に平行な光線が,正のパワーをもつレンズ(以下,正レンズ)に入射すると,レンズから $f$ だけ離れた像焦点(image focal point)を通るように屈折される(図 2-1a).次に,物体焦点(object focal point)を通る光線がレンズに入射すると,屈折されて光軸と平行に射出される(図 2-1b).また,レンズの中心を通る光線は,屈折せずに直進する(図 2-1c).

### 2 レンズによる結像

レンズによる結像(imaging)は,図 2-1 の性質に基づいて,図で表わして理解できる.図 2-2 では,正レンズの場合を示す.焦点距離 $f$[m]のレンズから $a$[m]離れた物体において,光軸から高さ $h$[m]の位置から放出された多数の光線を考える.そのうち,光軸と平行に進む光線は,レンズで屈折されて像焦点を通過して進む.物体焦点を通る光線は,レンズに到達すると屈折されて光軸と平行に進む.レンズの中心に向かう光線は,そのまま直進する.この3本の光線は,レンズから $b$[m]離れ,光軸から $h'$[m]で交わる.光軸上からこの交点に垂線を引くと,像はこの線を含

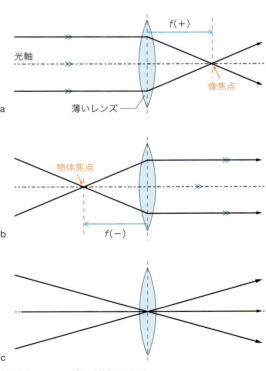

図 2-1 レンズと光線の関係
$f$:焦点距離

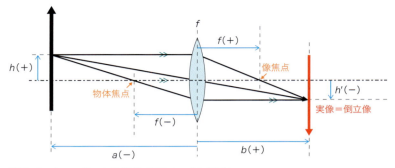

**図 2-2** レンズによる結像（正レンズの場合）
$f$：焦点距離　$h$：物体高　$h'$：像高　$a$：レンズから物体までの距離　$b$：レンズから像までの距離

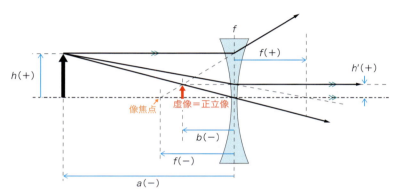

**図 2-3** レンズによる結像（負レンズの場合）
$f$：焦点距離　$h$：物体高　$h'$：像高　$a$：レンズから物体までの距離　$b$：レンズから像までの距離

む平面上に生じる．像は実像（real image）であるが，上下左右が反転した倒立像（inverted image）になっている．もちろん，$h$ 以外の高さからの光線もレンズを通れば同様に $b$ 位置に到達し結像に寄与する．

なお図では，レンズ位置を中心に右に進むと（＋），左に進むと（−），光軸から上向きを（＋），下向きを（−）と考える．

結像の関係は，数学的にも記述できる．空気中に置かれたレンズでは，

$$\frac{1}{f}=-\frac{1}{a}+\frac{1}{b} \qquad \cdots ❶$$

これを結像の公式という．$f$, $a$, $b$ の単位は[m]である．眼光学では，長さ[m]の逆数をジオプター（diopter）と定義しているので，$f$, $a$, $b$ の逆数を各々 $D_f$, $D_a$, $D_b$, とすれば，

$$D_f=-D_a+D_b \qquad \cdots ❷$$

となり，分数の計算が単純な足し算に変わる．

図 2-3 は，負のパワーをもつレンズ（以下，負レンズ）の場合を示している．負レンズでは，光軸と平行にレンズへ入射した光線は，屈折し，物体側にある像焦点とを結ぶ直線上に射出される．物体焦点に向かう光線は，レンズから射出されると光軸と平行な光線として高さ $h'$ で進む．レンズの中心を通る光線は直進する．これらの交点を通る光軸からの垂線上に像ができるが，これは虚像（virtual image）になる．またこの像は，正立像（erect image）である．数学的記述は，負レンズでも変わらず，式 ❶ や式 ❷ がそのまま利用できる．このとき $a$ や $b$ の符号に注意する．

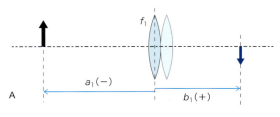

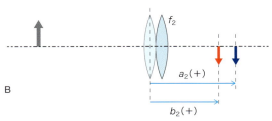

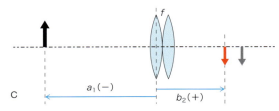

**図 2-4** 2枚のレンズによる結像（レンズを密着させた場合）
$f$ ：合成された光学系の焦点距離
$f_1$：第1レンズの焦点距離
$f_2$：第2レンズの焦点距離
$a_1$：第1レンズから物体までの距離
$b_1$：第1レンズから像までの距離
$a_2$：第1レンズによる像から第2レンズまでの距離
$b_2$：第2レンズから最終像まで距離

## 3 複数レンズによる結像

2枚以上のレンズが組み合わされた場合では，レンズを密着させた場合と離れて配置された場合とで，計算式に違いが出てくる．

図 2-4 は2枚のレンズを密着させた場合で，レンズ1枚ずつの結像を順に考えていけばよい．図 2-4A で第1レンズの結像を考える．

$$\frac{1}{f_1} = -\frac{1}{a_1} + \frac{1}{b_1} \qquad \cdots ❸$$

$$D_1 = -D_{a1} + D_{b1} \qquad \cdots ❹$$

となる．

次に図 2-4B のように，第1レンズでできた像を第2レンズの物体と見立てて考えると，

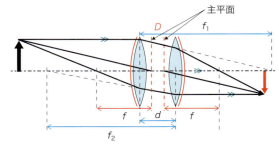

**図 2-5** 2枚のレンズによる結像（レンズ間隔がある場合）
$f$ ：合成された光学系の焦点距離
$D$：合成された光学系の屈折力
$d$：レンズ間距離
$f_1$：第1レンズの焦点距離
$f_2$：第2レンズの焦点距離

$$\frac{1}{f_2} = -\frac{1}{a_2} + \frac{1}{b_2} \qquad \cdots ❺$$

$$D_2 = -D_{a2} + D_{b2} \qquad \cdots ❻$$

となる．2枚のレンズの合成された焦点距離は図 2-4C のように2枚の屈折力の和になる．ここで $b_1 = a_2$ すなわち $D_{b1} = D_{a2}$ であるから，式 ❸ と式 ❺ の和，式 ❹ と式 ❻ の和は次のようになる．

$$\frac{1}{f} = -\frac{1}{f_1} + \frac{1}{f_2}$$

$$= -\frac{1}{a_1} + \frac{\cancel{1}}{\cancel{b_1}} - \frac{\cancel{1}}{\cancel{a_2}} + \frac{1}{b_2} \qquad \cdots ❼$$

$$D = -D_1 + D_2$$

$$= -D_{a1} + \cancel{D_{b1}} - \cancel{D_{a2}} + D_{b2} \qquad \cdots ❽$$

厚みのない理想光学系において，密着する2枚のレンズの合成では，比較的単純な計算で求められることがわかる．

一方，間隔 $d$ だけ離れて配置された2枚のレンズの場合は，図 2-5 のようになる．

各々のレンズで光線が曲がる仮想的な面として主平面（principal planes）を定義し，光線の進み方を決めればよい．計算式は，次のようになる．

$$\frac{1}{f} = -\frac{1}{f_1} + \frac{1}{f_2} - \frac{d}{f_1 \times f_2} \qquad \cdots ❾$$

$$D = -D_1 + D_2 - d \times D_1 + D_2 \qquad \cdots ❿$$

密着した場合の式に，レンズの間隔 $d$ に関係する項がつくことに留意する．

## II　バージェンス理論[1]

バージェンス(vergence)の考え方は，レンズ面の屈折力(refractive power)を直接計算していく方法である．

図 2-6 のように，左に凸の面を考える．面屈折力(バージェンスパワー)$P$，入射光線のバージェンス $D_a$，屈折光線のバージェンス $D_b$ は，

$$P = \frac{n - n_0}{r} \quad = \frac{n-1}{r} \; {}_{n_0\text{が空気の場合}} \qquad \cdots \text{⓫}$$

$$D_a = \frac{n - n_0}{a} \quad = \frac{n-1}{a} \; {}_{n_0\text{が空気の場合}} \qquad \cdots \text{⓬}$$

$$D_b = \frac{n - n_0}{b} \quad = \frac{n-1}{b} \; {}_{n_0\text{が空気の場合}} \qquad \cdots \text{⓭}$$

と表わされ，その関係は

$$D_a + P = D_b \qquad \cdots \text{⓮}$$

となる．厚みのない理想レンズとして考えれば，式 ❷ と同等である．

また，式 ⓫〜⓭ において，$n_0$ が空気の場合は右側のように簡略化できる．

眼鏡レンズでバージェンスを使って計算する例を図 2-7 に示す．

$$P_1 = \frac{n - n_0}{r_1} \quad = \frac{n-1}{r_1} \; {}_{n_0\text{が空気の場合}} \qquad \cdots \text{⓯}$$

$$P_2 = \frac{n_0 - n}{r_2} \quad = \frac{1-n}{r_2} \; {}_{n_0\text{が空気の場合}} \qquad \cdots \text{⓰}$$

は，各面の屈折力を示す．次にシェイプファクター(shape factor：SF)を次式で定義することで，

$$SF = \frac{1}{1 - \dfrac{t}{n} \times P_1} \qquad \cdots \text{⓱}$$

眼鏡レンズの屈折力 D が計算できる．

$$D = SF \times P_1 + P_2 \qquad \cdots \text{⓲}$$

なお式 ⓲ は，無限遠方に物体があると仮定している．

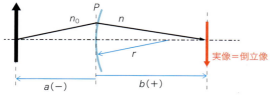

図 2-6　バージェンスの考え方
$P$：面屈折力
$r$：曲率半径　…左に凸なら(＋)
$n_0$：媒質の屈折率
$n$：レンズの屈折率
$a$：レンズから物体までの距離
$b$：レンズから像までの距離

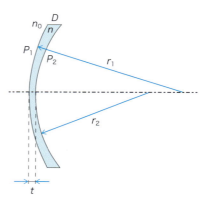

図 2-7　眼鏡レンズの屈折力
$D$：レンズの屈折力
$P_1$：前面の屈折力
$P_2$：後面の屈折力
$t$：レンズの厚さ
$r_1$：前面の曲率半径
$r_2$：後面の曲率半径
$n$：レンズ材料の屈折率
$n_0$：媒質の屈折率(一般には空気＝1)

# III　プリズム[2)]

プリズムは，光線の進行方向を変える作用を有する光学機器である．利用する性質は，屈折と反射とがある．

## 1　プリズムの屈折作用

プリズムを断面で描くと，入射面，射出面，基底(base)で囲まれた三角形になる(図2-8a)．入射面と射出面の交点を頂点(apex)とよび，その角度を頂角(apex angle)という．

プリズムへ入射する光線は，各面で屈折し射出される．各面に垂直な法線と，光線の成す角が入射(射出)角となる．入射光線を延長した直線と射出された光線との成す角をフレの角[偏角(deviation angle)]とよぶ．図2-8aのように，入射角が異なるとフレの角も変化する．入射光と入射面，射出光と射出面の角度が等しくなる光線では，フレの角は最小となる(図2-8b)．また，入射光が入射面に垂直に入射する場合を，プレンティスポジション(Prentice position)とよぶ．

眼光学では，偏角の度合いをプリズムの強さとして，プリズムジオプター(prism diopters[$\Delta$])という単位が用いられる(図2-9)．1プリズムジオプター[$\Delta$]は1[m]先で1[cm]フレることを示す．

$$1\Delta = 100 \times \tan\theta$$
$$= 100 \times 0.01[\mathrm{m}]/1[\mathrm{m}] \quad \cdots ⑲$$
このとき $\theta \fallingdotseq 0.57°$

また，頂角 $a$ と偏角 $\theta$ には，次式のような関係がある．

$$\theta = a(n-1)$$
$$= (n-1)a \fallingdotseq 0.5a \quad \cdots ⑳$$
（$n=1.5$ としたとき）

斜視検査などでプリズムを用いる場合，プリズムの向きを表わす際には，基底の方向で内方(base in)-外方(base out)，上方(base up)-下方(base down)を定義する．角度は，患者に正対して定義されている(図2-10a)．

水平と垂直の組み合わせで，斜めの合成をする際には，それぞれを基底方向のベクトルと考えて合成演算を行えばよい．図2-10bに，右眼での6$\Delta$ base in と 3$\Delta$ base down の例を示した．

検査では，複数のプリズムを直線上に配置したプリズムバーを用いる場合がある．水平に用いる場合と垂直に用いる場合とでは，眼に対する向きが異なるので注意する(図2-11a,b)．さらに，両方を組み合わせた場合を図2-11cに示す．

また，矯正用プリズムでは，3種類の配置が考えられる．図2-12aは，プレンティスポジションで，プリズム後面が患者の視線と直交する配置であり，ガラスのプリズムが用いられる．図2-

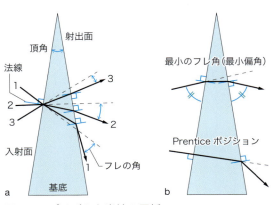

図2-8　プリズムと光線の屈折

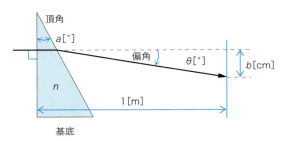

図2-9　プリズムジオプター

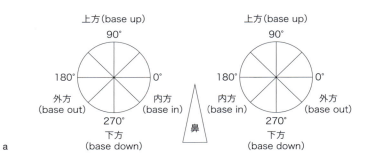

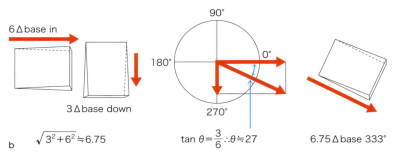

図 2-10　プリズム基底の方向と斜め対応

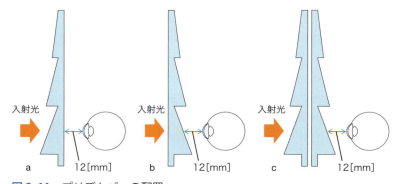

図 2-11　プリズムバーの配置
a：水平用　b：垂直用　c：水平用垂直用

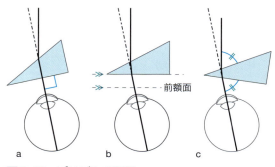

図 2-12　プリズムの配置

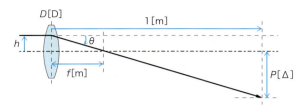

**図 2-13　Prentice の法則**
*f*：レンズの焦点距離　*D*：レンズの屈折力　*h*：光線の高さ
*θ*：光線の角度

12bは，フロンタルプレインポジション(frontal plain position)で，プリズム後面が患者の前額面と平行になる配置で，プラスチックのプリズムやプリズムバーで用いる．図 2-12c は，最小フレ角の位置で構成されているブロックプリズムを用いる場合の配置になる．

レンズのプリズム作用については，プレンティスの法則(Prentice's law)が成り立つ(図 2-13)．レンズ中心からの偏位を *h* (高さ)としたときのプリズムジオプターを求めることができる．

$$P_{[\Delta]} = h_{[cm]} \times \frac{1}{f_{[m]}} = h_{[cm]} \times D_{[D]}$$

$$= \frac{h_{[mm]} D_{[D]}}{10} \quad \cdots ㉑$$

## 2 プリズムの反射の作用

反射の作用について図 2-14a に示す．基底の

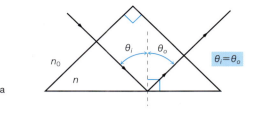

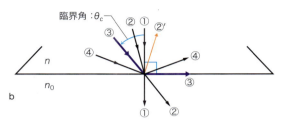

**図 2-14　反射の作用**

面(反射面)では，入射の角度($\theta_i$)と射出の角度の値($\theta_o$)は等しくなる．また図のような頂角が直角のプリズム(直角プリズム)では，垂直に入射した光線は，射出面と垂直に射出される．

また，図 2-14b では，入射角に応じた反射光の振る舞い：①透過，②屈折・反射，③臨界角(critical angle)，④全反射(total reflection)を示す．光線は，①②では媒質 *n* の外に出られるが，③④では出られない．臨界角($\theta_c$)と屈折率との関係は，次式のようになっている．

$$\sin \theta_c = \frac{n_0}{n} \quad n_0 < n \text{ の場合} \quad \cdots ㉒$$

# IV　凹凸面鏡による像のでき方

鏡(mirror)は，光線を反射することで，その進行方向を大きく変化させる作用がある．平面鏡(flat mirror)は入射角と反対向きに同じ角度で反射させることができる．凹面鏡(concave mirror)や凸面鏡(convex mirror)では，反射面に屈折作用をもたせることができる．

図 2-15a では凹面鏡の結像を示している．図 2-1 上や図 2-2 などと比較すると，像のできる位置は異なるが，像のでき方は正レンズの場合に似ている．

一方，図 2-15b で示す凸面鏡の結像では，虚像ができるなど，図 2-3 のように負レンズの作用に似ている．なお図 2-15 で図示していない物体は，図の左側遠方に正立していると考える．

第3章で解説するレンズの色収差は，鏡では生じないことにも留意されたい．反射する際に，波長による差異がないためである．

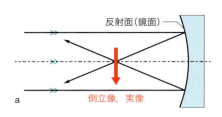
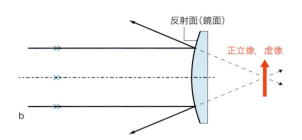

図 2-15　凹面鏡と凸面鏡の結像
a：凹面鏡　b：凸面鏡

# V　入射瞳，射出瞳，絞り

　光学系の明るさを制御する機構として絞り（aperture stop）がある．物体側から光学系を眺めたときに，絞りまでの光学系で結像した絞りの像が入射瞳（entrance pupil）である．また像側から光学系を見たときに絞りまでの光学系で作られる絞りの像が射出瞳（exit pupil）である．

　図 2-16a は，レンズの像側に絞りが配置された光学系を示している．絞りの中心を通る光線が，屈折せずに直進したように延長して，光軸と交わる位置が入射瞳位置となり，その大きさが瞳径（pupil diameter）となる．一方，この例では，絞りから像側には光学系がないため，射出瞳の位置は絞りの位置と等しく，大きさも絞り径と同じになる．

　図 2-16b では，絞りの位置が前側の光学系の像焦点と一致している．絞りの中心を通る光線は光軸と平行になり，延長しても光軸と交わらない．そのため入射瞳位置は無限遠となり瞳径も無限大に見える．

　絞り径で変わる像の明るさを表わす指標として，図 2-17a で示す F ナンバー（F number）と，図 2-17b で示す開口数 $NA$（numerical aperture）とがある．なお図 2-17a で図示していない物体は，図の左側遠方に正立していると考える．

　F ナンバーは，光学系の焦点距離［$f$］と有効径［$\Phi$］（effective diameter）との比で，次式のように表わせる．

$$\text{F ナンバー} = \frac{f}{\Phi} \qquad \cdots ㉓$$

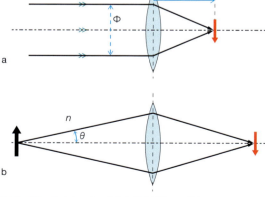

図 2-16　瞳位置と絞り位置との関係

図 2-17　F ナンバー（a）と開口数 $NA$（b）
$f$：焦点距離　$\Phi$：有効径　$\theta$：入射角　$n$：媒質の屈折率

有効径は光学系に入射する光線の成す最大径であり，径が大きいほど多くの光を取り込める．Fナンバーは，値（数字）の小さいほうが明るい．

開口数は，光学系に入射する光線の角度と媒質の屈折率とを用いて次式のように定義される．

$$NA = n \sin \theta \qquad \cdots ㉔$$

注意すべきは，この屈折率 $n$ はレンズの屈折率ではないことである．顕微鏡（microscope）などでは，被検体と対物レンズ（objective lens）との間を溶液などで満たす「液浸」という使用方法もあるので，溶液の屈折率を用いて計算する．また一般的に開口数は，物体側の値を用いるが，射出される角度を用いた像側の開口数も存在する．

開口数は数字が大きいほど明るい．$NA = 0.1$ や $NA = 1.4$ などと表記される．また開口数が大きいほど，分解能（resolution）は向上する．

# VI 倍率

倍率（magnification）は，物体の大きさと像の大きさとの比で表わされる．

## 1 レンズの倍率

レンズの倍率は，図 2-2 の例で

$$m = \frac{b}{a} = \frac{h'}{h} \qquad \cdots ㉕$$

$$m = \frac{D_a}{D_b} = \frac{D_a}{D + D_a} \qquad \cdots ㉖$$

で表わされる．これは高さ $h$ と $h'$ の比率であり，より正確には横倍率（lateral magnification, linear magnification）という．一方で光軸方向の倍率も存在し，縦倍率（longitudinal magnification, axial magnification）という．縦倍率 $m'$ は横倍率の 2 乗になる．実体顕微鏡などでは，縦倍率により物体の奥行きを感じられることもある．

倒立像が生じる場合，$m$ は負となる．$m=1$ を等倍とよび，物体と像とが同じ大きさとなる．物体よりも像が大きいと $m>1$ となり，縮小されると $m<1$ となる．

## 2 眼鏡の倍率

眼鏡の倍率について説明する．図 2-18 で，

$$SM = SF \times PF = \frac{1}{1 - \frac{t}{n} \times P_1} \times \frac{1}{1 - d \times D} \qquad \cdots ㉗$$

$SF$ は本章「バージェンス理論」項参照（⇒18 頁）で説明したシェイプファクター，$PF$ はパワーファクター（power factor），それらの積で眼鏡の倍率 $SM$（spectacle magnification）が求められる[2]．距離 $d$ は，レンズ後面から角膜までの距離ではなく，瞳までの距離であることに注意する．

図 2-19 は，眼鏡レンズとコンタクトレンズの倍率と度数の関係の一例を示すグラフである．コンタクトレンズに比べて眼鏡レンズは，度数（絶対値）が大きくなると，倍率の変化が大きくなる．

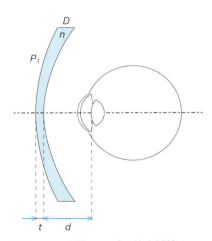

図 2-18　眼鏡レンズの倍率計算
$D$：レンズの屈折力
$P_1$：前面の屈折力
$t$：レンズの厚さ
$d$：レンズから瞳までの長さ
$n$：レンズの屈折率

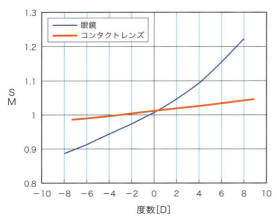

**図 2-19** 眼鏡レンズとコンタクトレンズの倍率の一例

## 3 ルーペ倍率[1]

ルーペの倍率($M$)は，明視距離(distance of distinct vision)＝25[cm]で物体を観察したとき(図2-20A)の角度と，ルーペを用いて観察した(図2-20B)ときの角度の比として計算される．

$$M = \frac{\tan\theta}{\tan\theta_0} = \frac{d_0}{f}\left(1 + \frac{f}{d} - \frac{c}{d}\right) \qquad \cdots ㉘$$

このとき，次式が用いられる．

$$\tan\theta_0 = \frac{h_0}{d_b} \qquad \cdots ㉙$$

また，表2-1に，観察距離と虚像の見える位置との関係を示した．眼をルーペに近づけて明視距離で像を観察する，右下の場合をルーペ倍率として紹介している事例も多い．

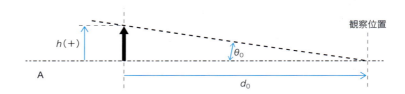

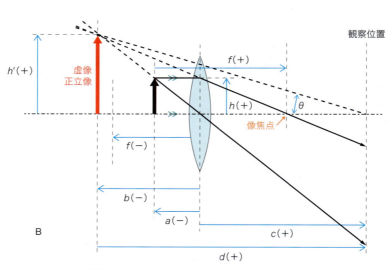

**図 2-20** ルーペ倍率
$f$：焦点距離　$h$：物体高　$h'$：像高
$a$：レンズから物体までの距離　$b$：レンズから像までの距離　$c$：レンズから観察位置までの距離　$d$：虚像から観察位置までの距離
$d_0$：明視の距離(25 cm)　$\theta$：光軸から虚像を見込む角度　$\theta_0$：直接観察で物体を見込む角度

表 2-1　ルーペ倍率の特別な場合

| 特別な場合 | $d=\infty$ | $d=d_0$ |
|---|---|---|
| $c=f$ | $M=\dfrac{d_0}{f}$ | $M=\dfrac{d_0}{f}$ |
| $c=0$ | $M=\dfrac{d_0}{f}$ | $M=1+\dfrac{d_0}{f}$ |

$M$：ルーペ倍率　　$d_0$：明視距離（25 cm）

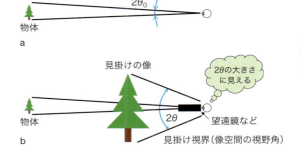

図 2-21　望遠鏡の倍率

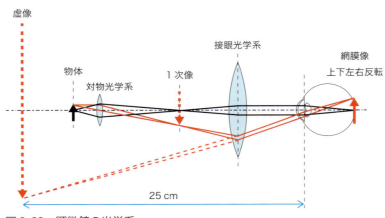

図 2-22　顕微鏡の光学系

## 4 望遠鏡の倍率

望遠鏡（telescope）の光学系は，対物レンズと接眼レンズ（eyepiece）とで構成される．倍率（$m$）は角倍率（angular magnification）で表わされ，直接物体を見た場合と望遠鏡を通して見た場合の視界の角度の比として求められる（図 2-21）．

$$m=\frac{\tan\theta}{\tan\theta_0}=\frac{\text{対物レンズ焦点距離}}{\text{接眼レンズ焦点距離}}$$
$$=\frac{\text{対物レンズ有効径}}{\text{射出瞳径}} \quad\cdots\text{㉚}$$

また，各レンズの焦点距離の比や，対物レンズと接眼レンズの有効径の比でも計算できる．

## 5 顕微鏡の倍率

顕微鏡の光学系を図 2-22 に示す．顕微鏡で観察する物体は無限遠方にないため，倍率 $m$ は次式で計算される．

$$m=\text{対物レンズ倍率}\times\text{接眼レンズ倍率}\quad\cdots\text{㉛}$$

直接観察せずにモニターなどに表示する際は，受光素子への導光光学系の倍率や素子サイズ，モニターサイズも考慮する必要がある．

▶文献
1) 高橋文男：幾何光学と収差：眼光学チュートリアルセミナー（予稿集）．pp1-33, 日本オプトメカトロニクス協会, 2008
2) 西信元嗣（編）：眼光学の基礎．pp7-11, 金原出版, 1990

▶その他の参考書
・「光学のすすめ」編集委員会（編）：光学のすすめ―見て・触って・考える．オプトロニクス社, 1997
・所　敬：屈折異常とその矯正．改訂第 5 版, 金原出版, 2009
・丸尾敏夫（編）：視能学増補版．文光堂, 2006

（関谷尊臣）

# VII 検査用具の光学

　眼科臨床で使用する用具について基礎と用途，仕組みを知ることは，検査の精度，再現性，効率を上昇させる．したがって，本項では基礎から光学に関連することを中心に述べる．検査の詳細は，各章を参照されたい．

## 1 球面レンズ

　レンズには，光が集まったり（収束），広がったり（発散）する作用がある．この光の広がりのことをバージェンス（あるいは vergence，バーゼンス）という．光線が左から右に進む場合，集まる（収束）するような光線はプラス，広がる（発散あるいは開散する）光線はマイナス，平行の場合はゼロのバージェンスとなる（図2-23）．平行光線が収束するレンズを凸レンズ，発散する場合を凹レンズとよぶ．すなわち，凸レンズの場合はプラスのバージェンスで，凹レンズの場合はマイナスのバージェンスである（図2-24）．

　凸レンズの形状には，片面が平らな平凸レンズ，両面が凸の両凸レンズ，凸面を2面組み合わせた凸メニスカス（三日月の意味）がある（図2-25）．また，凹レンズにも，平凹，両凹，凹メニスカスがある．焦点を合わせたい距離や，どの程度結像性を高め，薄くしたいか，どの程度のコストにしたいかなどによって使い分ける．球面レンズは，どの断面においても均等な屈折力を有するレンズであり，凸球面レンズと凹球面レンズがある．このレンズには，球面と非球面があり，後者は，2次あるいは多項式曲面に変化させることで球面収差を減らす役割を担う．

## 2 円柱レンズ

　円柱レンズは，シリンダーレンズ，シリンドリカルレンズともいわれ，正乱視矯正用のレンズである．図2-26のように凸（プラス）円柱レンズと凹（マイナス）円柱レンズがある[1]．平行光線を入射させた場合，曲率がなく屈折力をもたない経線と，その経線に直交し，最大の屈折力をもつ経線が存在する．屈折力をもたない経線は，円柱軸あるいは弱主経線とよばれる．最大屈折力を有する経線は，強主経線とよばれる．強主経線の屈折力は，焦点距離の逆数で表わされ，その経線と直交する方向に焦線を作る．強主経線および弱主経線以外の断面におけるパワー分布は，図2-27のようになっており，以下の式で表わされる[2]．

$$R\theta = R \times \sin^2\theta$$

ただし，R：屈折力[D]，$\theta$：経線方向

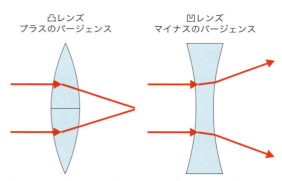

図2-24　球面レンズにおけるプラスおよびマイナスのバージェンス

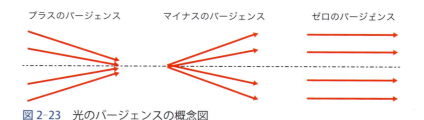

図2-23　光のバージェンスの概念図

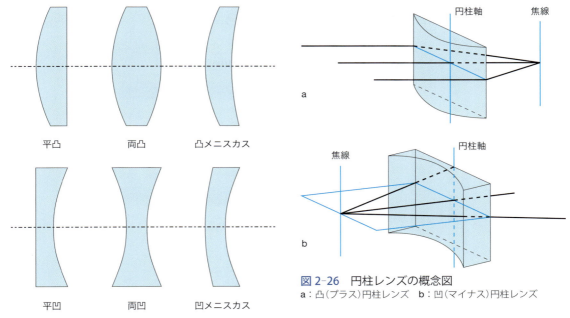

図2-25 レンズの構造と種類

図2-26 円柱レンズの概念図
a：凸（プラス）円柱レンズ　b：凹（マイナス）円柱レンズ

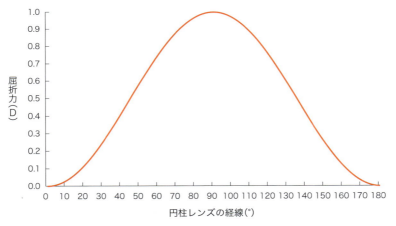

図2-27 円柱レンズ（1D）の各種経線におけるパワー分布

　円柱レンズは，屈折力をもたない経線が存在したが，2つの経線とも異なる曲率を有する場合をトーリックレンズあるいはトロイダルレンズという．

## 3 クロスシリンダーレンズ

　クロスシリンダーレンズは，直交する2つの主経線方向にプラスとマイナスのバージェンスを有するレンズである（図2-28）．イメージとしては，円柱レンズを直交して置くような構成となっている．眼科臨床では，乱視（円柱屈折度および軸）の検査に用いられ，±0.12 D，±0.25 D，±0.50 D，±0.75 D，±1.00 D，±1.25 D，±1.50 D，±1.75 D，±2.00 Dなど様々な組み合わせがある．デザインにもよるが，赤色はマイナスレンズの軸方向を指し，マイナスレンズの軸方向と直交する方向に度数が入っている．クロスシリンダーを回転させながら使うことで，前焦線

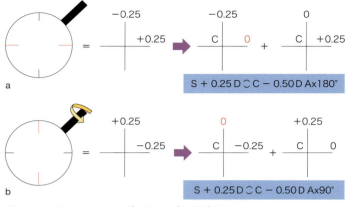

図 2-28 クロスシリンダーレンズの概念図

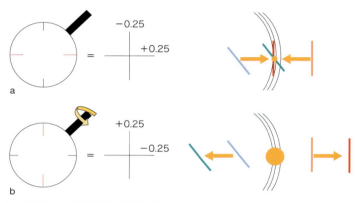

図 2-29 直乱視矯正の概念図
a：前焦線と後焦線が近づけば見やすくなる．
b：前焦線と後焦線が遠ざかれば見にくくなる．

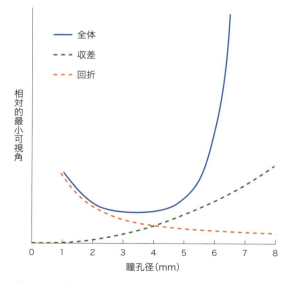

図 2-30 瞳孔径と収差，回折，最小可視角
(Freeman MH, Hull CC: Optics. Butterworth-Heinemann, 2003 より)

と後焦線の間であるスタームの間隔が狭くなり，かつ最小錯乱円が小さくなって見やすくなるか，遠ざかって見にくくなるかを問う検査である(図 2-29)．

## 4 ピンホール，スリット

視機能検査時にピンホールを使用することは，瞳径を小さくすることに相当し，焦点深度を深め，視機能が向上するかという屈折矯正の過不足のチェックに使われる．散瞳下での視機能検査，また，収差が大きいと予想された場合，その影響を小さくして，視機能検査に使われる．また，視力への寄与は，1段階程度であり，ある程度の焦点深度拡大や収差低減による結像特性の向上が期待される 2.0～3.0 mm 径が使いやすい．2.0 mm

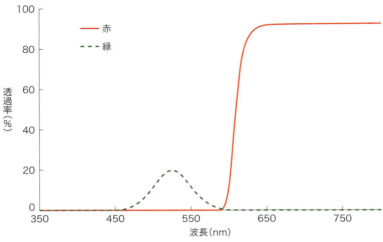

図 2-31　赤緑フィルターの分光透過率(垂直入射)

未満のピンホールを使用すると焦点深度の拡大効果は高まるものの，回折効果で，視機能は逆に低下することもある（図 2-30）[3]．

また，乱視眼において片方の経線だけにピンホール効果をもたせるスリットも，狭くなっている方向で上述の効果が得られる．

## 5 赤緑グラス

赤緑グラス(red-green glass)は，TNO ステレオテストや new aniseikonia test などに利用される．視標は，赤色と緑色の視標および視差がつけられた random dot や図形などで構成され，両眼分離により，立体視検査が可能となる．赤色のレンズは，600 nm 付近の長波長を透過させ，緑色付近の中波長帯は，ブロックされる．一方，緑色のレンズは 550 nm 付近の波長を通過させ，赤色付近の長波長帯はブロックされる（図 2-31）．網膜照度が低下しやすいため，視標が暗く抑制がかかりやすく，若干日常視から遠くなってしまうことが欠点である．

## 6 偏光フィルター，偏光レンズ

偏光フィルターおよび偏光レンズは，眼科領域において，いくつかの用途がある．Stereo Fly test などでは偏光眼鏡を装用し，両眼を分離し，立体視検査を行うために利用される．また，偏光サングラスとして，羞明防止目的で利用され，特に水面や雪面からの光の反射などを抑える．

偏光には，直線偏光と円偏光，楕円偏光がある[4]．図 2-32 は，電磁波である光が空間を進むとき，電場と磁場が周期的に変化しており，電場のみの振動を表わした場合，例えば x 軸方向には変化がなく，このような光を直線偏光とよぶ．2 つの偏光板を用意し，直交するように配置すると（クロスニコル配置），2 番目の偏光板を通過する光線の透過率がゼロになり（図 2-33），平行に配置すると透過率が 1 になる．この原理を応用し，右眼だけに見える視標と左眼だけに見える視標に分けて両眼分離を行い，視差を作って立体視検査を行っている．また，電場がらせんを描くように進み，回転することを円偏光とよび，電場の軌跡が楕円になることを楕円偏光という．観測者から見て，反時計回りである左回りと時計回りである右回りがある．

## 7 Bagolini 線条レンズ

バゴリーニ線条レンズ(Bagolini striated lenses)は，日常視に近い両眼視の検査であり網膜対応状態や抑制を確認できる．このレンズは，平面レンズであり，片側に 45°，もう片眼に 135° の細い傷がつけられている（図 2-34）．このレンズを装用状態でペンライトを点灯すると，その傷の

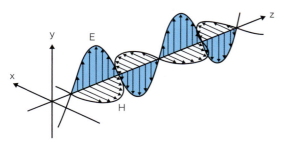

図 2-32　電磁波の進行

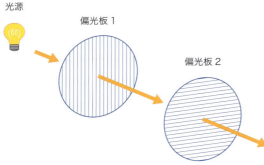

図 2-33　2 つの偏光板と配置

図 2-34　Bagolini 線条レンズの外観

部位で散乱し，光源と線状光が見える．正常であれば，光源は 1 つ，線条は 2 本見え，光源位置で交差している．線状光が生じる方向は傷の方向とは直交している．

## 8 レンチキュラーレンズ

　レンチキュラーレンズは，円柱回折格子ともよばれ，Lang stereo test などで利用される．random dot stereogram で視差がつけられた視標図形の上に微細なかまぼこ状のレンチキュラーレンズが並んだシートが置かれる．原理は，1 つのレンチキュラーレンズの中にも右眼と左眼で見る角度が異なることから，右眼だけで見える領域と左眼だけで見える領域ができるため（図 2-35），右眼用と左眼用の視差が生じる 2 枚の画像を組み合わせることで立体視が得られる．裸眼式の 3D テレビなどでも応用されている．

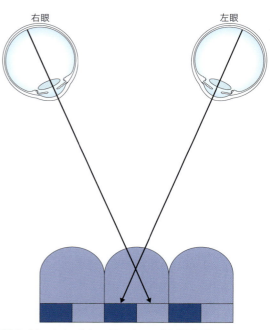

図 2-35　レンチキュラーレンズの概念図

## 9 Fresnel レンズ

　Fresnel レンズは，もともとは灯台や投光器に使用され，さらにはレンズを薄くするために開発されたという経緯があり，レンズの表面を分割して置いたような形状をしている（図 2-36）．現在では，Fresnel レンズは，拡大鏡として使用され，また，この原理が応用された Fresnel プリズムでは眼位矯正にも利用がなされている．ただし，薄

図 2-36　Fresnel レンズ

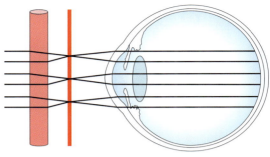
図 2-38　Maddox 杆の概念図

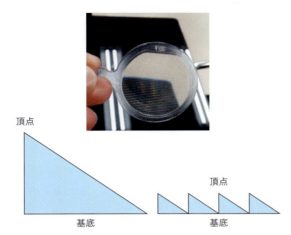
図 2-37　Fresnel レンズの概念図

くなって，軽量化はされるが，回折や色収差により光学特性が低下しやすい(図 2-37)．分割数を多くしていくとより薄くなるが，回折の効果が強くなり，結像性が低下する．

## 10　Maddox 杆

Maddox 正切尺検査法から，眼位と網膜対応を計測する用具である．Maddox 杆は，曲率半径がとても小さく，数百ジオプターであることから，軸に対して 90°の位置で光線が入ると線ができる (図 2-38)[5]．一方，そのさらに 90°方向は曲率をもたないので，屈折には影響しない．

---

▶文献

1) 丸尾敏夫，久保田伸枝，深井小久子(編)：視能学，第 2 版．文光堂，2014
2) 小口芳久，澤　充，大月　洋，他(編)：眼科検査法ハンドブック，第 4 版．医学書院，2005
3) Freeman MH, Hull CC: Optics. Butterworth-Heinemann, 2003
4) チームオプト編集委員会(編)：光の教科書．オプトロニクス社，2006
5) Elkington AR, Frank HJ, Greaney MJ: Clinical Optics. Blackwell Science, 1999

（川守田拓志）

# 第3章 光学性能

## 1 光学性能

　一般的には光学性能は図3-1に示すように，光学系に平行光線が入射した場合の点像であるPSF(point spread function)が基本となる．それを詳細に評価するために，MTF(modulation transfer function)やPTF(phase transfer function)が使われる．さて，眼鏡レンズの場合では，いつでも同じ場所を使っているわけではないので，場所ごとの性能評価が必要になる．設計の場合では，非球面で与えられる形状を変えて，収差(aberration)の状態を把握し，PSFを求めて，所望のデザインを求めている．累進レンズでは，パワー分布，非点収差(astigmatism)分布，像のゆれや歪み，大きさの変化も大事な性能である．

　コンタクトレンズ，眼内レンズ(intraocular lens：IOL)などの光学性能はMTFが用いられる．多焦点レンズの場合は，距離ごとのMTFが必要になる．人眼の光学性能は波面センサーでの収差測定によって得られる波面収差から，計算によりPSFを求め，それをもとにMTFを求める．ただし，数値的な比較はこれでよいが，像の見え方の違いは想像できない．そこで，視標を用いて像の違いを示すことになる．

　眼球光学全体で考えると，図3-2に示すように，散乱(scattering)の問題もある．眼鏡の曇りももちろんだが，IOLでは，波長の長さの数分の1程度の細かい水球による散乱が問題となり，それらはホワイトニング，グリスニング，sub-surface nano glistening(SSNG)とよばれる．白内障の散乱の原因は2通りあり，波長程度の粒子によるもの，また，細胞層の破損，平面性の乱れによるものである．これらについて説明するモデルはできつつあるが，まだ，完成はしてはいない．散乱を測定する装置は，いくつか市販されている．ここでは，これらの散乱を理解するための基本的なことについて説明する．

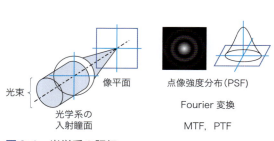

図3-1　光学系の評価
(小林克彦：波面センサー入門．眼光学チュートリアルセミナー，2016より)

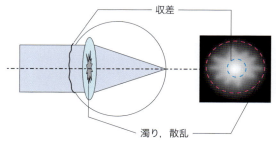

図3-2　収差と散乱によるPSF
収差：狭い範囲での強い光の広がりとして影響する
濁り，散乱：広い範囲での弱い光の広がりとして影響する
(小林克彦：波面センサー入門．眼光学チュートリアルセミナー，2016より)

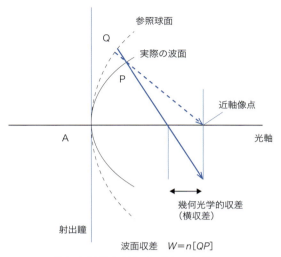

図 3-3　幾何光学的収差および波面収差

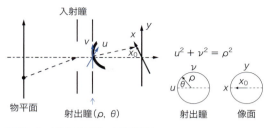

図 3-4　収差を表わす座標系

## 2 幾何光学的収差[1-3]
geometric-optical aberration

### a. ザイデルの 5 収差（Seidel aberration）

　光線の挙動によって，一点から出た光が，レンズ系を通過して，像面の一点に結像すれば収差はない．しかし，一般的な光学系では像面の一点に結像はしない．これが収差である．図 3-3 に示すように，収差がなく，完全に結像するとき，結像点を中心とする各光線に垂直な面は球面となる．射出瞳（exit pupil）の中心 A を通る面を参照球面（reference sphere）（点線で示す）とよぶ．像面を通過する一点から出た光線の理想像点からのずれを幾何光学的収差（ray aberration）（横収差）とよぶ．参照球面と実際の波面（wavefront）の間の距離を光線に沿って測り，媒質の屈折率（index）をこれに掛けたものを光路長（optical path length）として表わしたものが波面収差（wave aberration）である．本項では，像面の位置 $x_0$ での波面によって表わす．収差量は，物体の位置（像の位置）により変化する量であり，波面は，図 3-4 に示すように，射出瞳の面における極座標 $(\rho, \theta)$ と像面の座標 $(x, y)$ であるとき，光学系の回転対称性により，回転不変量，$\rho$，$\theta$，$x_0$ を用いて，次のように表わすことができる．

$$\phi(\rho, \theta, x_0) = W_{000} + W_{011}\rho\cos\theta + W_{020}\rho^2$$
$$+ W_{040}\frac{1}{4}\rho^4 + W_{031}\rho^3\cos\theta + W_{222}x_0^2\rho^2\cos^2\theta$$
$$+ W_{220}x_0^2\rho^2 + W_{311}x_0^2\rho\cos\theta \quad \cdots ❶$$

　代表的な幾何光学的収差である Seidel の 5 収差は，1) 球面収差（spherical aberration），2) 非点収差（astigmatism），3) コマ収差（coma），4) 像面彎曲（field curvature），5) 歪曲収差（distortion）であり，図 3-5 にまとめて示す．これらの式を見てわかるように，Seidel の 5 収差は，像面の中心からの距離（ここでは，高さとよんだ）によって，すなわち，光軸から離れた位置にある物体からの光による各収差がどのように変わるかを示している．

#### 1) 球面収差
　図 3-6 には，球面収差の光線と PSF，波面を示す．レンズ中心と周辺を通過する光線の焦点がずれていることがわかる．この波面の形は，$\rho$（半径）の 4 乗の形で急峻なお椀の形をしている．像面の高さ $x_0$ はこの式に含まれない．

#### 2) 非点収差
　非点収差は図 3-7 に示すように，この波面の形は $\theta$ が 0 と $\pi$ のとき最大値をとり，$\pi/2$ と $3\pi/2$ のとき 0 になる鞍のような形である．そして，半径 $\rho$ と像面の高さ $x_0$ の 2 乗に比例して大きくなるのがわかる．

#### 3) コマ収差
　図 3-8 に示すように，コマ収差の波面は，$\rho^3\cos\theta$ の形をしていて，その PSF は彗星のような形である．また，この像は像面の高さ $x_0$ に比

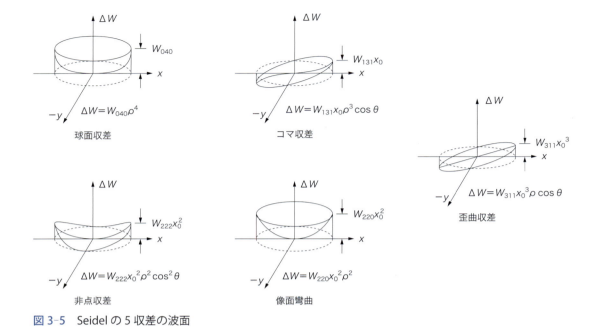

図 3-5　Seidel の 5 収差の波面

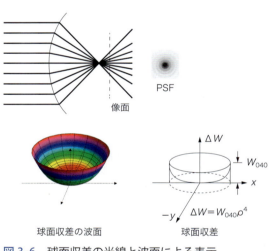

図 3-6　球面収差の光線と波面による表示

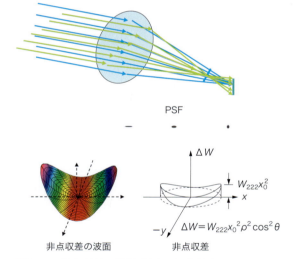

図 3-7　非点収差の光線と波面による表示

例しているので，図 3-9 に示すように中心から離れた位置にできるコマの像は大きくなる．

### 4）像面彎曲

像面彎曲は図 3-10 に示すように，平面物体から出た光が，球面の形で，結像する収差である．これは，デフォーカス（パワー）が像面での高さ $x_0$ の 2 乗に比例して変わることで示される．

### 5）歪曲収差

歪曲収差は図 3-11 に示すように，物体の光軸からの高さ，つまり，像面の高さによって，中心からの像の位置にずれが生じる．これは，波面が傾くということであり，プリズム収差が像面の高さ $x_0$ の 3 乗に比例していることに対応している．眼鏡装用の場合を考えると，瞳孔が絞りとなる．

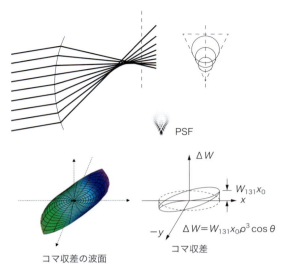

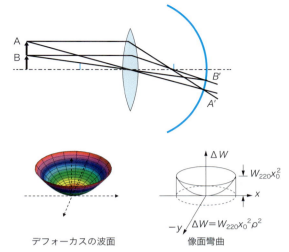

図 3-8 コマ収差の光線と波面による表示

図 3-10 像面彎曲の光線と波面による表示

図 3-9 コマ収差の像面の高さによる変化

係数 $W_{311}$ が正の値のときは，角度 $\alpha$ が大きくなり，正方形の物体では糸巻のような形になる．反対に負の値のときは，樽型になる．また，絞りがレンズの前にあるときは，樽と糸巻の状態が逆になる．

#### 6) 収差と距離ごとの網膜像

収差があるときの距離ごとの網膜像を知ることは，自覚検眼のときに重要な知識となる．

ここでは，瞳孔径 3 mm で，+0.2 D から 0.1 D ごとに近方に近くなる場合の像を示す．視標の数字は，logMAR 表示での Landolt 環であり，左上の 0.4 から始まり，右下の -0.3 までである．図 3-12 は，無収差の像である．±0.3 D の範囲で logMAR 0(小数視力 1.0)の視標の切れ目が判読できる．ここでは，+0.3 D での像は示していないが，0 D で対称になっている．図 3-13 には球面収差が 0.3 μm(6 mm 瞳孔)の場合を示す．logMAR 0 が解像している範囲が -0.2 D だけ前方にずれているのがわかる．図 3-14 にはコマ収差が 0.3 μm(6 mm 瞳孔)の場合を示す．±0.4 D の範囲で logMAR 0(小数視力 1.0)の視標の切れ目が判読できる．少しだけ解像している範囲が広がっているのがわかる．図 3-15 には乱視 C が -0.6 D(デフォーカス 0.39 μm 非点収差 -0.55 μm)の場合を示す．等価球面の位置 -0.3 D のところで，かろうじて logMAR 0(小数視力 1.0)の視標の縦横両方の切れ目が判読できるのがわかる．一般的には，いろいろな収差が重なっており，瞳孔径も異なるが，そのような場合にどのような距離ごとの像が見えるのかについての情報がほしいところである．

### b. Zernike 多項式[3]

#### 1) Zernike 多項式による波面収差の分類とその特徴

ゼルニケ多項式(Zernike polynomials)の収差

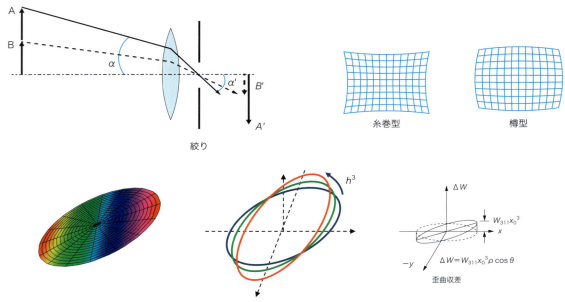

図 3-11　歪曲収差の光線による表示

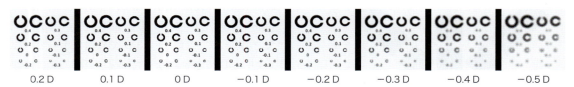

図 3-12　無収差 3mm 瞳孔の距離ごとの網膜像

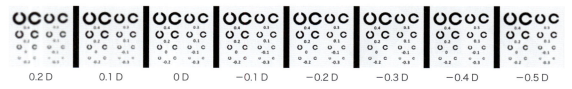

図 3-13　3mm 瞳孔で，球面収差 0.3μm（6mm 瞳孔径）

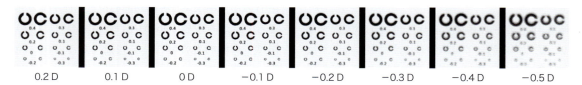

図 3-14　3mm 瞳孔で，コマ収差 0.3μm（6mm 瞳孔径）

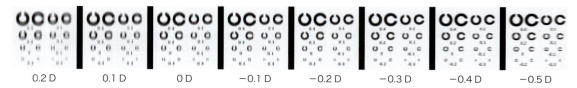

図 3-15　3mm 瞳孔で，C－0.6
Z02 0.389μm Z22－0.551（6mm 瞳孔径）

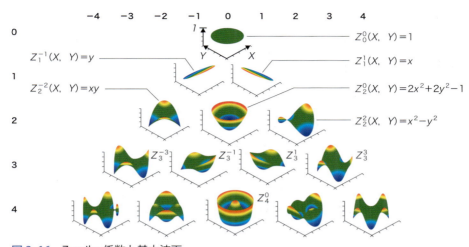

**図 3-16** Zernike 係数と基本波面
(小林克彦:波面センサー入門.眼光学チュートリアルセミナー,2016 より)

の考え方は以下の点で,Seidel の収差とは異なる.
(1) 主光線(chief ray)の軸の上での収差を表わす.
(2) 互いに直交した波面による分類.
(3) 個々の波面は-1〜+1 までの値をとり,波面の各部の値の和は 0 である.

(1)の理由により,像面の高さという項はない.また,直交化させるために,複雑な波面となる.基本波面は図 3-16 に示すように,上から下へ 0 次,1 次となるに従って,より複雑になる.Seidel の波面との違いは,まず,非点収差を表わす波面は 2 つあることである.$Z_2^{-2}$ と $Z_2^2$ であり,この 2 つは 45°回転すると重なる.また,任意の角度の非点収差を表わすためには,$aZ_2^{-2}+bZ_2^2$ と重み付け和を用いる.3 次の収差であるコマ収差は,同様に,$Z_3^{-1}$,$Z_3^1$ と 2 つある.これも任意の角度のものを表現するためには重みをつけて,和を用いる.次に,Seidel のコマ収差との違いは,波面の中に,プリズム成分を含むことである.また,3 次の収差には,Seidel にはなかったトレフォイルとよばれる,$Z_3^{-3}$ $Z_3^3$ で示される収差がある.4 次の収差には,$Z_4^0$ で示される球面収差がある.また,Seidel 表現では,単なる半径の 4 乗の項であったが,Zernike 表現では半径の 4 乗の項と 2 乗の項(デフォーカス)がある.

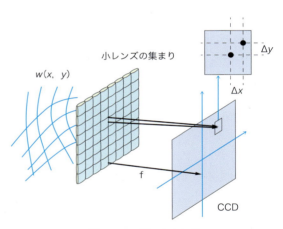

**図 3-17** 波面センサーにおける波面の測定原理

複雑な波面は互いに直交した基本波面で次のように表現する.

$$W(x,y) = \sum_{i=0}^{n} \sum_{j=-i,-i+2\cdots}^{i} c_i^j Z_i^j(x,y) \quad \cdots ❷$$

## 2) 波面の測定

図 3-17 に波面センサーによる波面の測定の原理を示す.小さなレンズが縦横に並んだ,Hartmann-Shack(ハルトマン-シャック)波面センサーに入射した波面に垂直な光線は,各部の向きに従って CCD 上で中心位置からずれを生じる.そのずれ量を$(\Delta x, \Delta y)$とすると,波面との関係は,

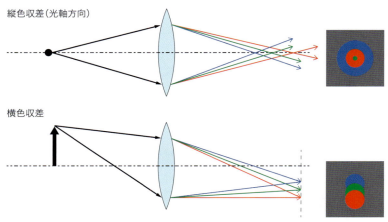

図 3-18　色収差

$$\Delta x = f \frac{\partial W(x,y)}{\partial x}, \quad \Delta y = f \frac{\partial W(x,y)}{\partial y} \quad \cdots \text{❸}$$

となる．ここで，$f$ はレンズの焦点距離である．

これより，各部の波面の傾きがわかるので，その組み合わせから，波面が求まる．$\frac{\partial W(x,y)}{\partial x}$，$\frac{\partial W(x,y)}{\partial y}$ は，式 ❷ を $x$ および $y$ で微分する数学的な手法で，Zernike 多項式の各項を $x$ および $y$ で微分するので，多項式和として書かれる．その係数は，最小二乗法により求める．

## 3 波動光学的収差
wave-optical aberration

光線収差では光を光線として扱い，光の速度が媒質で変化すること，つまり Snell の法則のみに従い，光の挙動を扱ったが，正確には光が波の性質をもつことも考慮する必要がある．波のもつ性質に以下の項目がある：① 干渉，② 回折，③ 偏光，④ 分散，⑤ 散乱，⑥ 吸収

これらの大半が，第 1 章で記載されているので，ここでは，④ 分散による色収差，波として波面を扱うための数学的表現について説明する．また，⑤ 散乱については本章「散乱」項（⇒41 頁）で詳細に述べる．

### a. 色収差（chromatic aberration）[4]
（図 3-18）

**Abbe 数（$\nu_d$）と分散能**

ある媒質の色分散（chromatic dispersion）の程度を表わすのに次式で示すアッベ数（Abbe number）$\nu_d$ を使う．d 線に対する屈折率（index）$n_d$ とともに光学ガラスおよびプラスチックの性質を示す大切な数値である．

$$\nu_d = \frac{n_d - 1}{n_F - n_C} \quad \cdots \text{❹}$$

ここで $n_i$（i＝C 線, d 線, F 線）は C 線：656.27 nm, d 線：587.56 nm, F 線：486.13 nm の屈折率である．

例えば，クラウンガラスの Abbe 数は次のように求まる．

$n_C = 1.5146$, $n_d = 1.5176$, $n_F = 1.5233$ より，

$$\nu_d = \frac{1.5176 - 1}{1.5233 - 1.5146} = 59.49$$

縦色収差（longitudinal color aberration）量は次の式で求まる．

$$\Delta D = D_F - D_C = \frac{D_d}{\nu_d} \quad \cdots \text{❺}$$

例えば，屈折力 5 D，$\nu_d = 60$ のガラスレンズの縦色収差は $\Delta D = \frac{D_d}{\nu_d} = \frac{5}{60} = 0.083$（D）となる．

一方，横色収差（lateral chromatic aberration）

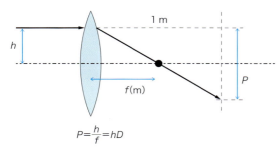

**図 3-19** Prentice の公式

は，Prentice の公式図 3-19 に示すように，$D$ ジオプトリーの屈折力のレンズへ入射する光線の高さ $h$ からプリズム度数 $P$ が求まり，それと Abbe 数で次のように計算する．

$$P_{chrome} = \frac{P}{\nu_d} = \frac{Dh}{\nu_d} \qquad \cdots ⑥$$

$P_{chrome}$ の値が，0.12 を超えると，色収差を感じるというデータがある．$\nu_d = 60$ では，

$$P_{chrome} = \frac{P}{\nu_d} = \frac{P}{60} \leq 0.12 \text{ より，} P \leq 7.2\Delta \text{ となる．}$$

人間が自然な状態で視線を動かす角度は 15° といわれているので，これより，およそ，$\nu_d = 60$ で 0.12 を満たすのは 11 D までくらいとなる．それ以上の屈折力になると，色収差を感じるが，装着不適当というわけではない．

### b. 波面と位相（phase）

波面に直交する多数の光線を使って，像面の光線密度から幾何光学的に PSF を求めることもできるが，波の性質である干渉を考慮することで，正しい PSF を求めることができる．

一点から出る波は次の式で表わされる．ここで，$r$ は一点からの距離，$A$ は光源の振幅，$i$ は虚数単位，$\lambda$ は波長である．

$$\frac{A}{r} \exp\left(-i \frac{2\pi}{\lambda} r\right) \qquad \cdots ⑦$$

射出瞳において，波面の各点からの像面までの距離 $r$ について，この式をあてはめ，波の干渉により，PSF を求める．

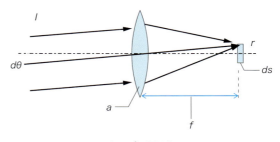

**図 3-20** レンズの明るさ
$I$：単位面積の光のエネルギー　$f$：焦点距離
$2D$：開口の直径　$ds$：半径 $r$ の円の面積　$a$：レンズの面積

## 4 レンズの明るさと解像力[5]

### a. レンズの明るさ

レンズの明るさとは，レンズが光るわけではなく，レンズの像の明るさを表わす．図 3-20 に示すように，像の明るさは，物体の輝度，物体からのレンズまでの距離，レンズを通る光線束の多さ（レンズの開口），透過率に依存する．像面照度は微小面積 $ds$ に入射する光のエネルギーで表わされる．微小面積 $ds$ は次の式で与えられる．

$$ds = \pi r^2 \qquad \cdots ⑧$$

また，点像の $r$ と $d\theta$ には

$$\tan(d\theta) = \frac{r}{f} \qquad \cdots ⑨$$

の関係がある．

レンズの開口のところで，単位面積当たりの光のエネルギーを $I_a$，開口の面積を $a$ とし，開口を通過する光が，微小面積 $ds$ にくるので，

$$I_a a = Ids \qquad \cdots ⑩$$

となる．

この $I$ が像面照度となる．この場合，もう少し，詳細に述べれば，$d\theta$ で光軸の周りに回転する範囲の光を考えていることになる．

さて，式 ⑧，⑨ より，$ds = \pi(f\tan(d\theta))^2$ となり，レンズの半径を $D$ とすると，$a = \pi D^2$ とな

り，式❿は

$$I=\frac{I_a a}{ds}=\frac{I_a \pi D^2}{\pi(f\tan(d\theta))^2}$$
$$=\frac{I_a D^2}{(f\tan(d\theta))^2}$$
$$=\frac{I_a}{\tan^2(d\theta)}\left(\frac{D^2}{f^2}\right) \quad \cdots ⓫$$

となる．最初の項 $\frac{I_a}{\tan^2(d\theta)}$ は物体とレンズへの入射条件を示していて，レンズそのものが関係しているのは2番目の項である．そこで，慣例に従い，Dではなくて，2D(レンズの直径)を使って，Fナンバーを定義する．$F=\frac{f}{2D}$ これが明るさの定義となる．これよりわかることは，Fナンバーの2乗に比例して明るさが変わることである．すなわち，大きな口径でたくさんの光を取り込んで，小さな点に収束させることで，明るい像ができるということになる．人眼の場合，外界からの光は，虹彩絞り(瞳孔)を通過して，網膜に到達する．射出瞳の大きさは瞳孔とほぼ同じなので，ここで，網膜からの距離は約21 mmである．よって，3 mm瞳孔では，$F=\frac{f}{2D}=\frac{21}{3}=7$ となり，6 mm瞳孔では $F=3.5$ となる．

### b. 解像力

解像力(resolution)は，空間周波数(spatial frequency)特性におけるカットオフ(cut off)周波数である．すなわち，無限遠の接近した2点を結像したとき，分離して結像できるかという能力(分解能)の逆数である．図3-21に示すように，無収差のレンズの場合，その焦点位置での点像(PSF)は射出瞳(この場合は，レンズの外径)と焦点距離(focal length)より，次の式で与えられる．

$$U(x_r, y_r)$$
$$=\iint g(x,y)\exp\left[-i\frac{2\pi}{\lambda f}(xx_r+yy_r)\right]dxdy \cdots ⓬$$

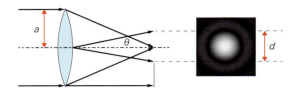

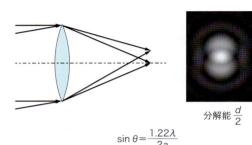

分解能 $\frac{d}{2}$

$\sin\theta=\frac{1.22\lambda}{2a}$

**図 3-21　エアリーディスクと分解能**
$a$：開口半径　$d$：エアリーディスク　$\lambda$：波長

$$PSF(x_r, y_r)=U(x_r, y_r)U^*(x_r, y_r) \quad \cdots ⓭$$

ここで，$U(x_r, y_r)$ は像面の振幅，$*$ は複素共役，$g(x,y)$ は射出瞳の振幅透過率(amplitude transmittance)，$f$ が焦点距離である．円形開口で透過率を1とすると，$g(x,y)=1$ となり，この式を解くと，

$$PSF(x_r, y_r)=A\left\{\frac{2J_1(\sqrt{x_r^2+y_r^2})}{(\sqrt{x_r^2+y_r^2})}\right\}^2$$
$$=A\left\{\frac{2J_1(ka\sin\theta)}{ka\sin\theta}\right\}^2 \quad \cdots ⓮$$

となる．ここで，$J_1$ はベッセル関数(Bessel function)，$\lambda$ は波長で，波数は $\frac{2\pi}{\lambda}$，$a$ は円形開口半径，$\theta$ はレンズ中心から，像面位置への見込み角度である．

PSFは中心の強度が高く，急速に0に近づく，この0になる値の間の距離を $d$ とすると，この半分の距離 $d/2$ の逆数が分解能となる．それは，図に示すように，2つの近接した点像が重なっても，識別できることを意味する．ここで，角度 $\theta$

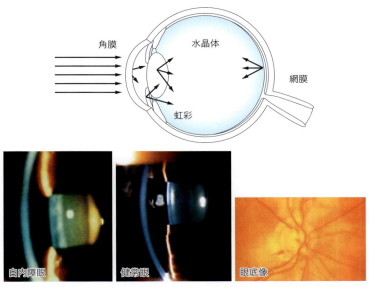

図 3-22　眼の中の散乱を起こす場所

が $\sin\theta = \dfrac{1.22\lambda}{2a}$ を満たすときに $J_1$ は 0 になる．

　眼の場合を考えてみよう．先述したように，瞳孔の大きさと射出瞳の大きさはほぼ同じなので，射出瞳と，網膜間の距離が $f$ となる．これを使って解像力を求めてみるときは，硝子体の屈折率 $n$ を使う．屈折率 $n$ の媒体での波長は空気中の波長に比べて短いためである．開口のフーリエ変換 (Fourier transform) は次の式のようになる．

$$U(x_r, y_r) = \iint g(x,y)\exp\left[-i\dfrac{2\pi n}{\lambda f}(xx_r + yy_r)\right]dxdy \quad \cdots ⑮$$

$\sin\theta = \dfrac{1.22\lambda}{2a}$ で決まる角度のとき，$J_1$ は 0 になる．具体的に求めてみると，$f = 21$ mm，$2a = 4$ mm (瞳孔)，$n = 1.337$，$\lambda = 550$ nm，では，

$\sin\theta = \theta = \dfrac{x_r}{f} = \dfrac{21}{f}$ より，

$x_r = \dfrac{21 \times 1.22 \times 0.00055}{4 \times 1.337} = 0.0026$ (mm) となる．この逆数 384 lines/mm が解像力である．およそ，100 lines/mm が視力 1.0 に相応するので，視力でいうと，3.8 になる．

## 5 散乱[6]

　散乱は，均一な物質の中の屈折率が異なる粒子の存在する場合か，または，ファイバー状の物質が規則的に重なっている場合に，その規則性を破るようなファイバーの切断，屈折率の異なる物質 (例えば水) が入り込むことによって生じる．ガラスの場合は，通常では散乱は生じないが，汚れ，水滴により散乱が生じる．IOL，コンタクトレンズなどでは，小さな水分子が入り込むことによって起こる (グリスニング；SSNG)．図 3-22 に示すように人眼の場合は，角膜，虹彩，水晶体，網膜で散乱が生じる．まだ，完全に解明されてはいないが，角膜は，ファイバーの束が交差してできていて，ファイバーの束は，複屈折のある物質であるため，異なる方向での交差は，屈折率の差を生じ，散乱の原因となる．水晶体では，玉葱状の細胞膜の乱れ (水分子によるもの，切断)，小さな蛋白質からの水の濾出，蛋白質の周りとの屈折率差の増大による散乱が考えられる．水分子は 0.1〜2 μm 程度の大きさの粒子である．細隙灯顕微鏡で後方散乱を観察すると，図 3-22 下左，下中に示すように，角膜は青く見える．これは，散乱を起こしている粒径が波長に比べてとても小

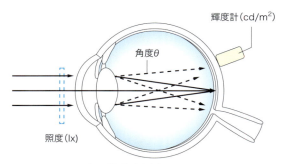

図 3-23　眼の中の散乱光測定原理

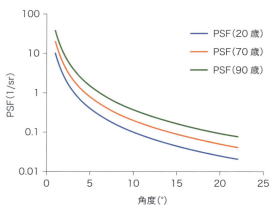

図 3-25　散乱の PSF．年齢による変化
$PSF = (1+(A/70)^4) \times 10/\theta^2$　　$A$：年齢（歳）

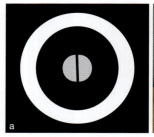 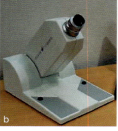

図 3-24　straylight 測定装置
a：周辺リングからの光による散乱光強度を中心の円からの光強度と一致させる．
b：C-Quant（OCULUS）

さく，波長依存が高いためである．白内障眼では，黄色，黄緑の色が見える．これは，粒子が波長の長さと同じくらいか，少し大きめであるのが原因である．また，虹彩が赤く見える．

白内障で問題となるのは，前方散乱である．後方散乱の量と前方散乱の量は，粒子が，波長に比べて，はるかに小さいときは同じであるが，波長程度か，それよりも大きいときは，前方散乱のほうがはるかに大きい．図 3-23 に眼の散乱の測定原理を示す．眼に入射する光の強度（ここでは眼前の照度）に対する散乱光の角度ごとの強度分布を測定する．眼の中に輝度計を入れることはできないので，眼で感じた明るさを使って測定を行う．その方法の 1 つにフリッカを用いるものがある．図 3-24 に示すように，この装置では，入射角 7°のみの測定を行う．それは，健常者から白内障初期の散乱測定を行ったときのデータが CIE（国際照明委員会）で標準化されていて，次の式で与えられている．

$$PSF = (1+(A/70)^4) \times 10/\theta^2 \quad \cdots ⑯$$

ここで，$A$ は年齢であり，この式では，$\theta$ が 1°以上の散乱光の分布は $1/\theta^2$ で減衰すること，また，図 3-25 に示すように，20 歳と 70 歳では，同じ角度では約 2 倍の違いがあることがわかる．

この散乱 PSF に $\theta^2$ を掛けると，一定の値になる．つまり，適当な角度で測定して，その角度を掛ければ，一定値で，それを S(straylight parameter)という．

## 6 MTF，OTF，PTF

MTF(modulation transfer function)は，システムのコントラスト変化の空間周波数特性を表わすものである．図 3-26 に示すように，特定の周波数をもつ波（ここでは空間なので sin 関数状に変化する光強度パターン）が，レンズ（システム）によって結像するときに，どれだけコントラストが低下するかを表わす．このときの空間周波数とコントラストの関係を MTF とよぶ．さらに図 3-27 には，波面から PSF，MTF を求める処理が示してある．MTF は PSF から求めることができる．PSF は点光源の点像である．数学的にいえば，すべての周波数を含むデルタ関数（一点において 1 の値をもつ）がシステム（レンズ）をフィルターと考えると，システムを通過することにより，フィルターリングされて，広がりをもつ（ぼけた光学

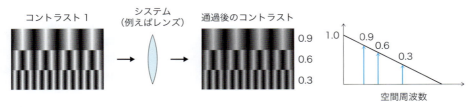

図 3-26　MTF（modulation transfer function）

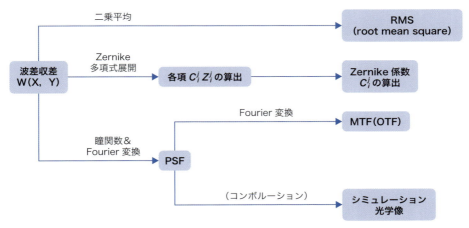

図 3-27　波面から導出される PSF，MTF

像）応答が得られることを示している．PSF から MTF を求める場合には，PSF は多数の周波数の波の重ね合わせからできているので，Fourier 変換を用いることで個々の周波数の成分に分解する．

$$OTF(f_x, f_y) = \iint PSF(x,y) \exp[-i2\pi(xf_x+yf_y)]dxdy \quad \text{⑰}$$

ここで，OTF（optical transfer function）を実数部分（real）と虚数部分（imaginary）に分けると，次式となる．

$$OTF(f_x, f_y) = R(f_x, f_y) + iI(f_x, f_y) \quad \text{⑱}$$

MTF は絶対値で，次式から求まる．

$$MTF(f_x, f_y) = |OTF(f_x, f_y)| \quad \text{⑲}$$

また，位相の変化を示す PTF（phase transfer function）は空間では位置のずれを表わし，次式から求まる．

$$PTF(f_x, f_y) = \tan^{-1}\frac{I(f_x, f_y)}{R(f_x, f_y)} \quad \text{⑳}$$

例として，図 3-28 には非点収差の波面をもったときの，最小錯乱円（least confusion circle）の PSF とその OTF を示す．0 周波数から，矢印（→）に沿って高周波にいくに従って，0 になり，負になり，また 0 になり，正になる変化をしている．この PSF による 2 次元放射状パターンとのコンボリューション像は中心付近で，白から黒へと像が反転しているのがわかる．これは，OTF で，負になったところで位相が π ずれているためである．さらに中心付近では縞模様が見えなくなっている．これは，MTF の値が高周波では低いことを示している．

さて，収差のない理想的なレンズの場合の MTF を求めてみよう．先ほど求めた Bessel 関数の Fourier 変換となる．結果は周波数が高くなるに従って，徐々に直線的に低くなり，カットオフ周波数（解像限界）で 0 になる．人間の眼の場合

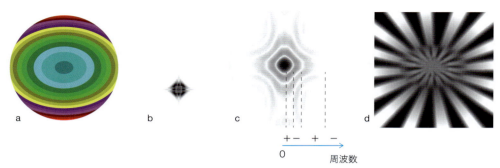

図 3-28 非点収差の最小錯乱円の PSF と OTF
a：非点収差の波面　b：PSF　c：2次元の OTF　d：放射状パターンの像

であれば，384 lines/mm で 0 となる．

▶文献

1) 河合 滋：光学設計のための基礎知識．オプトロニクス社，2006
2) 牛山善太：波面収差展開式における収差の分類．写真工業 57(6)：102-106, 1999
3) Rosema J: On the wavefront aberrations of the human eye and the search for their origins. pp27-28, University of Antwerp, 2004　http:old.visnykpb.kpi.ua/docs/thesis_jos.pdf
4) 大沼一彦：ザイデル収差とゼルニケ多項式の関係．視覚の科学 28(1)：6-14, 2007
5) 川端秀仁：やさしい眼鏡光学．pp91-96, 早稲田眼鏡専門学校，1993
6) 牛山善太：シミュレーション光学―光学系の明るさ．写真工業 54(12)：92-95, 1996
7) Marcos S, Llorente L, Dorronsoro C, et al: Encyclopedia of the Eye Vol 4. Academic Press, 2010

（大沼一彦）

# 第4章
# 物理量と感覚量（測光量）

## 1 明るさの種類と単位

### a. 輝度

現在使われている輝度「$L$(luminance)」は，次式で示されるように，放射輝度 $L_e(\lambda)$ に標準比視感度関数(standard relative luminous efficiency) $V(\lambda)$ を掛けて積分した値として定義されている．単位は cd/m² である．

$$L = K_m \int L_e(\lambda) V(\lambda) d\lambda$$

$K_m$：最大視感度(maximum luminous efficacy)

標準比視感度関数 $V(\lambda)$ (図 4-1)は主に交照法によって測定された比視感度関数をもとにしてCIE(国際照明委員会)が決めた標準関数である．交照法とは，2つの刺激光を時間的に交互に呈示して，その時間的なちらつきが最小になるように2つの刺激光の放射エネルギーを揃える方法である．したがって，2つの刺激光の輝度が等しいとは，時間的なちらつきが最小になるという判断基準によって刺激光の放射エネルギーが合わせられているということである．

### b. 明るさ

刺激光の明るさ(brightness)は必ずしも輝度と一致しない．輝度が等しい刺激光でも明るさは必ずしも等しくならないからである．明るさの比視感度関数 $V_b(\lambda)$ は直接比較法によって求められている．もし，直接比較法による比視感度関数 $V_b(\lambda)$ が交照法による $V(\lambda)$ と等しければ，輝度が等しいときには確かに見えの明るさが等しいということになる．しかし，図 4-1 に示すように，$V_b(\lambda)$ と $V(\lambda)$ は異なっている[1]．特に短波長と長波長側で差が顕著である．単色光では短波長と長波長側になると刺激光の彩度が増大して色味が増してくる．それに伴い，同じ輝度の刺激光でもより明るく見えてくることになる．

私たちの日常生活では，刺激光の時間的な変化を判断基準として決められた「輝度」よりも，その刺激面がどのくらいの明るさに見えるかといった「明るさ」のほうが役に立つことが多い．「輝度」は「明るさ」が交照法では測定できないことを知らなかった，あるいは，知っていてもその違いの重要性に気づかなかった時代に決められた測光量であ

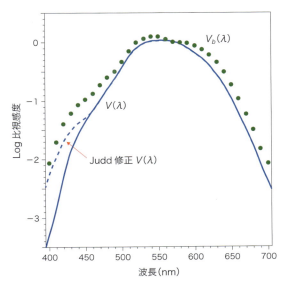

図 4-1 標準比視感度関数 $V(\lambda)$ と直接比較法による明るさ比視感度関数 $V_b(\lambda)$

る．私たちの見え方により忠実な「明るさ」に基づいた新しい測光単位を改めて定義する必要があろう．

## 2 放射束（物理量）と光束，光度（cd）との関係

図 4-2 に示すように，光を発する光源面と光を測る受光面を考える．光源面の S 点に微小面 $dA_S$ をとり，その法線（面に垂直な線）を $n_S$ とする．一方，受光面の D 点にも微小面 $dA_D$ をとり，その法線を $n_D$ とする．S～D の距離を $r$ とし，直線 SD と法線 $n_S$ の成す角を $\varepsilon_S$，直線 SD と法線 $n_D$ の成す角を $\varepsilon_D$ とする．S から $dA_D$ を臨む立体角を $d\omega_S$，D から $dA_S$ を臨む立体角を $d\omega_D$ とする．

光束 $F$（luminous flux，単位：ルーメン[lm]）は放射束 $P$（radiant flux，単位：ワット[w]）に標準比視感度関数 $V(\lambda)$ をかけて次式で定義される．$K_m$ は最大視感効率である．

$F = K_m \int P(\lambda) V(\lambda) d\lambda$

$K_m = 680 \text{ lm/W}$

単位立体角当たりの光束 $F$ が光度 $I$（luminous intensity，単位：キャンデラ[cd, lm/sr]）となり，SD 方向の光度 $I$ は，

$I = \dfrac{dF}{d\omega_s}$

と表わされる．

## 3 輝度（cd/m²）と照度（lx）

輝度 $L$（単位：ニト[nt, cd/m², lm/m²·sr]）は光源面の単位面積当たりの SD 方向の光度であり，次式によって定義される．

$L = \dfrac{dI}{dA_s \cdot \cos \varepsilon_s}$

一方，照度 $E$（illuminance，単位：ルクス[lx, lm/m²]）は受光面が受ける単位面積当たりの光束であり，次式によって定義される．

$E = \dfrac{dF}{dA_D}$

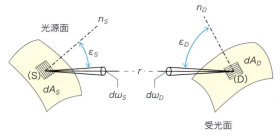

図 4-2　光源面 S と受光面 D の関係

さらに，

$d\omega_s = \dfrac{dA_D \cdot \cos \varepsilon_D}{r^2}$

であるから，

$E = \dfrac{dF \cdot \cos \varepsilon_D}{r^2 \cdot d\omega_s}$

$\quad = \dfrac{I \cdot \cos \varepsilon_D}{r^2}$

となる．これにより，光源面の輝度 $L$ がわかると，面積で積分して光度 $I$ を求め，そこから距離 $r$ にある受光面での照度 $E$ が計算できることになる．

以上の測光単位は物理次元でも同様に定義でき，単位立体角当たりの放射束 $P$ が放射光度 $I_e$（radiant intensity，単位：[W/sr]）となり，SD 方向の放射光度 $I_e$ は，

$I_e = \dfrac{dP}{d\omega_s}$

と表わされる．放射輝度 $L_e$（radiance，単位：[W/m²·sr]）は光源面の単位面積当たりの SD 方向の放射光度であり，次式によって定義される．

$L_e = \dfrac{dI_e}{dA_s \cdot \cos \varepsilon_s}$

一方，放射照度 $E_e$（irradiance，単位：[W/m²]）は受光面が受ける単位面積当たりの放射束であり，次式によって定義される．

$E_e = \dfrac{dP}{dA_D}$

# 4 網膜照度

## a. 定義

刺激光の量を表現する単位として,刺激光による網膜上の照度に対応する網膜照度(retinal illumination, 単位:トローランド[td])がよく使われる.これは,視覚系にとっては刺激光の輝度ではなく,刺激光からの眼球内に入る光束を網膜上で測定した量が意味あるものとなるからである.しかし,網膜上の照度は眼球光学系の特性に依存するので,正確に求めるのは眼球光学系の特性を決めるパラメータを仮定しなくてはならず困難である.そこで,実際は次に示すように刺激光から瞳孔に入射する光束をもとにして網膜照度を定義している[2)].

まず,図 4-3a の自然視の場合を考える.光源面は面積 $S[m^2]$,輝度 $L[cd/m^2]$,眼球の瞳孔面積 $A[m^2]$,光源面から瞳孔までの距離 $r[m]$ とする.光源面と瞳孔面は平行になっているものとする.眼球に入る全光束 $F$ lm は光源からの単位立体角当たりの光束である光度 $I[cd](=lm/sr^2)$ に光源に対して瞳孔面が張る立体角 $\omega_S$ sr を掛けた値となる.

$$I = L \cdot S$$
$$\omega_S = A/r^2$$

であるから,

$$F = L \cdot S \cdot A / r^2$$

となる.眼球光学系により網膜上に光源面が結像するので,光束 $F$ は,瞳孔の中心で光源面が張る立体角 $\omega_d$ sr によって表わされる網膜上の領域をカバーすることになる.$\omega_d$ は次式で表わされる.

$$\omega_d = S/r^2$$

網膜照度 $T$ は単位立体角当たりの光束で定義される.

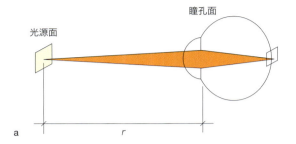

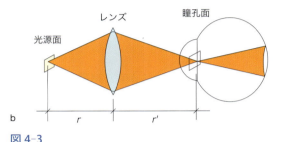

図 4-3
a:自然視の場合  b:Maxwell 視の場合

$$T = \frac{dF}{d\omega_d}$$

したがって,

$$T = L \cdot A$$

となる.網膜照度は光源面の面積と距離には関係がないことになる.$L$ の単位を $cd/m^2$,$A$ の単位を $mm^2$ にとり,$T$ の単位は td が定義されている.

$$1 \text{ td} = 10^{-6} \text{ lm/sr}$$

となる.

次に,図 4-3b で示されるマックスウェル視(Maxwellian view)の場合の網膜照度を考える.光源面は面積 $S[m^2]$,輝度 $L[cd/m^2]$ とし,光源面の光学像がレンズにより瞳孔面上にでき,その面積を $S'[m^2]$ とする.

$$S' = S \cdot r'^2 / r^2$$

の関係がある.レンズの開口面積を $C[m^2]$ とする.光源面からレンズまでの距離は $r[m]$,レンズから瞳孔面までの距離は $r'[m]$ となっている.瞳孔面積は $A[m^2]$ とする.

眼球内に入る光束 $F$ は，光源面の光学像が瞳孔よりも小さい場合は，

$$F = L \cdot S \cdot C / r^2 \quad (S' < A)$$

となる．また，光学像が瞳孔よりも大きい場合は，光学像に対する瞳孔面積比を掛けて，

$$F = L \cdot S \cdot C \cdot A / S' \cdot r^2 \quad (S' > A)$$

となる．後者は $S' = S \cdot r'^2 / r^2$ の関係から，

$$F = L \cdot C \cdot A / r'^2$$

となり，$\omega_d = C / r^2$ であるから，網膜照度 $T$ は，

$$T = \frac{dF}{d\omega_d}$$
$$= L \cdot A \quad (S' > A)$$

となる．これは自然視の場合と同じ式である．

一方，前者の光源面の光学像が瞳孔よりも小さい場合は，網膜照度はその分小さくなり，

$$T = L \cdot A \cdot S' / A$$
$$= L \cdot S' \quad (S' < A)$$

となる．

### b. 測り方

自然視の場合は，直接的に光源面の輝度 $L$ と瞳孔面積 $A$ から，網膜照度 $T$ の定義式，

$$T[\text{td}] = L[\text{cd/m}^2] \cdot A[\text{mm}^2]$$

に代入して計算する．

Maxwell 視の場合は，光源面は光学系の中に入っている場合が多く，直接的に光源面の輝度を測定することが困難である．そこで，瞳孔上に集光する光束による照度から網膜照度を測定する方法がよく使われている．瞳孔上にできる光源像から距離 $x$ m の位置で照度 $E$ を測定する．照度 $E$ は定義から，照度を測定した受光面での単位面積当たりの光束であるので，受光面の小面積を $dA_x$ とすると，

$$E = \frac{dF}{dA_x}$$

となる．この受光面の張る立体角は $\omega_d$ と等しくなるので，

$$d\omega_d = dA_x / x^2$$

となり，照度 $E$ は，

$$E = \frac{dF}{d\omega_d \cdot x^2}$$

となる．網膜照度 $T$ は定義から，

$$T = \frac{dF}{d\omega_d}$$

であるから，

$$T = E \cdot x^2$$

となる．

また，受光面の位置に反射率 $R$ の完全拡散面を置いて，その輝度から網膜照度を求める方法もある．完全反射拡散面の 1 m 前に置かれた 1 cd の光源は完全反射拡散面に 0.1 mL（ミリランバート）の輝度を与える[3]．$1[\text{cd/m}^2] = 3.14 \times 10^{-1}$ mL である．そこで輝度が $B$ mL とすると，光源の光度は $10B \cdot x^2 / R$ [cd] となる．このときの網膜照度は，

$$T = 10B \cdot x^2 / R \text{ lm/sr,}$$

または，

$$T = 10^7 B \cdot x^2 / R \text{ td}$$

となる．

---

▶文献

1) CIE (International commission on Illumination): Spectral luminous efficiency functions based upon brightness matching for monochromatic point sources 2° and 10° fields. CIE Publications (Technical Committee Reports) 75, Central Bureau of the CIE, 1988
2) Westheimer G: The Maxwellian view. Vision Res 6: 669-682, 1966
3) Wyszecki G, Stiles WS: Color Science: Concepts and Methods, Quantitative Data and Formulae. 2nd Edition. John Wiley & Sons, 1982

（内川惠二）

# 第5章

# 光安全性

## 1 生体に対する作用[1-3)]

　生体が光の照射を受け、この光を吸収すると、そのエネルギーにより様々な作用が生じることになる。特に、波長の短い紫外線は、光子（フォトン）のエネルギーが大きく、生体に吸収されると何らかの光生物学的な作用、時には光生物学的な傷害を及ぼす可能性がある。現在までに明らかになっている生理学的現象とその内容、および関連波長域について、表5-1にまとめたので参照されたい（眼球光学系に対する作用については表5-2を参照されたい）。

## 2 眼球光学系に対する作用

### a. 光による眼への影響[1,2,7)]

　光の波長を大きく分類すると、紫外線、可視光、赤外線の大きく3つに分けることができる。
　紫外線（波長380 nm以下の光）では、蛋白質や水に強く吸収される。さらに280 nm以下の波長はすべて角膜に吸収される。最近では、水晶体に吸収された紫外線が白内障の原因とも考えられている。
　可視光（波長380～780 nmまでの光）では、瞳孔を通った大部分が網膜に到達することで、色、形、明るさを識別することができる（視覚）。
　赤外線（波長780 nm以上の光）では、波長780～930 nmの近赤外線は、角膜に照射された光の90%が網膜に到達でき、光が強力である場合、網膜に傷害をもたらす危険がある。また、波長が1,400 nmを超える光では網膜まで到達しないが、水晶体が濁って白内障を引き起こす危険がある。

表5-1　光の生体に対する作用

| | 生理学的現象 | 内容 | 関連波長域 (nm) |
|---|---|---|---|
| 生体関連 | 殺菌 | 細菌や微生物を死滅させ、増殖しないよう不活性化すること | 200～320 |
| | 紅斑 | 表皮中の毛細血管が炎症的に拡張し、皮膚の色調が赤色（紅色）へと変化すること | 250～330 |
| | ビタミンD生成 | 体内のエルゴステロールをビタミンDに変換すること | 220～340 |
| | 直接色素沈着 | 表皮や真皮内にメラニン色素が生成・沈着され、皮膚の色が褐色味を帯びて見えるようになること<br>※紅斑＋色素沈着をまとめて「日焼け」ということが多い | 320～440 |
| | 温熱感 | 温熱感覚（暖かく感じられること）が得られること | 800～10,000 |
| 生物関連 | 光合成 | 植物が水と二酸化炭素から炭水化物を合成すること | 400～830 |
| | 光形態形成 | 植物が照射条件によって細胞や組織の生長、分化、発達などの制御を行うこと | 400～830 |
| | 光周性 | 明暗が周期的に交代する場にある生物が、その暗期の長さの変化に反応する性質 | 500～850 |
| | 屈光性 | 植物が自らの状態・状況を変化させる性質 | 400～500 |
| | 走光性 | 自由に運動できる生物が、光放射源の方向と一定の関係がある方向に運動する性質のこと | 300～550 |

表 5-2 光の眼球光学系に対する作用

| 生理学的現象 | | 内容 | 関連波長域(nm) |
|---|---|---|---|
| 生体関連 | 白内障 | 眼の水晶体に混濁を生じる | 315～400, 780～ |
| | 紫外線眼炎 | 眼の角膜または結膜に急性の炎症を生じ, 光過敏, 流涙, 霧視などが起こり, 一時的に視機能が低下すること | 200～320 |
| | 青色光網膜傷害 | 輝度の高い短波長可視放射光源を直視したときに生じる網膜の光化学的傷害. 過度の場合, 網膜剝離の原因となる | 400～520 |
| | 視覚 | 瞳孔を通った大部分が網膜に到達することで, 色, 形, 明るさを識別すること | 380～780 |
| | 急性黄斑損傷 | 手術用顕微鏡および眼内照明装置を 20,000 lx 以上の極めて明るい照度で長時間使用すると黄斑損傷の原因となる | 380～780 |
| 生物関連 | サーカディアンリズム | 約 24 時間を 1 周期とする生体のリズム. 血液中のメラトニン・ホルモンの分泌量の周期的変化による睡眠-覚醒のリズムはその一例である | 380～780 (特にブルーライト) |
| | 眼精疲労 | 短時間での周期の脈動(ちらつき)のある光の下での視作業による眼の疲労のこと | 380～780 |

以上も踏まえて, 表 5-2 に, 光の眼球光学系への影響をまとめたので参照されたい.

### b. ブルーライトとサーカディアンリズム[4]

ブルーライトとは, 波長 460 nm を中心とする短波長の可視光である. 近年, LED(light emitting diode)が普及し, コンピュータ, テレビ, スマートフォンなどのバックライトとして広く使われるようになった. この LED は白色であってもブルーライト(波長 380～465 nm)が多く含まれる.

サーカディアンリズム(circadian rhythm)とは, 約 24 時間周期で変動する生理現象で, 動物, 植物, 菌類, 藻類などほとんどの生物に存在する. 一般的に体内時計ともよばれる.

サーカディアンリズムの調整を担う体内器官としては, 眼, 食道, 肺, 肝臓, 膵臓, 脾臓, 胸腺などがあるが, 最も支配的な因子は光(特にブルーライト)であり, 眼がサーカディアンリズムを調整する主要な器官となっている.

眼から入った光の信号(ブルーライト)は, 光受容体(intrinsically photosensitive retinal ganglion cell：ipRGC)で感受され, メラノプシンを発現, 視神経を介して視交叉上核へ伝達される. 視交叉上核からメラノプシンを介して上頸部交感神経節, 松果体へと信号が伝わる. そして時間ホルモンであるメラトニンの分泌が抑制され, サーカディアンリズムを調整する(図 5-1).

現代は LED を使った家電製品が溢れ, 夜になってもブルーライトを浴びる時間が多くなっており, このことが体内時計を狂わせる要因となっている.

## 3 眼科検査機器の安全性

### a. 眼科検査機器に関する光安全性[5]

国際標準機構(International Organization for Standardization：ISO)は, 各眼科検査機器に対して光安全性に関する個別規格を作成している(表 5-3). これらの規格は, すべて ISO15004-2 を引用しており, ISO15004-2 を満たすことで眼科検査機器の光安全性を示すことができる. ただし, 個別国際規格との間に相違点がある場合は, 個別規格を優先する必要がある.

ISO15004-2 では, 眼科検査機器をグループ 1 機器(危険でない機器)とグループ 2 機器(潜在的に危険な機器)のいずれかに分類する. 分類は, 各グループで設定されている放射限界値をもとに行い, 対象となる眼科検査機器の光放射量が放射限界値を超えていないことを証明することで安全性が示される. 放射限界値は, 次項で紹介する ICNIRP ガイドラインに基づくもので, 障害の種類などを考慮して, 評価部位(角膜, 水晶体, 網膜), 波長範囲と露光時間によって値が異なる. もし, 対象となる眼科検査機器がグループ 2 機器に分類された場合, その製造業者は, 使用者か

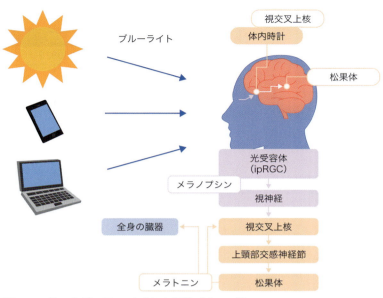

図 5-1 サーカディアンリズムの調整メカニズム

表 5-3 眼科検査機器の光安全性個別規格

| 規格番号 | 規格名 | 対象となる眼科検査機器 |
| --- | --- | --- |
| ISO10936-2 | Optics and photonics - Operation microscopes - Part 2: Light hazard from operation microscopes used in ocular surgery | 手術用顕微鏡 |
| ISO10939 | Ophthalmic instruments - Slit-lamp microscopes | 細隙灯顕微鏡 |
| ISO10940 | Ophthalmic instruments - Fundus cameras | 眼底カメラ |
| ISO10942 | Ophthalmic instruments - Direct ophthalmoscopes | 直像検眼鏡 |
| ISO10943 | Ophthalmic instruments - Indirect ophthalmoscopes | 倒像検眼鏡 |
| ISO15752 | Ophthalmic instruments - Endoilluminators-Fundamental requirements and test methods for optical radiation safety | エンドイルミネーター |

らの要求に応じて，機器が最大光強度および最大開口で動作している状態での 305～1,100 nm の相対分光出力を示すグラフを提供しなければならない．また，規格で規定されている情報（潜在的な光ハザードに達するまでの時間もしくはパルス数）および潜在的な危険性があることを促す注意書きを取扱説明書の目立つ場所に記載して使用者に提供する必要がある．

### b. レーザー光に関する光安全性規格の決め方[6]

国際非電離放射防護委員会（International Commission on Non-Ionizing Radiation Protection：ICNIRP）は，皮膚と眼に対する安全な最大露光レ

ベルに対するガイドラインを研究し，最大許容露光量(maximum permissible exposure：MPE)を提示している．この MPE 値は，人体に照射しても有害な影響を与えることのないレーザー照射レベルであり，眼および皮膚に対して値付けされている．MPE 値は波長と露光時間の 2 つの軸で定められ，障害発生率が 50％となる露光量の 1/10 とされる．

### c. レーザー光に関する光安全性

眼科検査機器の光安全性規格とは別に，レーザー光を使用した製品に対して光安全性規格が用意されている．これらは，米国規格 ANSI Z 136.1 をもとに作られており，国際電気標準会議(International Electrotechnical Commission：IEC)が作成しているレーザー機器に関する国際規格 IEC60825-1 もこれがもとになっている．日本では JIS C 6802 が IEC60825-1 に準拠した規格となっている(表 5-4)．この規格では，3b. で紹介した ICNIRP の推奨する MPE 値を採用している．放射照度の平均化に用いる開口(測定開口)は，ICNIRP が推奨したものが採用されたが，IEC/TC 76 によって安全係数が追加適用された．

放射レベルが MPE 値より小さければ安全といえるが，MPE 値は規定の面積でならしたパワー密度($W/m^2$)またはエネルギー密度($J/m^2$)で与えられるので注意を要する．この面積は限界開口径で与えられ，障害の種類などを考慮して，波長，眼や皮膚，露光時間などで値が異なる．例えば，アパーレント光と称される 400 nm≦λ<1,400 nm の波長範囲は網膜障害の領域のため，眼に対しては瞳孔径の φ7 mm にしている．この場合，レーザーパワーが一定であれば，φ7 mm 未満にビームを絞っても危険性は増加しないことになる(φ7 mm 以上に拡大すると面積に比例して危険性が緩和される)．これは，この波長範囲では眼での障害が角膜表面での入射パワー密度ではなく，集光される網膜上のパワー密度で定まるからで，瞳孔を通過した入射パワーに依存することによる．なお，MPE 値を眼と皮膚とで比較すると，

**表 5-4 世界のレーザー光安全性規格**

| 米国 | 国際機関 | 日本 |
|---|---|---|
| ANSI Z 136.1 | IEC60825-1 | JIS C 6802 |

網膜障害の生じるアパーレント光の波長範囲(400～1,400 nm)では眼のほうが 2 桁以上も低いが，その他の波長領域では両者は全く同じである．

実際に，眼科医療機器として普及している OCT を例にとり，具体的な計算の仕方について示してみる．OCT の中心波長を 830 nm，眼に投影される光束径を φ1.5 mm(平行光)とする．眼底走査速度を 53 kHz，1 A-scan ラインあたりの取得点数を 1,024 点/ライン，眼底画角を 30°とすると，眼底走査角速度 $\omega$ は 27.10 rad/秒，露光時間 t は，連続して撮影することを想定し 30,000 秒とする．視覚 $\alpha$ について考えると，OCT は走査ビームであり，$\alpha$ の算出には IEC60825-13 の 7.8 を適用することができる．IEC60825-13 の 7.8 における $\alpha_{nscan}$，$\alpha_{scan}$ は，網膜上のスポットサイズを 20 μm，眼の焦点距離を 17 mm として，$\alpha_{nscan}=0.020/17\times1,000=1.176$ mrad. となるが，最小視角 $\alpha_{min}$(＝1.5 mrad.)より小さいので 1.5 mrad. に置き換わる．また，$\alpha_{scan}$ については，7.8.6.1 の式 $\alpha_{scan}=\max[(T_i\times\omega),\alpha_{min}]$ より求められる．ここで，$T_i$ は単一パルスとみなすパルス群の時間幅を意味する．設計値より $T_i=18\times10^{-6}$ なので，$(T_i\times\omega)=18\times10^{-6}\times27.10=0.488\times10^{-3}$ となり，これは $\alpha_{min}$ よりも小さいため 1.5 mrad に置き換わる．$T_2$ を求める際の $\alpha$ は，$\alpha_{nscan}$ と $\alpha_{scan}$ の平均値とし，IEC60825-1 の Table 10 より求めると 10 秒となる．$C_4$ は IEC60825-1 Table 10 より 1.820，$C_6$ は IEC60825-13 の 7.8.3 の式より $C_6=(\alpha_{nscan}+\alpha_{scan})/(2\times\alpha_{min})=1$ となる．$C_7$ は IEC60825-1 Table 10 より 1 となる．OCT では，測定光束が常に瞳孔に入射しているため連続波として Class1 AEL および MPE を求める．計算結果は以下のとおりとなる．

$$\text{Class1 AEL} = 3.9 \times 10^{-4} \times C_4 \times C_7$$
$$= 3.9 \times 10^{-4} \times 1.820 \times 1$$
$$= 0.710 \times 10^{-3} \text{ W}$$

$$\text{MPE} = 10 \times C_4 \times C_7 = 10 \times 1.820 \times 1$$
$$= 18.20 \text{ W/m}^2$$

## ▶文献

1) 照明普及会(編):光放射の応用Ⅰ,Ⅱ.照明学会,1985
2) 照明学会(編):ライティングハンドブック.オーム社,1987
3) IESNA(ed):IES LIGHTING HANDBOOK 8th ed. IESNA, 1998
4) 綾木雅彦:ブルーライトとサーカディアンリズム.眼科 55:795-801, 2013
5) JIS T 15004-2: 2013(ISO15004-2: 2007)
6) 石川 憲:レーザー製品の安全性と作業安全.O plus E 30:940-945, 2008
7) JIS C 6802: 2005(IEC60825-1: 2001)

〈遠藤雅和〉

# 第6章
# レーザー光学

レーザー(laser)とは，誘導放出による光の増幅(light amplification by the stimulated emission of radiation)を意味し，米国の物理学者Gordon Gouldによって初めて用いられたとされている．レーザー発振に初めて成功したのはMaimanで，銀を両端面に蒸着したルビーレーザー(波長：694.3 nm)をフラッシュランプで励起することにより実現した[1]．そのわずか3年後には，Campbellらによる眼科臨床応用が試みられ[2]，その後も新しいレーザー光源が開発されるとすぐに眼科応用が試みられてきた[3]．

本項では，レーザー光の性質と特徴について述べた後，眼科分野におけるレーザーを用いた検査機器およびレーザー治療機器についてまとめる．なお，OCTや共焦点走査型レーザー検眼鏡(scanning laser ophthalmoscope：SLO)などの検査機器については，第12章「前眼部検査」項(⇒149頁)および第13章「眼底検査」項(⇒166頁)にも詳細な記述がなされているので，ここでは，レーザー治療機器に重点を置いて説明する．

## 1 レーザー光の性質と特徴

レーザー光の性質と特徴を述べる前にレーザーの原理について簡単に述べる．レーザーは，前述したとおり，"誘導放出による光の増幅"を意味する．誘導放出を理解するためには，まずは原子や分子における光の吸収と放出について理解する必要がある．

原子または分子は基底状態(エネルギー的に安定な状態)にあるとき，外部からの光エネルギーを吸収して高いエネルギー準位($E_1$)に遷移する(これを励起という)と，一定の時間が経過すると低いエネルギー準位($E_0$)に遷移する(図6-1)．このとき，エネルギー準位の差に相当する振動数$\nu = (E_1 - E_0)/h$の光を放出する(これを自然放出という)．これに対して，励起状態，つまり高いエネルギー準位にある原子や分子が自然放出する前に$\nu = (E_1 - E_0)/h$の周波数の光を照射すると，その作用によって光を放出する．これを誘導放出という．

レーザーは，主に，励起光源，レーザー媒体，光共振器で構成される(図6-2)が，光共振器は励起光源からの光をレーザー媒体内の原子や分子から放出された自然放出光や誘導放出光が空間的に同一経路を辿って同じ光路を通過するように構成され，これによって光が増幅される．

誘導放出による光の増幅では，入射した光子と波長，位相，偏光，放射方向が揃った状態で光，つまりレーザー光が出力されるため，レーザー光

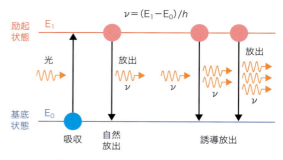

図6-1　光の吸収と放出

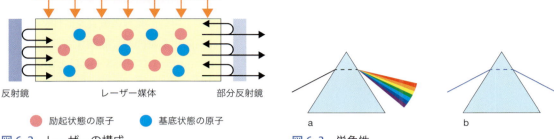

図 6-2　レーザーの構成
● 励起状態の原子　● 基底状態の原子

図 6-3　単色性
a：太陽炎　b：レーザー

表 6-1　眼科分野におけるレーザー応用

| 波長 | レーザー光源 | 眼科応用装置 |
|---|---|---|
| 193 nm | ArF エキシマレーザー | 角膜屈折矯正手術装置 |
| 488 nm | 半導体レーザー（InGaN） | 共焦点走査型レーザー検眼鏡 |
| 532 nm | Nd：YVO₄ レーザー（1,064 nm）の第 2 高調波 | レーザー光凝固装置 共焦点走査型レーザー検眼鏡 |
| 532 nm | Q スイッチパルス Nd：YAG レーザー（1,064 nm）の第 2 高調波 | SLT 手術装置 |
| 577 nm | 半導体レーザー励起半導体レーザー | レーザー光凝固装置 |
| 670 nm | 半導体レーザー（AlGaInP） | 共焦点走査型レーザー検眼鏡 |
| 790 nm | 半導体レーザー（GaAlAs） | 共焦点走査型レーザー検眼鏡 |
| 1.0 μm 帯 | フェムト秒レーザー（Yb：YAG） | 角膜屈折矯正手術装置 白内障手術装置 |
| 1,064 nm | Q スイッチパルス Nd：YAG レーザー | パルス YAG レーザー手術装置 |

には，単色性，指向性，コヒーレンスといった性質をもつ．以下にそれぞれの性質について図を用いて簡単に説明する．また，表 6-1 に現在眼科分野で使用されている主なレーザーの応用装置について波長ごとにまとめる．

### a. 単色性

光は電磁波の一種であり，そのエネルギーは，振動数，言い換えると波長によって決まる．太陽光をプリズムに通すと波長に応じて分解されるが，レーザーは単一波長であるためプリズムによって屈折はされるものの分解はされない．これを単色性という（図 6-3）．

### b. 指向性

ランプや白熱電球などの通常の光源から放出される光は，あらゆる方向に分散するのに対して，レーザー光はわずかに発散角をもつが直進し，これを指向性がよいという（図 6-4）．

### c. コヒーレンス（可干渉性）

波と波が重なり合うとき，打ち消し合ったり強め合ったりすることを干渉といい，コヒーレンスとはこの干渉の度合いを表わす言葉である．レーザー光は，時間的，空間的に波長や位相が揃っているため，干渉が起こりやすく，コヒーレンスが高い（図 6-5）．

## 2 レーザーを用いた検査機器

レーザーはその性質から様々な計測技術に応用されている．眼は透明組織であるため人の体の中でもレーザーを用いた計測に最も適した組織であ

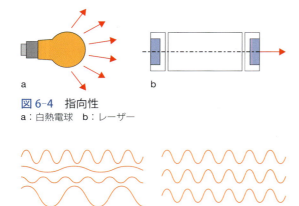

図 6-4 指向性
a：白熱電球　b：レーザー

図 6-5 コヒーレンス（可干渉性）
a：インコヒーレンス　b：コヒーレンス

る．ここでは，眼科分野で応用されているレーザー光を用いた検査機器として，レーザー光の可干渉性を利用した OCT と SLO について簡単に述べる．

### a. 光干渉断層計（OCT）

OCT は，光の干渉を利用した断層像撮影技術で，1993 年に網膜の断層像へ応用されると[4]，今まで得ることのできなかった眼球組織の断面像を非侵襲で取得可能な画期的な検査装置として注目され，今日まで加速度的に技術開発が進められてきた．

最初に実用化されたのはタイムドメイン方式（TD-OCT）とよばれる方式で，ミラーを前後に動かすことで参照光とプローブ光の光路長差を変化させながら，例えば網膜の各層からの反射光（信号光）を光検出器で検出し，このときの干渉位置（遅延時間）を検出することで網膜の各層までの組織的構造を撮影する．

これに対して，参照光とプローブ光をスペクトル領域で干渉信号を計測し，断層情報を得る Fourier（フーリエ）ドメイン方式（FD-OCT）とよばれる方式がある．FD-OCT には，広帯域光源を用いて，網膜からのプローブ光を分光器およびマルチチャンネルのラインセンサで波長分解する

スペクトラルドメイン方式（SD-OCT）と，光源に発振波長を連続的に掃引させることができる波長可変レーザーを用い，光源の波長を時間的に掃引させその波長変化を時間的に計測する波長掃引型 OCT（swept source-OCT：SS-OCT）とがある．

近年製品化されている OCT の多くは SD-OCT および SS-OCT である．SD-OCT に用いられる光源は中心波長 840～870 nm のスーパールミネッセントダイオード（super luminescent diode：SLD）でありスペクトル幅は 40～50 nm 程度である．また，SS-OCT では中心波長 1.0 μm 帯または 1.3 μm 帯の半導体レーザーが用いられ，波長掃引幅は 50～100 nm 程度である．波長によって眼内での深達度が異なるため，主に角膜～水晶体を観察する前眼部用 OCT には波長 1.3 μm 帯が，主に網膜の観察をする後眼部用 OCT には 840～870 nm または 1.0 μm 帯の光源が用いられる．

TD-OCT，SD-OCT さらには SS-OCT と急速に発展してきた OCT は今後もさらなる発展が予想されている．例えば分解能 3 μm 程度の超高解像度 OCT，細胞レベルでの観察が期待される補償光学（adaptive optics：AO）を応用した AO-OCT，さらには，角膜や強膜など複屈折性が強い組織の観察に有効な偏光 OCT など様々なシステム開発が進められており，今後の進展が期待される．

### b. 共焦点走査型レーザー検眼鏡（SLO）

SLO（scanning laser ophthalmoscope）は，レーザー光をポリゴンミラーやガルバノミラーなどの走査光学系を用いて眼底をスキャンさせ，眼底からの反射光を APD などの高感度な光検出器で受光し，画像として描写する装置である．

レーザー光源には可視～近赤外の複数波長が使用され，装置によって異なるが，主に 488，532，670，790 nm などの波長が用いられる．波長 532 nm には，通常，Nd：YVO$_4$ レーザーから出力される波長 1,064 nm 光の第 2 高調波が用いら

れるが，最近は半導体レーザーから直接 1,064 nm を発振できるため，この半導体レーザーの第 2 高調波も用いられる．波長 488, 670, 790 nm は半導体レーザーが用いられ，主に InGaN (488 nm), AlGaInP (670 nm), GaAlAs (790 nm) などの半導体が用いられる．

本項で述べた OCT や SLO の原理，方法，適応などの詳細については，第 12 章「前眼部検査」項（⇒149 頁）および第 13 章「眼底検査」項（⇒166 頁）を参照されたい．

## 3 眼科用レーザー治療機器

レーザー光の眼科分野への応用は網膜光凝固が試みられた 1963 年まで遡る．以後 50 年以上，様々なレーザーによる眼科治療が試みられてきた．ここでは，眼科用レーザー治療機器として，パルス YAG レーザー手術装置，エキシマレーザー手術装置，レーザー光凝固装置およびフェムト秒レーザー手術装置について述べる．

### a. パルス YAG レーザー手術装置

パルス YAG レーザー手術装置は主に後発白内障治療や緑内障治療に用いられる手術装置である．白内障治療では，水晶体嚢内摘出後，後嚢を残して嚢内に眼内レンズを挿入して視力回復を図るが，このとき，眼内レンズと後嚢の接触部分が時間の経過とともに白濁し視力が低下する症状を後発白内障という．この後発白内障の治療としてパルス YAG レーザー手術装置を用いる．光源には Q スイッチ Nd：YAG レーザー（波長 1,064 nm，パルス幅 2～4 nsec）が用いられ，レーザー光源から出力されたパルス光を手術用コンタクトレンズを介して患者眼に導光し，後嚢直後で集光することでプラズマを発生させ，このときに発生する衝撃波を利用して後嚢を切開して治療する（図 6-6）．レーザーの発振モードには，通常，シングルパルスモードとバーストパルスモードがあり，シングルパルスモードでは 1 回のトリガーで 1 パルス照射させるのに対して，バーストモードではあらかじめ設定した 2 または 3 パルスを

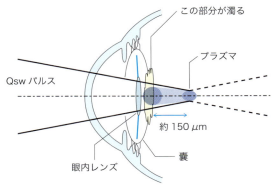

図 6-6 後発白内障治療

連続的に照射することができる．1 パルスあたりのパルスエネルギーは後嚢の混濁レベルにより異なるが，サブ mJ～数 mJ 程度である．

一方，パルス YAG レーザー手術装置による緑内障治療は，選択的レーザー線維柱帯形成術（selective laser therapy：SLT）ともよばれ，光源には Q スイッチ Nd：YAG レーザーの第 2 高調波（波長 532 nm，パルス幅 2～4 nsec）が用いられる．第 2 高調波発生には非線形光学結晶が用いられるが，詳細は割愛する．SLT は，Anderson ら[5]によって提唱された selective photothermolysis（選択的光加熱分解）理論に基づき，Latina ら[6]が明らかにした，隅角線維柱帯の色素細胞のみを選択的に凝固し，色素の乏しい細胞を傷害しない線維柱帯のレーザー治療方法である．

### b. エキシマレーザー手術装置

エキシマレーザー手術装置は，角膜表面混濁，帯状角膜変性などの各種角膜変性症治療，および角膜屈折矯正に使用するレーザー手術装置である．エキシマレーザーの発振波長はレーザー媒質である希ガスとハロゲンの混合ガスの種類によって異なり，眼科治療用に用いられているエキシマレーザーの混合ガスは ArF であり，発振波長は 193 nm の深紫外光である．

エキシマレーザー手術装置では，症例に応じてあらかじめプログラムされた形状に角膜表面形状を加工することができる．角膜変性治療において

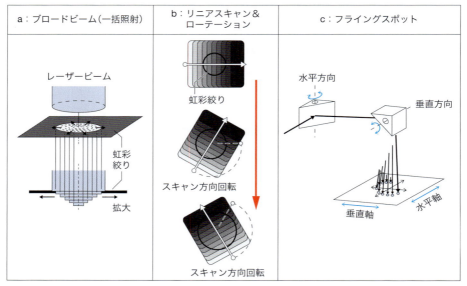

図 6-7 角膜屈折矯正手術

は，角膜表面の該当領域を一定の厚みで切除するのに対して，屈折矯正では，角膜での屈折力を変化させるため，あらかじめ算出された任意の曲面になるように加工する．レーザー光の照射方式としては，以下の 3 種類がある（図 6-7）．

### 1）ブロードビーム（一括照射）方式

約 10 mm 角の方形ビームを最大径約 7 mm の可変アパーチャーを介して角膜に照射することで角膜上に円形状にレーザー光を照射し，このとき，可変アパーチャーの開口径と照射回数をコントロールすることで，任意の範囲を任意の厚みで切除することができる．

### 2）リニアスキャン＆ローテーション方式

約 9×3 mm の矩形状ビームを一軸方向にスキャンし，そのスキャン方向を 120° ずつ回転させ 3 方向からスキャンする方式で，光学系に配置した可変アパーチャーの開口径と照射回数を制御することで，任意の形状，深さに角膜表面を加工することができる．

### 3）フライングスポット方式

直径約 1 mm 前後の微小スポットを一組のガルバノメーターミラーを用いてスキャニングすることで，任意の形状に角膜表面を加工することができる．

角膜屈折矯正手術の一手法である LASIK では，角膜実質層のフラップ形成にマイクロケラトームとよばれる電気カンナを使用する方法とレーザー光を用いる方法とがある．LASIK のフラップ形成に使用されるレーザー光源はフェムト秒レーザーといわれ，パルス幅が $10^{-15}$ オーダーと極めて短いレーザー光源が使用される．フェムト秒レーザー手術装置については後述することとする．

## c. レーザー光凝固装置

レーザー光凝固は，レーザー光を網膜に照射したときの網膜組織での吸収による発熱作用を利用して，病変部を凝固することで治療する手術装置で，加齢黄斑変性，糖尿病網膜症，未熟児網膜症，網膜静脈閉塞症などの眼底疾患の治療に用いる．

レーザー光凝固装置の多くは，通常，レーザー光源部とデリバリー光学系とに分けられ，レーザー光源部からデリバリー系へはマルチモード光ファイバーを用いて導光される．デリバリー系に導光されたレーザー光はズーム光学系および医療用コンタクトレンズを用いて網膜上に照射する

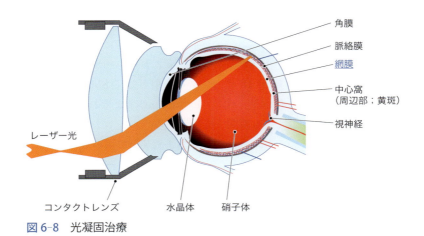

図 6-8　光凝固治療

(図 6-8)．このとき，症例に応じて，照射スポット径は 50〜1,000 μm，照射時間は 10 msec〜3 sec 程度の範囲で任意に可変して照射する．

光凝固に使用されるレーザー光は，緑〜赤色領域の連続発振光であり，症例に応じて波長を選択して使用する．網膜は視細胞層，色素上皮層などを含む 10 層から成る層構造をしており，波長によって深達度が異なる．網膜に到達する光はおおむね 400〜1,400 nm であり，波長が短いほど網膜表層部で吸収され，波長が長いほど網膜深層部まで到達する．

使用されるレーザー光源としては，従来は波長 514 nm のアルゴンイオンレーザーや波長 521，568，647 nm を発振可能なクリプトンイオンレーザー，さらにはアルゴンイオンレーザーを励起光源とし，波長 577〜640 nm を発振可能な Dye レーザーなどが用いられていた．現在では励起光源として用いることで高効率化が実現可能な半導体レーザー(LD)や，非線形結晶を用いた波長変換技術の発展が著しく，前述のすべてのレーザーが LD 励起固体レーザー(diode-pumped solid-state-laser：DPSSL)や半導体レーザーそのものに置き換えられた．DPSSL の代表的なものとして，単色光源では Nd：YVO₄ レーザーから出力される波長 1,064 nm 光を非線形結晶(LBO や KTP)で波長変換した波長 532 nm 光，多波長光源では Nd：YAG レーザーから出力される波長 1,064，1,123，1,319 nm 光を同様に波長変換した波長 532，561.5，659.5 nm 光が挙げられる．さらにレーザー媒体として InGaAs 系半導体を用いた光励起半導体レーザーによって，従来の固体レーザーでは発生が困難であった 577 nm 光も発振可能となってきた．ここで，波長 577 nm は酸化ヘモグロビン(HbO₂)の吸収ピークに一致するため，一定の凝固斑を得るために必要な光パワーが少なくても済むため低侵襲な光凝固が期待されている．

光凝固治療では，主に糖尿病網膜症や網膜中心静脈閉塞症などの治療の際，網膜を広範囲に凝固する，汎網膜光凝固(panretinal photocoagulation：PRP)という手法がある．PRP においては網膜の広範囲に数十スポットの照射を行うため，従来装置では手術時間が長いという問題があった．しかし最近では，デリバリー光学系にガルバノメーターミラーによるスキャニング機能を搭載したパターンスキャニングレーザー光凝固装置が開発され，一度のトリガーで任意のショット数を任意のパターンで照射することができるようになり，患者および術者の負担が軽減されている．

また，パターンスキャニングレーザー光凝固装置の一種で，眼底カメラなどで撮影した眼底画像に基づき照射部位をあらかじめ設定し，この画像と実時間像を眼底トラッキングにより固視微動を補正してレーザー光を照射することができる光凝

固装置も開発され，多機能化が進んでいる．

### d. フェムト秒レーザー手術装置

フェムト秒レーザーとは，パルス幅が$10^{-15}$オーダーの超短パルスレーザーのことをいう．パルス幅が極めて短いため平均出力が低くても瞬間的に高エネルギー密度状態となっている．エネルギー密度が極めて高いと通常なら光が透過してしまう透明体内部の集光点で多光子吸収とよばれる非線形光学効果が発現し，レーザー光の吸収が起こることで物質の加工が可能となる．この性質を利用して角膜屈折矯正手術や白内障手術にフェムト秒レーザーが応用されるようになった．

#### 1) 角膜屈折矯正用フェムト秒レーザー手術装置

角膜屈折矯正用フェムト秒レーザー手術装置には，フラップ形成のみをするものと，角膜実質層の一部をレンチクル状に加工するものとの2種類がある．

前者はエキシマレーザーと併せて治療することでLASIKとして知られている．LASIKにおけるフェムト秒レーザー手術装置によるフラップ形成では，角膜内部の表層部にレーザー光を集光させ，集光点における多光子吸収を利用して角膜実質内部を物理的に切断し，この集光点を任意の面内に走査することでフラップを形成する．従来の電気カンナでは金属刃が直接人体に接触することから衛生管理が重要であったが，このフェムト秒レーザーを用いたフラップ形成では，衛生面の心配も極めて少ない．

一方後者は，前者同様のフラップ形成と同時に，（フラップ形成同様に）フェムト秒レーザーを角膜実質層内部で集光し，その集光点を任意に走査することで，LASIKでエキシマレーザーを照射して切除する領域（レンチクル）を角膜実質層内部であらかじめ物理的に切断した後，いったんフラップをめくり上げレンチクルを引き剥がしフラップを被せる．この手法はCarl Zeiss Meditecによって開発された手法でFLExとよばれ，Sekundoらによって初期臨床成績が報告されている[7]．また，このFLExにおいて，フラップを形成せずに角膜に2～4mm程度のサイドカットをフェムト秒レーザーで作成し，そこからレンチクルを引き抜くSMILE（small incision lenticule extraction）とよばれる手法も同社から開発された[8]．

本手術装置で用いられるフェムト秒レーザーの主な仕様は，メーカーによっても異なるが，波長$1.0\,\mu m$，パルス幅200～800fsec，パルスエネルギー0.1～$1\,\mu J$，繰り返し周波数40kHz～1MHzであり，スポット径は1～$5\,\mu m$である．

#### 2) 白内障手術用フェムト秒レーザー手術装置

通常，白内障手術では，濁ってしまった水晶体に対してメスを用いて前嚢を切開し，水晶体内を超音波で破砕しながら吸引した後，嚢内に人工の水晶体，いわゆる眼内レンズを挿入する．最近では，メスによる前嚢切開，超音波による水晶体内の破砕をフェムト秒レーザーを用いて行える手術装置が開発され，術者の技量に影響されず毎回安定した白内障手術ができるようになってきた．

白内障手術に使用するフェムト秒レーザー手術装置は，角膜屈折矯正手術で用いるものとは異なる．LASIKにおけるフラップ形成では角膜表面から約0.1mmの深さにレーザー光を集光するのに対して，白内障手術に使用するフェムト秒レーザー手術装置においては，水晶体までレーザー光を到達させる必要があるため，必然的に必要とされる1パルスあたりのエネルギーが高くなる．また，眼内の手術となるため，前眼部OCTが搭載されており，画面上で術者があらかじめ入力した設定で手術が可能である[9]．

本手術装置で用いられるフェムト秒レーザーの主な仕様は，メーカーによっても異なるが，波長$1.0\,\mu m$，パルス幅200～800fsec，パルスエネルギー10～$20\,\mu J$，繰り返し周波数33～120kHzである．

---

▶文献

1) Maiman TH: Stimulated Optical Radiation in Ruby. Na-

ture 187: 493, 1960
2) Campbell CJ, Rittler MC, Koester CJ: The optical maser as a retinal coagulator: an evaluation. Trans Am Acad Ophthalmol Otolaryngol 67: 58-67, 1963
3) L'Esperance FA: Clinical applications of the krypton laser. Arch Ophthalmol 15: 800, 1972
4) Swanson EA, Izatt JA, Hee MR, et al: *In vivo* retinal imaging by optical coherence tomography. Opt Lett 18: 1864-1866, 1993
5) Anderson RR, Parrish JA: Selective photothermolysis: precise microscopy by selective absorption of pulsed radiation. Science 220: 524-527, 1983
6) Latina MA, Park C: Selective targeting of trabecular meshwork cells: *in vitro* studies of pulsed and CW laser interactions. Exp Eye Res 60: 359-371, 1995
7) Sekundo W, Kunert K, Russmann C, et al: First efficacy and safety study of femtosecond lenticule extraction for the correction of myopia: Six-month results. J Cataract Refract Surg 34: 1513-1520, 2008
8) Sekundo W, Kunert KS, Blum M: Small incision corneal refractive surgery using the small incision lenticule extraction (SMILE) procedure for the correction of myopia and myopic astigmatism: results of a 6 month prospective study. Br J Ophthalmol 95: 335-339, 2011
9) Donaldson KE, Braga-Mele R, Cabot F, et al: Femtosecond laser-assisted cataract surgery. J Cataract Refract Surg 39: 1753-1763, 2013

（山田　毅）

# 第7章

# 眼球光学

眼は外の物体を眼球後部の網膜に結像する光学系と考えることができる．眼球は強膜に覆われ，ほぼ球形である（図 7-1）．入射光は角膜，前房，瞳孔，水晶体，硝子体の順に屈折され，網膜に到達する．カメラに例えるならば，瞳孔が絞り，水晶体がピント調節機構，そして網膜はフィルムまたは CCD にあたる．本章は眼球の光学系の性能について説明する．

## 1 眼球各部の光学性能

### a. 角膜

角膜はおおよそ直径 12 mm の透明体で，縦が横よりやや小さい．角膜の外面と内面形状は複雑な面だが，第一近似として球面と考えることができる．その半径はそれぞれ約 7.7 mm と 6.8 mm で，中心の厚みは 0.5 mm 前後である．角膜の屈折率は 1.376 で，その後ろの房水の屈折率は 1.336 である（図 7-2）．これらを利用してそれぞれの屈折力を計算すると，

$$F_1 = \frac{1000(n_2-n_1)}{r_1} = \frac{1000(1.376-1)}{7.7}$$
$$= 48.83 [D] \qquad \cdots \text{❶}$$

$$F_2 = \frac{1000(n_3-n_2)}{r_2} = \frac{1000(1.336-1.376)}{6.8}$$
$$= -5.88 [D] \qquad \cdots \text{❷}$$

となる．角膜全体の屈折力は，大体角膜前面と後面の屈折力の和と考えられるので，$F_1+F_2 \fallingdotseq 43$ D である．眼球全体の屈折力が 60 D 程度と考えると，角膜だけで 3/4 近くを担うことになる．これは角膜と空気との屈折率の差が大きいことによる効果である．水中では角膜と水の屈折率の差が小さいので，屈折力が著しく低下し，水中のものがぼやけて見える．

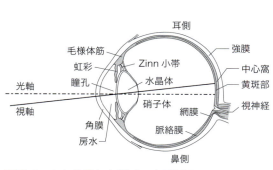

図 7-1　上から見た右眼球の水平断面

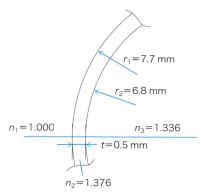

図 7-2　角膜の形状（Gullstrand 模型眼による）

表 7-1　年齢による瞳孔径(mm)の変化

|  | 10歳 | 45歳 | 80歳 |
|---|---|---|---|
| 暗所 | 7.6 | 6.2 | 5.2 |
| 明所 | 4.8 | 4.0 | 3.4 |

### b. 前房

　前房とは角膜後面と虹彩の間の空間である．ほとんど水で構成される前房水で満たされている．前房の深さが光学的にかなり大きな意味をもつ．他の条件が一定の場合，前房の深さ 1 mm 縮まると，眼球全体の屈折力が約 1.4 D 増える．

### c. 虹彩と瞳孔

　眼に入る光量は虹彩の開口である瞳孔によってコントロールされる．通常状態の瞳孔反応は，以下のとおりである．
(1) 照明の明るさの変化に対する反応．直接反応
(2) 片眼に照明の明るさを変えることによって，この眼だけでなく，もう片眼にも瞳孔反応が起こる．共感反応
(3) 近くのものに注視するときに瞳孔が縮む．近見縮瞳

　瞳孔径は年齢が上がるにつれて表 7-1 のようにだんだん縮小する．
　この表はあくまで平均値であり，個人によってばらつきがある．一般的に眼球光学系は収差があり，瞳孔径の大きさによって網膜像の画質が変化する．瞳孔径が小さくなると，網膜像の画質がよくなる．多焦点眼内レンズや，多焦点コンタクトレンズを処方するときは，明所，暗所の瞳孔径，遠見，近見時の瞳孔径を測定して，レンズのパワーデザインとの整合性を確かめる必要がある．

### d. 水晶体

　水晶体は軟らかい透明体であり，Zinn 小帯によって毛様体筋につながっている．遠方を見るときは毛様体筋が緩み，Zinn 小帯が水晶体を引っ張る状態になる．近方を見るときは毛様体が収縮

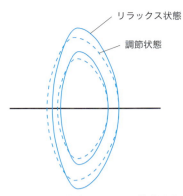

図 7-3　水晶体の形状(リラックス状態と調節状態)

して，水晶体を引っ張っている Zinn 小帯が緩み，水晶体は自身の弾性で膨らみ，屈折力が増す．このように眼の屈折力を調整することを調節という．屈折力の調整できる範囲を調節力という．

　図 7-3 に水晶体の平均的な形状を示している．若い成人の水晶体はリラックス状態で直径が 9 mm，中心厚が 3.6 mm 程度で，前面の曲率半径が後面の 1.7 倍程度ある．調節するときは，両面とも曲率半径が減少し屈折率が増すが，後面のほうが顕著である．同時に中心厚が増し，前面が前方に移動する．水晶体内部の屈折率は均一ではなく，中心部が 1.41 と高く，周辺が徐々に減少し，光軸上表面位置(極)では 1.385，外周部(赤道)では 1.375 程度である．

　調節力は年齢とともに減少し，近方にピントを合わせることができなくなる．これは，水晶体自身の弾性力の衰えによるところが大きい．水晶体組織は新陳代謝が効かず，成長し続けることによって，硬くなり，屈折力を変化させる力が衰えることになる．図 7-4 に年齢による調節力の変化を表わしている．

### e. 硝子体

　水晶体後面と網膜の間に透明な硝子体がある．その屈折率は房水と同じ 1.336 である．硝子体は眼球の体積の大半を占め，外気圧より 15 mmHg 高い圧力で眼球の形状を保つ．角膜や水晶体で形成された眼の屈折力と眼軸長のバランスが崩れると，屈折異常が発生する．

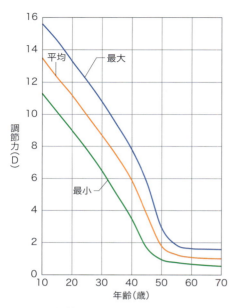

図 7-4　年齢による調節力の変化

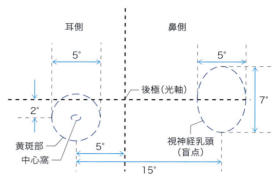

図 7-5　網膜上中心窩と盲点の位置

### f. 網膜

　眼球をカメラに例えるならば，網膜はフィルム，または CCD にあたる部分である．ただ，網膜にある光を受容し電気信号に変換する視細胞は，網膜上均一に分布していない．中央部の中心窩とよばれる非常に狭い範囲だけに視力や色識別能力の優れた錐体細胞が集中分布しており，残りの部分には点滅や動きだけに反応する杆体細胞が分布している．また，網膜上視神経が束になっている視神経乳頭では，視細胞が存在せず，盲点になっている（図 7-5）．

　光に最も敏感な中心窩が光軸から少し離れているので，視軸（中心窩を通る）と光軸が一致しないのである（図 7-1 参照）．網膜上このように中心重視の視細胞分布特性と，瞬時に反応し正確にできる眼球運動と連携して，注意深く見る対象を選択して効率よく情報処理を可能にしている．

## 2 模型眼

　模型眼とは，角膜や水晶体の光学変数を実測値に基づいて決めた眼球光学系のモデルである．模型眼は眼自体の特性を解析したり，眼鏡レンズ，コンタクトレンズ，眼内レンズなどと一体化して形成される光学系の性能を評価したりするために有用である．

### a. 模型眼の種類

　模型眼は，その複雑さによって，精密模型眼，略式模型眼と省略眼の 3 種類に分けられる（図 7-6）．精密模型眼には，角膜は前面と後面があって，水晶体は皮質の部分と核の部分に分けるものもあれば，一体のものもある．これはなるべく現実の眼に近づけるためである．略式模型眼は，光学計算を削減するために，角膜後面が省略され，角膜と前房水が一体になっている．初期の略式模型眼は，水晶体が厚み 0 の薄肉レンズになっている．省略眼はさらに簡略し，屈折面が角膜前面 1 つだけにしたものである．

### b. 代表的な模型眼

　模型眼に対する研究は，古くから行われて現在に至っている．表 7-2（66 頁）は代表的な模型眼のパラメータをまとめている．

### c. 模型眼の主要点

　共軸回転対称光学系では，面数，各面の曲率各媒質の屈折率がわからなくても，焦点，主点，節点，瞳点という主要点の位置がわかれば，その近軸特性を把握することができる．各主要点はさらに物体側と像側に分けられる．

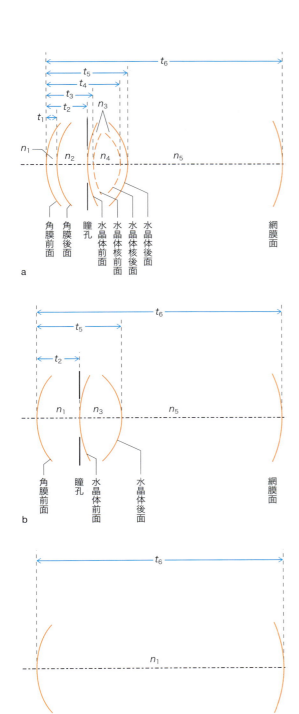

図 7-6　各模型眼の光学系
a：精密模型眼の光学系
b：略式模型眼の光学系
c：省略眼の光学系

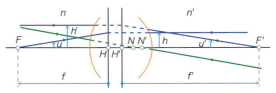

図 7-7　焦点，主点，節点とそれらの性質

　無限遠方物体点から発する光線，つまり光軸に平行する光線が光学系全体によって屈折され，像側の一点に集まる．この点は像側焦点 $F'$ という（図 7-7）．物体側軸上一点から発する光線が光学系全体によって屈折され，像側で平行光線になる場合，この点が物体側焦点 $F$ という．

　幾何光学の近軸理論では，物体側空間の任意の一点が像側の唯一の点に結像する．この一対の点は共役点という．物体側軸上無限遠方点の共役点は像側焦点 $F'$，物体側焦点 $F$ の共役点は像側軸上無限遠方点である．

　主点は，光学系の特殊な一対の共役点 $H$ と $H'$（図 7-7）である．この点の横倍率が 1 である．主点を通過し光軸に垂直な平面を主平面という．物体側主平面上高さ $h$ の点を通過する光線は，像側主平面同じ高さの点を通過する．主点から焦点までの距離は焦点距離という．物体側焦点距離 $f$，像側焦点距離 $f'$ とは，$f/n = -f'/n'$ の関係が成り立つ．通常の光学系では，物体側とは像側とも媒体が空気なので，$n=n'=1.0$，したがって，$f=-f'$ となる．眼球光学系では，物体側が空気，像側は硝子体となり，物体側と像側の焦点距離の絶対値は等しくない．

　節点は光学系のもう 1 つの特殊な一対の共役点 $N$ と $N'$（図 7-7）である．$N$ に入射する光線の角度と $N'$ から出射する光線の角度は等しい．物体側と像側の屈折率が同一であれば，節点と主点は一致する．眼球光学系の場合は主点と節点は一致しない．節点を使うと，物体の網膜における像の大きさを簡単に求めることができる．その方法は，像側節点から網膜までの距離と物体から物体側節点までの距離の比が横倍率となるからである．

表 7-2 代表的模型眼のパラメータ

| | 研究者（年代） | Listing(1853) | Listing(1853) | Donders(1864) | Helmholtz(1896) | | Gullstrand(1909) | |
|---|---|---|---|---|---|---|---|---|
| | 模型眼の分類 | 略式模型眼(3面) | 省略眼(1面) | 省略眼(1面) | 略式模型眼(3面) | | 精密模型眼(6面) | |
| | 調節状態 | | | | 調節弛緩時 | 調節最大時 | 調節弛緩時 | 調節最大時 |
| 曲率半径(mm) | 角膜前面($r_1$) | 8.0000 | 5.1248 | 5.0000 | 8.0000 | 8.0000 | 7.7000 | 7.7000 |
| | 角膜後面($r_2$) | | | | | | 6.8000 | 6.8000 |
| | 水晶体前面($r_3$) | 10.0000 | | | 10.0000 | 6.0000 | 10.0000 | 5.3333 |
| | 等質核前面($r_4$) | | | | | | 7.9110 | 2.6550 |
| | 等質核後面($r_5$) | | | | | | −5.7600 | −2.6550 |
| | 水晶体後面($r_6$) | −6.0000 | | | −6.0000 | −5.0000 | −6.0000 | −5.3333 |
| 屈折面位置(mm) | 角膜前面($t_0$) | 0.0000 | 0.0000 | 0.0000 | 0.0000 | 0.0000 | 0.0000 | 0.0000 |
| | 角膜後面($t_1$) | | | | | | 0.5000 | 0.5000 |
| | 水晶体前面($t_2$) | 4.0000 | | | 3.6000 | 3.2000 | 3.6000 | 3.2000 |
| | 等質核前面($t_3$) | | | | | | 4.1460 | 3.8725 |
| | 等質核後面($t_4$) | | | | | | 6.5650 | 6.5275 |
| | 水晶体後面($t_5$) | 8.0000 | | | 7.2000 | 7.2000 | 7.2000 | 7.2000 |
| | 眼軸長($t_6$) | 22.6470 | 20.3038 | 20.0000 | 22.2320 | | 24.0000 | 24.0000 |
| 屈折率 | 角膜($n_1$) | 1.3377 | 1.3377 | 1.3333 | 1.3377 | 1.3377 | 1.3760 | 1.3760 |
| | 房水($n_2$) | | | | | | 1.3360 | 1.3360 |
| | 水晶体($n_3, n_5$) | 1.4545 | | | 1.4545 | 1.4545 | 1.3860 | 1.3860 |
| | 等質核($n_4$) | | | | | | 1.4060 | 1.4060 |
| | 硝子体($n_5$) | 1.3377 | | | 1.3377 | 1.3377 | 1.3360 | 1.3360 |
| 全屈折力(D) | | 66.6340 | 65.8880 | 66.6670 | 67.3020 | 75.3370 | 58.6360 | 70.5750 |

| | 研究者（年代） | Gullstrand(1909) | | LeGrand(1946) | | LeGrand(1946) | | Emsley(1952) | | Emsley(1952) |
|---|---|---|---|---|---|---|---|---|---|---|
| | 模型眼の分類 | 略式模型眼(3面) | | 精密模型眼(4面) | | 略式模型眼(3面) | | 修正略式模型眼(3面) | | 省略眼(1面) |
| | 調節状態 | 調節弛緩時 | 調節最大時 | 調節弛緩時 | 調節最大時 | 調節弛緩時 | 調節最大時 | 調節弛緩時 | 調節最大時 | 調節弛緩時 |
| 曲率半径(mm) | 角膜前面($r_1$) | 7.8000 | 7.8000 | 7.8000 | 7.8000 | 8.0000 | 8.0000 | 7.8000 | 7.8000 | 5.5556 |
| | 角膜後面($r_2$) | | | 6.5000 | 6.5000 | | | | | |
| | 水晶体前面($r_3$) | 10.0000 | 5.3333 | 10.2000 | 6.0000 | 10.2000 | 6.0000 | 10.0000 | 5.0000 | |
| | 等質核前面($r_4$) | | | | | | | | | |
| | 等質核後面($r_5$) | | | | | | | | | |
| | 水晶体後面($r_6$) | −6.0000 | −5.3333 | −6.0000 | −5.5000 | −6.0000 | −5.5000 | −6.0000 | −5.0000 | |
| 屈折面位置(mm) | 角膜前面($t_0$) | 0.0000 | 0.0000 | 0.0000 | 0.0000 | 0.0000 | 0.0000 | 0.0000 | 0.0000 | 0.0000 |
| | 角膜後面($t_1$) | | | 0.5500 | 0.5500 | | | | | |
| | 水晶体前面($t_2$) | 5.8500 | 5.2000 | 3.6000 | 3.2000 | 6.3740 | 5.7763 | 3.6000 | 3.2000 | |
| | 等質核前面($t_3$) | | | | | | | | | |
| | 等質核後面($t_4$) | | | | | | | | | |
| | 水晶体後面($t_5$) | 5.8500 | 5.2000 | 7.6000 | 7.7000 | 6.3740 | 5.7763 | 7.2000 | 7.2000 | |
| | 眼軸長($t_6$) | 24.0000 | 24.0000 | 24.1970 | 24.1970 | 24.1970 | 24.1970 | 23.8960 | 23.8960 | 22.2223 |
| 屈折率 | 角膜($n_1$) | 1.3360 | 1.3360 | 1.3771 | 1.3771 | 1.3360 | 1.3360 | 1.3333 | 1.3333 | 1.3333 |
| | 房水($n_2$) | | | 1.3374 | 1.3374 | | | | | |
| | 水晶体($n_3, n_5$) | 1.4130 | 1.4240 | 1.4200 | 1.4270 | 1.4200 | 1.4270 | 1.4160 | 1.4160 | |
| | 等質核($n_4$) | | | | | | | | | |
| | 硝子体($n_5$) | 1.3360 | 1.3360 | 1.3360 | 1.3360 | 1.3360 | 1.3360 | 1.3333 | 1.3333 | |
| 全屈折力(D) | | 59.7370 | 70.5440 | 59.9400 | 67.6770 | 59.9410 | 67.6770 | 60.4830 | 69.7210 | 60.0000 |

表7-3 代表的な模型眼の主要点位置（単位：mm）

| 研究者 | Helmholtz(1896) | | Gullstrand(1909) | | LeGrand(1946) | | Emsley(1952) | |
| --- | --- | --- | --- | --- | --- | --- | --- | --- |
| 模型眼の分類 | 略式模型眼（3面） | | 精密模型眼（6面） | | 精密模型眼（4面） | | 修正略式模型眼（3面） | |
| 調節状態 | 調節弛緩時 | 調節最大時 | 調節弛緩時 | 調節最大時 | 調節弛緩時 | 調節最大時 | 調節弛緩時 | 調節最大時 |
| 物側主点 $H$ の位置 | 1.940 | 2.033 | 1.348 | 1.772 | 1.595 | 1.819 | 1.550 | 1.782 |
| 像側主点 $H'$ の位置 | 2.356 | 2.491 | 1.601 | 2.086 | 1.908 | 2.192 | 1.851 | 2.128 |
| 物側焦点 $F$ の位置 | −12.918 | −11.241 | −15.706 | −12.397 | −15.089 | −12.957 | −14.983 | −12.561 |
| 像側焦点 $F'$ の位置 | 22.232 | 20.247 | 24.385 | 21.016 | 24.197 | 21.932 | 23.896 | 21.252 |
| 物側節点 $N$ の位置 | 6.957 | 6.515 | 7.078 | 6.533 | 7.200 | 6.784 | 7.062 | 6.562 |
| 像側節点 $N'$ の位置 | 7.373 | 6.973 | 7.331 | 6.847 | 7.513 | 7.156 | 7.363 | 6.909 |
| 入射瞳の位置 | 3.036 | 2.661 | 3.047 | 2.668 | 3.038 | 2.660 | 3.052 | 2.674 |
| 出射瞳の位置 | 3.722 | 3.293 | 3.665 | 3.212 | 3.682 | 3.255 | 3.687 | 3.249 |
| 物側焦点距離 $f$ | −14.859 | −13.274 | −17.054 | −14.149 | −16.683 | −14.776 | −16.534 | −14.343 |
| 像側焦点距離 $f'$ | 19.876 | 17.756 | 22.785 | 18.930 | 22.289 | 19.741 | 22.045 | 19.124 |

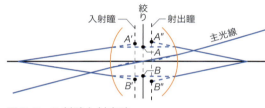

図7-8 入射瞳と射出瞳

光学系では光線を制限する開き絞りがある．開き絞りの，それより以前の光学系による像を入射瞳といい，それより以後の光学系による像を射出瞳という．開き絞りの中心（軸上にある）を通過する光線を主光線という（図7-8）．

一部代表的な模型眼の主要点位置を表7-3にまとめる．値の符号は角膜前面を基準としていて，物体側がマイナス，像側がプラスになっている．

## 3 眼の軸

眼球は厳密には軸回転対称の光学系ではない．また，網膜上最も感度の高い中心窩の部分は，少し耳側に偏った位置にあるため，眼球が注視するときに対象物に向ける視線は光軸と一致しない．瞳孔もその中心は鼻側に少し偏位している．実際実験するときに基準になるのは光軸ではなく，視軸など観察可能な基準線である．

図7-9に眼のいくつかの軸と角度の定義を示す．

実際の眼球光学系は，自由曲面，偏心，屈折率分布などの要素があり，眼球回旋運動も完全に一点を中心に回転しているわけではなく，光軸や回旋点，節点を確定することは不可能に近い．実際確定できるのは，瞳孔中心線と照準線とのλ角である．照準線（主光線）を視線と定義すべきと主張する書籍もある[1]．実際λ角は5°程度である．

## 4 眼の幾何光学的収差（図7-10）

眼球光学系はおおむね軸回転対称の光学系とみなすことができる．像面にあたる網膜では，中心窩以外の部分では視細胞の密度が急激に減っていて，収差を論じるまでもない．したがって眼球光学系の視野は広いが，軸上の色収差と球面収差が重要である．また，一般的な光学系と異なり，眼球光学系の収差は基本的に屈折力で表現することが多い．例えば球面収差は，一般的な光学系では，入射瞳の周辺部を通過する光線が光軸に交わる点の，近軸像面からの距離と定義されるが，眼球ではこの距離を測ることができないので，入射瞳にリング状開口を置いたときの屈折力と，ピンホールを置いたときの屈折力との差，で表現する．軸上結像位置の差[mm]と屈折力差[D]の関係は，およそ1 mmが1.5 D相当である．

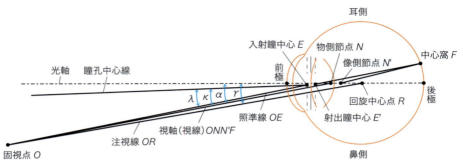

**図7-9 眼の軸と角度**

眼軸(geometrical axis)：眼の前極と後極を結ぶ直線．
光軸(optical axis)：眼のすべての屈折面の曲率中心を通る直線，または近似直線．
視軸(visual axis)，視線(visual line)：固視点と物側節点，像側節点と中心窩を結ぶ直線 ONN'F．
照準線(line of sight)：固視点と入射瞳中心を結ぶ直線 OE．射出瞳と中心窩を結ぶ直線 E'F を加えると，固視点と中心窩を結ぶ主光線となる．
注視線(fixation axis)：固視点と回旋中心点を結ぶ直線 OR．
瞳孔中心線(pupillary axis)：入射瞳中心を通り，角膜表面に垂直な直線．入射瞳の中心はおよそ0.25 mm鼻側に偏位しているとされる．この値で計算すると，瞳孔中心線と光軸とはおよそ3°の角度を成す．
$\alpha$ 角(angle alpha)：視軸と光軸の成す角度．
$\gamma$ 角(angle gamma)：注視線と光軸の成す角度．
$\kappa$ 角(angle kappa)：視軸と瞳孔中心線の成す角度．
$\lambda$ 角(angle lambda)：照準線と瞳孔中心線の成す角度．

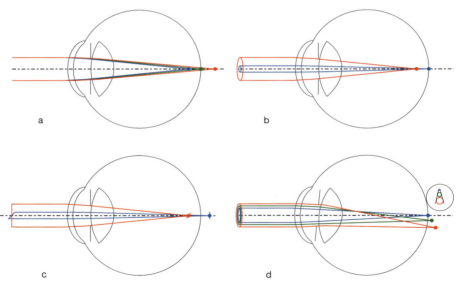

**図7-10 眼の幾何光学的収差**
a：色収差　b：球面収差　c：非点収差　d：コマ収差

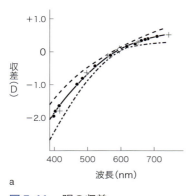
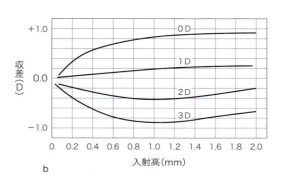

図 7-11　眼の収差
a：色収差　b：各調節状態の球面収差

　最近波面収差を測る機械が開発され，眼の収差を簡単にしかも精密に測定することが可能になっている．

### a. 色収差

　眼球光学系を構成する角膜，房水，水晶体，硝子体などの透明媒体の屈折率は，波長によって異なる．したがって，青い光の屈折力と赤い光の屈折力に差が生じる．この差が色収差である（図 7-10a）[2]．多少の個人差はあるが，可視域の両端，つまり 780 nm の赤い光と 380 nm の青い光では，屈折力の差は 2.5 D ほどである（図 7-11a）．普段この軸上色収差をあまり感じないのは，眼の視感度特性と視細胞のフィルター特性によるものと考えられている．

### b. 球面収差

　眼球の球面収差は，入射瞳周辺部の屈折力と中心部の屈折力の差と考えることができる（図 7-10b）．周辺部光線の像点が近軸光線の像の前にある場合，あるいは，周辺部光線の屈折力が近軸光線の屈折力より大きい場合，球面収差がプラスである．図 7-11b に示したのは球面収差の実測値の一例で，Ivanoff[3] が測定した 10 眼の平均値である．横軸が入射光線の高さ，縦軸が球面収差量，各収差曲線状の数字は調節状態を表わしている．調節によって球面収差が変化していることが示されている．無調節のときに球面収差はプラスの値だが調節に伴って，マイナスに変化する．調節 1.5 D のとき（眼から 67 cm 離れた物体を注視しているとき）に球面収差が最小になる．この結果は一例であり，ほかにも測定が行われ，異なる結果が得られている．Atchison ら[4] は調節 2.0 D，He ら[5] は調節 3.0 D のとき，収差が最小になるといっている．

### c. 非点収差，コマ収差

　今までは眼球が軸回転対称の光学系という前提で収差を説明したが，生身の眼球は眼球回転対称ではなく，色収差，球面収差以外の収差も存在する．その代表的なものは，非点収差とコマ収差である．非点収差は，乱視と同じ意味で，英語では同じ単語 astigmatism で表わしている．非点収差は，経線の方向によって屈折力が異なることによる収差である（図 7-10c）．最大屈折力と最小屈折力の差が非点収差，つまり乱視度数と定義される．

　コマ収差は，軸外の像に起こる収差で，入射瞳の異なる高さを通る光線の像の大きさが異なることによる収差である．入射瞳中央の光線による像を頂点にして，周辺部の光線による像のリングが位置をずれながら大きくなる（図 7-10d）．最終的に集光点が彗星（coma）の尾のように伸びて見えるので，コマ収差とよばれる．眼球光学系はほぼ

軸回転対称で，光軸上ではコマ収差は本来ないはずだが，角膜や水晶体の表面に不規則な部分があったり，位置がずれたりして，コマ収差を発生することがある．

#### d. 波面収差，Zernike分解

波面とは光線束のすべての光線と直交する面である．点光源から発する光線束の波面は球面である．この光線束はコリメータレンズによってすべての光線が平行光線になり，その波面が平面になる．また，カメラレンズによって，光線束のすべての光線が像に向かい，波面は像点を中心とする球面になる．しかし，レンズには収差があるので，出射波面は完全に平面または球面にならず，誤差が生じる．この誤差が波面収差である．

眼の波面収差を測定する装置として，1994年にLiangら[6]によって画期的な方法が提案された．この後瞬く間に装置が開発されて，LASIK手術や白内障手術の術前後の評価に広く使われるようになった．図7-12に眼の波面が示されている．平面波または球面波を入射して像の波面収差を測ることではなく，網膜の黄斑部から発射された光束が，角膜から出射されるときの波面を測ることが特徴である．眼球に収差がなければ，出射波面は平面である．収差があるときは，波面が平面ではなく，独特の形状をもつ曲面となる．この波面は眼の屈折異常とすべての収差を反映して形成されているので，波面の形状を解析すれば，眼の収差がわかるのである．解析方法としては，Zernike多項式級数分解という方法が広く使われている（式❸）．各Zernike関数項はSeidelの収差に対応する部分もあるので，各項の係数は対応する収差の大きさを反映していると考えることができる．

$$W(\rho, \theta) = \Sigma c_n^m Z_n^m(\rho, \theta) \quad \cdots ❸$$

ここで$W$は波面収差，つまり点$(\rho, \theta)$における実際の波面と理想波面との距離である．眼球の波面収差は，角膜頂点接平面からの距離と考えてよい．$\rho$と$\theta$は点の極座標値である．$Z_n^m(\rho, \theta)$は

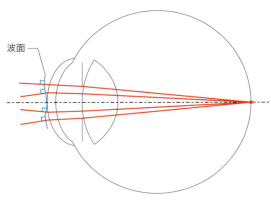

図7-12　眼球の波面収差

Zernike関数で，円形範囲状の直交多項式である．$c_n^m$はその係数である．表7-4は$n=4$までのZernike関数と対応する収差（光学現象）についてまとめたものである（Zernike関数とSeidel収差の関係は第3章に詳しく述べている）．

## 5 眼球光学系の光学性能

実際の眼球は生身の透明組織でできているので，光学系としてはかなり多くの収差をもっている．瞳孔径が大きければ大きいほど収差が大きい．逆に瞳孔径が小さいと収差が少なく視力がよいことになる．瞳孔径が小さいと，さらに焦点深度が深く，見るものの前後にあるものもはっきり見えるようになる．

焦点深度とは，像の前後にボケの大きさがある許容値以下に収まる範囲と定義される（図7-13a）．収差を無視し，像面を前後してボケの大きさを$\varepsilon$以下になる範囲$\Delta l'$は，$\Delta l' = 2\varepsilon s'/p'$となる．ここで，$p'$は射出瞳の大きさ，$s'$は射出瞳から像までの距離である．Gullstrand（グルストランド）精密模型眼（調節弛緩時）の場合，射出瞳は角膜より3.665 mm奥にあり，大きさはほぼ瞳孔径に等しい（1.03倍）．像点$O'$は角膜より24.385 mmの位置にあるので，$s'=24.385-3.665=20.72$ mm．小数視力1.0のときの網膜上ボケの大きさは$\varepsilon \fallingdotseq 0.005$ mm（視角1分，つまり1/60°の網膜上の大きさ）．したがって瞳孔径$p'=4$ mm（室内の明るさ）の場合，焦点深度は$\Delta l'$

表7-4 Zernike関数と対応する収差

| No. | $n$ | $m$ | $Z_n^m(\rho, \theta)$ | 通称(対応光学現象) |
|---|---|---|---|---|
| 0 | 0 | 0 | $Z_0^0(\rho, \theta)$ | piston |
| 1 | 1 | −1 | $Z_1^{-1}(\rho, \theta) = 2\rho \sin\theta$ | tip(縦プリズム) |
| 2 | 1 | 1 | $Z_1^1(\rho, \theta) = 2\rho \cos\theta$ | tilt(横プリズム) |
| 3 | 2 | −2 | $Z_2^{-2}(\rho, \theta) = \sqrt{6}\rho^2 \sin 2\theta$ | astigmatism(非点収差) |
| 4 | 2 | 0 | $Z_2^0(\rho, \theta) = \sqrt{3}(2\rho^2 - 1)$ | defocus(度数誤差) |
| 5 | 2 | 2 | $Z_2^2(\rho, \theta) = \sqrt{6}\rho^2 \cos 2\theta$ | astigmatism(非点収差) |
| 6 | 3 | −3 | $Z_3^{-3}(\rho, \theta) = \sqrt{8}\rho^3 \sin 3\theta$ | trefoil |
| 7 | 3 | −1 | $Z_3^{-1}(\rho, \theta) = \sqrt{8}(3\rho^3 - 2\rho)\sin\theta$ | coma-like(コマ収差) |
| 8 | 3 | 1 | $Z_3^1(\rho, \theta) = \sqrt{8}(3\rho^3 - 2\rho)\cos\theta$ | coma-like(コマ収差) |
| 9 | 3 | 3 | $Z_3^3(\rho, \theta) = \sqrt{8}\rho^3 \cos 3\theta$ | trefoil |
| 10 | 4 | −4 | $Z_4^{-4}(\rho, \theta) = \sqrt{10}\rho^4 \sin 4\theta$ | quatrefoil |
| 11 | 4 | −2 | $Z_4^{-2}(\rho, \theta) = \sqrt{10}(4\rho^4 - 3\rho^2)\sin 2\theta$ | secondary astigmatism(2次非点収差) |
| 12 | 4 | 0 | $Z_4^0(\rho, \theta) = \sqrt{5}(6\rho^4 - 6\rho^2 + 1)$ | spherical aberration(球面収差) |
| 13 | 4 | 2 | $Z_4^2(\rho, \theta) = \sqrt{10}(4\rho^4 - 3\rho^2)\cos 2\theta$ | secondary astigmatism(2次非点収差) |
| 14 | 4 | 4 | $Z_4^4(\rho, \theta) = \sqrt{10}\rho^4 \cos 4\theta$ | quatrefoil |
| … | … | … | … | … |

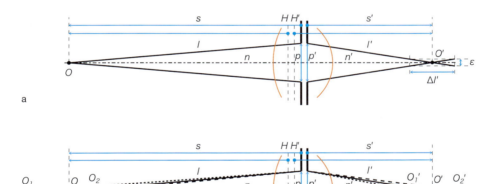

図7-13 焦点深度(a)と被写界深度(b)

$= 2\varepsilon s'/p' \fallingdotseq 0.05$ mm となる.瞳孔径2 mm(白昼室外の明るさ)の場合0.1 mmとなる.

像面位置前後の範囲で表わす焦点深度より,物体距離の範囲で表わす被写界深度(図7-13b)のほうがもっと直感的に理解できる.ここでは被写界深度の計算を試みる.

光学系結像の式は,

$$\frac{n'}{l'} - \frac{n}{l} = \frac{1}{f'} \quad \text{つまり} \quad L' - L = F \quad \cdots ④$$

である.ここで,$l$と$l'$はそれぞれ物側と像側の主面から測った物体と像の距離,$n$と$n'$は物側と像側の屈折率,$L$と$L'$は物体と像のバージェンス(vergence),$F$は光学系全体の屈折力である.この式の両側に差分をとって整理すると,物体距離の変化によるバージェンスの変化は,

$$n\Delta L = n'\Delta L' = -n\Delta l/l^2 = -n'\Delta l'/l'^2 \qquad \cdots ⑤$$

となる．図 7-13b によれば，被写界深度は，$\Delta l_2' = \varepsilon l'/(p'-\varepsilon) ≒ \varepsilon l'/p'$，$\Delta l_1' = -\varepsilon l'/(p'+\varepsilon) ≒ -\varepsilon l'/p'$ で，$\Delta L' = \Delta l_1' - \Delta l_2' ≒ -2\varepsilon L'/p'$ であることがわかり，これを式 ⑤ に代入すると，

$$n\Delta L = -n'\Delta l'/l'^2 ≒ 2n'\varepsilon/l'p' \qquad \cdots ⑥$$

となる．Gullstrand 精密模型眼（調節弛緩時）無限遠方物体の場合，$n=1.0$，$n'=1.3366$，$L=0.0$，$l'=f'=22.785$．視力 1.0 の場合，$\varepsilon ≒ 0.005$ mm．瞳孔径 $p'=4$ mm．式 ⑥ に代入すると，

$$\Delta L ≒ 2n'\varepsilon/l'p' = 0.000146\frac{1}{mm} = 0.146[D]$$

となる．

このように収差を考慮しない場合，瞳孔径 4 mm の眼球の小数視力 1.0 の被写界深度は 0.15 D 程度になる．実際の眼球は球面収差などをもっているので，この場合被写界深度の計算が複雑になる．

瞳孔径が小さくなるほど，焦点深度や被写界深度が増えることを利用して，すべての度数に対応できるピンホール眼鏡やピンホールコンタクトレンズが開発されているが，十分な光量が得られず，暗い環境では危険であること，また明るい環境でも，ピンホールと瞳孔の 2 つの瞳による口径食が発生し周辺視野が暗いことが原因で，実用的ではない．

波面収差の大きさが 1 波長（緑で $\lambda=555$ nm）程度になると，波動光学の効果が大きなウエイトを占めるようになり，回折によるボケがものをいう．円形開口の回折パターンはエアリーの回折像といい，その最初の 0 点の半径は Rayleigh の解像限界という．その半径は，

$$\delta = 0.61\frac{\lambda}{NA} = 1.22\lambda\frac{f'}{n'p'} \qquad \cdots ⑦$$

このように，瞳孔径 $p'$ が小さいほど，Rayleigh 限界 $\delta$ が大きく，視力が悪いことになる．瞳孔径 $p'=2$ mm の場合，Rayleigh の解像限界は $\delta=0.0058$ mm となり，視力に直すと，0.8 程度となる．

▶文献

1) Rabbetts RB: Bennett and Rabbetts' Clinical Visual Optics, 4th ed. pp234-235, Butterworth-Heinemann. 2007
2) 神谷貞義，梶浦睦雄（編）：生理光学と眼鏡による治療．pp73-75，医学書院，1967
3) Tunnacliffe AH: Introduction of visual optics. p374, Association of British Dispensing Opticians, 1993
4) Atchison DA, Collins MJ, Wildsoet CF, et al: Measurement of monochromatic ocular aberrations of human eyes as a function of accommodation by the Howland aberroscope technique. Vision Res 35: 313-323, 1995
5) He JC, Burns SA, Marcos S: Monochromatic aberrations in the accommodated human eye. Vision Res 40: 41-48, 2000
6) Liang J, Grimm B, Goelz S, et al: Objective measurement of wave aberrations of the human eye with the use of a Hartmann-Shack wave-front sensor. J opt Soc Am A Opt Image Sci Vis 11: 1949-1957, 1994

（祁　華）

# 第8章 矯正の光学

## I 正視と屈折異常

### 1 正視
emmetropia

　眼が休止状態にあるときに，無限遠の距離にある物体からの平行光線が網膜に焦点を結ぶ眼を正視という．網膜に焦点を結ばない場合を屈折異常（ametropia）という．
　屈折異常は，近視，遠視，乱視に大別される．

### 2 近視
myopia

　調節が休止状態にあるときに，無限遠方光線が網膜の前に結像する眼を近視という（図8-1a）．網膜上中心窩（ここでは光軸にあると仮定する）の共役点は遠点という．眼の物体側主点から遠点までの距離 $k$ は遠点距離という．近視の場合，遠点は眼の前にあるので，$k$ はマイナスの符号をとる（図8-1b）．

### 3 遠視
hyperopia

　調節が休止状態にあるときに，無限遠方光線が網膜の後ろに結像する眼を遠視という（図8-2a）．遠視の場合，遠点は眼の後ろにある（図8-2b）．

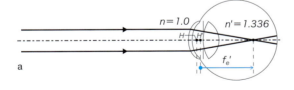

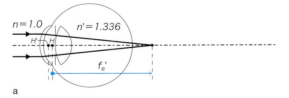

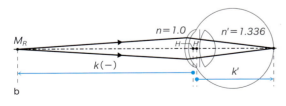

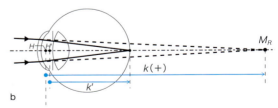

図 8-1　近視
a：無限遠方光線が網膜の前に結像．
b：遠点が眼前有限距離にある．

図 8-2　遠視
a：無限遠方光線が網膜の後ろに結像．
b：遠点が眼の後ろ有限距離にある．

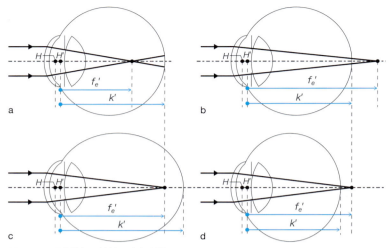

**図 8-3** 屈折性・軸性屈折異常
a：屈折性近視　b：屈折性遠視　c：軸性近視　d：軸性遠視

## 4 眼屈折
### ocular refraction

眼の近視または遠視の程度は，遠点距離の逆数 $K=1/k$ で表わすことができ，これを眼の屈折度という．遠点距離 $k$ の単位はメートル[m]，眼屈折 $K$ の単位は 1/m つまりジオプター（diopter）である．例えば，$k=-500$ mm $=-0.5$ m の場合，眼屈折は $K=-2.00$ D，つまり近視 2.0 ジオプターである．

## 5 軸性屈折異常と屈折性屈折異常
### 'axial' and 'refractive' ametropia

光学系結像の式（7 章の式 ❹，⇒71 頁）に $K'=n'/k'=n'/l'$, $K=n/k=n/l$, $F_e=1/f'$ を代入すると，

$$K'=K+F_e \text{ または } K=K'-F_e \qquad \cdots ❶$$

となる．

つまり，眼屈折 $K$ は眼軸長で決まる $K'$ と全眼屈折力 $F_e$ の差である．正視の場合，$K'=F_e$ なので，$K=0$ である．全眼屈折力 $F_e$ が一定で眼軸長が変わる（$K'$ が変わる）ことによって起こる屈折異常は軸性屈折異常という．眼軸長が長くなると，軸性近視，短くなると軸性遠視となる．一方眼軸長が一定で全眼屈折力 $F_e$ が変わることによって起こる屈折異常は屈折性屈折異常という．$F_e$ が大きくなると屈折性近視，小さくなると屈折性遠視となる（図 8-3）．

## 6 乱視
### astigmatism

近視と遠視の眼は光軸に関して回転対称の光学系をもち，光軸上任意の一点から発した光線は光軸のどこかに結像するが，乱視の眼はどこにも結像点がなく，光軸に関して回転対称性をもたない．乱視はさらに正乱視と不正乱視に分けられる．

### a．正乱視

正乱視の出射波面は光軸に関して回転対称ではないが，各経線平面（光軸を含む）上の経線の曲率が，経線平面の角度に関して，一定の規則で変化する（図 8-4）．最大曲率の経線平面〔図 8-4（第二主経面）〕と最小曲率の経線平面〔図 8-4（第一主経面）〕とは必ず直交する．第二主経面における屈折力と第一主経面における屈折力の差が乱視度数である．図 8-4 のように像面の位置によって像が楕円，直線（第一焦線），円（最小錯乱円），90°回転直線（第二焦線），楕円の順番に変化する．

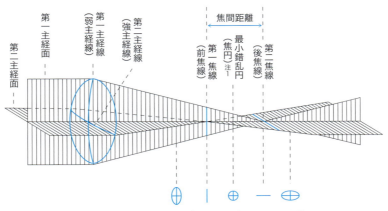

図 8-4　正乱視の屈折状態図〔Sturm（スターム）のコノイド〕
注1：像が網膜上に位置したとき，ぼやけ方に方向性がなくなるので最良の網膜像になる．

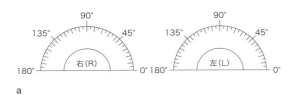

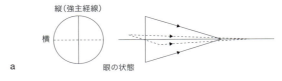

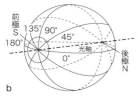

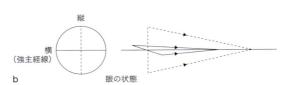

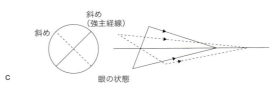

図 8-5　乱視軸の定義
a：乱視軸　b：眼球

### b. 不正乱視

出射波面の経線平面での曲率（屈折力）が不規則に変化することを不正乱視という．

## 7 乱視軸
astigmatic axis

第一または第二主経線の方向を乱視軸といい，水平線からの角度で表わす（図8-5）．

## 8 正乱視の分類
classification of regular astigmatism

正乱視は乱視軸の方向によって直乱視，倒乱視と斜乱視に分類される．直乱視は眼球の縦方向の

図 8-6　乱視の分類
a：直乱視　b：倒乱視　c：斜乱視

屈折力が横方向より強く，第二主経線（強主経線）が90°方向付近にある乱視である（図8-6a）．倒乱視は眼球の横方向の屈折力が縦方向より強く，第二主経線（強主経線）が180°方向付近にある乱視である（図8-6b）．第二主経線（強主経線）が45°と135°方向付近にある乱視は斜乱視である（図8-6c）．直乱視，倒乱視と斜乱視の角度範囲については諸説あり，明確な定義がない．統計処理上第二主経線（強主経線）が60～120°の範囲

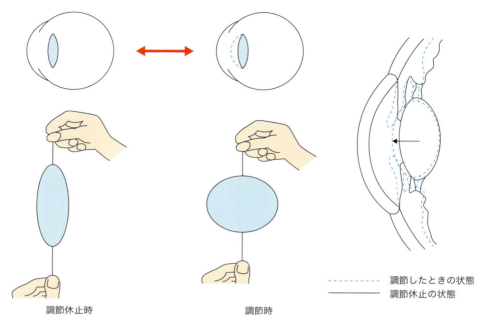

図 8-7　調節のメカニズム

が直乱視，0～30°と150～180°の範囲が倒乱視，30～60°と120～150°の範囲が斜乱視とすることが多い．

## 9 老視
presbyopia

　眼が近くを見るときは，調節してピント合わせをする．そのメカニズムを図 8-7 に示す．調節するときは毛様体筋が収縮前進し，Zinn 小帯が緩み水晶体のもつ弾力性によって屈折力が増す．最大限調節してピント合わせができる点を眼の近点という．若年者は，屈折異常を矯正した状態の近点が 30 cm 以内なので特に困ることはないが，加齢により近点が徐々に遠くなる．年齢による調節機能の衰えで近くを十分見ることができなくなった眼を老視という．正視の場合の老視の屈折状態を図 8-8 に示す．

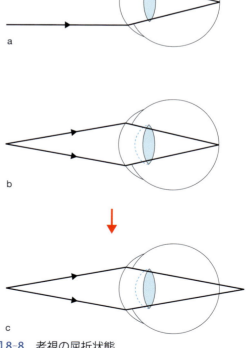

図 8-8　老視の屈折状態
a：正視の遠方視
b：正視で調節力のある近方視
c：老視の近方視

# II　矯正の理論

屈折異常の矯正は，簡単にいうと，光学的用具によって遠点を無限遠方にするようにすることである．矯正用具としては，眼鏡，コンタクトレンズ，角膜手術，眼内レンズなどがあるが，ここでは眼鏡レンズによる矯正の光学理論について説明する．

## 1 屈折値の定義

眼の屈折異常の程度を表わす量として，主点眼屈折の概念を述べた．主点眼屈折は眼の屈折力と遠点距離逆数との差で簡単に計算できるが，どこにあるかわからない眼の主点位置を基準にしているので，実用的ではない．実際眼の屈折値は，検眼のときに使ったテストレンズの度数と定義されている．レンズの度数は，レンズの後方頂点から焦点までの距離の逆数 $f$ である．また，眼の遠点距離と近点距離は一般的に眼の角膜頂点から測る．レンズの後方の頂点から角膜頂点までの距離を頂点間距離という．日本人の頂点間距離はおよそ 12 mm 前後である．図 8-9 に眼屈折 $-3.00$ D と $+3.00$ D のケースを示している．

このように，眼の遠点距離と眼鏡矯正度数との関係は，

$$P = \frac{1000}{k+12} \qquad \cdots ❷$$

$k$ は角膜頂点から遠点までの距離[mm]，近視の場合 $k$ がマイナス，遠視の場合 $k$ がプラスの符号をとる．$P$ は矯正度数，つまり屈折値(ジオプター単位)である．

## 2 正乱視の矯正

正乱視の矯正は円柱レンズを用いる．典型的な乱視矯正用のレンズは，凸面(外面)が球面，凹面(内面)がトロイダル面(例えばドーナツ状の面)で構成される．円柱レンズは，互いに直交する 2 つの経線方向で異なる度数をもっている．

正乱視の矯正は，第一と第二主経線方向のそれぞれに対して矯正するとよい．

ここで乱視度数表記について説明する．乱視度数は，球面(S)度数，円柱(C)度数，乱視軸(Ax)の 3 つから構成される．これは，検眼時に使われたトライアルレンズの組み合わせの記録である．例えば S$-3.25$ D ◯ C$-0.50$ D Ax 15° の場合，トライアルレンズが $-3.25$ D の球面度数と $-0.50$ D の円柱度数の 2 種類で，円柱度数の軸角度が 15° を意味する．乱視軸方向(この例では 15°)では，度数が球面度数 S のみ($-3.25$ D)となり，乱視軸と直交する方向($15+90=105°$)では，度数が球面度数と乱視度数との和 S+C($-3.25-0.50=-3.75$)となる(図 8-10)．

S$-3.25$ D ◯ C$-0.50$ D Ax 15° の表記を見ると，乱視用トライアルレンズはマイナス度数のものを使っていたことがわかる．プラス度数のトライアルレンズを使う場合は S$-3.75$ D ◯ C$+0.50$ D

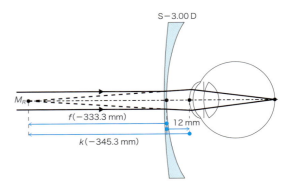

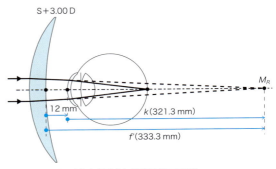

図 8-9　眼の遠点距離と眼鏡矯正度数

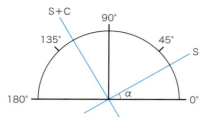

図 8-10　乱視矯正度数の主経線

Ax 105° という結果が導かれる．つまり，SaCb Ax α と S(a+b) C(−b) Ax(α+90) とは同じ意味をもつ．

## 3 老視の矯正

水晶体の硬化による調節力の減退によって遠方視屈折異常が矯正された状態で，近点がその人の近用目的距離より遠くなっている状態を老視という．例えば，近点が 500 mm で近用目的距離が 400 mm の場合，400 mm の距離では物がぼやけて見える．

老視の矯正は，遠くなった近点を再び近づけることである．つまり遠方矯正度数の上に，調節力不足分のプラス度数を加えることである．先の例では，遠方矯正時の近点が 500 mm，つまり調節力が 1000/500＝2.0 D，近用目的距離 400 mm を見るために必要な調節力が 1000/400＝2.5 D となる．あと 0.5 D 足りないので，その 0.5 D を遠方矯正の球面度数に加えれば，その患者の近用レンズの処方度数になる．その加える度数は加入度とよばれる．

単焦点の近用レンズは近点を近用目的距離にもっていくことに成功したが，同時に遠点も同じ程度近づけてしまって，遠方視が成り立たない．つまり，普段の生活では遠方用の眼鏡と近方用の眼鏡を切り替えて使わなければならない．その煩わしさを解消するために遠方用レンズの下の部分に近用窓を設けて近用度数を付加する二重焦点レンズが開発された．さらに，レンズの上方から下方に向けて度数が遠用度数から近用度数に連続変化する累進屈折力レンズが開発され，中間距離に

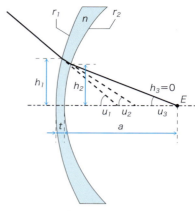

図 8-11　眼鏡倍率

も対応できるようになっている．現在，老視矯正用レンズは累進屈折力レンズが主流である．

## 4 眼鏡レンズの拡大縮小効果

眼鏡レンズは屈折矯正以外に，物が拡大または縮小して見える効果がある．その倍率は眼鏡倍率という．眼鏡倍率の定義は，同じ大きさの物体を，眼鏡を掛けて見る場合の網膜像の大きさと，裸眼で見るときの網膜像の大きさとの比で定義される．しかし，実際の網膜像を求めるには，個々人の眼球のデータが必要となり，個々人で異なる網膜像の大きさとなる．そこで，網膜像の大きさが入射瞳に入射する光線の角度に比例することに着目して，眼鏡倍率を求めてみる．図 8-11 のように，無限遠方にある物体からの光線が，眼鏡を通して眼の入射瞳に入射する光線の角度 $u_3$ と，眼鏡がないときに眼の入射瞳に入射する光線の角度 $u_1$ との比を眼鏡倍率とする．

$h_3=0$ に設定し，逆の近軸光線追跡で順番に $h_2, u_2, h_1, u_1$ を求めていくと，眼鏡倍率が得られる（追跡過程は省略）．

$$SM=\frac{u_3}{u_1}=\frac{1}{1-aK}\cdot\frac{1}{1-(t/n)K_1} \quad \cdots ❸$$

ここで，$K$ はレンズの頂点屈折力，つまり度数であり，下記の式で表わされる．

$$K=\frac{K_1}{1-(t/n)K_1}+K_2 \quad \cdots ❹$$

表8-1 眼鏡倍率の例（a＝0.016 m, n＝1.596）

| レンズ形状詳細 | | | シェイプファクター | パワーファクター | 眼鏡倍率 |
| --- | --- | --- | --- | --- | --- |
| $K$(D) | $t$(mm) | $K_1$(D) | | | (spectacle magnification) |
| −6.00 | 1.0 | 3.21 | 1.002 | 0.912 | 0.914 |
| −3.00 | 1.0 | 4.38 | 1.003 | 0.954 | 0.957 |
| 0 | 1.7 | 5.47 | 1.006 | 1 | 1.006 |
| 3.00 | 3.1 | 7.48 | 1.015 | 1.050 | 1.066 |
| 6.00 | 5.5 | 9.78 | 1.035 | 1.106 | 1.145 |

さらに $K_1$ と $K_2$ はレンズ前面と後面の屈折力である．

$$K_1=\frac{(n-1)}{r_1} \quad K_2=\frac{(n-1)}{r_2} \quad \cdots ❺$$

❸〜❺ の中の長さの単位はメートル[m]，屈折力（度数）の単位はジオプター[D]である．

式 ❸ のように，眼鏡倍率はレンズの屈折力で決めるパワーファクター（power factor）$\frac{1}{1-aK}$ と，前面の曲率半径と中心肉厚で決めるシェイプファクター（shape factor）$\frac{1}{1-(t/n)K_1}$ との積である．表8-1 にいくつかのケースの眼鏡倍率を表わしている．

このように，遠視矯正のプラスレンズは拡大，近視矯正のマイナスレンズは縮小の効果がある．乱視のレンズの場合，両主経線の度数からそれぞれ倍率で拡大（縮小）効果があり，円が楕円の形になる．楕円の長軸は屈折力の大きいほうの主経線方向と一致する．

図8-11 のE点は眼に入る光線角度を計算する位置であり，眼球光学系の入射角と出射角が等しくなる節点に設定すべきであるが，現在は一般的に入射瞳位置に設定することが多い．入射瞳の位置が把握しやすいことが原因と考えられる．また節点の場合，式 ❸ のaの値がおよそ4 mm大きいだけで，パワーファクターの絶対値が多少変わるだけである．

式 ❸ は，光軸近辺の無限遠方物体の条件で導かれたものである．レンズ周辺部は歪曲収差があり，倍率は異なる．

▶文献
1) Rabbets RB: Bennett and Rabbetts' Clinical Visual Optics, 4th ed. pp66-71, pp85-90, pp245-255, Butterworth-Heinemann, 2007

（祁　華）

# III　眼内レンズの光学

白内障手術の進歩により，術後早期から良好な矯正視力が期待できる場合が多い現在，眼内レンズ（intraocular lens：IOL）も白内障術後の裸眼視力と視覚の質の向上を目標として，近年様々な改良が行われている．本項では，現在臨床使用されている眼内レンズの光学的特徴や検査上の注意点について解説する．

## 1 非球面眼内レンズ

従来の球面IOLの欠点であった球面収差の増加を，抑制または球面収差を減少させる非球面IOLが開発された．

このIOLのコンセプトは図8-12のとおりである．角膜は正の球面収差をもつが，若年正常者では角膜の球面収差を水晶体のもつ負の球面収差が補正し，眼球全体としての球面収差は小さい．加

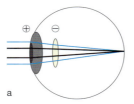 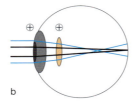 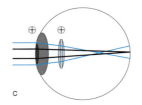 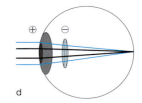

**図 8-12** 加齢および IOL デザインと球面収差
a:若年正常者　b:高齢者　c:球面 IOL 挿入眼　d:非球面 IOL 挿入眼
非球面 IOL 挿入眼では角膜の球面収差が IOL により補正され,若年者(a)と同様,眼球全体として球面収差は小さくなる.

齢により水晶体の球面収差は増加するため,高齢者では眼球全体の球面収差が若年正常者よりも増加し,これが視覚の質の低下を招くことが知られている.従来型の IOL(球面 IOL)は正の球面収差をもつため,白内障術後に球面 IOL を挿入すると,眼球全体の球面収差が増加し,若年者よりも視機能が低下する.これに対して非球面 IOL 挿入眼では,若年者と同様に角膜の正の球面収差が非球面 IOL のもつ負の球面収差により補正され,眼球全体としての球面収差が小さくなるように設計されている.最終的に目標とされている眼球全体の球面収差量はメーカーによって異なり,球面収差 0 を目標としているものと,若年正常者と同等(軽度の正の球面収差)を目標としているものがある.球面収差は瞳孔が大きい場合ほど影響が大きくなるため,特に瞳孔の大きい若年者や夜間において,非球面 IOL により視機能の改善が期待される.実際,臨床例において,球面 IOL 挿入眼と比較してコントラスト感度や夜間視機能が向上したとの報告もある.反面,球面収差の減少による明視域の減少や偏位や傾斜などによる視機能への影響が球面 IOL よりも大きいことが予測されるが,臨床的には問題とならない[1,2].

## 2 高次非球面眼内レンズ

2021 年秋から,従来の非球面単焦点 IOL より幅広い明視域をもつ新しい単焦点 IOL,TECNIS Eyhance®(AMO)(以下,アイハンス)がわが国で承認され,取り扱いが開始された.アイハンスは,回折構造を有さない屈折型単焦点 IOL である.IOL の周辺部デザインは既存の TECNIS® ワンピース IOL〔ZCB00(AMO)〕と同じであり,非

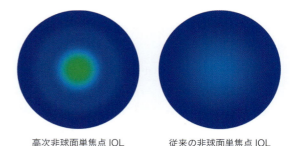

**図 8-13** ICB00〔Johnson & Johnson Vision〕〔TECNIS Eyhance®(AMO)の非着色レンズ〕と,TECNIS® ワンピース IOL〔ZCB00(AMO)〕のパワーマップ
(資料提供:エイエムオー・ジャパン株式会社,一部改変)
Eyhance®(AMO)では従来と比較し,連続的にパワーを付加している.

球面構造をもつ.従来の TECNIS® ワンピース IOL と異なる点は,IOL 中央部(光学部中心から直径約 2 mm)の曲率を,レンズ厚を変えずに従来のものより急峻にすることで,連続的にパワーを付加している(図 8-13).その結果,従来の非球面単焦点 IOL と比較し,なだらかな焦点深度曲線を有すると報告されている[3].

## 3 着色眼内レンズ

わが国では,1991 年よりポリメチルメタクリレート(PMMA)製の着色 IOL が発売されていたが,近年フォルダブルタイプの着色レンズが発売されたこと,長期的な網膜光障害を軽減して加齢黄斑変性の頻度の減少への期待も含め,着色レンズが再注目されている.着色 IOL はその名のごとく光学部が黄色に色づいて見えるが,これは網膜毒性がある紫外線および紫~青色波長の光をカットしているためである(図 8-14).カットしている波長領域と程度は眼内レンズメーカーによ

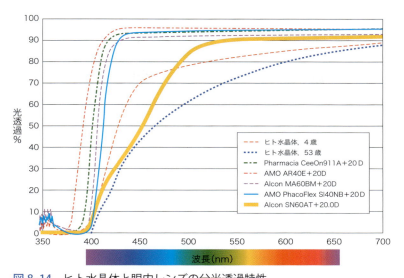

図 8-14　ヒト水晶体と眼内レンズの分光透過特性
(Ernest PH: Light-transmission-spectrum comparison of foldable intraocular lenses. J Cataract Refract Surg 30: 1755-1758, 2004 Fig 3 より)

り異なる．青色波長カット IOL の効果について，網膜色素上皮細胞を使用した *in vivo* の実験では，着色 IOL により網膜光障害が抑えられることが報告されており[4,5]，そして近年，臨床においてもそれが立証されつつある[6,7]．また，着色 IOL の視機能については，非着色 IOL と比較して，視力（特に夜間視力），コントラスト感度，色覚，サーカディアンリズムなどへの影響[8,9]が検討されているが，定説はまだない．

## 4 トーリック眼内レンズ（図 8-15）

トーリック IOL は IOL の光学面にトーリックレンズを使用している眼内レンズで，白内障手術と同時に角膜乱視の矯正を行う目的で使用する．

現在わが国で承認を受けているトーリック IOL は数種あり，そのほかに治験中のものもある．円柱度数は IOL 面で 1.5〜3.0 D，角膜面（実際の角膜乱視に対する矯正度数）では約 1〜4 D である（表 8-2）．IOL 光学部の弱主経線上に軸マークがあり，これを角膜乱視の強主経線方向に固定することによって，角膜正乱視を矯正する．乱視矯正効果は，IOL の固定位置が 3°ずれるごとに 10%の効果が減弱，10°のずれで 35%の効果が減弱

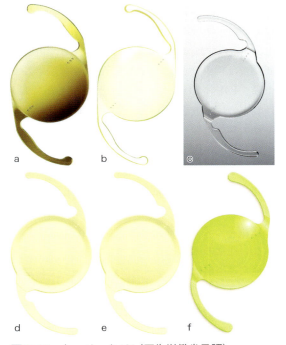

図 8-15　トーリック IOL（厚生労働省承認）
a：AcrySof® IQ TORIC（Alcon），b：Clareon® TORIC IOL（Alcon），c：TECNIS® トーリック（AMO），d：TECNIS® トーリック II OptiBlue®（AMO），e：TECNIS® Eyhance® トーリック II OptiBlue® Simplicity®（AMO），f：Vivinex™ Toric（HOYA）
光学部の軸マークは IOL の弱主経線上にあり，これを角膜乱視の強主経線方向に固定することによって，角膜正乱視を矯正する．

表 8-2 トーリック IOL(単焦点)と円柱度数

| 円柱度数(D) | | AcrySof® IQ TORIC (Alcon) | Clareon® TORIC IOL (Alcon) | TECNIS® トーリック (AMO) | TECNIS® トーリック II OptiBlue® (AMO) | TECNIS® Eyhance® トーリック II OptiBlue® Simplicity® (AMO) | Vivinex™ Toric (HOYA) |
|---|---|---|---|---|---|---|---|
| IOL面 | 角膜面 | | | | | | |
| 1.50 | 1.03 | SN6AT3 | CNW0T3 (角膜面:0.98) | ZCT150 | ZCW150 | DIW150 | XY1AT3 (角膜面:1.04) |
| 2.25 | 1.55 | SN6AT4 | CNW0T4 (角膜面:1.47) | ZCT225 | ZCW225 (角膜面:1.54) | DIW225 | XY1AT4 (角膜面:1.56) |
| 3.00 | 2.06 | SN6AT5 | CNW0T5 (角膜面:1.96) | ZCT300 | ZCW300 | DIW300 | XY1AT5 (角膜面:2.08) |
| 3.75 | 2.57 | SN6AT6 | CNW0T6 (角膜面:2.45) | — | ZCW375 | DIW375 | XY1AT6 (角膜面:2.60) |
| 4.00 | 2.74 | — | — | ZCT400 | — | — | — |
| 4.50 | 3.08 | SN6AT7 | CNW0T7 (角膜面:2.94) | — | — | DIW450 | XY1AT7 (角膜面:3.12) |
| 5.25 | 3.60 | SN6AT8 | CNW0T8 (角膜面:3.43) | — | — | DIW525 | — |
| 6.00 | 4.11 | SN6AT9 | CNW0T9 (角膜面:3.92) | — | — | DIW600 | — |

(2022年2月時点で厚生労働省の承認を受けているもの)

し,30°のずれでは矯正効果がなくなる.角膜不正乱視は矯正できないので,不正乱視は適応外である.IOL上の軸マークを確認するためには,IOL上の最も中心寄りのマークの位置よりも散瞳径が大きいことが必要であり,少なくともそれ以上の散瞳径が得られることが必要である.トーリックIOLは挿入後のIOLの安定性が重要であるため,水晶体嚢内にトーリックIOLを挿入できないようなZinn小帯断裂や後嚢破損などの合併症がある際は,原則としてトーリックIOLではない通常のIOLを挿入すべきである.

従来は術前検査のオートケラトメータで測定した角膜乱視(角膜前面曲率から換算屈折率を用いて計算した角膜乱視量)をもとに,トーリック眼内レンズの円柱度数を決定していたが,近年は術前検査時の乱視測定法として,前眼部光干渉断層計やシャインプルーク型の角膜形状解析装置などを用いて角膜後面乱視を含めた角膜全屈折力を測定することが主流となっており,前眼部光干渉断層計CASIA®2のReal K(トーメー),光学式眼軸長測定装置IOL Master700(Carl Zeiss Meditec)のTotal Keratometry(TK)や前眼部解析装置Pentacam(OCULUS)のTotal Corneal Refractive Powerに代表される.また,Intraoperative aberrometer(Optiwave Refractive Analysis:ORA system)では,本装置を手術顕微鏡に取りつけることで,白内障手術中に水晶体を取り除いた後のリアルタイムの角膜乱視データを測定し,最適なIOLを選択することができる.

(四倉絵里沙,根岸一乃)

# 5 多焦点眼内レンズ

## a. 回折型多焦点眼内レンズ

回折型多焦点眼内レンズは,図8-16に示すように屈折レンズと回折レンズの組み合わせでできている.主なパワーは屈折レンズがもち,二,三焦点にするための役割を回折レンズがもっている.回折レンズの基本的な特性を示すために,図8-17には中心からの距離$h_1$,$h_m$で示すように小さな孔が開いている(実際は,輪体である)場合を示す.それぞれの孔に平行光が垂直に入射した

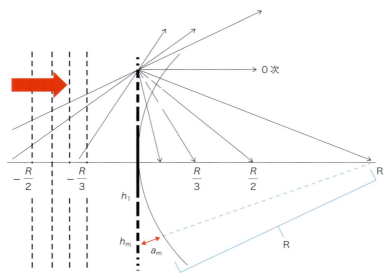

図8-17　回折レンズの仕組み：焦点と次数

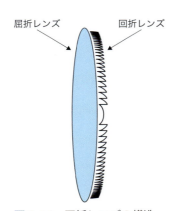

図8-16　回折レンズの構造

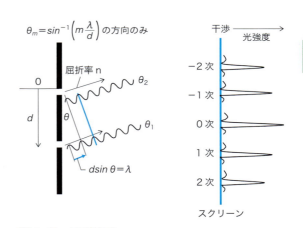

図8-18　回折格子
$d\sin\theta_m = m\lambda$（$\lambda$：波長，$m$：整数）のときにのみ強め合う．

場合，孔で回折した光が$\pm R$，$\pm R/2$，$\pm R/3\cdots$の距離で強め合うように重なる条件を求める．孔の位置は三平方の定理から，

$$h_i^2 + R^2 = (R + a_i)^2 \quad \cdots ❻$$

を満たす．ここで，$a_i$が小さいので，この式より

$$h_i = \sqrt{2Ra_i} \quad \cdots ❼$$

となり，$a_i = mi\lambda$（$i$：整数，$m$：整数，$\lambda$：波長）において，$i$が1, 2…で，$m=1$のとき各孔からの光が$R$の位置で同位相に重なる．$m=2$の場合は，$R/2$の距離で，この式が成り立つのがわかる．同様に，発散する光にも，同じことがいえるので，負の焦点もある．図には，焦点距離とその

回折次数が示してある．図8-18には，規則的な間隔$d$の場合の平面の回折格子の回折角と次数を示してある．この場合，$\theta$方向で強め合う条件は，

$d\sin\theta_m = m\lambda$（$\lambda$：波長　$m=0, \pm1, \pm2\cdots$）のときである．書き直すと，

$$\theta_m = \sin^{-1}\left(m\frac{\lambda}{d}\right) \quad \text{となる．} \quad \cdots ❽$$

平面の回折格子の場合，平行光を入射させ，格子の後ろにレンズを置くと，その焦点に置かれたスクリーンの上で点となって現われるが，レンズ

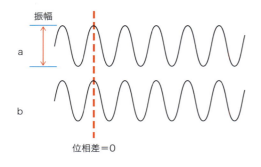

A

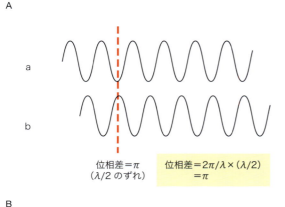

B

図 8-19　光の干渉と位相

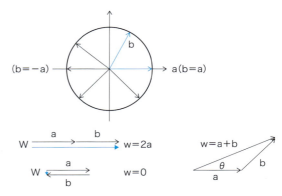

図 8-20　光のベクトル表現

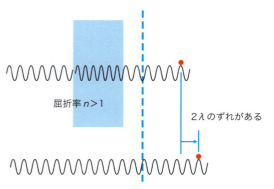

図 8-21　物質の中を通過する光

作用をもつ回折格子では，格子の間隔を変えることで，光軸の異なる位置で焦点を結ぶようになっている．

　ここでは，光をベクトルで表わすことによって，ベクトルの和で，回折効率を求める方法を示し，回折型のレンズの構造と回折効率の関係を示す．図 8-19 には a と b の 2 つの光の振幅と位相を示してある．A は同位相，B は $\pi$ の位相ずれの場合である．この同じ振幅で，a，b の波が重なり合うと，A は強め合い，B は打ち消し合う．位相は，1 波長ずれると $2\pi$ の位相ずれとなり，2 つの波は強め合う．このことから，a，b の波を図 8-20 に示すように，1 波長のずれを $2\pi$（360°）に対応させるベクトルとして表わせる．a と b のベクトルの和は a の頭に b の始点を足して，a の始点と b の頭をつなげることになる．この方法では，0 から $2\pi$ の途中の位相のときも，簡単に視覚的に理解できる．ここで求まるのは，振幅であり，a，b の振幅が同じ値で $w$ とすると，同位相では $2W$，$\pi$ のずれがあるときは 0 となり，強度は $4W^2$ と 0 となる．さて，その位相の遅れであるが，屈折率 $n$ の物質の中を光が進むときは，速度が遅くなり，波長が短くなるため，物質を通らなかった場合よりも位相が遅れることになる（図 8-21）．これを表わすときには，光路長 $nd$（$d$ は厚み）を用いる．

　はじめに単焦点の回折レンズについて，ベクトルを使って求めてみる．図 8-22 に示すように，平面回折格子の穴のところに，くさび型（のこぎりの歯）の透過物質があり，このくさび型の山の部分を通過する光と，一番薄い部分を通過する光の光路差は，$\Delta D = (n_1 - n_2)d$ であり，位相差は $2\pi \Delta D / \lambda = 2\pi$ となるように，つまり $\Delta D = \lambda$ となるように作ることで，単焦点レンズとなる．実際の値を用いて，どのくらいの厚みになるか計算してみると，$\lambda$：波長（e 線なら =0.546 $\mu$m），

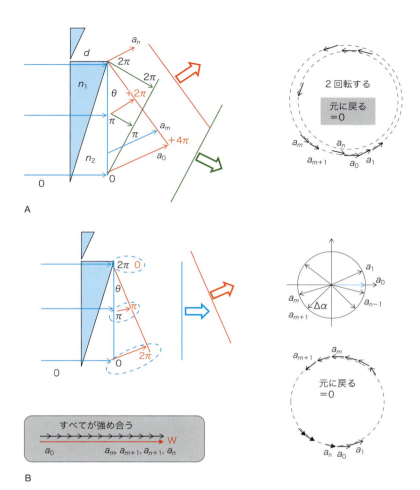

**図 8-22** 単焦点レンズの位相解析
A：2次回折方向（赤の矢印），−1次回折方向（緑の矢印）
B：1次回折方向（赤の矢印），0次回折方向（青の矢印）

レンズの屈折率 1.46，房水の屈折率 1.336 の場合，$d=4.4\ \mu m$ となる．このくさび型部分を通過した光が，2次回折方向に向かうときは，図に示すように 0 から $4\pi$ の位相が加わる．そうすると，くさびの谷の部分と山の部分の位相差が $4\pi - 2\pi = 2\pi$ となる．

このことをベクトルで示すと，くさびの各部分を通過した光を $a_0, a_1, \cdots a_n$ とすると，すべて同じ振幅で，少しずつ位相が異なるベクトルになる．$n$ 個のベクトルの和，つまりベクトルをつなげてみると，1回転して，元に戻り，0 となることがわかる．一方，−1次方向では，位相差が $4\pi - 0 = 4\pi$ となり，同様にベクトルの和を求めると，2回転して，0 になるのがわかる．図 8-23B に示すように，1次回折の方向では，すべてのベクトルが同位相なので，ベクトルの和は1つのベクトルの振幅を 1 とすると $1 \times n = n = w$ となる．強度は，$n^2$ となる．一方，0次方向では，$2\pi$ の位相差があるのでベクトル和は 0 となる．ここでは示さなかったが，1次以外の次数のところではすべて 0 になることがわかる．まとめると，くさび型の位相で，その部分を通過した光が1波長分，つまり $2\pi$ の位相がつく格子の孔の代わりに用いると，1次回折光に 100% の光が集まることを示しているのである．そこで，この後の説明のために $w=1$ とする．

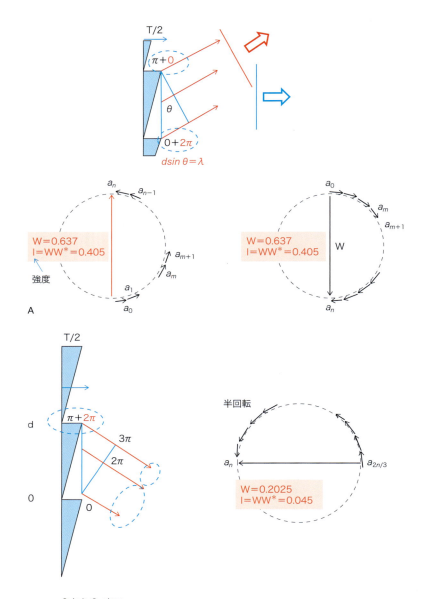

0 から 2π まで
位相がずれた波が重なり合うと打ち消し合う．2π から 3π まで位相がずれた波が重なり合って W=0.2025 となる．

**図 8-23　二焦点レンズの位相解析**
A：1 次回折方向（赤の矢印），0 次回折方向（青の矢印）
B：−1 次回折方向（赤の矢印）
＊は共役複素数を示す

　次は，二焦点レンズの構造と，回折効率を示す．図 8-23 に示すように，今度は，くさび型の頂点の高さが，先ほどの半分で，ここを通過する光は，谷の部分を通過する光よりも，π/2 の位相が遅れる．さて，通過後の 0 次と 1 次方向を考えると，0 次方向では，くさび型を $n$ 個の部分に分けて，そこを通過した光をベクトルで表わしてみると，振幅は同じで，位相差が最大 π/2 あるので，それを足し合わせると，W=0.637 になり，強度は 0.405 となる．同じように，1 次方向

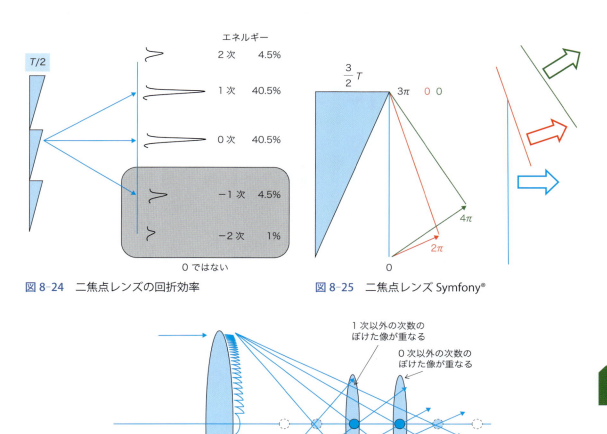

図8-24 二焦点レンズの回折効率

図8-25 二焦点レンズ Symfony®

図8-26 二焦点レンズの結像特性

　では，位相が山の部分を0として，谷の部分に$2\pi$の位相が加わって，$\pi$から$2\pi$の位相となり，位相差が$2\pi-\pi=\pi$となり，0次方向と同じで，足し合わせたベクトルの長さはW=0.637になり，強度は0.405となる．一方，−1次方向では，位相が，0から$3\pi$となることがわかる．0から$2\pi$までのベクトルの和は0になり，残りの1/3のベクトルが$2\pi$から$3\pi$の位相をもつので，図にあるように小さな半円の始まりと終わりを結ぶベクトルとなる．その大きさはW=0.2122で強度は0.045となる．すべての方向を示してはいないが，まとめると，図8-24のような回折効率になる．ここでは，くさび型の位相差で$\pi/2$の場合を示したが，図8-25に示す Symfony® の場合は，位相差が$3\pi$ある．この場合には，赤と緑で表わす1次と2次の方向で，位相差が$\pi$になることがわかり，1次と2次方向で，W=0.2122で強度は0.045となる．一方，青で示す0次方向では，位相差が$3\pi$となり，W=0.106で強度は0.011となる．この二焦点の結像の様子を図8-26に示す．0次と1次には40.5%の光が集まるが，それ以外のところにも弱い強度の焦点がある．また，0次と1次にはぼけた他の次数の光がかぶっているのがわかる．これは像のコ

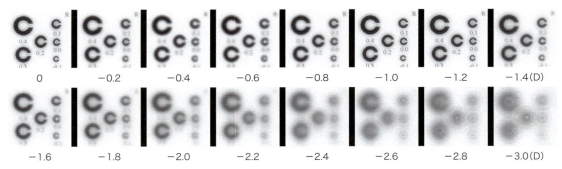

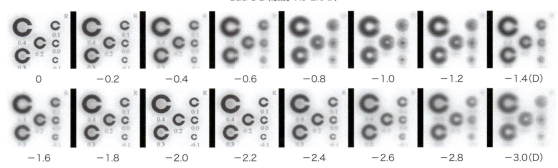

図 8-27　二焦点レンズの結像特性

図 8-28　二焦点レンズ　ハロ・グレア
背景に神戸の夜景，光源：白色 LED

ントラストを低下させている．その像の様子を距離ごとの光学像で図 8-27 に示す．図 8-27 の上に示すのは，加入度 1.5 D（眼鏡では約 1.1 D），下に示すのは，加入度 3.0 D（眼鏡では約 2.0 D）の場合の 0 D から 0.2 D ごとに，−3.0 D（33 cm）のところまでの瞳孔径 3 mm の光学像である．Landolt 環の像の周りに，ぼけた像が重な

り，コントラストが低下しているのがわかる．また，加入度 3 D では，中間距離のところで，ボケが大きく解像力が得られないのがわかる．

さらに，図 8-28 には，模型眼カメラを用いて，白色 LED ライトを撮影した像を示す．これより，ハロ・グレアの大きさや明るさを知ることができる．

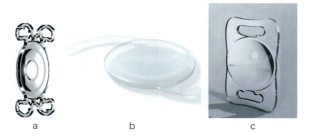

図 8-29 屈折型多焦点眼内レンズ
a：Mini well Ready(SIFI Medtech)，b：TECNIS Eyhance®(Johnson & Johnson)，c：Lentis® Comfort(参天)

ここでは，くさび型の二焦点までであったが，三焦点の場合も同じように解析できる．くさび型ではなく，sin の形の場合でも，同様に解析できる．

また，波長による焦点の位置がずれることについては式❼で線の波長を $\lambda_G$ とすると $m=1$，$i=1$ のときは $a_1=\lambda_G$ となるので $h_1=\sqrt{2R_G\lambda_G}$ となる．

赤，青の波長を $\lambda_R$，$\lambda_B$ とするとこの式を満たす $R_R$，$R_B$ は

$$h=\sqrt{2R_G\lambda_G}=\sqrt{2R_R\lambda_R}=\sqrt{2R_B\lambda_B} \quad \cdots ❾$$

の関係より，

$$R_G\lambda_G=R_R\lambda_R=R_B\lambda_B \quad \cdots ❿$$

となる．この軸方向の色収差は，屈折の色収差と逆であり，Abbe 数は －3.4529 で，材料に依存しない．この Abbe 数は屈折の場合と比べて低く色収差が大きいが，屈折レンズと組み合わせることで，逆に色収差を小さくする特性となる．色収差によるボケを小さくすることは光学的には優れているが，人眼ではもともと大きな色収差があり，網膜大脳神経系で，このボケを感じないメカニズムがあるので，色収差を少なくしてもそれによる像のコントラストの改善が感じられることはまずありえない．

### b. 屈折型多焦点眼内レンズ

焦点深度を深くする方法では，① 小開口にする(分割)，② 加入度を小さくして，三焦点，四焦点とすることが考えられる．ここでは，図 8-29a～c に現在使用されている 3 つのレンズ Mini

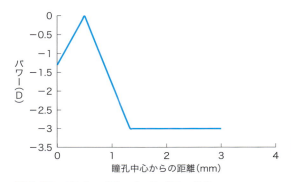

図 8-30 Mini well Ready のパワー分布

well Ready(SIFI Medtech)，TECNIS Eyhance®(Johnson & Johnson)，Lentis® Comfort(参天)のパワー分布と距離ごとの像を示す．はじめは，Mini well Ready(SIFI MedTech)で，図 8-30 にそのパワー分布を示す．中心部が近用で，瞳孔中心から 0.5 mm のところから 1.2 mm くらいのところまで，3 D の急峻なパワー変化がある．このレンズの瞳孔径 3～4 mm の距離ごとの光学像を図 8-31 に示す．瞳孔径が 3 mm の場合，無限遠から －3 D まで，広い範囲で，解像した像ではあるが，コントラストが低いことがわかる．また，4 mm では，さらにコントラストが低下しているのがわかる．次に，EDF(extended depth of focus)とよばれる Eyhance® のパワー分布を図 8-32 に示す．中心部は近用で，瞳孔中心から 0.4 mm のところから 2.2 mm くらいのところまで，2 D の緩やかなパワー変化がある．このレンズの瞳孔径 3～4 mm の距離ごとの光学像を図 8-33

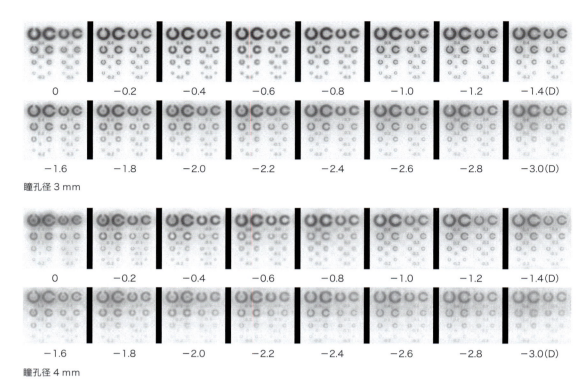

図 8-31　瞳孔径と距離ごとの光学像（Mini well Ready）

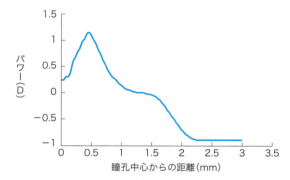

図 8-32　Eyhance® のパワー分布

に示す．瞳孔径が 3 mm の場合，単焦点 IOL とほぼ同じ特性をもっているのがわかる．4 mm 瞳孔径では，単焦点 IOL よりも少しだけ，遠方から中間にかけての解像力が改善されているのがわかる．次は，同じく，EDF とよばれる Lentis® Comfort（参天）である．このレンズのパワー分布は，上下にパワーが異なる分節型で，加入度は 1.5 D（眼鏡度数で 1.1 D）である．このレンズの瞳孔径 3，4 mm の距離ごとの光学像を図 8-34 に示す．瞳孔径が 3 mm の場合，無限遠から −1.4 D（70 cm）くらいまで，良好な解像力とコントラストをもっているのがわかる．これは，上下の分割二焦点による小瞳孔効果である．また，4 mm 瞳孔では，−0.4 D から −0.6 D にかけて，解像力，コントラストの低下があるのがわかる．

▶文献

1) Montés-Micó R, Ferrer-Blasco T, Cerviño A: Analysis of the possible benefits of aspheric intraocular lenses: review of the literature. J Cataract Refract Surg 35: 172-181, 2009
2) Dick HB: Recent developments in aspheric intraocular lenses. Curr Opin Ophthalmol 20: 25-32, 2009
3) Alarcon A, Canovas, C. Koopman, B et al: Enhancing the Intermediate Vision of Monofocal Intraocular Lenses Using a Higher Order Aspheric Optic. J Refract Surg 36: 520-527, 2020
4) Sparrow JR, Miller AS, Zhou J: Blue light-absorbing intraocular lens and retinal pigment epithelium protection in vitro. J Cataract Refract Surg 30: 873-878, 2004
5) Mukai K, Matsushima H, Sawano M, et al: Photoprotective effect of yellow-tinted intraocular lenses. Jpn J Ophthalmol 53: 47-51, 2009
6) Obana A, Tanito M, Gohto Y, et al: Macular pigment changes in pseudophakic eyes quantified with resonance

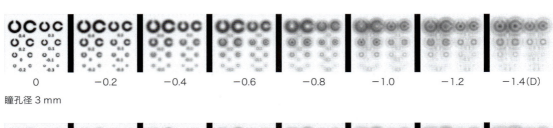

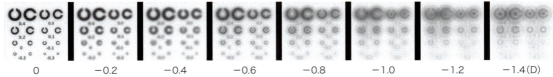

図8-33 瞳孔径と距離ごとの光学像（TECNIS Eyhance®）

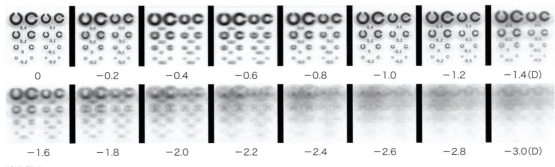

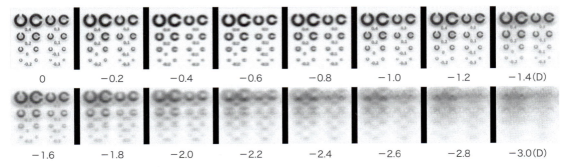

図8-34 瞳孔径と距離ごとの光学像（Lentis® Comfort）

Raman spectroscopy. Ophthalmology 118: 1852-1858, 2011
7) Nagai H, Hirano Y, Yasukawa T, et al: Prevention of increased abnormal fundus autofluorescence with blue light filtering intraocular lenses. J Cataract Refract Surg 41: 1855-1859, 2015
8) Ayaki M, Negishi K, Tsubota K: Improvements in sleep quality and gait speed after cataract surgery. Rejuvenation Res 16: 35-42, 2013
9) Alexander I, Cuthbertson FM, Ratnarajan G, et al: Impact of cataract surgery on sleep in patients receiving either ultraviolet-blocking or blue-filtering intraocular lens implants. Invest Ophthalmol Vis Sci 55: 4999-5004, 2014

（大沼一彦）

# IV 眼内レンズ度数計算式

白内障手術の進歩により，術後早期より良好な矯正視力が得られるようになった現在，術後の屈折矯正は患者の生活の質を左右する重要な因子となっている．言い換えると，現在，白内障手術は屈折矯正手術としての面も併せもっており，IOL度数の計算誤差は手術の成否を左右するといっても過言ではなく，大きな誤差は患者の不満に直結する可能性がある．

本項では，IOL度数計算の歴史について簡単に述べたのち，主として現在も臨床で使用されているIOL度数計算式の特徴と問題点について記載する．

## 1 初期の眼内レンズ度数計算式

1975年以前はIOLの度数は経験をもとに以下の式に基づいて計算されていた．

P＝18＋(1.25×Ref)

〔P：虹彩支持型IOLの度数(D)，Ref：白内障になる前の自覚屈折度数(D)〕

しかし，白内障になる前の自覚屈折度数はデータ誤差が大きく，この式では半数を超える症例で1Dを超える誤差があった．その後，回帰式(SRK式)，理論式〔Thijssen式(1975年)，Colenbrander式(1973年)，Fyodorov式(1975年)，van der Heijde式(1976年)，Binkhorst式(1975年)〕が発表された．そのなかで，SRK式(1980年，1983年)は，

P＝A－2.5L－0.9K

〔P：正視化IOL度数(D)，A：メーカー推奨A定数，L：眼軸長(mm)，K：角膜屈折力(D)〕

で術後屈折を正視とする場合のIOL度数を計算し，その後，

E＝0.67(P－I)

〔E：術後目標屈折度数(D)，I：挿入IOL度数(D)〕

を用いてレンズ度数を決定する．しかし，この式は眼軸長が23〜24mm付近では比較的精度が良好だったものの，長または短眼軸眼では精度が低かった．

その後，回帰式を改良したSRK II式(1988年)，理論式を改良したHoffer式(1981年)，Shammas式(1982年)，Binkhorst補正式(1984年)などが発表された．

## 2 第3世代の理論式

SRK式は，IOL度数計算の際のA定数という概念を定着させた．A定数は最初の理論式では考慮されていない種々の因子の影響を受けるが，これが新しい理論式の開発へとつながった．最もよく知られた理論式はSRK/T式，Holladay式，Hoffer Q式である．

### a. SRK/T式

SRK/T式(1990年)はFyodorov式をベースとし，三平方の定理を用いて角膜曲率半径から角膜高(H)を計算し，IOLは虹彩平面から一定の距離に位置すると考えて，以下の式を用いて術後前房深度を予測する．

術後予測前房深度＝角膜高(H)＋offset
offset＝ACD(constant)－3.336
ACD(constant)＝(0.62467×A)－68.747
(A：メーカー推奨A定数)

また，光学的眼軸長(LO：optical axial length)を眼軸長測定値(L)と網膜厚(RETHICK：retinal thickness)から，角膜屈折力Kは角膜曲率半径から計算している．

LO＝L＋RETHICK
RETHICK＝0.65696－(0.02029×L)
r＝337.5/K (r：角膜曲率半径mm)

### b. Hoffer Q式

Hoffer Q式(1993年)はColenbrander式を改

良した Hoffer 式をベースに，術後前房深度予測を改良している．すなわち，Hoffer は眼軸長と前房深度の相関関係を調べ，それらが直線的な相関ではなく，タンジェント曲線になることを見出した．さらに，これを眼軸長と角膜屈折力の変数を加えた関数として改良した．この式では，計算に personalized ACD(pACD)という定数を用いるが，この定数は，眼軸長が長くなるにつれ，また角膜曲率半径が急峻になるにつれ，前房深度が深く計算されるが，眼軸長が26 mm を超えるか，22 mm より短い場合は，その影響が弱くなるように工夫されており，前房深度にこの定数を加えて計算に用いる．

### c. Holladay 1 式，Holladay 2 式

Holladay 1 式(1988年)は従来の理論式において，眼軸長と角膜曲率半径の測定値を用いて，術後予測前房深度(ELP)の予測法を改良したものである．
この式では

$$ELP = aACD + S$$
$$aACD = 0.56 + R[R^2 - (AG^2)(1/4)]^{-2}$$
$$AG = L \times 12.5 \times (1/23.45)$$
$$S = (A \times 0.5663) - 65.60$$

〔aACD：術後の角膜頂点と虹彩平面(前面)の距離，S：虹彩前面から IOL 平面までの距離(A 定数から計算可能)，R：角膜曲率半径，L：眼軸長，AG：眼軸長から計算した前房径，A：メーカー推奨A定数〕

Holladay 2 式(1996年)は術後前房深度予測精度をさらに向上させるため，眼軸と角膜曲率半径だけでなく，角膜径(white to white)，術前前房深度(phakic ACD)，水晶体厚，年齢，性別を組み込んで計算しているが，計算式の内容は発表されていない．Holladay IOL Consultant Software & Surgical Outcomes Assessment〔http://www.doctor-hill.com/iol-main/holladay-iol-consultant.htm(2022年1月11日閲覧)〕から計算ソフトウェアを有料ダウンロードして用いる．

### d. 第3世代理論式の問題点

SRK/T 式，Holladay 式，Hoffer Q 式は，SRK 式や SRK Ⅱ 式などの回帰式よりは精度が高く，標準的な形状をもつ眼に対しては，3式の間ではその精度に差がないことが報告されている．これらの式には，誤差の原因となりうる，以下の4つの問題点がある．

(1) 角膜屈折力の計算法

角膜屈折力は屈折率1.3375を用いて計算されている．しかし，これは真の角膜屈折率とは異なり，そのために誤差が生じる可能性がある．例えば，Gullstrand の模型眼における角膜前後面曲率の比(6.8 mm/7.7 mm＝0.883)，角膜の生理的屈折率1.376をもとに計算すれば，角膜の換算屈折率は1.3315と異なった値となる(従来型のケラトメータでは，換算屈折率は1.3375としてキャリブレーションされている)．

(2) 術後前房深度予測

術後前房深度の計算を角膜高と眼軸長，IOL 定数から計算している．このため，標準的な形状でない眼(長または短眼軸長，あるいは前眼部と後眼部の大きさのバランスが悪い眼)においては精度が低下する．

(3) IOL 度数

IOL の主面(principal plane)は，前後面曲率，中心厚によって決定されるが，これを個別に考慮していない〔IOL の主面位置の影響は，各 IOL の定数(A, pACD, S factor)に反映されていると考えられる〕．

(4) 眼軸長測定

A モードで眼軸長を測定する場合は，接触式測定による眼球の変形による測定誤差や測定部位が視細胞までではなく内境界膜までの距離を等価音速で測定しているための網膜の厚みなどの影響による誤差があったが，近年，光学式眼軸長測定が主流になってからはこの問題は解決した．

各計算式で用いる IOL 定数(A, pACD, S factor)は上記の IOL 主面の違いばかりでなく，測定誤差，術式の差，光学計算誤差などのすべての

系統的誤差の影響を反映している定数で，1定数がわかれば，相互に容易に計算可能である．したがって，これらの式を用いる場合，精度向上のためには，使用IOL，および術者ごとに，個別にIOL定数の最適化を行う必要がある．そして，このことは3式の欠点ともいえる．

## 3 第4世代以降の理論式

### a. Haigis式

SRK/T式，Holladay式，Hoffer Q式と同様，Haigis式も光学レンズの厚みを無視する薄肉レンズ系(thin lens optics)で計算している．他式が1つの定数を用いるのに対し，Haigis式では定数が3つあり($a_0$，$a_1$，$a_2$)，術後前房深度予測に，眼軸長のほかに術前前房深度を用いるのが特徴である．この3つの定数はIOLごとに十分な数の術後データを収集し，それをもとに決定される(最適化)．最適化がされていない場合は，1つはIOLメーカーから提供され，残りの2つはデフォルト設定されている．したがって，デフォルトモードを使用する場合，Haigis式は，第3世代の理論式(SRK/T式，Holladay式，Hoffer Q式)と比較した場合の利点は基本的にはなく，精度は同等である．

3つの定数のうち，$a_0$のみ最適化すること($n>50$が必要)は第3世代の理論式においてA定数(あるいはS factorやpACD)を最適化することとほぼ同義である．これにより，長眼軸長眼および短眼軸長眼における精度がやや向上する．ただし，最適化の際に用いるデータには長眼軸長眼，短眼軸長眼を必ず含めて，幅広い眼軸長のデータを用いることが必要である．さらに$a_1$と$a_2$の最適化を行う($n>200$が必要)と，定数に起因する誤差ばかりでなく，offset値の予測誤差に起因する誤差が改善し，すべての眼軸長における精度が向上する．Haigis式はIOL Master(Carl Zeiss Meditec)に搭載されているが，IOL Master 700ではHaigis suiteという名称で，事前に屈折矯正手術後眼という条件を選択すると，計算式が通常のHaigis式から屈折矯正手術後用の計算式であるHaigis-L式に変更されて計算されるシステムとなっている．また，角膜の前後面の全屈折力(total corneal power)とHaigis式を組み合わせたHaigis-TK式は近視矯正角膜屈折矯正手術(LASIKまたはPRK)術後眼において平均絶対誤差が0.50Dと良好な成績が報告されている．

### b. Barrett Universal II式

Barrett Universal II式は，IOLの度数ごとに変化する主点を考慮して計算する近軸光線追跡(Gaussian/厚肉レンズ系)ソフトウェアである．この式では術後前房深度を術前の前房深度とIOLの解剖学的位置および主点位置に関連するlens factorを考慮して計算する．

実際の計算は眼軸長測定装置に搭載されているソフトウェアを使用するか，またはAsia-Pacific Association of cataract and refractive surgeons (APACRS)のホームページにアクセスして行うことが可能である〔https://calc.apacrs.org/barrett_universal2105/(2022年1月11日閲覧)〕．このほかDr. Barretの計算式にはToric calculator(トーリックIOL用)，True-K formula(屈折矯正手術後用)，True-K toric(屈折矯正手術後のトーリックIOL用)，があり，同様にAPACRSのホームページにアクセスして使用可能である．なかでもTrue-K formulaは近視矯正角膜屈折矯正手術(LASIKまたはPRK)術後眼において±0.5D以内が67.2%，±1D以内が94.8%とHaigis-TK式に次いで成績がよい．

第3世代以降の計算式において，術後前房深度予測に用いる変数を表8-3に示す．

## 4 光線追跡法を利用したソフトウェア

### a. OKULIX

光線追跡法を用いたIOL計算ソフトウェアOKULIX〔http://okulix.de/(2022年1月11日閲覧)〕は，対応している測定機器(トーメーTMS,

表 8-3　理論式で術後の前房深度予測に用いる術前測定値(または計算値)

| 式 | 年 | 眼軸長 | 角膜曲率半径 | 前房深度 | 水晶体厚 |
|---|---|---|---|---|---|
| Binkhorst II | 1980 以前 | ○ | × | × | × |
| SRK, SRK II | 1981, 1988 | ○ | × | × | × |
| SRK/T | 1990 | ○ | ○ | × | × |
| Hoffer Q | 1993 | ○ | ○ | × | × |
| Olsen | 1987-1995 | ○ | ○ | ○ | ○ |
| Holladay 1 | 1988 | ○ | ○ | × | × |
| Holladay 2 | 1996 | ○ | ○ | ○ | ○ |
| Haigis | 1993 | ○ | ○ | ○ | × |
| Barrett Universal II | 1993 | ○ | ○ | ○ | △ |

○：要　×：不要　△：オプション

トーメー CASIA®，OCULUS Pentacam®)が使用可能な環境であれば，正常眼，屈折矯正手術後眼を問わず同じソフトウェアで計算可能である．角膜屈折力の測定は原則として接続している角膜形状解析装置で行うため，そこに別に測定した眼軸長と術後目標屈折値を入力すれば，IOL 度数計算が可能である．

この計算法が理論式とは異なる点は以下のとおりである．① 角膜および IOL の屈折力を薄肉レンズ理論で近似することなく，光線追跡法(Snell の法則)により屈折力を算出するため，近似による誤差がない，② 角膜トポグラフィの中心 6 mm 内のデータから角膜曲率を評価するため，ケラトメータと比べ，特に角膜形状異常眼でより正確に角膜曲率を評価できる，③ 球面収差をはじめとする高次収差を考慮して，近軸ではなく傍中心(瞳孔半径×$2J_1\sqrt{2}$)で光線追跡を行う〔球面収差は，瞳孔径，角膜および IOL の非球面性，IOL の曲率比(shape factor)に影響されるが OKULIX はこれらの影響を考慮している．例えば，これを考慮しない場合，球面 IOL を挿入したとき，瞳孔径が大きい眼のほうが瞳孔径が小さい眼よりも実効パワーは強くなる〕，④ 術後前房深度は眼軸長と IOL データを用いて計算する(計算法の詳細は非公開とされている)．術後前房深度の算出に角膜データを使用しないため，特に角膜形状異常眼で影響を受けない．⑤ IOL データはレンズメーカーから提供されたデータを使用しているため，IOL の前後面曲率を度数ごとに正確に評価することができる．

### b. PhacoOptics®

PhacoOptics® は，Olsen らによって開発された IOL 度数計算およびデータ管理を行うソフトウェアである．屈折矯正手術後眼にも対応している．PhacoOptics® では，眼軸長，前房深度，角膜曲率半径，水晶体厚，年齢の 5 つの変数から光線追跡・厚肉レンズ系で IOL 度数計算を行う．術後前房深度予測は，術前前房深度および水晶体厚，C 定数〔既存の術後データより，症例ごとの C 値＝(術後前房深度＋IOL の厚さ/2－術前前房深度)/水晶体厚を求め(図 8-35)，それらのデータから各 IOL の C 定数を定める．それを術後前房深度予測に使用する〕を用いて予測する．また計算には球面収差も考慮している．これにより，長眼軸長眼または短眼軸長眼ばかりでなく，角膜曲率半径，前房深度および水晶体厚が平均的でない場合においても計算精度が向上した．ソフトウェアは，http://www.phacooptics.net/(2022 年 1 月 11 日閲覧)よりダウンロード可能で，IOL Master(Carl Zeiss Meditec)，Lenstar LS900(Haag-Streit)，Pentacam(Oculus)とのデータの使用が可能である．

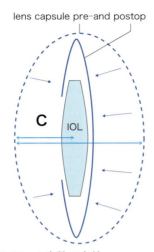

**図 8-35 C 定数の定義**
C 定数(C)は術後 IOL の位置と術前の水晶体の厚みの比によって決定される．

## 5 人工知能による眼内レンズ度数計算

近年，機械学習を中心とした人工知能(artificial intelligence：AI)技術の発達は著しく，医療分野でも広く応用されている．AI といえば画像を用いた分類問題や異常検知などがまず思い浮かぶが，眼内レンズ度数の計算といった回帰への応用でも用いられており，インターネット上で無料公開されている以下 2 式について述べる．

### a. Kane 式

Kane 式は，理論光学に基づくが，回帰と AI の両方の要素を取り入れることで予測をさらに精緻化した．変数として眼軸長，角膜厚，前房深度，水晶体厚，中心角膜厚，性別を用いる．従来の計算式では誤差が比較的大きかった長眼軸眼や短眼軸眼での予測誤差向上が報告されており，またトーリックや円錐角膜に特化した計算式も使用可能である(https://www.iolformula.com/［2022 年 1 月 11 日閲覧］)．

### b. Hill-RBF

Lenstar LS 900(Haag-Streit) による生体計測データと Alcon 社の SN60WF および MA60MA の IOL の挿入データをもとに，パターン認識およびデータ補完の技術を用いて計算を行う．計算式によるバイアスを除くことができ，様々なデータが蓄積されることによって今後さらに精度が高まり，不規則な症例にも対応していけると推察される．実際 version 2.0 では従来の式に比べ同等もしくはやや劣る予測精度が報告されていたが，アップデートされた version 3.0 を用いた長眼軸長眼に対する自験例において当式の優位性を最近我々は報告した．以前までも必要であった眼軸長，角膜曲率半径，前房深度に加えて中心角膜厚，水晶体厚，角膜横径および性別の入力も可能となったことが精度向上に寄与したかもしれない．以前は目標屈折値が 0 D しか選択できない状態で公開されていたが，現在は ＋1.00 D 〜 −2.50 D までおおむね対応である(https://rbfcalculator.com/［2022 年 1 月 11 日閲覧］)．

## 6 ピギーバック（追加矯正）眼内レンズの計算

ピギーバック IOL の度数計算法には原則として角膜屈折力や眼軸長の測定は不要である．

残余遠視の矯正の場合は Gills refractive formula：挿入 IOL 度数[D]＝(屈折誤差×1.4)＋1 があるが，A 定数の相違や残余近視の矯正には対応していないのが，この式の欠点である．

別の回帰式として，以下に示すように Shammas の式(Shammas refractive equations)があり，これは −5 D から ＋5 D の残余屈折異常に対し最も精度がよい．

### a. 残余遠視の矯正の場合

挿入 IOL 度数(D)
＝｛屈折異常(遠視度数)/0.03×(138.3−A 定数)｝−0.50

### b. 残余近視の矯正の場合

挿入 IOL 度数(D)
＝｛屈折異常(近視度数)/0.04×(138.3−A 定数)｝−0.50

### ▶文献

1) Shammas HJ: Intraocular lens power calculations. Slack. 2004
2) Olsen T, Hoffmann P: C constant: new concept for ray tracing-assisted intraocular lens power calculation. J Cataract Refract Surg 40: 764-773, 2014
3) Barrett GD: An improved universal theoretical formula for intraocular lens power prediction. J Cataract Refract Surg 20: 18-25, 1994
4) Abulafia A, Barrett GD, Rotenberg M, et al: Intraocular lens power calculation for eyes with an axial length greater than 26.0 mm: comparison of formulas and methods. J Cataract Refract Surg 41: 548-556, 2015
5) Wang L, Spektor T, de Souza RG, et al: Evaluation of total keratometry and its accuracy for intraocular lens power calculation in eyes after corneal refractive surgery. J Cataract Refract Surg 45: 1416-1421, 2019
6) Abulafia A, Hill WE, Koch DD, et al: Accuracy of the Barrett True-K formula for intraocular lens power prediction after laser in situ keratomileusis or photorefractive keratectomy for myopia. J Cataract Refract Surg 42: 363-369, 2016
7) Kane JX, Melles RB: Intraocular lens formula comparison in axial hyperopia with a high-power intraocular lens of 30 or more diopters. J Cataract Refract Surg 46: 1236-1239, 2020
8) 都村豊弘, 島崎武児, 田村彩, 他：新しい計算式 Hill-RBF 式と他計算式との白内障術後屈折誤差精度の検討. 臨眼 74：469-477, 2020
9) 菅原薫子, 鳥居秀成, 増井佐千子, 他：強度近視眼の白内障手術における眼内レンズ度数計算式の精度. 第57回日本眼光学学会総会：2021

（大本美紀, 根岸一乃）

# V 屈折矯正手術の光学

屈折矯正手術は大別して, 角膜に対して行うものと眼内レンズを用いるものがある. 水晶体を残したまま眼内レンズを挿入する場合は屈折矯正手術用として特殊なレンズを使用する. 本項では, 角膜に対して行う屈折矯正手術について述べる. 角膜屈折矯正手術のなかには周辺部に切開を入れる放射状角膜切開術(radial keratotomy：RK)などもあるが, 現在, 主に行われているのは laser in situ keratomileusis (LASIK)(図 8-36) や photorefractive keratectomy(PRK), epi-LASIK といったエキシマレーザーによって切除を行う方法である. 近年フェムト秒レーザーのみによって切除を行う SMILE(small incision lenticule extraction)という方法も出てきているが, 矯正原理は同様である.

## 1 矯正原理

角膜は眼球光学系において全体の約 2/3 にあたる屈折力をもっていること, 組織が透明な無血管組織であり体表面に位置していることなどの理由から手術的なアプローチがしやすい位置にある. 角膜の中央部を切除して凹面にすることにより近視矯正を, 角膜の周辺部を切除して凸面にすることによって遠視矯正を行うことができる(図 8-37). 切除量は以下に示す Munnerlyn 式を基準として設定されている.

切除深度($\mu$m)
＝(光学径[mm])$^2$×矯正量[D]/(8×(角膜屈折率−1))

近視矯正の場合, 光学径 6 mm で矯正 1 D の場合 11.9 $\mu$m の切除深度が必要となる. 光学径が大きいほど, 矯正量が多いほど切除深度が深くなる.

## 2 エキシマレーザー屈折矯正手術の適応と禁忌(表 8-4)

適応としては屈折値の安定している近視, 乱視, 遠視である. 近視は原則として 6 D まで,

**図 8-36 LASIK の模式図**
①フラップ　②フラップエッジ　③エキシマレーザー照射

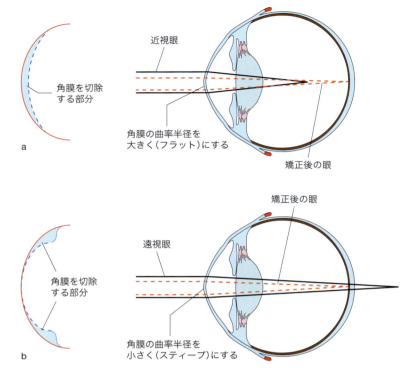

**図 8-37　近視および遠視の矯正**
a：近視矯正は中央部を切除して角膜表面の曲率半径を大きくすることにより，焦点を遠方に移動させる．
b：遠視矯正は周辺部を切除して角膜表面の曲率半径を小さくすることにより，焦点を手前に移動させる．

**表 8-4　エキシマレーザー屈折矯正手術の適応と禁忌**

| 適応 | 年齢：18歳以上 |
|---|---|
| | 対象：屈折値の安定しているすべての屈折異常（近視，遠視，乱視） |
| | 屈折矯正量：近視6Dまで（医学的根拠があれば10Dまで可），遠視，乱視6Dまで |
| 禁忌 | 活動性の外眼部炎症 |
| | 円錐角膜，およびその疑い |
| | 白内障（核性近視） |
| | ぶどう膜炎や強膜炎に伴う活動性の内眼部炎症 |
| | 創傷治癒に影響を与える可能性のある全身疾患，免疫不全疾患 |
| | 妊娠中，授乳中の女性 |

十分なインフォームド・コンセントを行ったうえで10Dまでは適応範囲と考えられている[1]．これは，近視や乱視度数が強いほど矯正量が大きくなるため，術後の精度が悪くなってしまうためである．乱視，遠視については矯正精度などを考慮すると3D程度までがよい適応である．適応年齢は屈折の安定性などを考慮し，18歳以上となっている．上限の設定はないが，40歳以降の場合老視の出現についての説明が必要である．禁忌となるのは，原則として角膜疾患や視力に影響する眼底疾患などである．

## 3 エキシマレーザー屈折矯正手術に必要な検査

慎重に適応を判定するため，いくつもの検査を行うことが決められているが，そのなかで特に重要な検査項目として，視力検査，角膜形状検査，角膜厚測定検査が挙げられる[2]．

### a. 視力検査

視力検査は屈折矯正手術適応判定に限らず重要

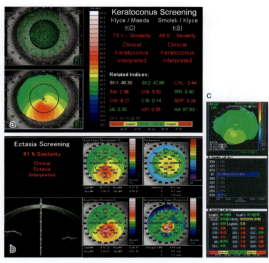

**図 8-38** 角膜形状検査結果（円錐角膜症例）
a：TMS-4N，b：CASIA®（エクタジアスクリーニングとなっているが，本症例はケラテクタジアではない），c：OPD-Scan® III
24歳男性．裸眼視力は 1.5 だが，オートレフラクトメータによる屈折度は S-0.25 D，C-2.75 D，Ax 156°であった．角膜形状検査ではいずれの機種でも円錐角膜の確定診断．

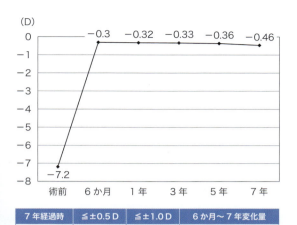

| 7年経過時 | ≦±0.5 D | ≦±1.0 D | 6か月～7年変化量 |
|---|---|---|---|
| | 65.2% | 82.6% | -0.18（-0.03 D/年）|

**図 8-39** LASIK 手術後の自覚屈折度の等価球面度数の長期経過（17 例 23 眼）
7年経過時においても ±1.0 D 以内に 83% の症例が入っていた．年間 0.03 D の軽度の近視化を示している．

な基本的検査であるが，特に屈折矯正手術前検査は矯正量決定に直接関係するため大切である．過矯正を避け，最良の視力を出すことが求められる．現在，機種によっては機械による測定値をそのまま矯正量に設定できる装置もあるが，基本である自覚検査は大切であると考えている．患者は術前の矯正視力と同様の術後裸眼視力が得られることを期待する場合が多いが，術前の矯正法によっては違いの出ることがある．遠視眼鏡による像の拡大効果，ハードコンタクトレンズによる角膜乱視の完全矯正効果などには注意が必要である．術前のソフトコンタクトレンズ装用者は比較的術後の視力の質を受け入れやすい傾向にある．症例によっては，もちろん屈折値 0 D を目指して矯正した場合であっても，照射径と瞳孔径の関係，高次収差のわずかな増加やコントラスト感度の低下などが起こるため，術前の矯正視力よりも質の下がる可能性がある．また，40 歳代以降の患者の場合，術後の近見障害のシミュレーションを行い，場合によっては低矯正やモノビジョンの選択肢も提示する必要があるかもしれない．これらを踏まえての詳細な自覚検査およびインフォームド・コンセントが必要である．

### b. 角膜形状検査

角膜形状検査は，角膜切除が可能かどうかを決定する最も重要な検査である．形状不整が疑われる症例に角膜切除を行うと，ケラテクタジア（医原性円錐角膜）という合併症を生じることがありうる．角膜形状検査にはいくつかの機種があり，リングを角膜前面に投影する Placido 型，前後面を解析できる型がある．TMS-4N や OPD-Scan® III などの前面の Placido 型の場合は，涙液や上皮の状態によって測定精度が落ちるため瞬目を行わせる必要がある．前後面を測定する方法では，機種により角膜混濁で測定困難なものなどがある．それぞれの機種に円錐角膜など形状不整を同定する自動プログラムが搭載されている（図 8-38）．機種により判定の異なる場合もあるため，いくつかの機種の形状解析システムを使用して総合的な判断が必要となる．

### c. 角膜厚測定検査

角膜厚は超音波パキメトリーによる測定が基準であるが，角膜形状検査機器で同時測定できるも

のが多くなっている．角膜屈折矯正手術においては，切除後切除面下に残る残存角膜厚が薄すぎると合併症を起こす危険性があるため，最低250 $\mu m$ を残すことが必要である．術式や施設によって残存角膜厚の基準がそれぞれ決められている．

## 4 長期成績

筆者らの施設で行った症例の長期成績を図8-39に示す．術後7年経過において，年0.03 D程度のわずかの近視化を認めるものの良好な術後経過を示している[3]．

▶文献
1) 大橋裕一，木下 茂，澤 充，他：エキシマレーザー屈折矯正手術のガイドライン．日眼会誌 113：741-742，2009
2) 魚里 博，根岸一乃，湖崎 亮，他：屈折矯正手術に必要な評価．大鹿哲郎（監）：眼手術学〈4〉角膜・結膜・屈折矯正．pp356-393，文光堂，2013
3) 中村 葉，稗田 牧，山村 陽，他：Laser in situ keratomileusis と trans-epithelial photorefractive keratectomy の術後7年の経過比較．日眼会誌 120：487-493，2016

# VI オルソケラトロジーの光学

オルソケラトロジー（orthokeratology）とは，特殊なデザインをもつハードコンタクトレンズ（HCL）を用いて屈折異常を一時的に矯正する方法である．現在のレンズは酸素透過性のよい素材を用いているため夜間に装用することが可能であり，昼間は裸眼で過ごせることがメリットである．近年，学童において近視進行抑制効果が報告され[1,2]，エビデンスのある近視進行抑制法として注目されている．

## 1 矯正原理

角膜形状を平坦化させることにより近視矯正を行うのは，LASIKなど屈折矯正手術と同様の原理に基づいている．デザインとしては，4ないし5つのカーブをもっており，中央部で角膜を圧迫することによって角膜曲率半径が大きく（フラット）となり焦点が遠方に到達できるようになる（図8-40）．レンズのデザインとしては，中央部は平坦化させるため抑える形に，周辺部でレンズの安定性を保てるように設計されている（図8-41）．レンズ径は通常のHCLより大きい直径 10.6 mm 程度が標準の大きさであり，①ベースカーブ（通常 6 mm），②リバースカーブ（0.8〜1.0 mm）③フィッティングカーブ（アライメントカーブ）（2.5〜3.0 mm）④ペリフェラルカーブ（0.3〜0.6 mm）の4つに分けられる．ベースカーブで矯正のために角膜を抑え，フィッティングカーブでレンズのセンタリングを決める．フィッティングカーブを2カーブにアレンジしているレンズも

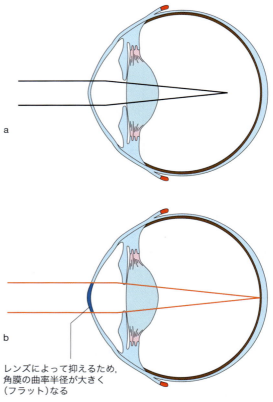

図 8-40　矯正の原理
a：レンズ装用前（近視眼）．
b：レンズを外したあとの眼（正視）．
近視眼では焦点が網膜面の手前に合っている．レンズを装用し角膜の形状を変えて中央部での角膜曲率半径を大きく（フラット）することによって焦点を網膜面に合わせるようにする．

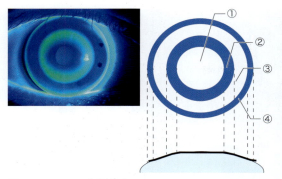

**図 8-41　レンズデザイン**
①ベースカーブ，②リバースカーブ，③フィッティング（アライメント）カーブ，④ペリフェラルカーブのカーブに分けられている．②のリバースカーブ部分と④のペリフェラルカーブ部分が角膜から浮いた状態になっているため，フルオレセイン染色液に染められた涙液がたまっているのがわかる．

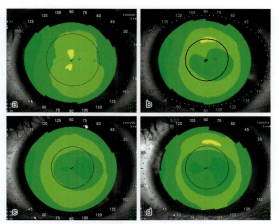

**図 8-42　−2.0 D 近視眼の角膜形状変化**
a：装用前：0.15 (1.5×S−2.00 D)，b：装用 1 日：1.5（矯正不能），c：装用 1 週：（矯正不能），d：装用 1 か月：1.5（矯正不能）．
装用 1 日で裸眼視力が向上しており，中央部の平坦化が認められる．

ある．間にあるリバースカーブは突出した形状をしており，中央で抑えられた圧力を逃がす場所であり，角膜上皮が移動していることがわかっている．ペリフェラルカーブはレンズを最周辺部で浮かすことにより，レンズの固着を防いでいる．

例として以下の症例を考えてみる．
- 角膜ケラト値：44.50 D (@90°)/43.50 D (@180°)
- 自覚的な矯正度数：S−3.0 D ◯ C−0.5 D Ax 180°

角膜乱視は 1.0 D あるが水晶体の代償が働き，自覚的には 0.5 D のみの乱視となっている症例である．通常，一般的な矯正の考え方では弱主経線方向つまり角膜がフラットな方向にレンズを合わせることになる．弱主経線方向 43.5 D でフィットさせ，3.0 D の矯正を行いたいことになる．

必要ベースカーブとしては，43.5−3.0=40.5 D の計算となるが，実際にはレンズを外したあとの角膜の戻りを考えて，通常 0.75 D（〜1.0 D）分強く角膜を平坦化（コンプレッションファクター）させるよう，レンズを選択することとなる．したがって，選択するベースカーブは，

43.5−3.0−0.75=38.75 D

となり実際のレンズの曲率半径は角膜屈折率 1.3375 から計算して 8.71 mm となる．

患者へ処方する場合は，角膜ケラト値と矯正度数がわかれば計算をしなくてもトライアルレンズを選択できるシステムとなっている．現在，厚生労働省の認可を受けているレンズはほとんどが上記の方法で処方するが，1 種類のみ角膜形状も組み込んだトライアルレンズ選択のできるソフトウェアが提供されている．

## 2 矯正状態の経時変化

代表症例を提示する．図 8-42 に 9 歳男性左眼の角膜形状解析装置 TMS-4 で測定した角膜形状の変化を示す．

初診時視力 0.15 (1.5×S−2.00 D)，角膜ケラト値は弱主経線方向 42.25 D，強主経線方向 43.32 D の症例である．角膜弱主経線方向の値より 42.50 D，自覚屈折度数より −2.0 D の矯正を行うレンズ設定によって装用 1 日で裸眼視力 1.5 を得ている．TMS の変化をみると，装用 1 日後より中央部のフラット化が明らかに出ており，装用 1 週間でほぼ安定していることがわかる．

臨床研究を行った当初に処方した 32 例の経過を図 8-43 に示す．ガイドライン作成前であったため，強度の度数の症例も含まれている．平均等価球面度数 −3.02 D (−1.00〜−5.75 D)，平均年齢 11.5 歳（6〜17 歳）の 2 年経過である．1 日

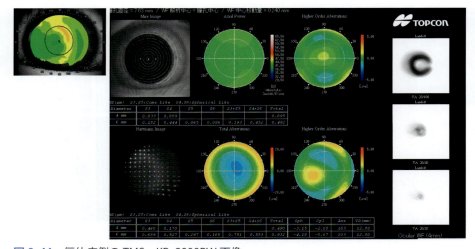

**図 8-44** 偏位症例の TMS, KR-9000PW 画像
左側へのレンズの偏位によって角膜形状の平坦化が中央からずれている．収差の値が大きく，Landolt 環のシミュレーションではボケが出ていることがわかる．

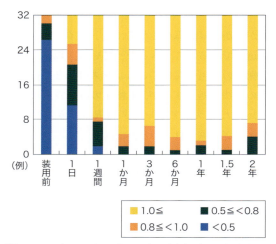

**図 8-43** オルソケラトロジー症例の裸眼視力経過（32 例）
約 1 か月以内に裸眼視力が向上する．

装用するだけで裸眼視力が向上するのは 2.0 D 以下の近視の症例であり，度数の強いほど裸眼視力の向上には時間がかかる．今回の平均 −3.0 D の症例では，1 週間で約 80％ の症例で裸眼視力が向上していた．現在はガイドラインの適応範囲外となる −5.75 D の症例であっても，3 か月後には 1.0 の視力を得ることができていた．今回示した症例は未成年に行っていたため，レンズのフィッティングに問題がなくても裸眼視力が低下してくる症例があり，裸眼視力が 0.6 以下となっ

た場合は度数変更を行った．1 年以降に裸眼視力低下のために度数変更を必要とした症例が 12％ 認められた．現在はガイドライン[3]が作成され，近視度数は −4.0 D 以内，年齢は原則 20 歳以上，20 歳未満については慎重処方となっている．今回示したのは学童期で近視の進行する時期の裸眼視力経過であるが，20 歳以上で近視進行のない症例であれば裸眼視力は長期にわたり良好である．

## 3 オルソケラトロジー症例矯正時の注意点

処方後一定期間，朝と夜の裸眼視力の出方に違いが出る．朝は十分矯正効果が出ているが，夕方になると徐々に角膜を平坦化する効果が薄れるため，裸眼視力の低下を自覚する．2.0 D 以内の軽度近視では 1 週間以内に安定するが，それ以上の度数の場合，1 週以降も日内変動を自覚する症例もありうる．視力検査時には時間による変動を考慮する必要がある．

注意すべきもう 1 点は，オートレフラクトメータによる他覚屈折度検査と自覚屈折度検査の結果に違いの出ることが多いということである．特にやや偏位している場合にオートレフケラトメータでは乱視としてカウントするが，自覚視力が比較

的よいことが多い．これは，角膜の多焦点性が増えるためにくっきりした見え方ではない可能性が高いものの，最小分離閾を評価する視力検査ではよい視力が出るために自覚的に度数の入らない可能性もあるのではないかと考えられる．図8-44に示す偏位症例は，屈折度はオートレフラクトメータでS－3.69 D，C－2.10 D，Ax110°であったが，自覚視力では裸眼で1.2であった．角膜形状では明らかに鼻側に偏位しており，Landolt環で示したシミュレーションでは彗星のような横方向のぶれた見え方を示している．視力は1.2あるが，見え方の質が悪い可能性が高い．オルソケラトロジー症例では高次収差の増加やコントラスト感度の低下を指摘する報告もあり[4]，自覚視力のみでの評価には限界のある可能性も高い．しかし未成年の場合は，夜間運転などもなく，裸眼での生活への満足度がかなり高いこと，コマ収差が多く多焦点性の高いほうが近視進行抑制効果の出やすい可能性なども指摘されており[5]，偏位症例であっても自覚症状がそれほど悪くなければフィッティングをそのままにする場合も多い．自覚症状とともに，可能であれば収差測定を行い判断することとなる．20歳以上で車の運転をする場合は，十分に説明し運転に支障のある場合は処方変更，それでも改善しない場合は処方中止も検討する必要がある．

▶文献

1) Walline JJ: Myopia Control: A Review. Eye Contact Lens 42: 3-8, 2016
2) Nakamura Y, Hieda O, Yokota I, et al: Comparison of myopia progression between children wearing three types of orthokeratology lenses and children wearing single-vision spectacles. Jpn J Ophthalmol 65: 632-643, 2021
3) 村上 晶，吉野健一，植田喜一，他：オルソケラトロジーガイドライン 第2版．日眼会誌 121：936-938，2017
4) Hiraoka T, Mihashi T, Okamoto C, et al: Influence of induced decentered orthokeratology lens on ocular higher-order wavefront aberrations and contrast sensitivity function. J Cataract Refract Surg 35: 1918-1926, 2009
5) Hiraoka T, Kakita T, Okamoto F, et al: Influence of ocular wavefront aberrations on axial length elongation in myopic children treated with overnight orthokeratology. Ophthalmology 122: 93-100, 2015

（中村 葉）

第 **2** 部

# 光学的検査

# 第9章
# 視力検査

## A. 視力と視力に影響する因子

### 1 視力とは

　視力(visual acuity)は，概念的には「二次元的に広がっている物の形や位置を見分ける眼の能力，形態知覚の鋭敏さ」と定義されている[1]．すべての人を同一条件下で視力検査を行う必要性があることから「最小分離閾を視力の基本概念とするが，実際的な測定においては最小可読閾でもよい」という視力の統一的解釈案が1909年の国際眼科学会で採択された．採択以降，視力は視機能を客観的に評価するうえで重要な手段として使用されてきている[2,3]．

　視力とは，一般的には「物体の形状や存在を認識する眼の能力」であるが，学問的には「2点または2線を分離して識別する眼の能力」であると定義される．しかし1909年に開催された第11回国際眼科学会で，視力の定義は「文字などを識別する能力を視力とよび，ちょうど一定距離において識別しうるような文字や数字またはLandolt環をもってこれを測定すること」と決められた．このことは臨床的評価の便宜性を考えたうえの決定といえる．つまり視力検査は実用的なものであり，物の全体を明視しようとする条件(屈折異常の矯正や眼鏡作製)で用いられ，全体を見る眼の能力を数字で表わそうとすることを目的とされる．そのため視標は簡単な点や線よりも文字やLandolt環のような少し複雑なものが望ましい．

　わが国においては，視力検査の基準が第11回国際眼科学会にて決められた基準とは生活様式の変化によりそぐわないことから，1964年に新しい視力検査基準が発表された[5]．正確な視力値を測定する際に使用する標準視力検査装置は，視標にはLandolt環のみを用い，その視標の外寸の誤差は±3%以内，視標と背景との対比は90%以上，視標背景の光束発散度は500±125 rlxなどである．

　わが国での視力測定時の基準となるLandolt環の太さは1.5 mm，切れ目幅は1.5 mm，外形は7.5 mmである．この視標を検査距離5 mで見た場合，切れ目はちょうど視角1分(1′)となり，切れ目の方向が判別できれば視力は小数視力の1.0となる．視力は最小可視角(分)の逆数，つまり1/最小可視角となる．

### 2 視力に関係する尺度

　形態覚は視機能のうち物の色や形に関する感覚であり，物を認識してその物が何であるかを識別する機能である．形態覚は提示される視標の性質によって，識別される能力が異なり，以下の4つの尺度に分類される[6-8]．

#### a. 最小視認閾

　1点または1線を認める閾値である．どれだけ小さな点や線が認識できるかというもので，例えば森実式ドットカードは，絵の中にある点の大きさで最小視認閾(minimum visible)を測定するものである．最小視認閾は，白地に黒点で30秒角(30″)，黒地に白点で10″，白地に黒線で4″，黒

地に白線では4″以下といわれている．これらの点や線は空間的な大きさで決められるというよりは，点や線と背景の輝度との差に関係し，視細胞のエネルギー感度に影響される．つまり光点の見え方と黒点の見え方では異なる反応を示す．

　黒地に白点の見え方を代表する光点は，眼における回折，収差，散乱などの影響により元の点より広がりをもち，少しぼやけた状態で網膜上に結像される[9]．光点が小さくなれば点光となり大きさや形に関係なく輝度により見えるかどうかが影響する．つまり，光点の見え方は，視角には関係せず，眼に入る光エネルギーと網膜の感度によって決まり，光覚の閾値が重要な要素となる．

　白地に黒点の見え方は，黒地に白点とは異なり背景が一定の明るさをもつことから，光の強さのみでは影響されず，背景と点との輝度の差により認識できるかどうかが関与する．最小視認閾を評価する場合は，コントラストに影響することを考慮する必要がある．

### b. 最小分離閾

　2点または2線を識別して感じる閾値である．通常の視力としての概念は最小分離閾（minimum separable）にあたり，20〜30″程度といわれている．視力は，基準としてLandolt環の使用を国際的に推奨されており，Landolt環で最小分離閾を測定し評価される．臨床的には分単位の最小可視角（minimum visual angle）の逆数で小数視力と定義される．Landolt環で考えた場合，どれだけ小さな切れ目を識別可能であるかを判定し，切れ目と眼の成す角を求める．厳密にいえば切れ目の2つの点と眼球の第1節点（網膜前方17 mm）を結ぶ角度が視角となり，この視角の逆数が小数視力となる．視力測定は各個人における最小可視角の絶対値で評価するのではなく，あらかじめ決められた大きさのLandolt環が表示された標準視力検査表を用いて行われる．各大きさのLandolt環の切れ目が判別可能な回数が5回の提示のうち3回確認できれば，見えた視標のサイズの視力を有することになる．

　視力は眼球光学系の結像特性が大きく関与するが，そのほかにも視標の種類や視標提示条件，網膜の順応状態，網膜から視中枢までの処理系の特性，心理的要因などによっても影響を受ける．

### c. 最小可読閾

　文字を判読できる閾値である．どれだけ小さい文字の判読や図形の認知が可能であるかというもので，例えばひらがな視標や絵視標を用いて見える大きさで最小可読閾（minimum legible）を測定するものである．30〜40″程度といわれている．最小可読閾の測定に使用されるひらがな視標や絵視標による視力は，視角から導き出される視力値ではなく，Landolt環との比較実験により作製されたものを使用していることになる．正確な視力の観点からはLandolt環を用いたほうがよい．

　欧米ではSnellen視力表やETDRS（early treatment diabetic retinopathy study）チャートが使用されている．これらの視力表を用いた視力は最小可読閾を測定していることになる．Snellen視力表は，ローマ字を視角5分に一辺を収めて，線の太さや間隔を視角1分になるようにした視標である．文字全体の大きさが文字の太さの5倍になっている．基本的な視標には各文字の正答率がほぼ同程度であるC，D，E，F，L，O，P，T，Zが用いられている．視標の大きさの変化が等間隔になっていない，文字により読みやすさが異なるなどの問題点がある．

### d. 副尺視力

　2直線または3点の位置の違いを感じる閾値である．2本の線がお互いに連続しているか，ずれているかを認識するものである．副尺視力（vernier acuity）は2〜10″程度の高い分解能力を示し，Landolt環による最小分離閾の1/5か1/6の閾値まで識別ができる．このことから超視力（hyper acuity）といわれている．しかし，空間分解能を評価するものではなく空間位置の弁別能の評価であり，物を見る能力を表わす視力とは本質的に異なるともいわれている．

## 3 評価

　視力は最も基本的な視機能評価法として古くから利用されてきた[6]．Snellen らによって提唱されてきた視角1分(1′)を見分けることができる視力を正常とする考えは，1909年に国際眼科学会において視力の定義が決められるまでは広く一般的に受け入れられていた．当時ではすでに屈折異常のない正常眼では，最小可視角は1′より小さくなり，高齢者や小児では1′より大きくなることはすでに知られていた．しかし，臨床的に視角1分は健常者に近い値であることは国際眼科学会においても異論はなく，基準としては Landolt 環の使用を国際的に推奨されて今まで受け継がれている．この視力の単位も厳密には生理学的根拠に基づいているものではない．形態覚を評価する際には，心理的要素や前述の4つの尺度により大きく変化することにも留意しておく必要がある．

　太さ1.5 mm，切れ目の幅1.5 mm，外径7.5 mm の Landolt 環を眼前5 m の距離で見た場合，外径が視角5分となり，切れ目がちょうど視角1分となる．Landolt 環はこの5分1分角の原理で作られている．視角の幾何光学的算出において，厳密には Landolt 環の切れ目の幅と眼球との成す角の位置は，眼球節点に対してであり，網膜面から前方約17 mm の位置である．また視角1分の切れ目の大きさは5 m の距離で1.45 mm，外寸7.27 mm となる．

　視力を評価するにあたり，視角を用いることには利点も多い．視標の大きさは距離に依存する．視標が近い場合は Landolt 環の切れ目は大きくなり，遠ざかると小さくなる．切れ目の大きさを角度つまり視角で評価すると視標までの距離の影響がなくなる．眼前5 m の0.1視標の視角と眼前50 cm の1.0視標の視角は同じであり，0.1視標が眼前1 m で見えれば視力0.02と評価することができる．小数視力はマイナス符号がなく，Snellen 視力と比べて表記も簡便である．その反面，小数視力は視力値が等間隔に配列されていないため，段階的な変化として表現することはできない[10,11]．

　基本的に視力は，Landolt 環を用いて最小分離閾を測定し示されるが，Landolt 環との比較実験により作成される，ひらがな，アルファベットなどの文字視標，数字や絵視標も日常的に用いられている．これらの視標を用いた視力は，視角から導き出される視力値ではなく，最小可読閾にあたる．しかし，前記の国際学会において「最小分離閾を基本理念とし，あるいは最小可読閾を用いても差し支えない」とされており，欧米においては Landolt 環でなく Snellen 文字視標が主に使用されている．

## 4 視力に影響する因子

　視力は，視路の障害以外に検査の理解度や体調などの影響も受ける．また，測定時の様々な条件の変化によっても影響を受ける．ここでは，光学的な影響因子について言及する．

### a. 網膜面における結像状態

　良好な視力を得るためには，網膜に鮮明な像が結像される必要がある．結像を妨げる因子としては，屈折異常や収差がある．

#### 1) 屈折異常の影響

　遠視・近視・乱視などの屈折異常がある場合，遠方からの光が無調節状態の眼に入射すると網膜面に鮮明結像することはなく，分解能は悪くなり視力は低下する．

#### 2) 収差の影響

　自然光は様々な波長の光で構成されている．このような光がレンズを通過すると分散のため，光の波長によって焦点位置や焦点距離が変化する(図9-1)．軸上色収差と軸外色収差(倍率色収差)がある．焦点位置が波長により変化することを軸上色収差という．短波長の青色はレンズから近い位置に，長波長の赤色はレンズから離れた位置に結像する．この色の違いによる結像特性を利用した検査が赤緑検査(red-green test, duochrome test)である．人間の眼では青色光と赤色光の色収差は約1.25 D(可視域の範囲では約3 D にも及

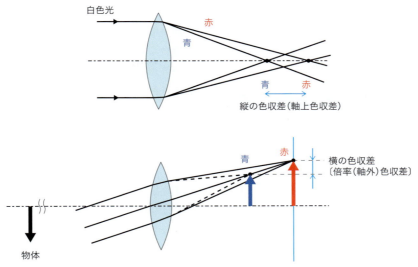

図 9-1 色収差の影響

ぶ)である．また焦点位置が波長により変化するとき，主軸より外れた位置の像に色収差が生じるものを軸外色収差または倍率色収差という[11,12]．

### b. 瞳孔径(回折の影響)

波の性質をもつ光が眼内に入るとき，光は瞳孔縁で光の回折波による干渉が起こり，網膜には明瞭な点としての像が結像せず，中心の明るい像の周りに暗い輪と明るい輪が交互に同心円状に並ぶ回折像として結像される[3]．中心の明るい光はエアリーディスク(Airy disk)とよばれ，瞳孔径が小さいほどエアリーディスクは大きくなり，結像状態が悪くなる．眼球光学系においては瞳孔径が小さくなれば回折が大きくなる反面，球面収差が小さくなることで視力低下を発生させる因子としては相殺されるが，瞳孔径が 2.0 mm 以下になる場合は視力への影響が生じる．瞳孔径が 2.4 mm 程度で回折の影響が最も少なくなる[5] (図 9-2)．

### c. 視標の明るさ

日常の視環境における明るさは，新月の屋外の真っ暗な状態(約 0.001 lx)から真夏の晴天の屋外(約 10,000 lx)まで大きく変化する．明るい所では見えるものが暗い所では見えにくくなる．暗所視から明所視に行くに従い視力はよくなるが，

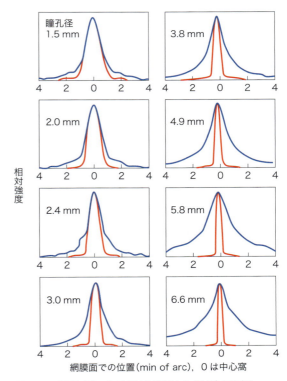

図 9-2 瞳孔径による回折が視力に及ぼす影響
赤線は理論値，青線は実測値の点像の広がり．

1,000 lx ぐらいから視力の向上は緩やかになり，その後増加はみられなくなる．

明所視では錐体細胞が機能しており，視力は良好である．暗所視では杆体細胞が機能しており，

視力は著しく低下する．黄斑部には杆体細胞は存在せず，中心窩外で見ることになり視力は不良となる．0.01 lx 以下では杆体視，0.1 lx 以上になると錐体視となる[10, 13]．

### d. 片眼か両眼か

視力検査を行う際は，眼鏡枠もしくは遮眼子を用いて行われる．片眼遮閉下と両眼視下の瞳孔径を比較すると，両眼視下で瞳孔径は小さくなる．両眼視下での網膜照度は片眼遮閉下よりも上がり，瞳孔径は小さくなることで収差は減少する．特に Seidel 収差のうち球面収差は，瞳孔径（半径 $R$）の 3 乗に比例して影響する．昼間視や薄暮視下にかかわらず単眼の瞳孔径は約 1～2 mm 程度大きい．このことから両眼視下の視力は向上する．両眼開放下の視力は片眼遮閉下よりも $\sqrt{2}$ 倍程度よく，対数では 1～2 段階の向上を示す[14]．

### e. 視標提示時間

視力測定を行う際の視標提示時間は，短くなると視力は低下し，長くすると視力は向上するが飽和する[12]．視標提示時間と視力の関係では，提示時間無制限の視力の 75% 視力が得られる時間は平均 0.62 秒（0.40～0.95 秒）と報告されている．通常の視力検査においては，視標提示時間を区切る必要性は少ない．1964 年に発表された視力基準では，検査結果の判定基準において，視標を提示してから被検者の応答を 3 秒待たなければならないとし，小児の検査ではさらに長い時間を要すると規定されている[2, 15]．

## B. 視力表の種類と特徴

### 1 小数視力

眼がかろうじて判別できる 2 点が眼に対しての成す角を最小可視角〔角度は 1/60°（度）である′（分）で表わす〕という．最小可視角の逆数を小数で表わした数値が小数視力（decimal visual acuity）といい，国際的な標準視力表記方式である．

小数視力＝1/最小可視角（分単位）となる．一般的に測定には Landolt 環が用いられる．小数視力表に用いられる視標は視力 0.1～1.0 までの 0.1 刻みの等差級数的になっており，1.2, 1.5, 2.0 が加えられている．小数視力は最小可視角の逆数から求められるため，視力が 0.1, 0.2, 0.3 と変化した場合，各視力の視角は 10.0 分，5.0 分，約 3.3 分となり実際は等間隔になっていない．問題点として，小数視力を使った場合は視力の変化を 1 段階とか 2 段階といった表現で表わすことは適切ではない．臨床評価として使う場合は注意が必要となる[6, 8]．実際の小数視力表を用いての視力検査では，視角 1～2 分の間を細かく測定している．視力の平均値を計算する場合は，算術平均ではなく，幾何平均を用いる必要があり，計算の際には注意しなければならない（次項「対数視力と logMAR 値」を参照のこと）．

小数視力以外で，検査距離を分子，視力 1.0 の人がかろうじて見える視標の距離を分母として表わしたものに分数視力（fractional visual acuity）がある．この分数視力を使う代表的な視力表は Snellen 視力表である．検査距離はわが国と異なり 6 m もしくは 20 feet（フィート）で測定する．検査距離は一定で，視力 1.0 の人が 30 m 先で見えるような大きな視標を 6 m でかろうじて判別できる人は 6/30 となり，小数視力は 0.2 となる．分数視力の分数を計算すると小数視力と同じになる．検査距離 20 feet の一般的な Snellen 視力表は，20/200, 20/100, 20/70, 20/60, 20/40, 20/30, 20/25, 20/20, 20/15, 20/13, 20/10 の視標で構成されて，等間隔に視標が配列されているとはいえない．また，Snellen 視力表で使用されるアルファベットは，視角から計算されて作られているものではない．各文字の大きさは Landolt 環による視力との比較実験により作製され，アルファベットの文字をすべて使用されてはいないが，文字間で正答率（または誤答率）に差があり文字の読みやすさはあまり考慮されていない．

小数視力は，後述の対数視力と異なり負の符号

表9-1 各種視力とlogMAR値との関係

| 最小視角<br>(MAR)分 | logMAR値 | Snellen視力 6m | Snellen視力 20 feet | 小数視力<br>(VA) | logVA |
|---|---|---|---|---|---|
| 10 | +1.0 | 6/60 | 20/200 | 0.10 | −1.0 |
| 8 | +0.9 | 6/48 | 20/160 | 0.125 | −0.9 |
| 6.3 | +0.8 | 6/38 | 20/125 | 0.16 | −0.8 |
| 5 | +0.7 | 6/30 | 20/100 | 0.20 | −0.7 |
| 4 | +0.6 | 6/24 | 20/80 | 0.25 | −0.6 |
| 3.2 | +0.5 | 6/20 | 20/63 | 0.32 | −0.5 |
| 2.5 | +0.4 | 6/15 | 20/50 | 0.40 | −0.4 |
| 2.0 | +0.3 | 6/12 | 20/40 | 0.50 | −0.3 |
| 1.6 | +0.2 | 6/10 | 20/32 | 0.63 | −0.2 |
| 1.25 | +0.1 | 6/7.5 | 20/25 | 0.80 | −0.1 |
| 1.0 | +/−0 | 6/6 | 20/20 | 1.0 | +/−0 |
| 0.8 | −0.1 | 6/5 | 20/16 | 1.25 | +0.1 |
| 0.63 | −0.2 | 6/3.75 | 20/12.5 | 1.6 | +0.2 |
| 0.5 | −0.3 | 6/3 | 20/10 | 2.0 | +0.3 |

3段階低下で視力は1/2
3段階向上で視力は2倍

がつくことがない．小数視力を表わす際に視角を用いる利点としては，視標と眼との距離が変われば見える視標の大きさは変化するが，視角を用いて評価することにより測定距離を考慮する必要性がなくなる（眼の調節の影響を無視すれば）．検査距離は2倍になれば，Landolt環の切れ目も2倍となる．1.0の視標を眼前50 cmで見たLandolt環の切れ目と0.1の視標を眼前5 mで見たLandolt環の切れ目は同じ視角となる．また1.0の視標を眼前3 mでかろうじて見えた場合の視力は1.0×3/5＝0.6となり，計算が便利である．

視力表は大別すると，遠見と近見視力表，字づまりと字ひとつ視力表，小数配列と対数配列視力表，標準検査表と準標準検査表・特殊検査表などに分類できる．

## 2 対数視力とlogMAR値

視力検査で用いられる小数視力表は，視標の配列が0.1から2.0へ上から順番に配列されている．0.1〜1.0までは0.1刻みで，1.2，1.5，2.0の視標が加えられている視力表が一般的である．視標の配列が等差級数配列になっているように見えるが，視角の逆数から小数視力を求めることから実際は等差級数配列ではない．このことから平均視力の計算や1段階や2段階の視力の変化として使用することは不適切である．小数視力表から得られた視力を等間隔に表現するには，小数視力の対数を用いることにより可能となる．これを対数視力(logarithmic visual acuity)という[6,8]．

最近では，小数視力の対数を用いるのではなく，視角（分）の常用対数 logMAR(MAR: minimum angle of resolution の略で分単位の最小可視角)に基づいた視力表が使用されるようになってきている．国際標準化機構(IOS)や日本工業規格(JIS)においてもlogMAR値の使用が推奨されている[9]．

logMAR視力表では1対数単位を10等分する間隔0.1 log unit($10$の10乗根，$\sqrt[10]{10}≒1.259$)で視標の大きさが変化し，logMAR値で−0.3から+1.0まで（小数視力換算で0.1から2.0まで）の14段階で視標が構成されている．つまり視標の大きさが約1.25倍で大きくなり，約0.80倍で小さくなる比率で視標が変化するように作られている．logMAR値を使用することで，算術平均が簡便にでき，これまでのように小数視力を対数視力に変換して計算する手間が省かれる．従来からの小数視力・分数視力や対数視力 logMAR値の関係を表9-1に示す[10,11]．

logMAR値を用いた視力表の代表的なものに，ETDRSチャート[11]がある．糖尿病網膜症の早期治療研究において視力の評価として用いられてきたが，屈折矯正手術などの各眼科手術の術前術後

の評価や薬剤による治療効果の判定に用いられるようになってきている．

小数視力（VA）は最小視角のMAR（単位は分）の逆数であることから，VA＝1/MARとなり，対数をとった場合logVA＝－logMARとなる（お互いに異符号となる）．logMARでは視力1.0を0として1.0よりよい視力では負の数，悪い視力では正の数となり，対数視力とlogMAR値は絶対値は等しくなるが符号が異なることに注意が必要である．一般的に公開されているvisual acuity conversion chartを参考にすると小数視力，分数視力，対数視力の関係が詳しく示されている[16]．logMARは分単位の最小可視角の対数であるからその次元は（視角の分，min of arc）であるため，<u>logMAR視力</u>という表現は不適切であり，視力そのものではないことに注意されたい．logMAR値という表現のほうが適切である．また，logMAR値が従来の小数視力の値と極めて類似している場合もあるため，両者が混同される場合も多い．科学的な統計処理にはlogMAR値が必須であるが，臨床現場での表示にはlogMAR値を小数視力に換算した値（換算小数視力値）を併記することで混乱が減少する[16]．

▶文献

1) 大島祐之：視力．萩原 朗（編）：眼の生理学．pp47-77, 医学書院，1966
2) 長南常男：視力．市川 宏（編）：新臨床眼科全書．pp1-95, 金原出版，1985
3) 魚里 博：波動光学の基礎．西信元嗣（編）：眼光学の基礎．pp63-118, 金原出版，1990
4) 福原 潤：生理光学の基礎．西信元嗣（編）：眼光学の基礎．pp145-195, 金原出版，1990
5) 魚里 博：視力はなぜ2.0どまりなのか？．根木 昭（編）：眼のサイエンス 視覚の不思議．pp210-213, 文光堂，2010
6) スーザン・ノーレン・ホークセマ，バーバラ・フレデリクソン，ジェフ・ロフタス，他（著），内田一成（監訳）：感覚過程．ヒルガードの心理学，第15版．pp152-213, 金剛出版，2012
7) 篠森敬三：光の強さ．篠森敬三（編）：視覚Ⅰ－視覚系の構造と初期機能．pp86-113, 朝倉書店，2007
8) 高橋現一郎：Stiles-Crawford効果．大鹿哲郎（編）：眼科プラクティス〈6〉眼科臨床に必要な解剖生理．pp384-387, 文光堂，2005
9) 魚里 博：眼の屈折要素．大鹿哲郎（編）：眼科プラクティス〈6〉眼科臨床に必要な解剖生理．pp388-397, 文光堂，2005
10) 魚里 博：屈折矯正における眼光学系と視機能検査．視覚の科学 22：66-84, 2001
11) 所 敬：屈折異常とその矯正，改訂第5版．pp35-50, 金原出版，2009
12) 平井宏明：幾何光学の基礎．西信元嗣（編）：眼光学の基礎．pp1-41, 金原出版，1990
13) 可児一孝：視力検査の流れ．所 敬（監）：理解を深めよう 視力検査 屈折検査．pp30-35, 金原出版，2009
14) 魚里 博：両眼視力と単眼視力．日視会誌 35：61-66, 2006
15) 萩原 朗：視力検査基準について．日本医事新報 2085：29-34, 1964
16) 魚里 博：視力とlogMAR．Tomey Ophthalmology News 34：11, 2004

（魚里　博）

# 第10章 コントラスト感度検査

## 1 コントラストと増分閾

### a. 背景光と増分閾

カメラと同様に視覚の感度は，捉えることができる最小の光の量で決められる．絶対閾値は，暗黒の環境で検出可能な最小の光を実験的に計測することで求めることができる．しかし，視覚の機能としては絶対閾値よりも，背景光の上に加えた光を検出する相対的な閾値（増分閾）のほうが重要ともいえる．視覚の目的が物の認識であるならば，光そのものよりも物体面の性質を知ることが重要である[1]．ここで面の性質とは面が白いか黒いか灰色かなど明度の問題であり，これは面の反射率に対応する．同じ面を見ていても，眼に入る光は照明の強弱で増減するため，直接面の性質を知ることはできない．眼に入る光が照明光と面の反射率の掛け算で決まる以上，この問題は回避できないように思われる．しかし，コントラストに関する知覚はこの状況にうまく対応している．

### b. コントラストの評価

反射率5%の黒い紙と90%の白い紙について考えると，照明光強度が1から100になった場合，黒い紙からの反射光は5から500，白い紙は90から9,000となる．つまり後者の黒と前者の白は500と90で，白からの反射は黒からの反射より少ないことになる．実際そのような見え方の逆転は生じないが[1]，それは明暗のコントラストに対する知覚を考えると理解できる．白い紙を背景として，その上に小さい黒い紙が置かれているとする．白背景に対する黒い紙の反射光の比率は，照明光に依存しないで常に5/90である．つまり視覚系がコントラストを評価できれば，面の反射率の相対値を推定することができる．

### c. Weber比

視覚系の感度計測実験から，視覚系が実際にコントラストの評価をしていることがわかる．暗黒背景の中で，検出できる光の強さ，絶対閾値を計測すると，最も感度が高いところでは，量子レベルの光強度，つまり光強度の最小単位レベルの数値となる．しかし，背景光がありその上に加えた光を検出する場合，感度は低下しより高い強度の光が必要となる．つまり増分閾は絶対閾値に比べて高くなる．背景光の強度を変化し増分閾を計測すると，背景に対する増分閾値の比率（Weber比）は一定となる（図10-1）．これは，背景光によらずコントラストが一定の条件で閾値が決まっていることを意味する．つまりコントラストを見分けられる最小の光量の差は，照明光の強弱の影響を受けない．視覚系は面の明度を光の絶対量ではなくて背景に対する比率を評価しているといえる．

## 2 視力とコントラスト感度

### a. 視力表のコントラスト

明暗知覚におけるコントラストの重要性を上記に述べたが，一方，解像度の視点からもコントラ

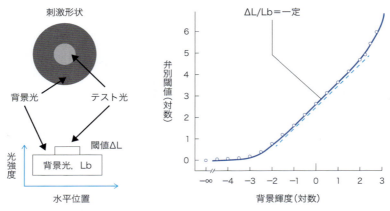

図 10-1　背景光による検出閾値（増分閾）の変化
ΔL：弁別閾値　Lb：背景輝度

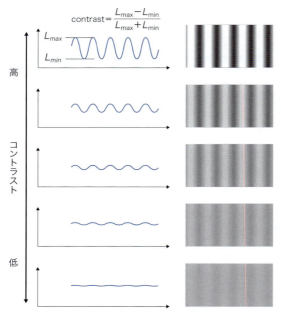

図 10-2　コントラスト感度の測定方法

コントラストごとに視力を求めるということは，見方を変えると視標の大きさを決めて，見ることができる最小のコントラスト，コントラスト閾値を求めることと同じである．通常コントラスト閾値の計測は，縞刺激を利用して，その幅，空間周波数を変化させて計測する．正弦波格子縞を用い，明暗コントラストを変えてぎりぎり見えるコントラストを求め（図10-2），その逆数としてコントラスト感度を定義する．コントラスト閾値が1（100％）の場合が，測定できる閾値に最大であり，コントラスト感度は1（％表記の場合は0.01）となる．コントラスト感度が1となる周波数は，白黒の視標の解像限界といえるため視力に対応する[1]．

ストは重要である．視力は見分けることができる空間パターンの詳細さに関するものであるが，その評価に利用する指標は通常白黒のパターンであり，コントラストは100％に近い条件での見え方の評価である．コントラストが低い指標を用いた場合は，視力は低下し，それを考慮するための視力表もある．Pelli-Robson Chart などはその例であり，様々なコントラストの指標に対して視力を計測するものである．

## 3 空間周波数特性

### a. 空間周波数

周波数による表現は，信号処理を考えるうえで利点が大きいため，頻繁に利用される．空間周波数の異なる正弦波縞に対するコントラスト感度を計測すると，3〜5 cycle/deg（cycle/degree）の空間周波数で感度が最大となり，それより高い周波数でも低い周波数でも感度は低下する（図10-3）[2]．いわゆる帯域通過型の周波数特性を示す．図10-3 の横軸の空間周波数は，単位視角当たりの刺激の周期（cycle/deg）であり，網膜上での空

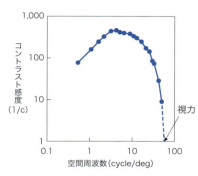

図10-3 空間周波数特性

間周波数を考慮したものである．視角の単位で表現すれば，観察距離による網膜像の変化にかかわらず網膜像の大小を表わすことができる．

### b. 方位の影響

空間周波数特性は，垂直あるいは水平縞で計測されることが多いが，網膜像は2次元であるため2次元の空間周波数を考慮する必要がある．つまり図10-3に示す空間周波数特性は方位に対する影響を無視している．2次元の特性を知るためには異なる傾きの縞刺激に対する空間周波数特性を計測する必要がある．周波数と方位の網羅的な組み合わせに対して，コントラスト感度を計測することで，2次元の周波数特性が得られる．それを利用すれば，与えられた任意の網膜像に対する視覚系の応答が予測できる．方位に対するコントラスト感度の影響から，水平・垂直方向に比べて斜め方向で感度が低いことが明らかにされている．また，方位による感度差が高周波刺激でより顕著になるなど定性的な傾向が知られているが[3]，現状で2次元の空間周波数特性の全体を表わす標準的といえる計測結果はない．

### c. 眼球光学系の要因

空間周波数特性は，いくつかの要因によって決まる．視力と同様に光学収差など眼球光学系の特性が，大きな要因の1つである．この要因は光学的に評価でき，眼鏡による一定の改善も可能である．瞳孔径も網膜像をぼけさせる要因となる．

可変範囲であれば，瞳孔系の値は小さいほど網膜像の解像度は高い．これは，集光を光軸付近に限定するために，眼球光学系の収差によるボケの影響を低減できるからである．より小さな瞳孔径とした場合には，光の回折によりかえって解像度の低下を招く．しかし，実際の瞳孔径はそのような状況を作り出すことはなく，視覚系はその点も考慮したシステムとなっていると考えられる[3]．そのほか眼球内の光の散乱などの光学的要因は，網膜像を劣化させ空間周波数特性を変える．網膜像は光受容体によって離散化され，画像情報として視覚系に入力されることから，光受容体の密度は解像度の上限を決める決定的要因の1つであり，空間周波数特性に大きく影響する．

### d. 神経系の要因

上述の要因は，解像度への影響，つまり高い周波数における感度低下をもたらすもので，低周波数領域の感度低下の説明はできない．低周波数領域の感度低下は神経系の特性で説明できる．具体的には，視覚神経系における周辺からの信号の抑制効果(側抑制)で説明される．これは，画像処理において明暗変化の強調のために利用する，周辺からの抑制効果をもつ空間フィルターと同様であり，明暗変化の強調効果がある．周辺からの抑制は，明暗変化を強調するが，低い空間周波数での感度低下ももたらす．広い範囲に信号が与えられると一部は抑制として働くためである．低空間周波数における感度低下は，様々な明暗錯視との関連も指摘されている．

### e. 錯視関連

図10-4はHermann(ヘルマン，ハーマン)格子とよばれる錯視であり，白線の交差点部分がより暗く見える．周辺からの抑制的な信号を仮定すると，白線の交差点では，直線分に比べて多くの周辺信号を受け取ることから，抑制信号の量が多くなる．中心部，周辺部の信号を加算すると，交差点で信号が小さくなり，暗く見えることが説明できる．なお，この効果は周辺視で顕著であり，

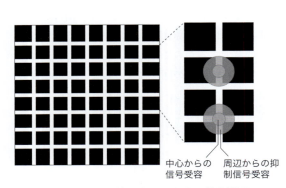

図10-4 Hermann格子と周辺からの抑制効果

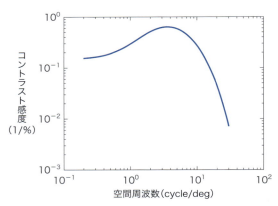

図10-5 Watsonらの空間周波数特性モデル

中心視ではあまり生じないが，抑制効果の働く範囲が視野に依存するためと考えられる．また，この図形を45°回転してみると効果が減少することから，この錯視すべてを側抑制によって説明できるわけではないとの指摘もある．

## 4 空間周波数特性のモデル

### a. 実験刺激の影響

コントラスト感度計測には縞模様のほか，Gabor（ガボール）刺激も利用される．Gabor刺激は中央でコントラストが高く，周辺に行くほど連続的に低下するため，刺激の端の不連続がもたらす影響を避けられる（不連続部分で多くの周波数成分を含むことになる）．実験刺激が変われば，計測されるコントラスト感度も変わるため，視覚系の空間周波数特性としてどの刺激に対する測定結果を利用するかは大きな問題である．実際には，どの実験結果を利用するかではなく，すべてのコントラスト感度を説明することができる視覚系のもつ空間周波数特性を求めるべきである．それがわかれば，どのような像が網膜に与えられてもその見え方を予測することができる．

### b. 近似式によるモデル

WatsonとAhumadaが提案する空間周波数特性のモデルは，多くの異なる刺激に対するコントラスト感度測定の結果に基づき提案されている[4]．

図10-5にその特性を示す．彼らは複数の関数を用いて実験結果への最小二乗回帰を行い，関数の簡便さも考慮し利用しやすいモデルとしてこれを推奨している．このモデルは，双曲線関数を利用しているもので以下の式で表わされる．

$$S = \mathrm{sech}((f/f_0)^p) - a\,\mathrm{sech}(f/f_1)$$
$$\mathrm{sech}(x) = 1/\cosh(x)$$
$$\cosh(x) = (e^x + e^{-x})/2$$

ここで$f$は空間周波数，$S$は感度に対応し，各変数の値は$f_0=4.3469$, $f_1=1.4476$, $a=0.8514$, $p=0.7929$である．刺激画像に対してこの関数で表わされる空間フィルターを適用することで，視覚系の応答を予測することができる．この応答がある一定値になるために必要な刺激のコントラストを求めることで，実験で求めたコントラスト閾値との比較が可能である．彼らの研究では通常実験に利用しない自然画像や市松模様に対するコントラスト感度を求め，それらについてもモデルによる予測の妥当性を確認している．なお，実際の閾値推定には，空間的な加算効果も必要となる．ここでは触れないが，彼らはその方法についても考慮している．

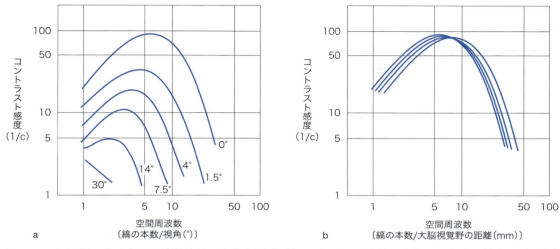

図 10-6　周辺視による空間周波数特性の変化(a)と視覚野における周波数で表現した刺激に対する結果(b)
　　　　(いずれも模式図)

## 5 周辺視特性

### a. 周辺視での解像度低下

　視力は視野の中心で最大となり，周辺に向かうと急激に低下する．錐体や網膜神経細胞などの密度変化が大きな要因であり，空間周波数特性についても網膜位置に依存して変化する．実際の計測結果から，周辺にいくほど最大感度を示す周波数が低くなることが示されている(図 10-6a)．中心視(0°)で 5 cycle/deg 付近のピークが 14° では 2 cycle/deg 付近となる．一方，空間周波数特性の形状は周辺位置によらず帯域通過型を示す．

### b. 皮質拡大係数

　この周辺視による影響は，大脳視覚野における空間特性として捉えることができる．視野の中心部では，錐体や網膜神経細胞の密度が高くその信号を受け取る大脳視覚野の神経細胞も多くなる．したがって，視野の中心部の処理にかかわる視覚野の割合は周辺部より大きく，その割合は視野の位置に依存して変化する．その変化は皮質拡大係数(cortical magnification factor)とよばれる値によってモデル化されている．皮質拡大係数は視角 1° に対応する大脳視覚野上での長さを表わすもので，網膜の一定範囲に与えられる情報を，視覚野ではどのくらいの領域で処理するか，つまりどのくらいの神経細胞がかかわるかを推定する指標といえる．皮質拡大係数を利用することで，大脳視覚野における周波数(cycle/mm)で刺激を表現することができる．実際に大脳視覚野で占める範囲を基準に空間周波数を決めた刺激セットを用いてコントラスト感度を測定すると，視野位置によらず類似した結果となる(図 10-6b)[5]．空間周波数を視覚野における単位長さあたりの縞の数で表現すると，周辺位置によらずほぼ同様の特性をもつということである．皮質拡大係数によって，網膜の不均一性も考慮した空間周波数特性がわかることになる．ただし，普遍的な皮質拡大係数があるわけではなく，方向によって係数の値を変える必要があり，また視機能によっては全く異なる係数が必要になる点は注意が必要である．

### c. 錐体密度の低下と周辺視

　周辺視の空間特性に関しては，光学的な影響は小さく，錐体や網膜の神経細胞の密度の影響が大きい．錐体密度から予測する縞模様に対する解像限界は，光学系の要因など考慮しなくても，実際の視力とよく一致する．例えば周辺 10° では，いずれも 20 cycle/deg 程度となる．ここで注目す

べき点は，周辺10°では視力の限界よりも十分に高い周波数成分が網膜像には含まれる点である．これは，エイリアシングを生じる条件であり，実際に確認されている．エイリアシングとは，連続的信号を離散化する場合に生じる，元の信号に含まれない周期的な特徴であり，モアレはその典型例である．離散化する周期よりも細かい縞がある場合に生じるため，光受容体による離散化が網膜像の解像度より粗い間隔である場合には問題になる．中心視においては，錐体の離散化によってエイリアシングが生じるほど詳細な成分（高周波数成分）は網膜像にはほとんど含まれていない．光学系によって，視力の限界に対応する60 cycle/deg 以上の成分はぼけて失われているからである．しかし，周辺視では必ずしもそうではない．光学系のボケの影響は大きくは視野に依存しないことから，視力の限界が 20 cycle/deg であれば，20 cycle/deg と 60 cycle/deg の間の成分によってエイリアシングが生じる可能性がある[3]．興味深いことに日常生活で周辺視においてエイリアシングによる不都合は知られていないが，その理由は明らかではない．

## 6 時間周波数特性

### a. ちらつき感度

視覚処理において空間特性と同様に，時間特性を考える必要がある．時間特性の視力といえるのは，ちらつき感度である．ちらつき感度の計測は，視覚刺激を短時間で白黒反転したときに感じられるちらつきが，どのくらい速い（高周波の）入れ替えまで見えるかの計測である．白黒反転の間隔を短くしていくとちらつき感は小さくなり，50 Hz 程度にするとあたかも一定の光の刺激を見ているように感じられる．ちらつきがぎりぎり見える周波数は，臨界融合周波数（critical fusion frequency：CFF）とよばれる．CFF は，100%のコントラスト変化を検出できる時間解像度といえるので，時間的な視力といえる．

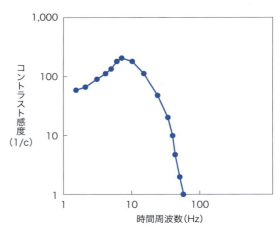

図 10-7　時間周波数特性

### b. 時間周波数

空間特性と全く同様に，時間特性についても周波数に依存した特性を考える必要がある．そのために時間周波数によるコントラスト感度の変化が測定されている．時間的に明暗変化する刺激を観察し，その変化を知覚できる最小のコントラスト，コントラスト閾値からコントラスト感度を求め，刺激の時間周波数の関数として感度を表わせば，時間周波数特性が得られる（図 10-7）[6]．

### c. 帯域通過特性

典型的な時間周波数特性は，8 Hz 付近で感度が最大となり，それの両側で感度が徐々に低下する．空間周波数と視力の関係と同様に，コントラスト感度が1の周波数は CFF に対応し，CFF は時間周波数特性の1点といえる．時間特性は空間特性と違い，眼球光学系は決定要因とならない．光受容体およびその後に続く神経系の時間応答によって決まる．低い周波数での感度低下は，空間周波数特性と同様に抑制効果で説明される．時間特性の場合，先行する刺激に対する応答が，それに続く応答を抑制すると考える．そうであれば，短時間の呈示は連続する刺激に対する応答より大きくなる．実際，一瞬だけ提示された光刺激に対しては連続提示されるものよりも明るく感じるし，提示後の暗さは定常的な暗黒よりも暗く感

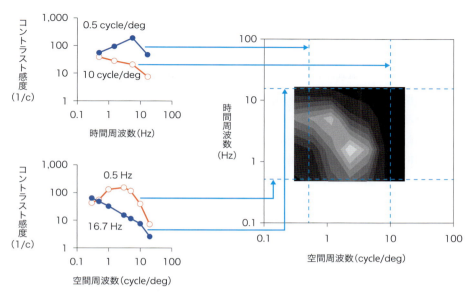

図 10-8　時空間周波数特性

じることが体験できる．ある周波数で明暗変化する場合に，この抑制信号のタイミングで明暗が変化するなら，その周波数で感度が高く，それより低い周波数では感度低下が生じることが理解できる．

## 7 時空間周波数特性

### a. 時間周波数と空間周波数の組み合わせ

空間周波数特性，時間周波数特性については上述のとおりであるが，より一般的には両方を併せて時空間周波数特性と考える必要がある．もし空間特性と時間特性の決定要因が独立であれば，それぞれの特性を知ることで，すべての組み合わせの刺激に対する応答を推測できる．しかし実際には空間周波数特性は時間変化によって変化する．そのため時間周波数と空間周波数の組み合わせに対して，コントラスト感度を計測する必要がある．ある空間周波数の縞を用い，その明暗を周期的に反転する（輝度が正弦波状に変化する）刺激に対してコントラスト閾値を測定することで，その時空間周波数のコントラスト感度がわかる．網羅的に周波数を組み合わせてコントラスト感度を計測することで，時空間周波数特性がわかる．空間変化は縞，時間変化はちらつきが見えるかどうかと異なった判断であるが，いずれの場合も刺激が一様であるか否か，つまり時空間変動の有無という点で共通である．実験的には，一様な面とあるコントラストの刺激を提示し，いずれがコントラストをもつテスト刺激であるかの判断の正答率から閾値を求めるなどの手法が用いられる．

### b. 時空間周波数特性

図 10-8 はコントラスト感度を，空間周波数と時間周波数の関数として 2 次元の明暗分布として表わしており[3]，明るいほど感度が高いことを示す．この結果から空間周波数特性，時間周波数特性が相互に依存することを読み取ることができる．空間周波数特性は時間周波数が低い条件で 3 cycle/deg 付近に感度の最大をもつのに対して，高い時間周波数では空間周波数が低いほど感度が高い傾向がある（2 つの水平破線の断面の比較）．同様に時間周波数特性は空間周波数が低い条件で 8 Hz 付近に感度の最大をもつのに対して，高い空間周波数では時間周波数が低いほど感度が高い傾向を示す（2 つの垂直破線の断面の比較）．視覚系は空間的に詳細な処理をする場合は，時間的に

はゆっくりした処理をし，速い処理においては空間的に粗い処理をしていることになる．

### c. 初期視覚経路との関連

上記の特性は初期視覚処理の2つの経路，大細胞経路と小細胞経路との関連が指摘されている．これらの存在は，網膜と大脳を結ぶ中継点に位置する外側膝状体の神経細胞の特性に基づいている．外側膝状体は複数の層から成るが，そのうち大きな神経細胞をもつ層，大細胞層の神経細胞は，時間的には高周波，空間的には低周波に感度をもつのに対し，小さな神経細胞をもつ層，小細胞層の神経細胞は，空間的には高周波，時間的には低周波に感度をもつ傾向があることによる．機能的には，他人の顔表情や果実の食べ頃を見分けるために時間をかけて行う詳細な処理と，捕食者を瞬時に発見するために必要な大まかで素早い処理の2つに対応づけられる．詳細な情報を速く処理する機能の実現が難しいのであれば，目的別に2つの機能を実現するという選択は，おそらく進化論的に妥当なものであろう．

▶文献

1) 塩入 諭，大町真一郎：画像情報処理工学．朝倉書店，2011
2) DeLange H: Research into the Dynamic Nature of the Human Fovea-cortex Systems with Intermittent and Modulated Light. I. Attenuation Characteristics with White and Colored Light. J Opt Soc Am 48: 777-783, 1958
3) 日本視覚学会（編）：視覚情報処理ハンドブック（新装版）．朝倉書店，2017
4) Watson AB, Ahumada AJ Jr: A standard model for foveal detection of spatial contrast. J Vis 5: 717-740, 2005
5) Rovamo J, Virsu V, Näsänen R: Cortical magnification factor predicts the photopic contrast sensitivity of peripheral vision. Nature 271: 54-56, 1978
6) Robson JG: Spatial and Temporal Contrast-Sensitivity Functions of Visual System. J Opt Soc Am 56: 1141-1142, 1966

（塩入　諭）

# 第11章

# 他覚的屈折検査

## I　オートレフラクトメータ

　眼科臨床にてオートレフラクトメータ(以下,オートレフ)は最も普及している機器の1つである．大別して据え置き型(図11-1)と手持ち型がある(図11-2)．器械近視の混入により若干近視寄りに出やすい傾向はあるものの，簡便で素早く自覚屈折検査の目安を得ることができる．最近では，収差計，トポグラフィ，眼圧計，将来的には光干渉断層計(optical coherence tomography:OCT)や眼軸長計測など複合型の機器に組み込まれつつあり，さらに有用な機器となっている．

### 1　測定原理

　原理は複数あり，各種メーカーにより設計の特徴は異なる[1]．測定光は，light emitting diode (LED), super luminescent diode(SLD)などの近赤外光が使われる．以下，代表的な方式を記述する．

#### a. 画像解析式

　画像解析装置の基本原理として，被検者の眼底に視標を投影し，眼底に生じた像の大きさを撮像素子(charge-coupled device:CCD)などにより検出し，眼屈折力を計測している．例として，WAM-5500(シギヤ精機製作所)では，被検眼眼底に光軸上から測定用リング視標を投影し，眼底に生じる像の高さを検出することで眼屈折力を測定している．眼底に円を投影した場合，近視では円の像が大きくなり，遠視では小さくなる(図

図11-1　据え置き型オートレフ　KR-800(トプコン)

図11-2　手持ち型オートレフ　レチノマックスK plus3(ライト製作所)

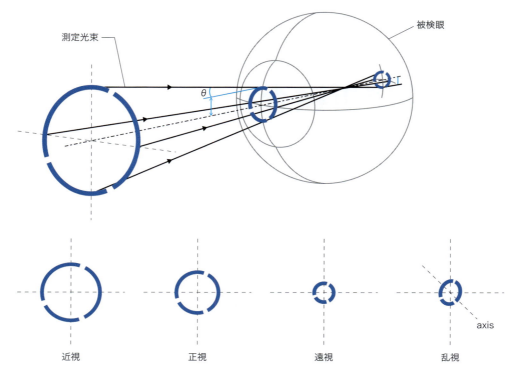

図 11-3　画像解析式の原理　WAM-5500(シギヤ精機製作所)

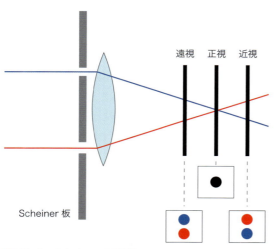

図 11-4　Scheinerの原理

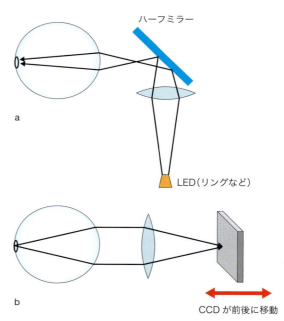

図 11-5　合致式の原理　RT-7000(トーメー)
a：測定光の入射　b：測定光の受光

11-3)．乱視では，眼屈折力が経線方向によって像の高さが変化するため，楕円になる．この眼屈折力の分布から乱視軸を計算する．また，像の大きさから眼球屈折度の計算は，オートレフに搭載されているコンピュータが計算を行い，球面度数，円柱度数，軸を決定する．

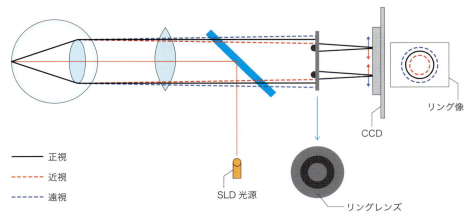

図 11-6　結像式の原理　ARK-530A（ニデック）

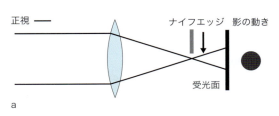

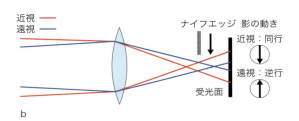

a

b

図 11-7　Foucault の原理
a：正視の場合　b：近視と遠視の場合

### b. 合致式

　合致式の基本原理は，複数個の孔をもつ Scheiner 板で説明される．例えば，2 つの孔をもつ Scheiner 板の場合，正視眼であれば，この板を通過した光は 1 つであるが，屈折異常がある場合には 2 つできる（図 11-4）．この 2 つの光の位置関係を計算することで屈折異常の程度を計算することができる．例として，RT-7000（トーメー）では，眼底へ正円のリング光を投影し，CCD を前後させながら眼底からの測定光を計測する（図 11-5）．リングの大きさや楕円形状を解析し，球面度数や円柱度数・軸を計算する．

### c. 結像式

　結像式では，視標を眼底に投影し CCD に返ってきた光の強さとコントラスト強度を解析する．結像レンズを前後させることで，コントラスト強度分布が変化し，そのコントラストが最大となるレンズ位置を求めることで球面度数と円柱度数・軸を得ることができる．例として，ARK-530A（ニデック）では，SLD 光源を眼底に投影し，その眼底から眼外に出た光線がリングレンズを通過後，形成するリング像を撮像する（図 11-6）．

### d. 検影式

　検影式の基本原理はスキアスコピーで使われており，眼内に入射させる光を走査し，眼底から反射してくる光の動きから屈折度数を計測する（図 11-7）．ナイフエッジが使われ Foucault（フーコー）法ともいわれる．OPD-Scan® III（ニデック）では，照明の位置を変化させ，反射光を CCD で捉えるが，屈折異常の程度によって眼底からの反射光に時間差（位相差）が生じ，その信号から屈折度を求める（図 11-8，⇒124 頁）．さらにこれを経線ごとに計測することで，円柱度数や軸を求める（この機器は収差解析も可能となっている）．

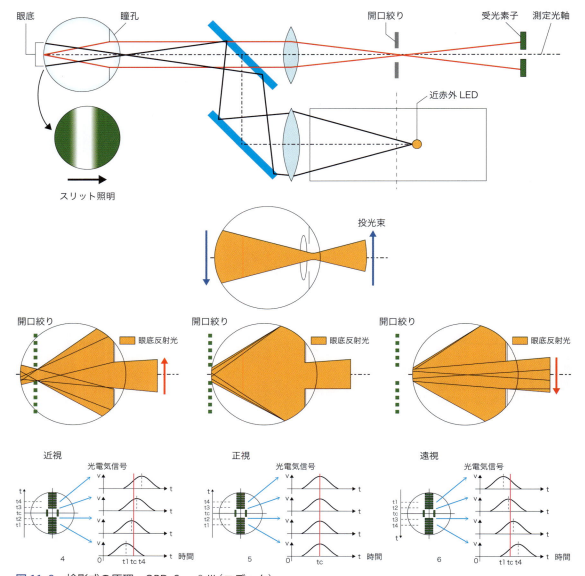

図11-8 検影式の原理 OPD-Scan® III（ニデック）

## 2 使い方

電源スイッチを入れて始業動作確認を行う（画面表示，ジョイスティックなど）．機種によるが，計測項目（オートレフ計測モード，ケラトメータ計測モード，両方の連続計測モード）に合わせてR/Kスイッチを押し，測定モードを選ぶ．消毒用アルコール綿などで額当てと顎載せ台を拭き患者の接触部位を清潔にする．転倒に気をつけながら患者を誘導し，楽な姿勢で椅子に座らせ，光学台と椅子の高さを調整する．検査の説明後，顎を奥まで顎載せ台にしっかりと載せ，額当てに額をしっかりとつけてもらう（図11-9）．被検者の眼の中心が，アイレベルマーカーにくるようにする．姿勢がつらくないか，頭位が傾斜していないかを確認し，必要であれば調整する．患者に合わせて白内障・眼内レンズモード，オートトラッキング・オートショットの設定を行う．ジョイス

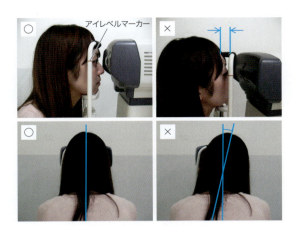

図 11-9　検査前の頭位，姿勢の確認

ティックを操作して照準合わせを行う．マニュアルモードの場合は，Meyer リング内の中心と照準マークの中心を合わせ，虹彩紋理が鮮明になるよう前後方向のフォーカスを合わせる．測定前に軽い瞬目を促し，開瞼後の瞳孔径が安定したところで複数回計測する．上眼瞼や睫毛が測定領域に入ってくるようであれば，眼球を圧迫しないようやさしく上眼瞼を挙上する．問題なければ，結果を出力する．

## 3　注意点

　機器を覗き込むことによる器械近視が混入する点，測定光束径が実際の瞳孔径と異なる点，長波長で計測している点，これらを補正している点などいくつかの要因が重なり，自覚屈折検査結果とずれが生じやすい．眼鏡処方などの際には，そのままの値を使用せず，必ず自覚検査にて確認が必要である．

　計測誤差を生じさせるアーチファクトとしては，アライメントずれ，上眼瞼，固視，涙液，中間透光体混濁や屈折率分布変化の影響が挙げられる．その寄与は機種によるが，アライメントずれに関しては，左右や上下にずれた場合，視軸外の屈折を計測することになるため，眼球形状によって近視側，遠視側に両者のずれが起こりうる．奥行きのずれに関しては，眼球と機器の間の距離であるワーキングディスタンスにより，屈折度が変化する．顎や額がずれていたり，顔が傾いていたり，上眼瞼がかかっていたりすると，円柱度数が大きく出たり，乱視軸が変化することがある．涙液のアーチファクトにおいては，涙液層が乱れたときに計測すると近視方向へのシフトや乱視の増加，乱視軸の変化が起こる．涙液安定性の観点からドライアイなどの涙液異常がない場合，計測タイミングは 6 秒前後，ドライアイ症例では 2〜3 秒程度で計測するのが理想的とされる．白内障や角膜混濁など，中間透光体混濁が生じた症例では，オートレフの計測精度は低下する．機種によっては白内障モードなどがあり，ある程度閾値設定などで対処がなされているため，これらを使用したほうがよい．精度低下ではなく，核白内障屈折率分布異常により屈折値は近視側にシフトし，皮質白内障では遠視化などが起こるため，眼疾患と屈折変化などをしっかりと抑えておく必要がある．

　また，顎載せ台や額当てに多くの患者が接触するため，流行性角結膜炎(epidemic keratoconjunctivitis：EKC)や新型コロナウイルス感染症(COVID-19)などの細菌あるいはウイルス感染の原因となることもあり，消毒や衛生面の配慮も望まれる．

▶文献
1) 丸尾敏夫，久保田伸枝，深井小久子(編)：視能学，第 2 版．文光堂，2014

# II ケラトメータ

　ケラトメータは，角膜曲率半径および屈折力，乱視軸の計測器で，最近ではオートレフケラトメータとして屈折と同時に計測できる機種が大半である（図11-10）．経線ごとに角膜曲率半径，角膜屈折力，軸を計測できることから，眼内レンズ（IOL）の度数計算，コンタクトレンズ処方のためのベースデータ，角膜乱視の確認，角膜形状の異常を伴う角膜疾患の評価と幅広い用途で計測される．

　オートケラトメータ（以下，オートケラト）の計測は，オートレフよりも先に行われることが多く，その計測に要する時間は約0.1～0.3秒と短い．表示結果画面では，屈折力の低い弱主経線，屈折力の高い強主経線において曲率半径と軸，さらに弱主経線と強主経線の差分である角膜乱視量と平均が示される（図11-11）．

## 1 測定原理

### a. 測定原理

　ケラトメータは近赤外光で計測され，角膜前面からの反射像であるPurkinje-Sanson（プルキンエ-サンソン）第1像の大きさを解析することで曲率半径が計算される．一般に，オートケラトは角膜上約3.0 mm径の領域を測定し，その解析径は機種により若干異なる．例として，ARK-530A（ニデック）では，角膜上に約3 mm径のリング像が形成されるようリング光を投影し，CCDでそのリング像を撮像し，画像解析により角膜曲率半径を計算，表示する．眼球が光軸に関して回転対称な楕円面であると仮定して強・弱主経線の曲率半径と軸度が計算される．短径は強主経線を示し，長径は弱主経線を示す（図11-12）．

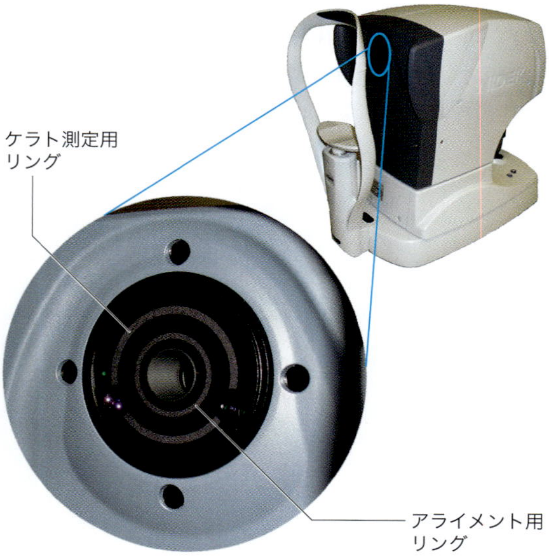

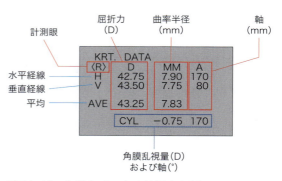

図11-11　ケラトメータの結果出力例

図11-10　オートレフケラトメータARK-530A（ニデック）の構造

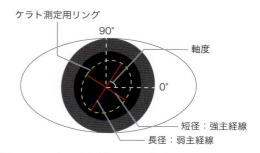

図11-12　ケラト測定の原理（弱主経線と強主経線）

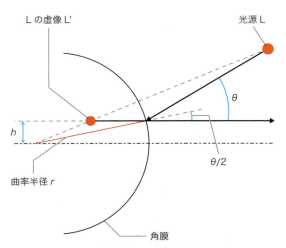

**図 11-13** ケラト測定の原理(虚像の大きさと曲率半径の関係)

その概念図は図 11-13 のとおりである．光源 L より角膜に投影された光は，L' という虚像を作る．この虚像の高さ $h$ は角膜の曲率半径に比例して変化する．したがって，この虚像の高さ $h$ を測定することにより，角膜曲率半径 $r$ を求めることができる．

$$r = h / \sin(\theta/2)$$

ただし，$r$：曲率半径，$h$：虚像の高さ，$\theta$：光源からの光が角膜に入射する角度

### b. 角膜屈折力の計算

基本となる屈折力の計算式は，以下のような面屈折力の公式である．空気中の場合，$n_0$ は，1.000 である．

$$D = (n_1 - n_0)/r$$

ただし，$D$：屈折力[D]，$n$：屈折率，$r$：曲率半径[m]

角膜全体の屈折力は，以下の式により計算できる．

$$P_t = P_a + P_p - (t/n_1) \times P_a \times P_p$$
$$P_a = (n_1 - n_0)/r_a$$
$$P_p = (n_2 - n_1)/r_p$$

ただし，$P_t$：角膜全屈折力，$P_a$：角膜前面屈折力，$P_p$：角膜後面屈折力，$t$：角膜厚，$r_a$：角膜前面曲率半径，$r_p$：角膜後面曲率半径，$n_0$：空気屈折率，$n_1$：角膜屈折率，$n_2$：房水屈折率

この式を使用して角膜全体の屈折力を算出する場合，後面の曲率半径や角膜厚の情報が必要である．しかし，オートケラトでは，角膜前面曲率半径しか計測できない機種が大半である．そこで，角膜全体の屈折力を推定するために，換算屈折率(あるいは等価屈折率，同格屈折率)$n_e$ という値を用いる[1]．通常，この値は既知の値として組み込まれているが，以下の関係となっている．

$$n_e = n_1 - 0.04(r_a/r_p)$$

ただし，$n_e$：換算屈折率，$n_1$：角膜屈折率，$r_a$：角膜前面曲率半径，$r_p$：角膜後面曲率半径

これは，角膜前面の曲率半径が小さく急峻(スティープ)な眼は，後面もスティープ，角膜前面が平坦(フラット)な眼は，後面もフラットといったように角膜の前面と後面の曲率半径は，一定の比率であるという特徴を利用して決定されている．ケラトメータやトポグラフィの機種やメーカーにもよるが 1.3375 が多く利用される．その他 1.332 や 1.336 も用いられることもあり，機種によっては設定画面で変更可能である．この値を用いると角膜の後面と角膜厚を無視することができるので，角膜全屈折力を推定することができるようになる．この推定された角膜全体の屈折力は，換算 K 値ともよばれる．Gullstrand 模型眼において，角膜前面曲率半径および $n_e = 1.3375$ から換算 K 値を求めると，約 43.8 D となる．一方，角膜後面曲率半径と厚みの情報を含めて計算した場合，約 43.1 D となり，この換算屈折率を用いた式は，角膜屈折力を過大評価してしまうことになる(図 11-14)．換算屈折率の 0.001 の変化は，角膜屈折力約 0.13 D に相当する．したがって，わずかな換算屈折率の差が角膜屈折力の推定誤差に影響を与えることになる．さらに laser *in situ* keratomileusis (LASIK) や PRK 施行眼など，角膜前面のみ形状が変化した例ではさらに

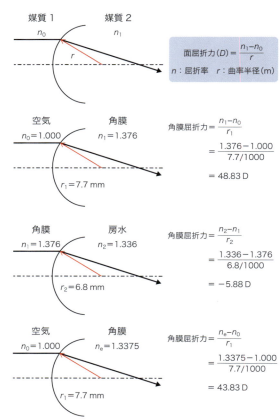

図11-14 角膜全体の屈折力の推定

図11-15 KR-800PA(トプコン)における測定モードによる視標の違い
a:オートレフ測定モード　b:ケラト測定モード

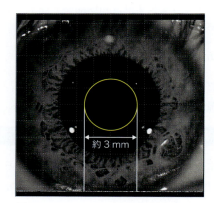

図11-16 ケラトメータの解析領域

影響が大きくなる．

## 2 使い方

　計測はオートレフと同様であり，本章「オートレフラクトメータ」項を参照されたい(⇒121頁)．オートレフとオートケラトの同時計測モードでケラト値のみ計測回数が不足する場合は，ケラト単独測定モードに切り替えて追加で計測を行う(ただし，固視標が異なる機種もあり，高い精度を求める場合には単独計測モードが望ましい)．

## 3 注意点

　注意点はオートレフ同様であり，アライメント，上眼瞼，固視，涙液に注意する必要がある(本章「オートレフラクトメータ」項参照，⇒121頁)．多くの機種はレフ計測よりも先にケラト計測される．したがって，急いで計測すると上眼瞼と睫毛の影響を受けやすく，また涙液が安定化する前に計測されやすい．その場合，ケラト値の精度が低下し，特に乱視度数と軸が変化しやすいため，注意が必要である．

　オートレフケラトメータでは，オートレフおよびケラト連続測定モード，オートレフ単独計測モード，オートケラト単独計測モードを切り替えることができる．そして，オートレフ計測モード

とオートケラト計測モードでは，固視目標が異なる機種が多い．オートレフでは，調節介入を減少させるため，雲霧機構が備わっており，かつリラックスしやすいよう気球や風景の画像が多いが，ケラト計測モードでは，1つの緑の点が点灯していたりする（図11-15）．IOL度数計算にケラト値を使用する場合，オートケラト計測モードにして計測したほうが精度および再現性観点から望ましいと思われる．

ケラトメータで計測している領域は，角膜上3.0 mm付近の外周計測であるため（図11-16），初期円錐角膜など角膜周辺に異常が生じている場合には，必ずしも影響が出てこない．最近では，複数のリングを用いるなど機器の発展も目覚ましい．したがって，使用している機種が角膜形状のどの位置を計測しているか把握しておくことが望ましい．

視力検査の補助データと軽視されることもあるが，使用目的をみればわかるように，とても重要な役割を担う．そのために，測定には細心の注意を払うことが求められる．

▶文献
1) 魚里 博：角膜屈折検査における角膜の換算屈折率．視覚の科学 18：9-14，1997

（川守田拓志）

# Ⅲ 角膜形状解析装置

## 1 はじめに

角膜形状解析装置は，広範囲に測定される角膜形態情報から，視覚的に理解しやすいカラーコードマップや目的に応じて数値化された定量指数を表示可能な装置である（図11-17，18）．これにより古くから角膜形状異常の診断，あるいはその広範囲測定データを活用したコンタクトレンズフィッティングに使用されてきた．

ところで前項のケラトメータも広義では角膜形状解析装置に分類されるが，広範囲測定が可能な角膜トポグラフィと比較して機能性が限定される．ケラトメータと比較した角膜トポグラフィの最大の利点といえばやはり角膜不正乱視を定量化できることに尽きるであろう．特に近年では高機能眼内レンズの進歩に伴い，白内障術前に角膜不正乱視をチェックする重要性が増している[1]．一方，測定原理に関しては従来からのスタンダードであるプラチドに加えて近年では，シャインプルークや光干渉も普及が進みつつある．これらの断層像型の装置では角膜後面形状も計測できることから，さらなる高精度測定の可能性に注目が集まりつつある．

図11-17 角膜形状解析装置 TMS-4N（トーメー）

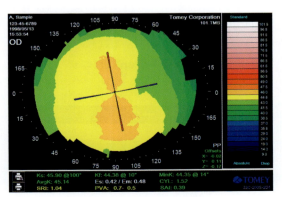

図11-18 カラーコードマップ（直乱視）

表11-1 各種角膜形状解析装置の特徴

| 原理 | ケラトメータ | プラチド | シャインプルーク | 光干渉（OCT） |
|---|---|---|---|---|
| 計測画像 | | | | |
| 基礎原理 | 反射像 | 反射像 | 断層画像 | 断層画像 |
| 測定範囲 | 傍中心の2点 | 広範 | 広範 | 超広範 |
| 結果の出力 | 角膜曲率半径 | カラーコードマップ 定量指数 | カラーコードマップ 定量指数 | カラーコードマップ 定量指数 |
| 対象 | 正常角膜のみ | 正常〜中等度の角膜不正乱視 | 正常〜重度の角膜不正乱視 | 正常〜重度の角膜不正乱視 |
| 角膜後面，角膜厚 | 不可 | 不可 | 可 | 可 |
| 不正乱視 | 不可 | 可 | 可 | 可 |

## 2 測定原理

### a. プラチド

同心円の複数のプラチドリングを角膜に投影し，その角膜反射像の大きさや形から角膜形状を解析する（表11-1）．ケラトメータと比較すると，かつてはアライメントずれ（XYZ）に起因した誤差が出やすいという弱点があったが，近年では自動アライメント技術，あるいは自動取り込み技術の進歩とともに，その弱点はほぼカバーされるようになった．基礎原理としては角膜前面からの反射位置を計測しているため，本質的には角膜形状の傾斜を直接的に計測しているともいえる．したがって，後述の断層像方式と比較して屈折情報（axial map/refractive map）に強いと考えられる．代表機種として，TMS-4N（トーメー），KR-1W（トプコン），OPD-Scan® III（ニデック）などがある．

### b. シャインプルーク

細隙灯顕微鏡のようにスリット光を用いて前眼部断層像を取得するスリットスキャン式の代表原理である（表11-1）．被写体面，レンズの主面，像面の3つを延長した面が1か所に交わるよう配置することにより，被写界深度が増加し，眼球奥行き方向にもかかわらず角膜から水晶体付近までバランスよくシャープな画像を得ることができる[2]．さらに，シャインプルークカメラを180°回転させることにより角膜全体の形状を得ることができる．基礎原理としては前眼部断層像を直接的に撮影していることから，プラチドと比較して形状情報（instantaneous map/ elevation map）に強いと考えられ，また角膜後面や角膜厚も計測可能である．一方で，角膜混濁があるときに計測が難しくなる場合がある．代表機種として，Pentacam® HR（OCULUS）がある．

### c. 光干渉（OCT）

近赤外波長光源による光干渉の原理により奥行き方向の後方散乱によるAライン波形を取得し，高速スキャナーで3次元スキャンを行うことによって3次元前眼部画像を取得できる．シャインプルークの基本性能に加えて，角膜混濁や角膜移植前後などの重度角膜不正乱視眼も含めて安定して計測できる点が光干渉の最大の魅力である．さらにはシャインプルークと比べて測定時間が短いことや近赤外光撮影のためまぶしさがないことなど，被検者にとっても優しい原理である．一方，ケラトメータやプラチドと比較してシャイン

表 11-2 各種マップの種類

| マップの種類 | axial map | instantaneous map | refractive map | elevation map | pachymetry map |
|---|---|---|---|---|---|
| 計測定義図 | | | | | |
| カラーコードマップ | | | | | |
| 単位 | D↔mm | mm | D | μm | μm |
| 意味 | 屈折力↔形状 | 形状 | 屈折力 | 高さ | 厚み |

プルークや光干渉(OCT)は結果がやや異なる場合があることに注意が必要である．これは被検眼の曲率半径によって反射像原理は測定位置が若干変わるのに対して断層画像原理では測定位置が不変であることに起因していると考えられる．

代表機種として，CASIA®2(トーメー)，ANTERION®(ハイデルベルグ)がある．

## 3 マップの種類

### a. axial map

最も標準的に使用されるマップの種類である．

表 11-2 のように曲率中心を測定軸上に定義した角膜曲率半径であり，用途に応じて曲率半径(mm)と屈折力(D)が変換して利用されるが，その情報の本質は角膜形状の傾斜であり，すなわち屈折情報そのものといえる．ケラトメータやプラチドなどの反射を基礎原理とした角膜形状解析装置では，このデータを直接的に計測しているともいえるため，これらは一般に axial power の再現性が高いと考えられる．

「形状」「屈折力」いずれの場合でも，マップ中心から離れる周辺部ほど誤差を生じる場合があることに注意を要するが，基本的には前述の両者をバランスよく表現した使いやすいマップである．

### b. instantaneous (tangential) map

角膜形状を素直に曲率半径(mm)として表現した「形状」に特化したマップである．

表 11-2 のように曲率中心を局所形状に応じて自然な形で決定されている．

例えば，円錐角膜の進行を角膜形状変化の観点から判断する場合，axial map よりも形状に特化した instantaneous map のほうが有利であると考えられる．

シャインプルークや OCT では，形状情報を直接的に計測しているともいえるため一般に instantaneous の再現性が高いと考えられる．

### c. refractive map

文字どおり，「屈折力」に特化したマップである．

表 11-2 のように Snell の法則を利用した光線追跡により屈折力が計算される．近軸光線追跡式で屈折力換算される axial map と比較し，周辺部も形状と光線位置に応じて正しく追跡されるため，例えば球面の角膜を測定した場合の refractive map は中心部より周辺部の屈折力が強く表現される．これは球面収差の影響を表わしている．

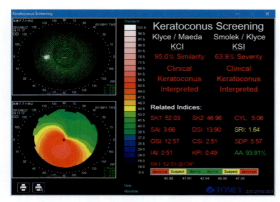

図 11-19　Keratoconus screening system（TMS）

### d. elevation map

　角膜形状を高さ情報として評価したマップである．具体的には得られた角膜形状に最もフィットする基準球面（best fit sphere：BFS）を算出し，そのBFSからの高低差でマップは表現される．マップの配色は，BFSと同じ高さの部位が緑色，高い部位が暖色系，低い部位が寒色系で表現される．instantaneous同様に形状変化を把握しやすいマップであり，高さの観点で詳細なチェックをすることができる．その一方で，BFSを基準にしている関係でカラーコードマップからはフラットかスティープかを判断できず，BFSの値を確認する必要がある点には注意を要する[3]．なお，近年になってハードコンタクトレンズのベースカーブ選択においてBFSを利用した方法が有用であると注目されている[4,5]．

### e. pachymetry map

　シャインプルークと光干渉では，角膜前面形状に加えて角膜後面形状が得られるため角膜前面に垂直な方向の角膜厚分布としてのpachymetry mapが表示可能である．屈折矯正手術術前の適応判断，角膜疾患，眼圧の補正などに使用される．

## 4 応用例

### a. 円錐角膜スクリーニング

　円錐角膜である可能性をキーとなる定量指数から総合判定する．図 11-19はTMSのKeratoconus screening systemであり，Klyce/Maeda法とSmolek/Klyce法の2種類のプログラムが搭載されている．いずれも円錐角膜の形状パターンとの類似性を％でわかりやすく表示し，屈折矯正手術の術前検査に使用される．Pentacam®HRやCASIA®2では角膜後面も考慮したプログラムが搭載されている．

### b. Fourier解析

　回転方向（360°）の屈折力分布をそれぞれのリングデータでFourier級数展開することによって球面成分（0次），非対称成分（1次），正乱視成分（2次），高次不正乱視成分（3次以上）の4成分に分離し，それぞれカラーコードマップおよび定量指数で表示する（図 11-20）．このなかで，非対称成分（1次）と高次不正乱視成分（3次以上）が角膜不正乱視に該当し，視覚的にも客観的にも理解しやすい．

### c. 眼内レンズ選択画面

　白内障手術時の眼内レンズは，標準的な単焦点球面レンズに加えて，高機能眼内レンズとよばれる非球面レンズ，トーリックレンズ，多焦点レンズ，あるいはこれらの複合レンズの選択肢がある．図 11-21, 22はこれら高機能眼内レンズに適応があるかどうかの判断をサポートするアプリケーションである．「角膜全高次収差」→「角膜形状異常」→「角膜球面収差」→「角膜正乱視」の順にチェックを行うことによって適切な眼内レンズ選択がサポートされる[1]．

## 5 測定の注意点

　正確な測定データを得るために，測定の際は以下の点に注意する．

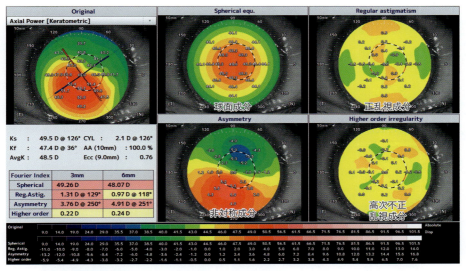

図 11-20　Fourier 解析

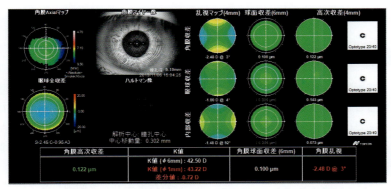

図 11-21　IOL selection 画面（KR-1W）

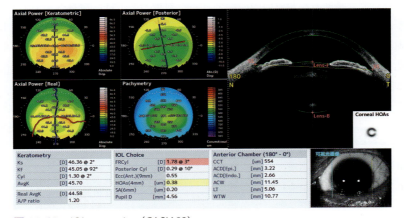

図 11-22　IOL screening（CASIA®2）

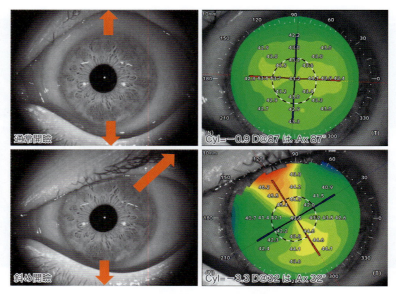

図11-23 斜め方向の極端な開瞼補助による角膜乱視

### a. 涙液層の状態

測定原理によって影響度は変わってくるが，涙液層の影響を受けることに注意しなければならない．瞬目から撮影までの時間には十分留意し，アライメント後，撮影直前に軽い瞬目を被検者に促し数秒以内に撮影することがコツである．

### b. 固視の状態

角膜形状解析装置では被検者が装置の固視点を固視できていることを前提として解析を行っている．被検者の固視が大きくずれている場合，特にaxial mapの乱視成分は大きな誤差になりやすい．撮影時には瞳孔中心が極端にずれていないことを確認することが重要である．

### c. 開瞼補助時の角膜圧迫

角膜形状解析装置は，広範囲測定できることが大きなメリットであるが，そのためには開瞼補助が必要になる場合が多い．その際，誤って角膜を圧迫してしまい角膜形状に悪影響を及ぼすリスクがある点に注意を要する．

図11-23は，意図的に上眼瞼側を斜め方向に開瞼補助した例であるが，開瞼方向と直交する135°-315°方向が急峻化して結果的に角膜乱視が0.9 D→3.3 Dと大きく過大評価されてしまった一例である．この例では特に135°方向の急峻化が確認され，前眼部写真からも，間接的に135°方向に強い眼瞼圧による角膜圧迫がかかってしまったと推測される．

特にトーリック眼内レンズの円柱度数を決定する際には細心の注意が必要である．

対策としては，なるべく上下方向の開瞼補助を意識し，眼内レンズ選択時のように精度は求めるが必ずしも広範囲測定が必要でない場合は，φ6〜8程度を目安としたソフトな開瞼補助を心掛けるとよい．

いずれにせよ，最終的には複数回測定による再現性のチェックを行うことが重要である．

▶文献

1) Goto S, Maeda N,: Corneal Topography for Intraocular Lens Selection in Refractive Cataract Surgery. Ophthalmology 128: e142-e152, 2021
2) 西 恭代, 根岸一乃：角膜形状解析装置の今後 シャインプルーク角膜形状解析装置の現状と今後. 視覚の科学 37：115-121, 2016
3) 前田直之, 大鹿哲郎, 不二門 尚(編)：角膜トポグラファーと波面センサー. メジカルビュー, 2002

4) 森 秀樹：CASIA を用いた円錐角膜に対するハードコンタクトレンズ処方(東京医大式 HCL 処方). IOL&RS 25：376-378, 2011
5) 糸井素純, 上田栄子, 深沢広愛, 他：前眼部光干渉断層計を利用した球面ハードコンタクトレンズ処方におけるトライアルレンズのベースカーブ選択プログラム. 日コレ誌 54：2-6, 2013

(林　研一)

# IV　検影法

## 1　同行，逆行，中和の原理

### a. 線状検影器の測定原理

　検影法を行う検影器には，線状検影器，点状検影器，鏡面検影器などがあるが[1]，本項では線状検影器の測定原理に限定して詳細を解説する．

　検影法では，図 11-24[1]に示すように，まず，投影光が，眼底で狭いスリットになるように眼の屈折状態に合わせてスリーブを上下に動かして調整する．乱視を考慮する場合には，スリーブを回転させて軸角度も合わせる．この状態で検影器をスリット光に平行に振ると投影光は眼底を移動する[1]．

　眼底を拡散反射板と考えれば，投影光によって照明された眼底が新たな光源になるので，反射光は照明された眼底そのものを新たな光源として眼から出ていくことになる．したがって，被検眼の調節が寛解している状態であれば，被検眼の眼底共役点，すなわち遠点に眼底像ができる．図 11-25 に示すように，被検眼の遠点が，ちょうど検影器の観察孔の距離にあれば，投影光の収束状態に関係なく，投影光で照明された範囲の眼底像が検影器の観察孔の位置にできる．

### b. 眼底共役点の 4 つのケース

　実際には検影器の観察孔に対する眼底共役点は，図 11-26 に示すように 4 つのケースがある．各ケースにおける検影器を振る方向と眼底からの反射光が見え始める方向との関係は次のようになる．理解を容易にするために，投影光は被検眼の眼底で狭いスリット状になっていると仮定する．

#### 1) 眼底共役点が観察位置より被検眼側にある近視眼の場合(図 11-27)

　眼底の像が眼底共役点にできるので，眼底の 1 点から出た反射光は眼底共役点に集光する．ここで検影器を振って投影光を上から下に動かすと，投影光は眼底を上から下に動く．眼底共役点の位置では，集光した光束が像の位置で下から上に動く．このとき，検影器の観察孔にはこの部分の光束から見え始めるので，検影器を振った方向と逆

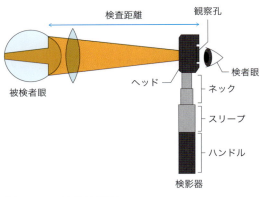

図 11-24　線状検影器

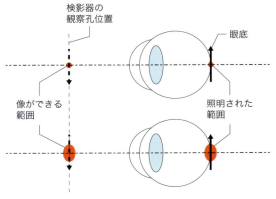

図 11-25　被検眼眼底と検影器の観察孔との位置関係
投影光によって照明された範囲の眼底像が眼底共役点にできる

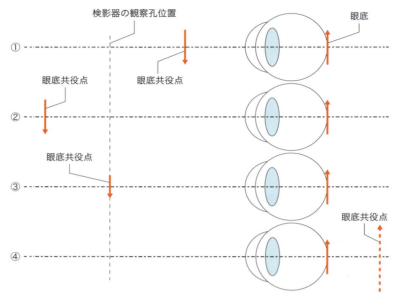

図11-26　検影器の観察孔と眼底共役点との関係
①眼底共役点が観察孔より被検眼側にある近視眼（図11-27）
②眼底共役点が観察孔より遠方にある正視眼（図11-28）
③眼底共役点が被検眼後方にある遠視眼（図11-29）
④眼底共役点が観察孔位置にある近視眼（図11-30）
結像倍率は無視する．

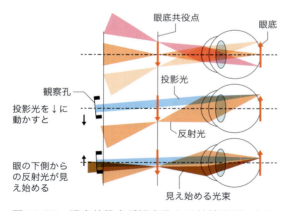

図11-27　眼底共役点が観察孔より被検眼側にある近視眼

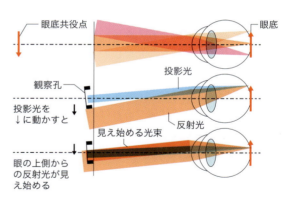

図11-28　眼底共役点が観察孔より遠方にある正視眼

の方向から光束が見え始め逆行する．

### 2）眼底共役点が観察位置より後ろにある正視の場合（図11-28）

　眼底の像が眼底共役点にできるので，眼底の1点から出た反射光は眼底共役点に集光する．検影器の観察孔の位置では平行光束になっている．ここで検影器を振って投影光を上から下に動かすと，投影光は眼底を上から下に動く．観察孔の位置では，光束が像の位置で下から上に動く．このとき，検影器の観察孔にはこの部分の光束から見え始めるので，検影器を振った方向と同じ方向から光束が見え始め，同行する．

### 3）眼底共役点が被検眼眼底より後ろにある遠視の場合（図11-29）

　眼底の像が眼底共役点にできるので，眼底の1点から出た反射光はこのように無調節の眼の眼底

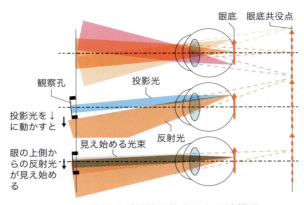

図 11-29 眼底共役点が被検眼後方にある遠視眼

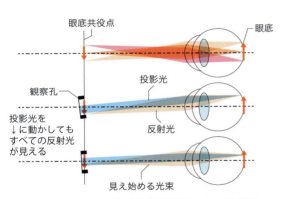

図 11-30 眼底共役点が観察孔位置にある近視眼

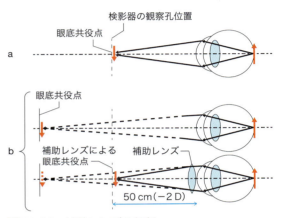

図 11-31 補助レンズの役割

共役点に集光する．ここで検影器を振って投影光を上から下に動かすと，投影光は眼底を上から下に動く．観察孔の位置では，集光した光束が像の位置で下から上に動く．このとき，検影器の観察孔にはこの部分の光束から見え始めるので，検影器を振った方向と同じ方向から光束が見え始め，同行する．

### 4) 眼底共役点が観察孔にある近視の場合
（図 11-30）

眼底の像が共役点にできるので，眼底の 1 点から出た反射光は，このように無調節の眼の眼底共役点に集光する．ここで検影器を振って投影光を上から下に動かすと，投影光は眼底を上から下に動く．光束は常に観察孔を通るので，検影器をどのように振っても観察孔に入る範囲の反射光は欠けることはなく中和した状態になる．

## 2 屈折度を求める式

図 11-31a に示すように，中和の状態であれば，通常の検査距離は 50 cm（0.5 m）なので，眼底共役点が検影器の観察孔位置にあることになる．すなわち，被検眼の遠点が眼前 0.5 m なので，屈折度は $\dfrac{1}{-0.5} = -2.0\,[\mathrm{D}]$ となる．また，例えば図 11-31b に示すように同行している場合は，検影器の観察孔位置より後方にある眼底共役点を補助レンズにより検影器の観察孔位置にもってくれば中和した状態になる．用いた補助レンズの度数から屈折度を知ることができる．

屈折度を求める式は次のように導くことができる．図 11-32 に示すように，眼底共役点，すなわち，被検眼の遠点距離を $R_e$，検査距離を $R_t$，

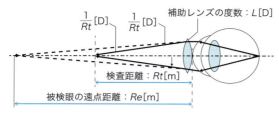

図 11-32　屈折度を求める式

補助レンズの度数を $L$ とし，バージェンス(vergence)で考えると，

$$\frac{1}{R_e}+L=\frac{1}{R_t}$$

$$\frac{1}{R_e}=\frac{1}{R_t}-L$$

なので，

$$屈折度[D]=\frac{1}{R_e}$$

$$=-\left(\frac{1}{R_t}-L\right)$$

$$=L-\frac{1}{R_t}$$

$$=補助レンズの度数[D]-\frac{1}{検査距離[m]}$$

となる．眼の遠点位置がどこにある場合でも，同じ考えで屈折度を求めることができる．

以上により被検眼眼底を拡散反射面と仮定すると，眼底共役点位置は被検眼の屈折状態にのみ影響を受けるので，検影法により精度よく屈折度を知ることができる．

▶文献
1) 小口芳久，澤 充，大月 洋，他(編)：眼科検査法ハンドブック，第4版．医学書院，2005

(小林克彦)

## V 調節機能検査装置

　毛様体筋の働きで水晶体の形状を変え，眼の屈折力を変化させる作用を調節とよぶ．この作用により眼から対象物までの距離が変化しても，常にピントの合った明瞭な網膜像を保つことができる．カメラに例えると，調節はオートフォーカスの機能に相当する．

　調節機能の評価指標は様々ある．代表的なものに調節遠点，調節近点，調節力，調節緊張時間，調節弛緩時間，調節ラグ，調節リードなどが挙げられる．調節近点と調節遠点は，それぞれ最大調節時および調節弛緩時における網膜中心窩の共役点のことである．調節力は調節遠点から調節近点までの幅を眼屈折力の変化で示したものである．調節緊張時間と調節弛緩時間は調節の過渡特性(ある状態から異なる状態に変化するときの特性)を示す指標で，それぞれ「遠方→近方」または「近方→遠方」の視標に視線を移してから明瞭な網膜像が得られるまでに要する時間を表わす．調節ラグと調節リードは，調節必要量と調節反応量の差を示す指標である．調節反応量が調節必要量に満たない場合を調節ラグとよび，逆に調節必要量を超える場合を調節リードとよぶ．

　これらの指標は，調節検査装置で測定することができる．調節検査は老視の程度の評価に用いられるだけでなく，不定愁訴の原因や神経眼科的疾患が疑われる視力低下の原因の精査にも用いられる．様々な検査装置が存在するが，それらは自覚的調節検査装置と他覚的調節検査装置に大別できる．前者は患者自身の見え方をもとにした調節検査装置のことで，後者は他覚的屈折検査装置など他覚的手法を用いて測定を行う調節検査装置である．

### 1 自覚的調節検査

　前述のとおり，自覚的屈折検査は被検者の見え方をもとに測定が行われる．そのため測定時には，どの時点で視標がぼやけて(あるいは明瞭に)見えるようになったのかという，網膜像のボケの判断に対する基準を一定にして回答するように，事前に被検者に説明し理解してもらうことが

必要である．それでも検査結果がばらつくことが多いので複数回測定してその平均値を代表値とする．

主な自覚的調節検査装置に，石原式近点計（はんだや），両眼開放定屈折近点計（ワック），アコモドポリレコーダー（興和）が挙げられる．

石原式近点計と両眼開放定屈折近点計は，主に調節近点，調節遠点，調節力の測定に用いられる．通常，自覚的調節検査では完全屈折矯正下で測定を行うため，調節遠点は無限遠方となる（完全屈折矯正下においては，無調節時の網膜中心窩の共役点が無限遠方に位置するため）．そして視標を明瞭に見ることのできる近方側の限界点を測定し，これを調節近点とみなす．これらの値から調節力を求める．

アコモドポリレコーダーでは調節近点・調節遠点に加えて，調節緊張時間や調節弛緩時間を測定することができる．装置内部に光学的に調節遠点に位置する視標と，調節近点に位置する視標が用意され，電動で「遠方視標 → 近方視標」あるいは「近方視標 → 遠方視標」に表示が瞬時に切り替わる機構を有する．視標が切り替わってから，明瞭に見えるようになるまでの時間を測定することで調節緊張時間や調節弛緩時間が求められる．すでに販売は終了しているが，現在も一般診療や研究用途で使用されている．

## 2 他覚的調節検査

通常の眼科診療では自覚的調節検査のみが行われ，他覚的調節検査を実施することはまれである．しかし，患者の応答が不安定な場合や，調節痙攣のように調節の時間変動が大きい場合は，他覚的調節検査装置のほうがより詳細かつ精密に検査することができる．また，他覚的調節検査装置は自覚的調節検査装置では測定できない視標（例：調節リードや調節ラグなど）も測定可能である．

他覚的調節検査装置は，オートレフラクトメータなどを用いて連続的に他覚的屈折検査を行うことで調節機能を評価する．そのため，自覚的調節検査のように被検者自身が網膜像のボケの判断を

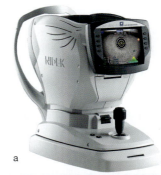

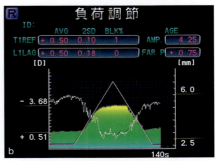

図11-33　ARK-1sの外観（a）と他覚的調節検査の結果の一例（b）

白線で構成された三角形は視標位置を示し，カラーのグラフは他覚的屈折度の時間変化を示す（40歳代男性）．無調節時の他覚的屈折度はS＋0.51 Dに対して最大調節時の他覚的屈折度はS－3.68 Dに変化している．両者の差からこの被検者の調節力は4.19 Dとなる．

行う必要はない．ただし，他覚的調節検査でも，視標を明視するよう被検者の協力を要するため，適切な声掛けを行うことが重要である．

市販の主な調節機能検査装置には，WAM-5500（シギヤ精機製作所）とARK-1s/AR-1s（ニデック，図11-33）がある．

WAM-5500は両眼開放型のオートレフラクトメータである．これに視標移動装置WMT-2を組み合わせて使用する．外部固視標を移動させ，被検者に視標を注視するよう促す．その間の他覚的屈折度を連続的に測定する．両眼開放下での測定が可能であることから，自然視に近い状況での調節機能の評価が可能である．

ARK-1sとAR-1sは，それぞれオートレフケラトメータやオートレフラクトメータとして通常は用いられる．測定モードを変更することで調節検査が可能となる．この装置では内部固視標を用

い，Badal 光学系で見かけ上の視標位置を移動させ，その間の他覚的屈折度を連続的に測定する．装置の特性上，この装置では単眼遮閉下での測定となる．しかし，省スペースであることや，視標の移動範囲が外部固視標を用いたときよりも広く設定できることが利点である．

（神田寛行）

## VI 収差解析装置

眼の屈折検査というと，通常オートレフラクトメータでの屈折度数，乱視成分の測定をいい，通常の眼鏡やコンタクトレンズによる矯正ではこの2つの情報が必要十分条件である．しかし，物を見るときは涙液，角膜，前房水，水晶体，硝子体から成る透光体を透過して網膜に結像させており，どこかの形状に歪みが生じたり屈折率分布が変わったりすると，屈折度数と乱視成分だけでは表わせない像の劣化を生じることとなる．像の劣化原因となる光波の歪みを収差（もしくは波面収差）という．屈折度数や乱視成分も，収差の一部である．収差を測定する装置が収差測定装置である[1,2]．

### 1 収差測定機器の種類

収差測定機器のうち代表的なものについて原理を説明する．

#### a. Hartmann-Shack 波面センサー

Hartmann-Shack（ハルトマン-シャック）波面センサーは，眼の収差測定装置としてよく利用されている原理である．原理図を図 11-34 に示す．小レンズが格子状に整列されている Hartmann 板と，小レンズの焦点位置にカメラが配置されている構成である．光源から眼へは，眼の収差の影響を受けないように細い光を入射させ，眼底上に集光させる．この集光点を2次光源とし，拡散反射した光が眼の外に出て，波面センサーに入射させるとカメラで多数の点像を受光することができる．波面センサーに入射した光は，眼の中の光学系を広がって透過してきた光のため，収差の影響を受けている．よって眼に収差が存在する場合，各小レンズの集光点はずれることになり，ずれ量を各小レンズ位置での波面の傾きとみなすことで収差を算出する．

この原理を利用した装置として，ウェーブフロントアナライザー KR-1W（トプコン）（図 11-35），iProfiler® plus（Carl Zeiss Meditec），iDesign®（Johnson & Johnson），VX130＋（Visionix）などが挙げられる．KR-1W は，トポグラフィを搭載して角膜収差と同時測定が可能で，差分をとった内部収差の表示もできる．内部収差は角膜

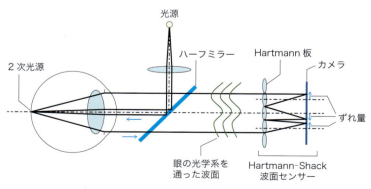

図 11-34　Hartmann-Shack 波面センサーの原理

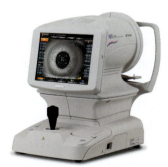

図 11-35　ウェーブフロントアナライザー KR-1W（トプコン）

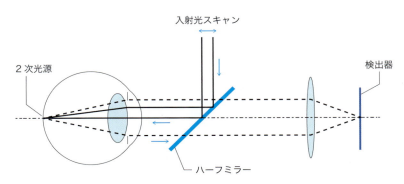

図 11-36　LRT の原理

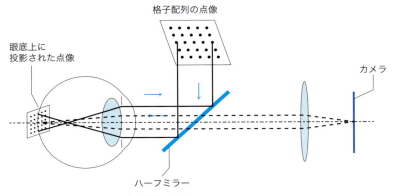

図 11-37　Tscherning 収差計の原理

後面と水晶体の影響を主に受けており，収差の原因が角膜なのか，水晶体にあるのか予測することが可能である．

### b. laser ray tracing(LRT)

図 11-36 に原理を示す．ray tracing 法を利用した技術である．細い光を装置の光軸に平行に，眼の瞳上の各位置にスキャンしながら入射させる．眼底から戻ってきた光を検出器で取得し，位置のずれから収差を算出する．屈折異常や収差の影響によりずれた位置で検出される．ずれ量と瞳上の入射した位置と対応して解析し，屈折量や収差を算出する．入射する位置を変えるたびに検出器で光の検出を行うことにより，瞳上の各位置でのずれ量をほぼ正確に取得することができ，光学系の反射などによるノイズにも比較的強い．しかし，瞳上で位置をずらしながら 1 点 1 点取得するため各位置のデータ取得に時間のずれが生じ，

多数の点を計測するために時間がかかることで，眼球運動や涙液変化などの時間的変化による影響を受けやすい．

この原理を利用した装置として，iTrace System(Tracey Technologies, HOYA) が挙げられる．波長 785 nm のレーザー光で 2.5〜8 mm の瞳の大きさに合わせて瞳上を 256 点に分割して入射させ，測定時間は約 250 msec である．コーン型の角膜トポグラフィも搭載され，角膜収差の算出も行える．

### c. Tscherning 収差計

格子状に配列された点像を眼底に投影する．このとき各点像は，通ってきた眼の光学系の収差により位置がずれる．眼底上に投影された点像をカメラにより観察し，各点のずれ量を観察して収差量を計算する(図 11-37)．眼底のムラの影響を受けやすい懸念がある．

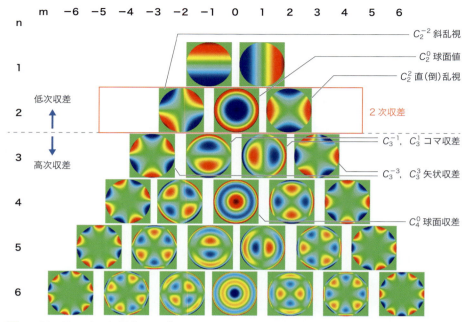

**図 11-38** Zernike 多項式マップ

この原理を利用した製品として，WaveLight® アナライザー（WaveLight Technologies）が挙げられる．光源は波長 660 nm で，168 点の点像を投影している．

### d. OPD-Scan®

検影法を利用した装置である〔ARK-10000（ニデック）〕．複数のスリット光を用いて回転させることで一度に屈折度の分布，波面収差を測定することができる．ARK-10000 は，角膜トポグラフィも搭載され，角膜収差の算出が行える．

## 2 波面収差解析

### a. 波面収差測定の原理

眼の収差を表わすには，眼に入る瞳上の各位置の光が基準となる主光線に対してのずれ量を算出し，つなぎ合わせることで表現できる．このつなぎ合わせたものを波面収差という．眼の光学系を通った波面収差を $W(x,y)$（$x$, $y$ は瞳上での座標）とする．$W$ を表わす方法として種々の多項式が考えられるが，球面収差やコマ収差など一般的に眼の収差を表わすことができる Zernike（ゼルニケ）多項式 $Z_n^m$ を利用すると光学収差との関連づけが容易となる．式 ❶ のように $n$ 次まで Zernike 多項式で近似する．

$$W(x,y) = \sum_{i=0}^{n} \sum_{j=0}^{i} C_i^{2j-i} Z_i^{2j-i}(x,y) \quad \cdots ❶$$

$C_n^m$ は Zernike 係数で，その大きさから眼の収差を理解することができる．

収差は，瞳孔の大きさに依存するため，異なる瞳孔径で得られた Zernike 係数を直接比較することはできないことに注意する必要がある．しかし，大きな瞳孔径で取得した波面収差の情報から，縮瞳した（小さい瞳孔径での）場合の収差量を計算することは可能であり，状況に応じた収差を算出できる．

### b. Zernike 多項式

1～6 次までの Zernike 多項式をマップで表わすと図 11-38 のようになる．マップは，暖色系（赤系統）領域の波面が平均より進んでいることを，寒色系（青系統）が遅れていることを表わす．縦が Zernike 多項式の動径成分の次数で，$Z_n^m$ の

$n$ で表わし，横は回転方向の成分の次数で $m$ で表わす．Zernike 多項式の2次の項はそれぞれ球面値，斜乱視，直・倒乱視成分を表わし，そこから通常の屈折検査の球面度数，乱視成分を算出できる．

　等価球面度数 $SE$ は，球面値を表わす $c_2^0$ が対応し，瞳孔径に依存し，

$$SE = -4\sqrt{3} \cdot \frac{c_2^0}{r^2} \quad \cdots ②$$

で表わされる[1]．$r$ は $SE$ を解析するときに使用する瞳孔の半径である．瞳孔径は，解析したい径に設定することが可能であり，例えば昼間や夜間を想定して瞳孔径を設定できる．

　乱視度数 $C$，乱視軸 $A$ は，Zernike 係数のうち，斜乱視と直（倒）乱視にそれぞれ対応する $c_2^{-2}$，$c_2^2$ の組み合わせで算出できる．乱視度数は等価球面度数と同様に，瞳孔径に依存する．

$$C = -4\sqrt{6} \cdot \frac{\sqrt{(c_2^{-2})^2 + (c_2^2)^2}}{r^2} \quad \cdots ③$$

$$A = \tan^{-1}\left(\frac{c_2^{-2}}{c_2^2}\right) \cdot \frac{1}{2} \cdot \frac{180}{\pi} + 90 \quad \cdots ④$$

球面度数 $S$ は，

$$S = SE + \frac{1}{2}C \quad \cdots ⑤$$

である[1]．

　通常，オートレフラクトメータでは，直径3 mm 程度の円周上での球面度数，乱視成分を算出するが，波面収差から算出されるものは，選択した瞳孔径のエリア全体の影響を加味した値を解析できる．収差が大きい眼では，エリアの大きさにより球面度数，乱視成分が変化することが多く，瞳孔径の異なる昼間と夜間で度数が変わることもある．

　Zernike 多項式の2次の項までを低次収差とよぶことがある．3次以上は高次収差である．3次以上の全係数を2乗して足し合わせ，平方根をとったものが全高次収差である．

### c. マップ表示

　得られた Zernike 係数と Zernike 多項式を組み合わせることで，収差マップを作成することができる．収差マップは，収差の傾向や，大きさを視覚的に見ることができる．

### d. シミュレーション

　測定された眼の波面収差を Fourier 変換し，画像とコンボリューションすることで，光学系のみの影響を考慮した，見え方のシミュレーションを行うことができる[1]．このシミュレーション結果と被検者の自覚的な訴えを比較することで見え方に違和感があるときに光学系の異常であるかどうか予測することが可能である．

## 3 波面収差測定例

### a. 円錐角膜眼

　角膜の下方が突出する円錐角膜眼では，眼の下方での波面が遅れ，上方の波面が早くなるため上下で非対称となり，コマ収差が増える（図 11-39a）．角膜収差も眼の収差と同じような結果となる．

### b. 屈折矯正手術

　LASIK など角膜前面の形状を変化させることで度数を変化させる屈折矯正手術も，収差に変化を与える．球面度数のみ制御する典型的な術式では，球面収差の増加が特徴である（図 11-39b）．発生する球面収差を予測してそれが出ないように削る方式や，術前の眼の収差を減らすように制御する方式などで手術をすると，そのぶん収差が少ない状態を実現することができる．

### c. 白内障眼

　白内障初期は，水晶体の屈折率の変化から見え方が変化することがある．角膜収差では現われない収差が眼の収差に出る．代表的な2例について説明する[3,4]．

#### 1) 核白内障

　水晶体の核付近の屈折率が高くなることから，中心部の光が遅れ，近視化とともに負の球面収差

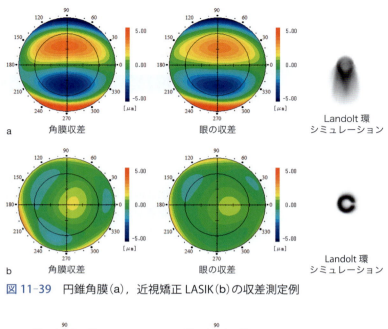

図 11-39 円錐角膜(a), 近視矯正 LASIK(b)の収差測定例

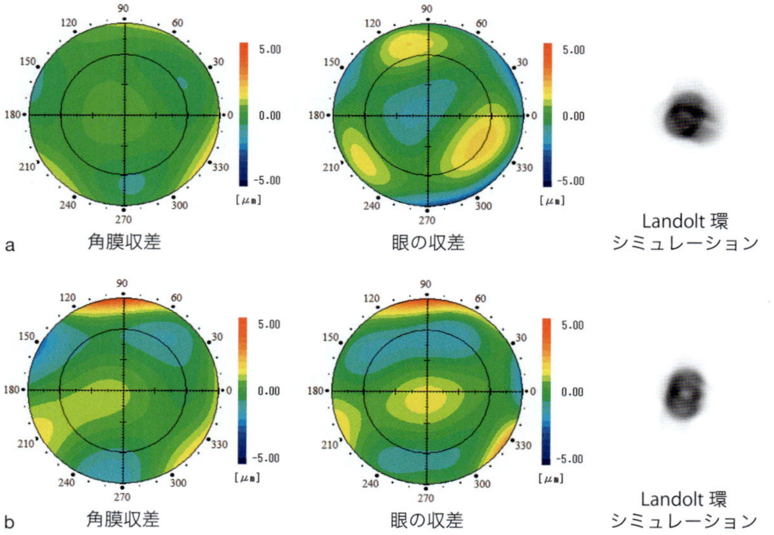

図 11-40 三重視(a), 二重視(b)の収差測定例

が増える傾向となる．3重視の訴えがあることもあり，シミュレーションと一致すれば，水晶体の変化が影響していると推察できる(図 11-40a)．

### 2) 皮質白内障

水晶体の皮質付近の屈折率に変化があり，正の球面収差が増える傾向にある．二重視の症状が出る場合がある(図 11-40b)．

その他，IOL 挿入・コンタクトレンズ装用の影響，調節緊張による球面収差の負の方向への増加，ドライアイ眼の収差量・変化の増大，加齢による角膜・水晶体の収差量増大など，前眼部の疾患や変化による収差変化は種々あり，収差解析装置により測定可能である．

▶文献

1) 広原陽子，三橋俊文，髙 静花，他：波面収差解析を知る．前田直之，大鹿哲郎，不二門 尚(編)：前眼部画像診断 AtoZ．pp242-360，メジカルビュー，2016

2) Maeda N: Clinical applications of wavefront aberrometry—a review. Clin Exp Ophthalmol 37: 118-129, 2009
3) Kuroda T, Fujikado T, Maeda N, et al: Wavefront analysis in eyes with nuclear or cortical cataract. Am J Ophthalmol 134: 1-9, 2002
4) Kuroda T, Fujikado T, Maeda N, et al: Wavefront analysis of higher-order aberrations in patients with cataract. J Cataract Refract Surg 28: 438-444, 2002

(広原陽子)

# VII レンズメータ

　レンズメータは，眼鏡レンズやコンタクトレンズの頂点屈折力，プリズム屈折力，光学中心，乱視軸，プリズム基底方向の測定とレンズへの印点ができる装置である．手動式と自動式があり，手動式には，望遠鏡式と投影式がある．

　印点は，アンカットレンズを玉型加工する際の基準となる位置に印をつける機能であるが，ここでは説明を省き，測定の原理と方法について，以下に述べる[1]．

## 1 原理

### a. 手動式レンズメータ

　図 11-41 に望遠鏡式レンズメータ，図 11-42 に投影式レンズメータを示す．望遠鏡式ではスケール上に結像したターゲット像を接眼レンズにて肉眼観察する．一方，投影式ではターゲット像をスクリーンに投影して観察するが，基本原理は同じである．

　図 11-43 に望遠鏡式の原理図を示す．被検レンズが 0 D の場合（図 11-43a），ターゲットを透過した光束は投影レンズで平行光となり被検レンズに入射する．被検レンズ透過後も平行光であり，結像レンズによりスケール上に結像する．被検レンズの屈折力がプラスまたはマイナスの場合，投影レンズで平行光となった光束が被検レンズに入射すると透過光は収束または発散し，スケール上に結像せずターゲット像はぼける．図 11-43b に示すように，ターゲットを光軸に沿って前後に移動し，被検レンズを透過した光束が平行光になるようにすると，結像レンズによりスケール上に結像し，はっきりと見える．0 D の位置からのターゲットの移動量 $x$，投影レンズの焦点距離 $f$ とすると，被検レンズの屈折力 $s$ は以下の式で求めることができる．

$$s[\mathrm{D}] = x[\mathrm{mm}]/f^2[\mathrm{mm}^2] \times 1000$$

　投影式は，スケール位置にスクリーンが置かれており，スクリーン上に投影されたターゲット像を観察する．

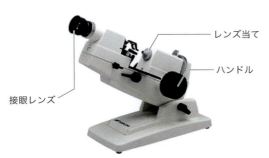

図 11-41　望遠鏡式レンズメータ（LM-8）（トプコン）

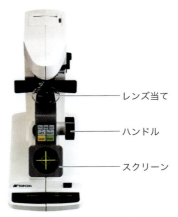

図 11-42　投影式レンズメータ（LM-P6）（トプコン）

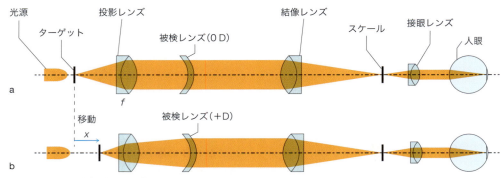

図 11-43　望遠鏡式レンズメータの原理

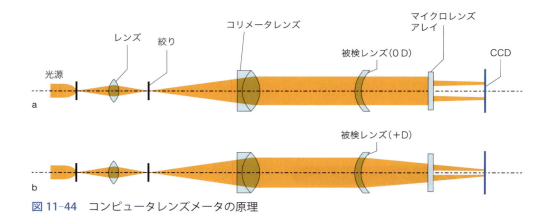

図 11-44　コンピュータレンズメータの原理

## b. 自動式レンズメータ

図 11-44 にトプコンのコンピュータレンズメータの原理図を示す．光源から出た光はレンズにより一度集光し，絞りを通過した後，コリメータレンズにより平行光となり被検レンズに入射する．被検レンズが 0 D の場合（図 11-44a），被検レンズ透過光は平行光のまま進み，微細なレンズが数多く集積したマイクロレンズアレイ（図 11-45）により複数の光束に分けられて平行のまま CCD に入射し複数の点像を生じる．したがって，CCD 上の点像の間隔はマイクロレンズアレイのピッチと同じになる．被検レンズの屈折力がプラスまたはマイナスの場合には，収束または発散光束となってマイクロレンズアレイを透過して CCD に入射する．図 11-44b に被検レンズの屈折力がプラスである状態を示す．CCD 上の点像の間隔は

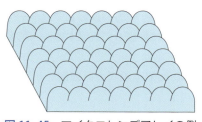

図 11-45　マイクロレンズアレイの例

被検レンズの屈折力により変化するため，その変化量から被検レンズの屈折力を求めることができる．

## 2 方法

### a. 手動式レンズメータ

望遠鏡式レンズメータではあらかじめ接眼レン

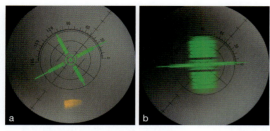

図 11-46　ターゲット像の見え方
a：球面レンズの場合　b：乱視レンズの場合

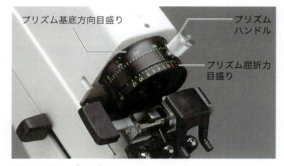

図 11-47　プリズムコンペンセータ

図 11-48　自動式レンズメータの表示画面〔CL-300（トプコン）〕

ズの視度調整を行っておく．被検レンズのセット方法は，後面をレンズ当てに当てて置き，レンズ抑えで固定する．ハンドルを回すことでターゲットが移動し，ターゲット像の見え方が変わるので，鮮明に見える位置での屈折力表示を読み取る．ターゲット像のピント出しはマイナス側から移動すると測定者の調節誤差が発生するので，必ずプラス側から合わせる．球面レンズの場合には図 11-46a のように全体的にはっきりと見えるが，乱視レンズの場合には図 11-46b のように見え，第一主経線と第二主経線の 2 成分について測定する．この 2 成分の屈折力をそれぞれ D1[D]，D2[D] とすると，D1 が球面度数，(D2−D1) が乱視度数，D2 のときにターゲット像が伸びた方向が乱視軸となる．プリズム屈折力[Δ]を測定するには，被検レンズのビジュアルポイントがレンズ当てと一致するように固定し，ターゲット像がスケール中心からどの方向に何Δずれているかをスケールの目盛りから読み取る．

プリズムコンペンセータ（図 11-47）が付属する場合は，プリズム屈折力の測定範囲を広くすることができる．コンペンセータには屈折力目盛りと基底方向目盛り，プリズムハンドルがついている．プリズムハンドルをハンドルの軸周りに回転すると，プリズム屈折力が変化し，光軸周りに回転すると，プリズム基底方向が変化する．この 2 つの回転により，ターゲット像をスケール中心に合わせる．そのときのそれぞれの目盛り値を読み取る．ターゲット像が下から動いてきた場合と左から動いてきた場合，基底方向に 180°加える必要がある．

コンタクトレンズの測定の場合は，レンズメータを垂直にし，コンタクトレンズ用のレンズ当てを取りつけて，眼鏡レンズと同様に測定する．

### b. 自動式レンズメータ

自動式レンズメータは，レンズ当てに被検レンズを載せるだけで測定ができる．球面レンズ，乱視レンズの場合には，図 11-48 に示すように，球面度数，乱視度数，乱視軸角度，プリズム屈折力，プリズム基底方向が同時に測定され表示画面上に表示される．手動式のように乱視レンズを 2 成分に分けて測定し差分を求める必要もない．プリズム屈折力を測定するには，手動式と同様に，被検レンズのビジュアルポイントがレンズ当てと一致するように固定し，表示値を読み取る．

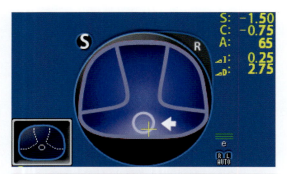

図 11-49　自動式レンズメータの累進屈折力レンズ測定画面〔CL-300（トプコン）〕

　コンタクトレンズの測定の場合には，コンタクトレンズ用のレンズ当てを取りつけ，測定モードを切り替える．

　手動式では測定に手間がかかる累進屈折力レンズの加入屈折力の測定においても，図 11-49 のとおり測定のナビゲーションを表示する機能もあり，ナビに沿って操作することで簡単に測定することができる．

▶文献

1）小口芳久，澤 充，大月 洋，他：眼科検査法ハンドブック，第4版．pp176-182, 医学書院，2005

（小林真理子）

# 第12章
# 前眼部検査

## I 細隙灯顕微鏡（スリットランプ）

　細隙灯顕微鏡は，通常観察できない眼球の透明組織を可視化し，実体顕微鏡で拡大観察する装置である（図12-1）．また，強膜や結膜，虹彩などの不透明部の検査にも有効であるため，眼科医が診断や検査の際に必ず使用する装置となっている．

### 1 原理・構造

　眼球を構成する角膜，前房，水晶体など透明な組織は，眼球全体を照明しても観察することができない．しかし，細長い形状（スリット）の光を斜方向から照射すると，組織内で光が散乱され，木漏れ日のようにその断面を観察することができる．細隙灯顕微鏡はこの原理を利用して透明な組織を可視化している．

　細隙灯顕微鏡の光学系はスリットを形成する照明ユニットと拡大観察するための顕微鏡ユニットで構成されている（図12-2）．それぞれユニットの焦点と回転軸が同じ位置に調整されており，2つのユニットが載っている架台部を検者が操作し，焦点を被検眼と一致させることで良好なスリット断層像を得ることができる．

　照明ユニットは，光源，コンデンサーレンズ，視野絞り（スリットに相当），各種フィルター，結像レンズ，偏光ミラー（プリズム）で構成される．照明方式は，Köler照明を採用しており光源の強

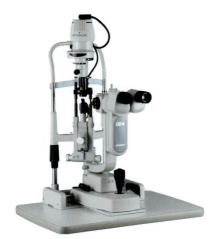

図12-1　細隙灯顕微鏡（SL-D701）（トプコン）

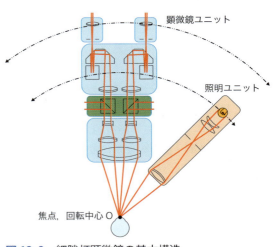

図12-2　細隙灯顕微鏡の基本構造

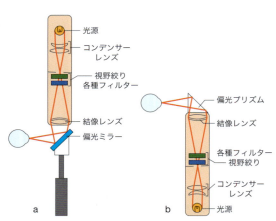

図12-3 照明ユニットの種類
a：Goldmann 型　b：Zeiss 型

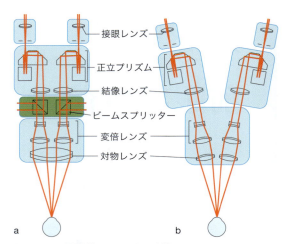

図12-4 顕微鏡ユニットの種類
a：Galileo 型　b：Greenough 型

度分布の影響を受けることなくムラのない均一な照明が可能となる．照明ユニットの基本的な機能として光量，照明角度，照明形状（スリットの幅，長さ，角度），フィルターを変更することができる．さらに機種によっては上下方向の照明角度を変更する俯仰，照明と顕微鏡の同軸性を解除する横振り，照明範囲を広げる拡散の機能が備わっている．照明ユニットは光学系の配置によってGoldman 型と Zeiss 型の2種類に分かれる（図12-3）．Goldman 型は上部に光源が設置されており，放熱性に優れ，光源の周りのスペースが確保しやすく，拡張性がよいのが特長である．一方，Zeiss 型は光源が下部に設置されているため，手元での操作性がよいことが特長である．光源が近いため，従来は操作者が熱を感じることもあったが，近年は発熱が少なく長寿命である LED を光源とすることで安全性やメンテナンス性を向上させた製品が増えている．

顕微鏡ユニットは実体顕微鏡で構成されている．これは診断・検査のほかに眼に処置を施す場合があり，処置に立体感が必要となるためである．顕微鏡は，対物レンズ，変倍レンズ，結像レンズ，正立プリズム，接眼レンズで構成される．変倍レンズシステムには段階的に変更可能なドラム式と無段階で変更可能なズーム式があるが，細隙灯顕微鏡ではドラム式が一般的である．実体顕微鏡の種類には Greenough 型と Galileo 型がある（図12-4）．Greenough 型は左右の光学系が完全に独立になっており，それぞれの光学軸が一定の角度を保つことで自然な両眼視を可能としている．一方，Galileo 型は左右眼共通の大きな対物レンズを用いることでその後を平行光学系（アフォーカル系）としており，フィルターやカメラなどの付属品の脱着が容易である．このようにGalileo 型は拡張性が高いため，現在では主流となっている．

## 2 照明法・観察法[1]

図12-5 に各種照明観察方法の概略図を示す．

### a. 直接照明法（図12-5a）

照明光を対象に直接照射し，観察する方法である．照明を細いスリット状にして斜めから照射し，透明組織の断面を観察することや，幅広い照明で結膜や虹彩を照明して観察することができる．ほかにも拡散板を用いて前眼部全域を広く照明し，観察する方法もある．直接照明法は細隙灯顕微鏡における最も一般的な照明観察方法である．

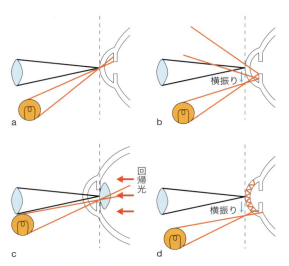

図 12-5　各照明・観察法の概略
a：直接照明法　b：間接照明法　c：徹照法　d：強膜散乱法

### b. 間接照明法（図 12-5b, c）

　観察対象以外の眼組織に照明光を照射し，その反射光で観察対象を観察する方法である．直接照明法は，反射や散乱を利用して対象を観察するのに対し，間接照明法は屈折，吸収を利用して観察するため，半透明な組織の微細な形状を観察することに適している．

　特に眼底からの回帰光（図中赤矢印）を利用した照明法を徹照法（図 12-5c）とよぶ．眼底からの回帰光は短波長成分が少ない赤色光であるため散乱が起こりにくく，透過性に優れている．徹照法は水晶体の状態を観察する際，頻繁に用いられる．

### c. 強膜散乱法（図 12-5d）

　角膜輪部付近に強いスリット照明を当てることで角膜上皮と内皮の間に光が入り，それが全反射を繰り返しながら角膜全体に広がり角膜全域での間接照明が可能となる．この照明を行うためには照明と観察の同軸性を崩す必要があり，スリットの横振り機能を用いることで観察が可能となる．

## 3 適応例

　図 12-6a は直接照明法（スリット照明）による白内障眼の水晶体断層写真である．ピントを水晶

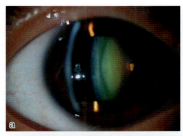
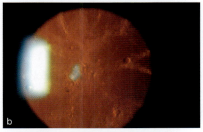
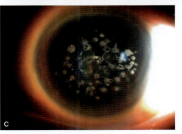

図 12-6　細隙灯顕微鏡による様々な観察
a：直接照明法による白内障眼の水晶体断層写真
b：徹照法による水晶体混濁の写真
c：強膜散乱法による角膜疾患の写真

体に合わせ，中程度の倍率に設定することで，水晶体前嚢部から後嚢部までを同時に観察できる．断層の色味や水晶体核の視認性を確認することで白内障の種類や進行状況を診断できる．

　図 12-6b は間接照明法（徹照法）による水晶体混濁の写真である．虹彩縁に照明光を入射させ眼底からの回帰光により混濁の状況を陰影として観察することができる．瞳孔内に効率よく照明するために，照明の視野絞り形状の調整が重要である．

　図 12-6c は強膜散乱法による角膜疾患の写真である．照明角度を 60° 以上に設定し，横振り機能を用いて角膜輪部を最大光量で照明することがポイントである．直接照明法では裏側の虹彩が明るく照らされてしまうが，この方法では角膜のみが浮き上がるように照明されるため，細部まで観

察することができる．

察法の基本原則．眼診療プラクティス 97：2-9，2003
（山本諭史）

▶文献
1) 野田 徹：細隙灯顕微鏡の基本テクニック 細隙灯顕微鏡観

# II スペキュラーマイクロスコープ

スペキュラーマイクロスコープは鏡面反射像を用いて細隙灯顕微鏡では観察しづらい角膜上皮細胞や角膜内皮細胞の形態を観察する装置である．1968 年に Maurice[1] が初めて鏡面反射像による角膜内皮細胞観察に成功した．

## 1 原理

スペキュラーマイクロスコープは，鏡面反射（反射面に対して光の入射角と反射角が等しい拡散のない反射）の原理を用いた生体顕微鏡である．"スペキュラー（specular）"は"鏡面反射"を意味する形容詞である．角膜は 5 層構造であり，角膜にスリット光を斜照明すると，各層の反射面が奥行き方向に異なるために，正面光軸に対称に生じる角膜上皮や内皮の反射光が横ずれし，各層の観察が可能となる．

スペキュラーマイクロスコープには接触型と非接触型があり，角膜内皮測定では，非侵襲で簡単に観察・撮影を行うことができる非接触型が主流である．パノラマ撮影機能により，広い観察野を実現した装置も存在する（図 12-7）．

### a. 接触型

#### 1) 角膜内皮細胞
コーンレンズ使用による，角膜の扁平化および角膜表面（正確には涙液表面）の強い反射光の低減によって角膜内皮細胞の観察が可能となる（図 12-8）．非接触型に比べて広範囲の観察が可能である．

#### 2) 角膜上皮細胞
角膜内皮細胞観察の構成に加え，Tsubota ら[2,3]により開発された特殊なソフトコンタクトレンズ（SM レンズ）装着による角膜表面の反射光低減により角膜上皮細胞の観察が可能となる．

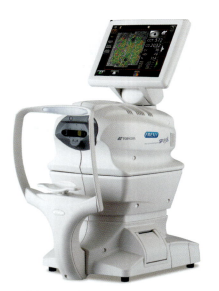

図 12-7 非接触型スペキュラーマイクロスコープ（SP-1P）（トプコン）

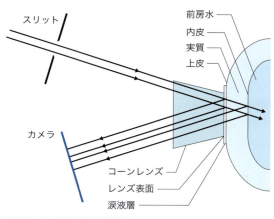

図 12-8 接触型の原理

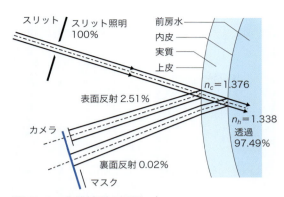

図12-9 非接触型の原理

### b. 非接触型

#### 1) 角膜内皮細胞

照明スリット光を100%とすると，角膜表面と内皮の反射光はそれぞれ2.51%，0.02%となる〔Navarro模型眼[4]，角膜屈折率$n_c$=1.376，前房水屈折率$n_h$=1.338にて算出〕．このため，光学系にマスクを設けて強い角膜表面反射の影響を避けて角膜内皮細胞を観察する（図12-9）．

非接触型は接触型に比べ，一般に観察野を広くできないが，非侵襲で観察できるのが特徴である．

## 2 方法

### a. 接触型

#### 1) 角膜内皮細胞

点眼麻酔と表面保護ゲルを用いて角膜表面にコーンレンズを接触させる．観察像は，装置の前後移動でピントを合わせることができる．一方，コーンレンズと装置の関係を一定に保持した状態で移動させることで，観察位置を調整できる．

#### 2) 角膜上皮細胞

点眼麻酔して前述のSMレンズを装着し，角膜内皮細胞と同様に観察を行う．

### b. 非接触型

#### 1) 角膜内皮細胞

前眼部画像表示後に，強い角膜表面反射光を避けた角膜内皮細胞が撮影できる位置に自動的に装置本体が移動して撮影を行い，自動で角膜内皮細胞数などの計測結果が表示される．

## 3 適応

### 1) 角膜内皮細胞

角膜内皮細胞観察では次のような症例が適応となる．

① 白内障などの内眼手術の術前術後，② コンタクトレンズ装用者，③ 滴状角膜，水疱性角膜症，Fuchs角膜内皮ジストロフィ，後部多形性角膜内皮ジストロフィ（PPCD），虹彩角膜内皮症候群（ICE），サイトメガロウイルス角膜内皮炎などの角膜内皮に病変を生じる疾患，④ 角膜移植後，⑤ ぶどう膜炎，外傷後，⑥ レーザー虹彩切開術後，⑦ 角膜移植でのドナー角膜の評価など[5,6]．

### 2) 角膜上皮細胞

角膜上皮細胞観察では次のような症例が適応となる．

① コンタクトレンズ装用者，② 円錐角膜，③ Thygeson点状表層角膜炎などの角膜上皮に浸潤性病変を生じる疾患，④ Stevens-Johnson症候群や眼類天疱瘡などで高度のドライアイになっている症例，⑤ 角膜上皮下の鉄や薬剤（アミオダロンなど）の沈着，⑥ 糖尿病角膜症など[5,6]．

## 4 正常値

### a. 細胞密度（CD；cells/mm²）

#### 1) 角膜内皮細胞

CD値（cell density）は単位面積当たりの細胞数を表わす．2,000 cells/mm²以上で正常とされ，Grade 1〜4に分類される（表12-1）．20〜40歳で3,000 cells/mm²，60歳以上で2,500〜3,000 cells/mm²とされる[6]．

#### 2) 角膜上皮細胞

596±99〜639±84 μm²の報告があり，比較的均一な多角形の細胞とされている[2,3,6]．

表 12-1 角膜内皮障害の重症度分類

| 正常 | 角膜内皮細胞密度 2,000 cells/mm² 以上，正常の角膜を維持するうえで支障のない細胞密度が維持されている． |
|---|---|
| Grade 1 (軽度) | 角膜内皮細胞密度 1,000 cells/mm² 以上，2,000 cells/mm² 未満．正常の角膜における生理機能を逸脱しつつある状態． |
| Grade 2 (中等度) | 角膜内皮細胞密度 500 cells/mm² 以上，1,000 cells/mm² 未満．角膜の透明性を維持するうえで危険な状態．わずかな侵襲が引き金となって水疱性角膜症に至る可能性がある． |
| Grade 3 (高度) | 角膜内皮細胞密度 500 cells/mm² 未満で角膜浮腫を伴っていない状態． |
| Grade 4 (水疱性角膜症) | 角膜が浮腫とともに混濁した状態． |

(木下 茂，天野史郎，井上幸次，他：角膜内皮障害の重症度分類．日眼会誌 118：81-83，2014 より一部改変)

図 12-11 パノラマ解析(SP-1P)(トプコン)

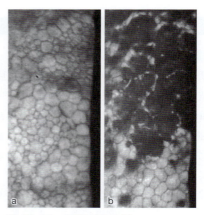

図 12-12 異常所見の例
大小不同が顕著な例(a)と滴状角膜の例(b)

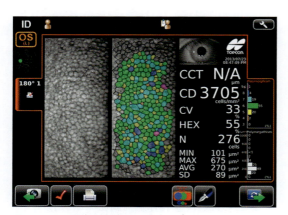

図 12-10 正常所見(SP-1P)(トプコン)

### b. 細胞面積の変動係数(CV；%)

#### 1) 角膜内皮細胞

CV 値(coefficient of variation)は細胞の大小不同の程度を表わす．内皮細胞脱落に伴う周辺細胞の拡大や伸展の影響で値が増加する．20～40歳で 0.20～0.25％，60 歳以上で 0.25～0.30％とされ，0.35％ 以上は異常値とされる[6]．

### c. 六角形細胞出現率(HEX；%)

#### 1) 角膜内皮細胞

HEX 値は六角形の細胞の割合(hexagonality)を表わす．内皮細胞脱落に伴う周辺細胞の拡大や伸展の影響で値が低下する．20～40歳で 65～70％，60 歳以上で 60～70％ とされ，50％ 以下は異常値とされる[6]．

## 5 正常所見および異常所見の例

正常所見の解析結果例(図 12-10, 11)を示す．また，異常所見の例(大小不同と滴状角膜)を示す(図 12-12)．滴状角膜では黒く抜けた部分が観察されることがある．これは，細胞形状変化により正反射光が観察系に戻らないために発生する現象である．

▶文献

1) Maurice DM: Cellular membrane activity in the corneal endothelium of the intact eye. Experientia 24: 1094-1095, 1968

2) Tsubota K, Yamada M, Naoi S: Specular microscopic observation of human corneal epithelial abnormalities. Ophthalmology 98: 184-191, 1991
3) Tsubota K, Mashima Y, Murata H, et al: Corneal epithelial alterations induced by disposable contact lens wear. Ophthalmology 99: 1193-1196, 1992
4) Navarro R, Santamaria J, Bescós J: Accommodation-dependent model of the human eye with aspherics. J Opt Soc Am A 2: 1273-1281, 1985
5) 眼科診療プラクティス編集委員会（編）：眼科ガイドシリーズ　眼科検査ガイド．pp417-420，文光堂，2004
6) 大鹿哲郎（編）：眼科プラクティス〈25〉．眼のバイオメトリー―目を正確に測定する．pp81-91，文光堂，2009
7) 木下　茂，天野史郎，井上幸次，他：角膜内皮障害の重症度分類．日眼会誌 118：81-88, 2014

（中島　将）

# III 眼圧計

眼圧計は，眼の中の圧力を測定する装置で，主に圧平式眼圧計や圧入眼圧計が用いられている（図 12-13）．

圧平式眼圧計は，眼球に一定の変形を起こさせるのに必要な力を測定することにより眼圧を求める装置である．圧入眼圧計は，眼球に一定の力を加えて生じる変形の程度を測定することにより眼圧を求める装置である[1]．

以下，スクリーニング検査で使用する圧平式眼圧計を中心に記載し，圧入眼圧計や他の原理の眼圧計（フルオレセイン使用のものなど）は割愛する．

## 1 原理

圧平式眼圧計の測定原理は，内圧 $P$ が存在する球体を外圧 $F$ で圧平面積 $A$ になるように圧平した場合に，$P=F/A$ が成り立つ，Imbert-Fick の法則に基づいている．ただし，この法則が成立するには球を構成する膜が無視できるほど薄く，弾性体であることが条件である．

実際の人眼では眼球の弾性応力（$b$），涙液の表面張力（$s$）が加わることから，

$P+b=F/A+s$

と表わされる[2]（図 12-14）．

Goldmann 圧平眼圧計では，Imbert-Fick の法則 $P=F/A$ が成り立つように，角膜の圧平に抵抗する力とメジャリングプリズムを引き寄せる涙液の表面張力が打ち消し合うように，圧平面積を 7.35 mm$^2$（直径 3.06 mm）に設定している．

圧平式眼圧計には，直接眼に力を加える接触式眼圧計と，空気砲により力を加える非接触式眼圧計の 2 種類がある．

## 2 方法

### a. 接触式眼圧計

#### 1）概要

臨床的に最も精度が高い眼圧計は，接触型のGoldmann 圧平眼圧計であるといわれている（図 12-15）．

細隙灯顕微鏡に眼圧計を取りつけ，メジャリン

図 12-13　眼圧計の種類

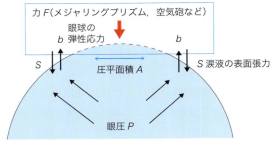

図 12-14　Imbert-Fick の法則

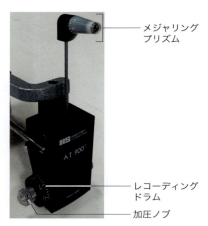

図 12-15　接触式眼圧計（Goldmann 圧平眼圧計）

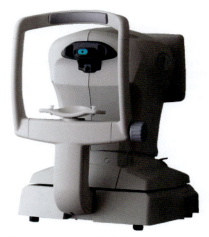

図 12-17　非接触式眼圧計〔CT-800（トプコン）〕

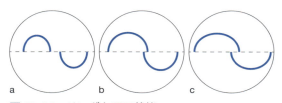

図 12-16　リングと圧平状態
a：圧平不足　b：圧平適度　c：圧平過度

グプリズムを角膜に押しつけることにより眼圧を測定する．

### 2）使用方法

点眼麻酔をした眼に，加圧ノブをゆっくり回してメジャリングプリズムを角膜に押しつけていく．角膜から反射する光束がメジャリングプリズム内のプリズムで 2 つに分離され，上下分離された半円が観察できる．

圧平面積が 7.35 mm² になると，圧平が適度となり上下の半円の内側が一致する（図 12-16）．その位置のレコーディングドラムの数値を読み取り，10 倍すると眼圧（mmHg）となる．

半円は心拍による眼圧の動揺とともに脈動する．そのため半円の動きの中間をとって眼圧を求める．

測定は試験的測定を行った後に 3 回繰り返し，3 回目の測定誤差が±0.5 mmHg 以内であれば測定は正確に行われている[3]．安定した結果を得るには熟練を要する．

### b．非接触式眼圧計

### 1）概要

非接触式眼圧計は，1972 年に Grolman が開発した．角膜に空気を噴射し，角膜が一定面積圧平されるまでの時間から眼圧を測定する装置である．

CT-800（図 12-17）は，Grolman の装置と同じ方式であり，空気を噴出させるノズルから近赤外光を角膜に当て，角膜の変形により変化する近赤外光の反射光を測定し眼圧を求める．

角膜が変形していない場合，反射光は球面で反射されるためノズルに制限されて受光センサーへはほとんど戻らない．しかし，ノズルから噴出された空気によって角膜が平らに近づくと，角膜からの反射光は効率よくノズルを通過し受光センサーへ戻る．角膜が平らになった瞬間に受光量は最大となり，その後，空気の噴出が止まると角膜はまた球に戻り，受光センサーに反射光はほとんど戻らなくなる（図 12-18 橙線）．

角膜を変形させるための空気噴出は，装置内部にあるシリンダーとピストンで行っている．シリンダー内には空気が入っており，測定が始まるとピストンが動きシリンダー内の空気を圧縮させて眼に空気を吹き付ける（図 12-19）．

装置では，角膜から戻る光量とシリンダー内の

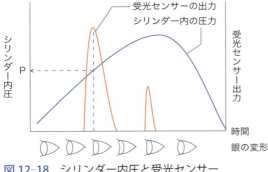

図 12-18 シリンダー内圧と受光センサー

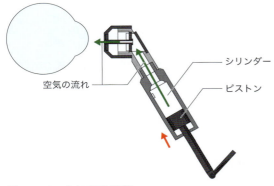

図 12-19 空気噴出機構

表 12-2 接触式と非接触式眼圧計の比較

|  | 接触式眼圧計 | 非接触式眼圧計 |
|---|---|---|
| 測定原理 | 圧平 | 圧平 |
| 測定の難易 | 難 | 易 |
| 測定誤差 | 小 | 中 |
| 消毒・滅菌 | 要 | 不要 |
| 価格 | 安価 | 高価 |

圧力(図 12-18 青線)を同時に測定している．眼圧の算出は，受光センサーの出力が最も高くなった時間と，シリンダー内の圧力から行われる．

### 2) 使用方法

(1) 顎受けに被検者の顎を載せ，額当てにしっかりと額をつける．
(2) モニター画面に眼が映るようにコントロールレバーで装置を上下左右方向に移動する．
(3) モニター画面中心と瞳孔中心がほぼ合ったら，コントロールレバーを操作して装置を被検者のほうへゆっくりと移動させる．
(4) 被検眼角膜と装置が規定距離になったとき，ノズルから空気を噴射させる．このとき，被検眼と装置の距離が変わらないようにコントロールレバーは軽く握る程度にしておくとよい．

## 3 接触式と非接触式眼圧計の比較

非接触式眼圧計の特徴として，被検者角膜に装置を近づけていき，規定距離になると自動的に空気が噴出する機能があり，接触式眼圧計と比較すると操作が簡単になっている．

接触式と非接触式眼圧計の特徴をまとめると表12-2のようになる．

非接触式眼圧計では，より精度の高い結果を得るために以下の機能をもつ装置もある．

(1) 睫毛がかかる場合や，瞬目が多い場合，空気や近赤外光が角膜頂点に当たりにくくなり，正確な測定値が出にくい．眼瞼が下がっている場合などに装置上にメッセージを表示する．
(2) 非接触式眼圧計は一瞬で測定が終了する反面，測定を行う角膜位置の影響を受けやすい．複数回測定を行って，その平均値を採用する機能を有する．
(3) 同じ眼圧でも角膜厚により，変形させる力に差異が生じる[4]．眼圧を測定するのと同時に角膜厚も測定し，眼圧を補正する機能を有する．

## 4 適応

接触式・非接触式眼圧計ともに，角膜を一定量変形させる原理を採用しているため，角膜に疾患がある場合は測定結果に誤差を生じることがある[5,6]．

また，眼圧を測定する場合には，以下の点を留意する必要がある[7]．

(1) 性別：女性のほうが高い傾向がある．
(2) 肥満：肥満度が高いほど高い傾向がある．
(3) 季節変動：冬場のほうが夏場より高い傾向がある．

(4) 日内変動：午前中にピークがある人が多い傾向がある．変動幅は3～6 mmHg．
(5) 中心角膜厚：厚いと高く測定される．

▶文献
1) 小口芳久，澤　充，大月　洋，他：眼科検査法ハンドブック第4版．pp176-182，医学書院，2005
2) 鈴木克佳，相良　健，西田輝夫：眼圧測定の問題点真の眼圧値を求めて．臨眼 63：1571-1576，2009
3) アプラネーショントノメーター AT900 取扱説明書．ハーグストレイト
4) Suzuki S, Suzuki Y, Iwase A, et al: Corneal thickness in an ophthalmologically normal Japanese population. Ophthalmology 112: 1327-1336, 2005
5) ISO 8612: Ophthalmic instruments-Tonometers: 2009
6) Whitacre MM, Stein R: Sources of error with use of Goldmann-type tonometers. Surv Ophthalmol 38: 1-30, 1993
7) 宇治幸隆：眼圧測定．丸尾俊夫，本田孔士，臼井正彦（監）：眼科学．p142，文光堂，2002

（内藤朋子）

# IV 前眼部 OCT

前眼部は角膜や前房，水晶体など透明組織が主体で構成されているため，可視光を用いた細隙灯顕微鏡を使用することで表面のみならず断面的な観察が可能である．細隙灯顕微鏡は安価で汎用性が高いことから前眼部診察におけるゴールドスタンダードである．しかし，混濁組織に弱いことや定量評価に向いていないこと，断面所見を画像として記録しづらいこと，熟練度によって正確性に差が出ることなどの欠点がある．

1990 年代に光干渉断層計(OCT)が眼科領域に導入され，赤外光を用いた混濁組織の断面検査が可能となった．当初，眼底検査用に導入されて黄斑疾患の診断と治療に革新的な変化をもたらし，その技術は前眼部にも応用され約 1,300 nm の長波長光源を使用した前眼部 OCT の登場により，非接触で簡便に前眼部の断面検査が可能となった[1]．前眼部 OCT では細隙灯顕微鏡が苦手とする混濁組織やその奥の構造物を明瞭に描出することができ，取得画像の解析により組織形態の定量評価が可能である．角膜前面から水晶体後面までの撮影が可能な侵達性の高い機種（図 12-20，CASIA®2，トーメー）や，眼軸長測定機能を有した機種（図 12-21，ANTERION®，ハイデルベルグ）が登場したことで有用性は飛躍的に向上した．なお，眼底検査用 OCT に前眼部アタッチメントを装着して撮影する機種もあるが，眼底検査用で搭載されている 800～1,000 nm の短波長光源は解像度が高いものの組織侵達度が低く測定範囲も狭いため，前眼部 OCT の代用としては限定的である．

臨床的には角膜移植後や狭隅角眼，緑内障手術後などに対して使用することで前眼部形態を断面的に評価することが可能であり[2]，さらに断面像を3次元的に解析することで角膜形状解析装置（トポグラファー）としても使用されている[3]．本項では，前眼部 OCT として長年使用されている CASIA® や CASIA®2（トーメー）をメインに解説する．

## 1 測定原理

OCT 画像は各組織で散乱した光のうち，入射光と同じ経路で戻っていく光（後方散乱光）の強度を検出して断面像が構築され，散乱光が強い組織

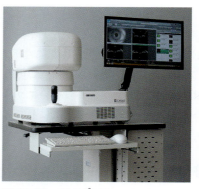

図 12-20　CASIA®2（トーメー）

IV 前眼部 OCT

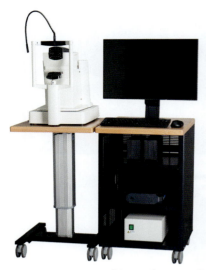

図 12-21　ANTERION®（ハイデルベルグ）

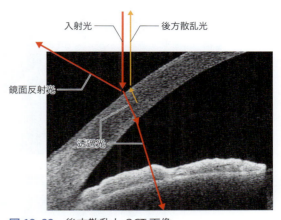

図 12-22　後方散乱と OCT 画像
OCTでは，組織に入射した透過光が散乱を起こした光のうち，入射光と同じ経路で戻っていく光（後方散乱光）の強度を検出して画像化される．

ほど高輝度に（白く）描出される（図 12-22）．前眼部では強膜や虹彩のような混濁の強い組織で高輝度に，透明な房水は低輝度に（黒く）描出される．この奥行き方向一列の測定（A-scan）を横方向に繰り返す（B-scan）ことで前眼部の断面像が取得できる．B-scan を繰り返す（C-scan）ことで 3 次元的な散乱情報を取得でき，再構築することで3D 画像の作成も可能である．

　入射光は角膜前面を中心とした屈折面においてSnell の法則により屈折する．一方，組織内においては組織の屈折率に応じて光路長が長くなり，結果として組織の大きさが屈折率倍だけ過大評価されてしまう．この 2 つの影響を補正しなければ，例えば角膜厚や隅角角度が 30〜40% 程度も過大評価されてしまう．図 12-23 に CASIA®2 で撮影した断面像を補正前後で記す．角膜および水晶体（もしくは眼内レンズ）の形状が自動でトレースされ，その結果をもとに算出された屈折情報から補正された画像が表示される．屈折補正は定量解析や前房深度・隅角開大度の評価に極めて重要であるため，補正後の断面像に記された自動トレースラインが正確であるか確認することが大切である．特に角膜移植後など角膜形態の不整が強い症例ではトレースミスが生じやすく注意が必要である．

## 2 断面像の観察

　前眼部 OCT でよく用いられるのが正面視でのラジアルスキャンで，図 12-23〜25 のような断面像を全周性に取得し，角膜，前房，隅角，虹彩，水晶体など前眼部構造について断面的な形態評価に参照される．角膜移植後の観察や狭隅角眼のスクリーニングには特に有用で，時に細隙灯顕微鏡による診察以上の情報が得られる．隅角所見については画像解析による定量評価も導入されており，角膜裏面-虹彩間の角度や距離，面積などのパラメータが数値で表示される．

## 3 角膜形状解析

　前眼部 OCT は角膜前後面の高さ情報を 3 次元的に解析することでトポグラファーとして使用可能である（図 12-26）．トポグラファーとしてはプラチド型が一般的だが，高度な不正乱視に弱いことや涙液の状態に左右されること，角膜後面の情報が得られないことなどの欠点がある．前眼部OCT はこれらの欠点を補完できるため，両者をうまく使い分けながら解析結果を診療に反映させるとよい．

## 4 その他の使用方法

　角膜のみならず水晶体や眼内レンズについても

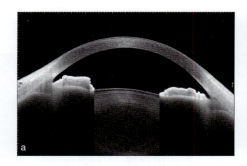
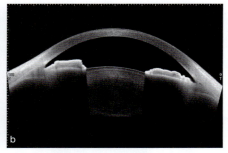

**図 12-23　屈折補正前後画像（CASIA®2，トーメー）**
a：補正前　b：補正後　c：補正後の前房隅角解析画面
補正により虹彩の位置は前方に移動する．補正前の画像では前房深度・隅角開大度を過大評価して浅前房の見逃しが生じうるため，必ず補正後の画像を参照するが，角膜前後面や水晶体のトレースが正確であることを確認しておく．前房・隅角の定量解析には補正後の画像が使用され，各種パラメータが算出される．

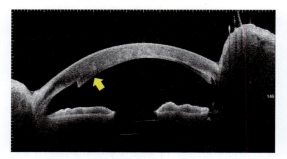

**図 12-24　角膜内皮移植後（CASIA®2，トーメー）**
レシピエント角膜および移植片（グラフト）の状態を詳細に観察可能である．中央部と画面右側のグラフト生着は良好であるが，画面左側（矢印）のレシピエント-グラフト間に間隙を認め，同部位のレシピエント角膜は相対的に厚く，浮腫が残存している．

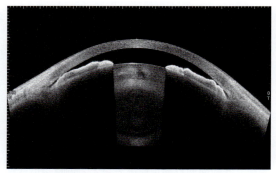

**図 12-25　閉塞隅角緑内障（CASIA®2，トーメー）**
前房は全体に浅く，周辺部で角膜裏面と虹彩が接触している．

自動トレースから形態解析を行うことが可能であり，傾き（傾斜）や中心ズレ（偏心）といったパラメータを測定することができる．CASIA®2ではトーリック眼内レンズの弱主経線軸方向を測定することで，レンズに刻印されたトーリックマークの位置を推測するソフトウェアも搭載されている．無散瞳状態でトーリック眼内レンズの固定状態を推測することができる．

緑内障手術後においては，濾過胞の内部構造や挿入されたインプラント位置の評価，毛様体剝離の検出などに使用される（図12-27）．これらの評

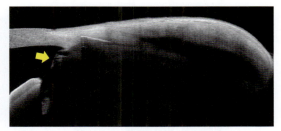

図12-27 緑内障インプラント挿入術後（CASIA®2，トーメー）

エクスプレス®（Alcon）の挿入角度に合わせて，ラスタースキャンで撮影されている．インプラントの先端（矢印）は虹彩や角膜への接触を認めない．

価には前述したラジアルスキャンよりも B-scan 断面を平行に走査するラスタースキャンが向いていることが多い．撮影位置や角度は症例ごとに異なるため，ある程度の習熟を要する．

▶文献

1) Izatt JA, Hee MR, Swanson EA, et al: Micrometer-scale resolution imaging of the anterior eye in vivo with optical coherence tomography. Arch Ophthalmol 112: 1584-1589, 1994
2) 上野勇太：前眼部光干渉断層計．眼科グラフィック 8：306-314，2019
3) Maeda N: Optical Coherence Tomography for Corneal Diseases. Eye Contact Lens 36: 254-259, 2010

（上野勇太）

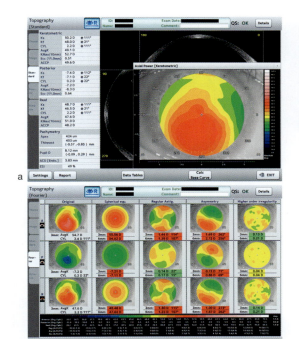

図12-26 円錐角膜（CASIA®2，トーメー）
a：axial power map および水平・鉛直の OCT 断面
b：Fourier 解析
トポグラファーとして使用することで，角膜前面および後面の形状解析が可能である．CASIA®2 では Fourier 解析が搭載されており，不正乱視を細分化して定量評価できる．

# V　レーザーフレアメータ

レーザーフレアメータ（laser flare photometer；以下，フレアメータ）は，レーザー散乱技術を用いて，前房中を浮遊する蛋白質の濃度を非侵襲・定量的に測定する装置である[1-4]注1．

現在購入可能なのは，コーワ FM-600α（興和）である[5]（図 12-28）．

FM-600α は，非接触式眼圧計のような正面からの観察系を備え，小型化，アライメントの簡便化を実現したフレアメータである．

## 1 測定原理

### a. 前房蛋白によるレーザー光散乱

フレアメータは，人眼にレーザービームを斜め前方より照射し，前房中を浮遊する蛋白質分子によって 90°方向に散乱される光を測定する．前房内浮遊蛋白質分子として知られるアルブミンは直径 7〜9 nm 程度の粒子であり，レーザー光の波長（〜640 nm）より十分小さい．光散乱の原理に

注1　一般に，フレアメータによって測定されるフレア値は，1 msec 間に検出された光子（フォトン）数（photon counts/msec）で表わされる．原理的には，散乱体である蛋白質分子のサイズが大きいほど強い散乱光を返すため，フレア値は厳密には蛋白質濃度と線形的に対応しない．例えば，血液房水関門の破綻，機能不全によって前房中のアルブミンとグロブリンの存在比が変わり，サイズの大きなグロブリンが増えると，フレア値は上昇する[6]．

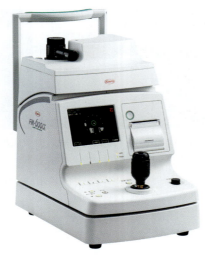

図12-28　フレアメータ
コーワ FM-600α（興和）

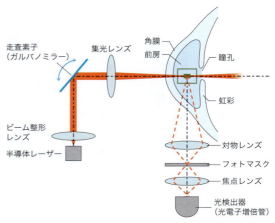

図12-29　フレア測定系の構成

よれば，このような小さな粒子からの散乱は，「レイリー散乱(Rayleigh scattering)」とよばれる（第3章「散乱」項参照，⇒41頁）．実際には多数の蛋白質分子によって散乱された光の和が検出される[7]．この散乱光信号を解析することによって，フレア値を得る．

### b. 装置の構成

フレアメータの構成は，レーザービーム投光光学系と，散乱光検出光学系に大別される（図12-29）．

投光光学系では，半導体レーザー光が走査素子を介し，前房内で集光される．前房内を浮遊する蛋白質分子にレーザー光が照射されると散乱光が生成される．浮遊蛋白質分子のサイズがほぼ一定であれば，その濃度に依存する散乱光強度が得られることになる．

受光光学系では，これらの散乱光が集められ，光電子増倍管で検出される．散乱光信号は電気信号，デジタル信号へと変換され，信号解析を行うソフトウェアへと渡される．

眼内でレーザービームが走査されると，測定領域外の周辺生体組織（角膜，水晶体など）からの反射光なども検出されてしまう．フレアメータでは，これらの誤信号を除去するため，オーバースキャンという走査方式が採用されており（図12-30），レーザービームは，測定領域よりも広い範囲を走査される[8]．

測定領域外にレーザービームがあるとき，検出される散乱光は，測定領域外からの反射・散乱光のみが検出されており（図12-30，領域Ⅰ，Ⅲ；BG1，BG2信号），測定領域内にレーザービームがあるときは，これらに加え，測定領域内の浮遊蛋白質分子からの散乱光が重畳して検出される（図12-30，領域Ⅱ；SIG信号）．したがって，SIG信号からBG信号(BG1とBG2の平均)を差し引けば，本来の測定対象である，浮遊蛋白質分子からの散乱光，すなわちフレア信号のみが抽出されることになる．

フレア測定では，図12-31のような台形状の信号が得られる．フレア値を算出するにはこの台形の高さを求めればよい．すなわち，領域Ⅰの平均値(BG1)，領域Ⅲの平均値(BG2)を算出し，これらの平均値をBG値とする．また，領域Ⅱの信号の平均値(SIG)を算出してSIG値とし，以下の式を用いてフレア値を算出する．

$$\text{Flare} = \text{SIG} - \text{BG} = \text{SIG} - \frac{\text{BG1} + \text{BG2}}{2}$$

## 2 アライメント

フレア測定では，アライメント(装置と人眼の位置を調節し，測定位置を最適化すること)の良

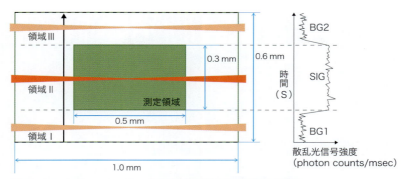

**図 12-30** フレアメータの走査方式と得られる散乱光信号
〔澤 充：レーザーフレア・セルメーターの特性．三島濟一，塚原 勇，植村恭夫（編）：レーザーフレア・セル測定．眼科MOOK 42, pp27-44, 金原出版, 1990 図6より 澤 充 日本大学名誉教授，金原出版の許諾を得て，一部改変〕

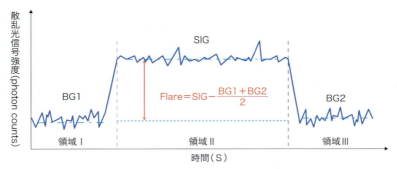

**図 12-31** フレアメータで測定される典型的な信号形状

否が重要である．

　FM-600αでは，図12-32aのように，検者は被検者に対して正対し，専用モニターにて前眼部を観察しながらアライメントを行う．正面のカメラで撮影される画像を見ながらアライメントを行う「正面アライメント」（図12-32a）と受光系から撮影される画像を見ながら行う「斜めアライメント」（図12-32b）の両方を備えている．患者の状態により，アライメントのしやすい方法を選択して用いるのがよい．図12-33cに示すように，スポット光を角膜表面に照明し，その反射像の位置を，角膜表面に表示されたアライメントマーク（図中○）に対して装置を配置させるだけなので，簡便にアライメントを調節できる．

　アライメントを良好に調節できると，図12-33bに示すように，レーザー光は角膜から入射して虹彩に当たることなく瞳孔を通過し，測定ウインドウは角膜と瞳孔・水晶体・虹彩の間に，角

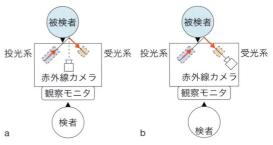

**図 12-32** FM-600αのアライメント配置
a：正面アライメント
b：斜めアライメント

膜，水晶体からの反射光を避けてポジショニングすることができる．図は一例であって，測定ウインドウ位置は必ずしもこの位置でなくてもよく，比較的広い範囲で測定を行うことができる．

　臨床でフレアメータを用いる際は，以下のアライメントの調節が難しい場合や測定の信頼性に影響を及ぼす場合があることに注意が必要である．

● 散瞳不良，小瞳孔……瞳孔径が小さくなるた

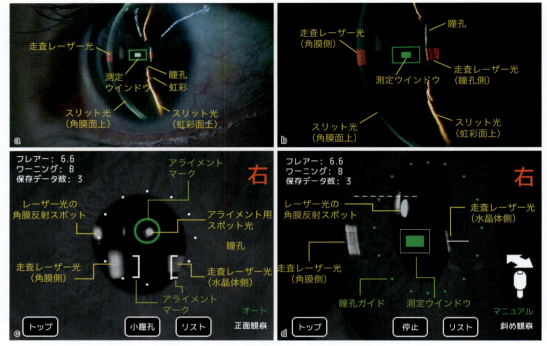

**図12-33** アライメント（眼内アライメント配置図）
a：眼と走査レーザー光，および測定ウインドウの配置．注：写真は，眼との位置関係を示すために背景を明るくして撮影したもの．実際の測定では背景を暗くして測定しなければならない．
b：実測定時の典型的なアライメント状況（斜めアライメント）
c：正面アライメント測定画面
d：斜めアライメント測定画面

め，レーザー光が虹彩に当たりやすく，アライメントの調節が難しい．このような場合は，散瞳薬を用いて適切な瞳孔径を確保して測定を行う．

- 角膜混濁，水晶体混濁……強く混濁した水晶体からの反射光がバックグラウンドを高くしてしまい，アライメントの調節が難しい．
- 角膜浮腫……レーザー光が眼外から角膜を通過して前房へ入射する際，レーザー光が浮腫に当たるとそこで散乱されたり，強い浮腫の場合はレーザー光が屈折して前房に入射できず，良好なアライメント調節ができない場合がある．
- 浅前房……前房が浅いと，測定ウインドウの位置が水晶体のごく近傍ポジショニングしてしまい，水晶体からの反射光が測定ウインドウに入ってくることを避けられない．あるいは，水晶体から測定ウインドウの距離が近すぎて反射光が強いまま測定ウインドウに入ってしまい，測定ウインドウの位置はよさそうでもアライメント不良と判断され，測定できない場合がある．

また，フレア測定は，眼内レンズ挿入術後の経過を定量的に追跡するために有効な検査であるが，まれに，挿入した眼内レンズの角度，条件などによって，挿入したレンズからの反射光が強く良好なアライメント調節が難しい場合がある．

## 3 臨床への適用

フレアメータの適用は，ぶどう膜炎[9,10]や，IOL挿入手術後の経過観察[11]が最もよく知られている．『ぶどう膜炎診療ガイドライン』でも「ぶどう膜炎や術後の前房内炎症を定量的に測定する機器」とされ，フレアメータの基準値〔「正常フレア値は，3〜5(photon counts/msec)，炎症眼で

は 10〜150(photon/msec)またはそれ以上」〕が示されている[12]．その他，糖尿病[13]，サイトメガロウイルス感染[14]などでもフレア値が上昇すると報告されている．近年，IOL 挿入時のヒアルロン酸製剤に混入するエンドトキシン許容量の根拠となる定量的結果を得るためにフレアメータが用いられたり[15]，米国において薬剤などの治験の眼炎症評価のエンドポイントとしてフレアメータで測定したフレア値を用いることが検討される[16]など，その適用が再認識されている．診療においては，フレアメータによるフレア検査だけでなく，スリットランプ所見など，他の検査結果も併せ総合的に判断する必要がある．

▶文献

1) Sawa M: Laser flare-cell photometer: principle and significance in clinical and basic ophthalmology. Jpn J Ophthalmol 61: 21-42, 2017
2) 澤 充：レーザーフレアーセルメーター．あたらしい眼科 7：13-22, 1990
3) 澤 充, 嘉村由美, 中島正巳, 他：フレアーメーター(FM-600)の有用性の検討―フレアーメーター(FM-500)との臨床比較試験. 眼科 49：1095-1100, 2007
4) 忍田太紀, 堀 眞輔, 廣野泰亮, 他：レーザーフレアフォトメータ(FM-700)の特性 FM-500 との比較. 眼科 56：523-527, 2014
5) 南 貴紘, 田中理恵, 廣野泰亮, 他：新フレアメーター FM-600α と従来品 FM-600 の臨床比較. 眼科 投稿中
6) Chiou AG-Y, Florakis GJ, Herbort CP: Correlation between anterior chamber IgG/albumin concentrations and laser flare photometry in eyes with endogenous uveitis. Ophthalmologica 12: 275-277, 1998
7) 佐藤尚弘：入門編，基礎編．柴山充弘, 佐藤尚弘, 岩井俊昭, 他(編)：光散乱法の基礎と応用. pp14-28, 講談社, 2014
8) 澤 充：レーザーフレア・セルメーターの特性. 三島濟一, 塚原 勇, 植村恭夫(編)：レーザーフレア・セル測定. 眼科 MOOK 42：27-44, 1990
9) Herbort CP: Laser flare photometry. Gupta A, Herbort CP, Khairallah M, et al(ed): Uveitis Text and Imaging. pp28-49, Jaypee, 2009
10) Tugal-Tutkun I, Yalçındağ FN, Herbort CP: Laser flare photometry and its use in uveitis. Expert Rev Ophthalmol 7: 449-457, 2012
11) 矢部伸幸, 星 兵仁, 川島千鶴子：白内障 IOL 手術における術後炎症レーザーフレアセルメータによる観察. 眼紀 43：58-62, 1992
12) 大野重明, 岡田アナベルあやめ, 後藤 浩, 他：ぶどう膜炎診療ガイドライン. 日眼会誌 123：635-696, 2019
13) 塚原康友：糖尿病患者でのレーザーフレアー値と前房蛋白濃度. 眼紀 44：1114-1116, 1993
14) Magone T, Nussenblatt BN, Whitcup SM: Elevation of laser flare photometry in patients with cytomegalovirus retinitis and AIDS. Am J Ophthalmol 124: 190-198, 1997
15) Sakimoto A, Sawa M, Oshida T, et al: Minimum endotoxin concentration causing inflammation in the anterior segment of rabbit eyes. Jpn J Ophthalmol 53: 425-432, 2009
16) American Uveitis Society: UCLA/ American Uveitis Society Workshop on Objective Measures of Intraocular Inflammation for Use in Clinical Trials(https://uveitissociety.org/event-3216326)

（廣野泰亮）

# 第13章
# 眼底検査

## I 直像眼底鏡

　眼球は，瞳孔を開口とした閉鎖空間であるため，その内壁面である眼底を観察・撮影の原理は，瞳孔と前眼部に存在する光学組織（角膜，水晶体）を通して眼内に照明光を入射させ，眼底面から反射して再び瞳孔から射出される光束を結像させることにある．その際，限られた瞳孔径から照明光束，観察光束を両者が重なることなく入射，射出できるよう両光路を設定することが眼底観察の基本条件となる．

　直像眼底鏡は最も単純な眼底の観察法であり，観察視野が狭く，観察可能な眼底の範囲も限られるが，内科医をはじめとして一般診療に広く用いられている．また，固視視標を照明光とともに投影しながら眼底観察を行うことにより，固視検査（ビスコープ）としても用いられる．

### 1 原理

　屈折異常のない正視眼では，無限遠視標からの光（平行光）は眼内に入射すると，網膜面に焦点を結び，はっきりと見える．逆に被検者眼の網膜面から光が出るとすれば，眼外へは平行光となって射出される．したがって検者眼・被検者眼ともに正視であった場合，被検者の眼底から出た平行光は検者眼に入るとそのまま網膜面に結像して，眼底像が観察されることになる（図13-1a）．直像眼底鏡は，被検者眼内へ照明を行う光源と，検者眼と被検者眼で合計される屈折異常を補正するためのレンズを備えた眼底観察システムである（図13-1b）．

### 2 観察方法

#### a. 照明光の選択と観察法

　通常，大小の円形の照明光，レッドフリー照明光，ビスコープ光から観察対象に応じて選択する．瞳孔径が大きく，白内障などの少ない症例では広い視野を観察できるよう，大きな照明光を用いる．瞳孔径が小さい，白内障など中間透光体で照明光が散乱しやすいような症例では観察視野は狭くなっても小さな照明光を用いたほうが観察しやすい．

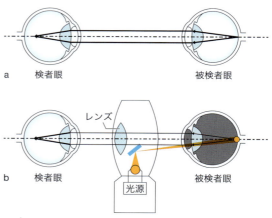

図13-1　検者眼と被検者眼の関係（a）と直像眼底鏡の基本原理（b）

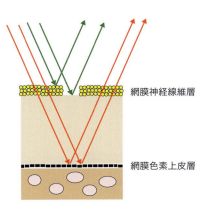

図 13-2　照明光束の波長とその反射部位の違い

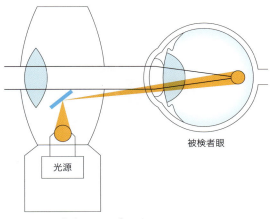

図 13-3　ビズスコープ

　散瞳薬を用いれば観察は容易になるが，一般には通常瞳孔での観察となるため，できるだけ瞳孔径が大きく保たれるよう暗室で観察を行い，被検者には遠方の 1 点を固視してもらうようにする．

### 1) レッドフリー照明光

　レッドフリー照明光(青緑色)は，主に緑内障などに伴って生じる神経線維層の欠落部位の検出などに用いられる．網膜のより深層まで透過しやすい長波長の赤色光を取り除いた照明光を用いることによって，網膜表層で生じた反射光を選択的に観察できるようになり，網膜神経線維層の凹凸ならびにその欠損部位が検出しやすくなる(図 13-2)．

### 2) ビズスコープ

　直像眼底鏡の照明光とともに固視視標を眼底に投影し，被検者にその視標の中心を固視してもらう．被検者眼の中心窩の位置と被検者が固視している視標の中心部との関係により，中心固視，偏心固視，固視の安定性などを直接観察することができる(図 13-3)．

## II　眼底カメラ

　ヒト生体眼のカラー眼底撮影においては，眼底撮影に必要な照明光を眼底へ照射すると縮瞳が生じて眼底撮影に必要な照明・撮影光束の通過が困難となること，眼底からの反射光が微弱であるため前眼部の光学組織(角膜，水晶体)からの反射光がフレアとして有意な障害となること，などが明瞭な眼底像の撮影を妨げる因子となるため，それらの影響を回避するために特別な工夫が必要となる．また，効率よくよい条件の眼底撮影が可能となるよう，正確なアライメント調整，フォーカス調整を簡便に行えるための補助機能があり，高級機種ではそれらの補助機能を用いたフルオート撮影が可能となっている．

### 1　眼底カメラの基本原理

#### a.　照明光に対する縮瞳反応への対策

　眼底カメラの照明系は，① アライメント調整やフォーカス調整のための眼底観察に必要な照明，② 眼底撮影のためのフラッシュ照明の 2 系統を備える．網膜面へ強い光を入射すると縮瞳が生じ，眼底撮影に必要な入射・射出光束の通過が困難な状態となるため，その対策が必要となる．

#### 1) 散瞳型眼底カメラ：散瞳薬の点眼

　散瞳型眼底カメラは，散瞳薬点眼後に眼底撮影を行う．観察用の白熱電球照明と撮影用のキセノ

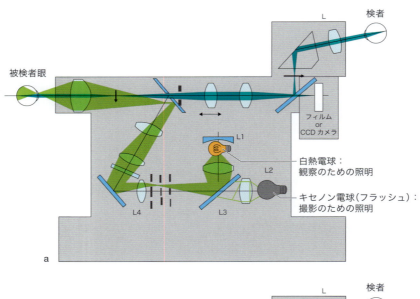

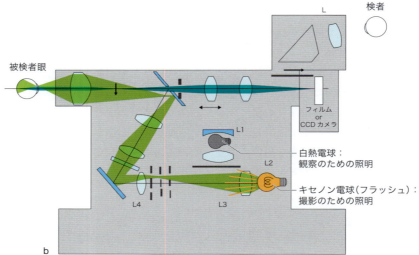

図 13-4　散瞳型眼底カメラの基本構造
a：眼底観察時　b：眼底撮影時
図中青は撮影光，緑は照明光を示す．
(野田 徹：眼底カメラの基本構造．光技術コンタクト 51：13，2013 より)

ン電球(フラッシュ)照明をミラーの動きにより切り替える仕組みとなっている．検者は白熱電球による照明光により接眼レンズから肉眼で眼底を観察しながらアライメント，フォーカス調整を行う．調整が完了すると同時にシャッターボタンを押すか自動で反射板が作動してキセノンランプによるフラッシュ光に切り替わり，眼底が撮影される(図 13-4)．

### 2) 無散瞳型眼底カメラ：赤外光照明による眼底観察

無散瞳型眼底カメラでは，眼底観察時の照明に赤外光を用いることにより縮瞳を防ぎ，撮影時のみにフラッシュ照明を用いることにより，通常瞳孔による眼底撮影を可能としている．眼底撮影の際はフラッシュ光を用いるが撮影時間は極めて短時間であるため，縮瞳反応が生じる前に撮影が完

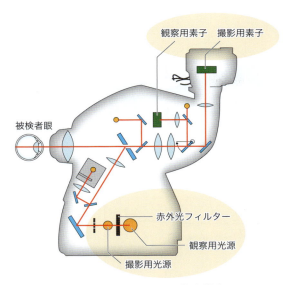

図 13-5　無散瞳型眼底カメラの基本構造
(野田 徹：眼底カメラの基本構造．光技術コンタクト 51：13，2013 より)

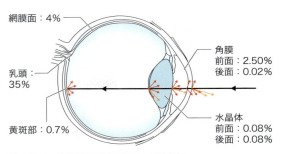

図 13-6　眼球光学組織面の反射率
(野田 徹：眼底カメラの基本構造．光技術コンタクト 51：14，2013 より)

了する．赤外光による眼底観察は肉眼ではできないため，赤外光用カメラで撮像した映像をモニター画面(白黒)で観察する(図 13-5)．

　無散瞳型眼底カメラは，基本的に小さな瞳孔径からの撮影を目的としているため，散瞳型眼底カメラに比べて光学系が絞られており，一般に散瞳型眼底カメラのほうが眼底像の質はよい．両機能を兼ね備えた複合型眼底カメラもある．

## b. フレア光への対策

### 1) 眼内反射面で生じるフレア光とその対策

　眼球内へ入射した照明光は様々な光学組織面で反射する．一般に，眼底からの反射光量の 10% 以上のフレア光が生じる状態では明瞭な眼底像が撮像できなくなるため，網膜面で最低の反射率である黄斑部からの反射光 0.7% の 10%，つまり 0.07% 以上の反射率を有する角膜前面(2.50%)，水晶体前面(0.08%)，水晶体後面(0.08%)の 3 光学組織面からのフレア光が眼底撮影上問題となる(図 13-6)．

　被検者眼の角膜前面，水晶体前・後面からの反射光の発生を回避するために，照明光学系にはその 3 組織の各位置に対応した 3 つの絞り像を結ばせ，リング形の光束として前眼部を通過させ，眼底面からの撮影光束に対しては撮影絞り像を瞳孔面に設けることにより，リング照明の内部を撮像光束が通過するような光路の配置がとられている(図 13-7)．

### 2) 眼底カメラの対物レンズ面で生じるフレア光への対策

　眼底カメラの対物レンズ面も照明光束・撮影光束が光路を共有する構造となっている．眼底カメラでは，撮影系に入射する部分の対物レンズ面からの照明光を照明系内に黒点を置いて遮る(黒点を対物レンズ面へと投影する)ことによりそこからのフレア光の発生を防いでいる(図 13-8)．

　しかし，照明系に設置した「黒点」は，高度近視眼では黒点が眼底面の位置とも共役となる．したがって，高度近視眼では眼底写真の中心に黒点が映り込んでしまう(図 13-9)．これは現行の形式の眼底カメラでは不可避的に生じるアーチファクトである．

## c. 撮影操作を支援する機能

　眼底撮影には，被検者眼に対して眼底カメラが適切なアライメント(眼底カメラと被検者眼の光軸合わせ)と作動距離(眼底カメラと被検者眼との距離合わせ)に設定され，適切なフォーカス調整が行われる必要がある．アライメントのずれは眼底撮影像の一方向の辺縁部に白いハレーション像

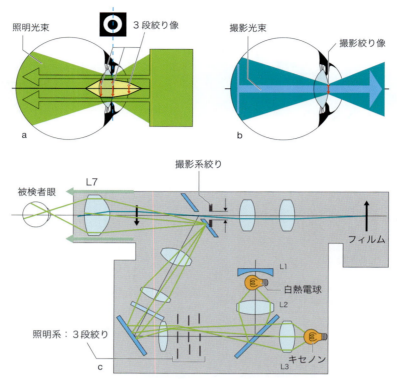

**図 13-7　眼底カメラの照明系・撮像系の絞り設定**
a：照明系．3段絞り像によるリング形の照明光束　b：撮影系．撮影絞り像と撮影光束
c：眼底カメラ内の両系の絞り設置位置
（野田　徹：眼底カメラの基本構造．光技術コンタクト 51：15，2013 より）

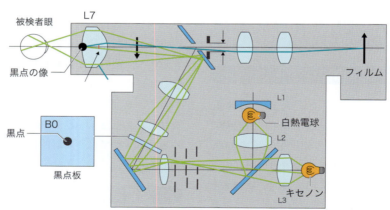

**図 13-8　眼底カメラの対物レンズ面で生じる反射光の除去法（「黒点」の設置）**
（野田　徹：眼底カメラの基本構造．光技術コンタクト 51：15，2013 より）

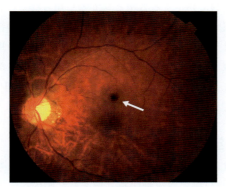

図 13-9　強度近視眼撮影時の黒点像の映り込み(矢印)
症例：Vs＝(1.2×−12.25D)

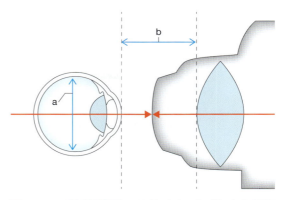

図 13-10　眼底撮影時のアライメントずれと作動距離ずれ
a：アライメントずれ(眼底カメラと眼球の光軸ずれ)
b：作動距離ずれ(対物レンズと眼球の間の距離ずれ)

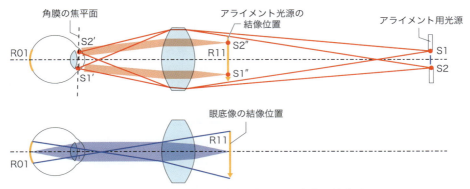

図 13-11　作動距離/アライメント調整のガイド光束と眼底像の結像位置

が映り込み，作動距離のずれは撮影像周辺部全体にリング状のハレーション像を生じる(図 13-10)．

### 1) アライメントおよび作動距離調整をガイドする機能

眼底カメラのアライメントおよび作動距離調整には，角膜表面(凸面鏡)からの反射光が利用されている(図 13-11)．照明系に点光源(S1，S2)を設けて，角膜の焦平面(S1′，S2′)に結像させるようにすると，焦点へ向かう方向に角膜曲面を入射する光束は角膜表面で反射し，凸面鏡の反射法則に従って，平行光となる．正視眼の眼底から眼外へ射出される光束も平行光であるため，両者の結像位置は一致する(図 13-11)．したがって，角膜からの光束が眼底撮像内で焦点を結ぶ(眼底像内に映り込む 2 つの輝点が最も小さくなる)ようにカメラ位置を調整すれば撮影に適した作動距離となる．また，被検者眼とカメラの光軸が一致した場合には，角膜表面で反射した 2 つの光源が眼底映像の中心から対称に位置するように映し込まれるため，その 2 点の位置を指標としてアライメント調整を行う(図 13-12)．

### 2) フォーカス合わせをガイドする機能

眼底撮影のフォーカス合わせをガイドする機能は，Scheiner(シャイネル)の原理が利用されている．Scheiner の原理は，2 つのピンホールを通して遠方の物体を観察する場合，観察眼のフォーカスが合っていれば対象物は 1 つに見え，フォーカスが合わないと 2 つに分離して見える(図 13-13)というもので，焦点の合致，非合致を

客観的に判定する方法として広く知られている．

眼底カメラでは，フォーカス調整のための視標を2孔絞りを通して眼底面に投影し，その視標が眼底像上に1点として映るとフォーカスが合うことを確認できるよう設定されている（図13-14）．

## 2 蛍光眼底撮影

蛍光眼底撮影は，蛍光色素を静脈注射（もしくは内服）後に血流動態を基調として眼内へ流入した蛍光色素を選択的に撮影することにより，眼内の血行動態，血管や網膜色素上皮などの構造，さらにそれらの観察像を修飾する眼内病巣の状態を観察することを目的とする．撮影は，投与する蛍光色素の波長特性に対応した励起・バリアフィルターを備えた眼底カメラのほか，走査レーザー検眼鏡（scanning laser ophthalmoscope：SLO）を用いて行われる．

### a. 励起*と蛍光**（図13-15）

太陽光などの白色光には広範な波長の光が含まれる．また，白色の物質はすべての波長の光を反射する．それに対して，例えば木の葉が緑色に見えるのは，緑色の物体が光エネルギーを吸収して緑色の光のみを反射するからであり（図13-15a），同様に青色の物体は青い光を反射するため青く見

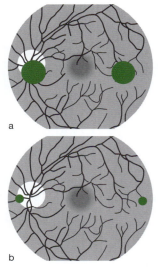

**図13-12　作動距離・アライメント調整のためのガイド視標**
a：作動距離が合っていない場合
b：作動距離が合った場合
（野田 徹：眼底カメラの基本構造．光技術コンタクト 51：16, 2013 より）

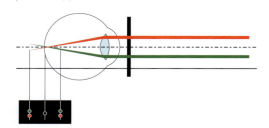

**図13-13　Scheinerの原理**
遠方にフォーカスが合っていればピンホールは1つに，合っていなければ2つに見える．

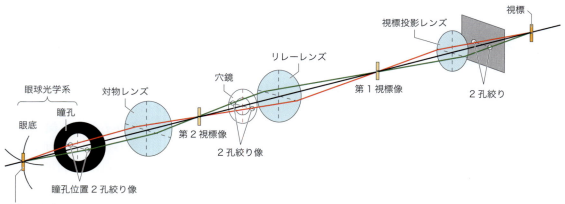

**図13-14　2孔絞りを通して投影されるフォーカス合わせのための視標**
視標を上下に分けて瞳と共役位置に設置した2孔絞りで2光路に分割し，眼底に対して2方向からその視標を投影する．フォーカスが合っていない状態では眼底像に投影される視標は2つとなり，フォーカスが合致している場合には視標が1つに重なる．
（野田 徹：眼底カメラの基本構造．光技術コンタクト 51：17, 2013 より）

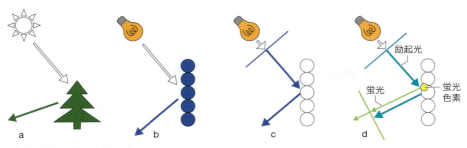

**図 13-15　励起光と蛍光**
a：緑色の物体は，広範な波長を含む太陽光（白色光）のうち，緑色の光のみを選択的に反射する．
b：同様に，青い物体は，青色の波長の光を反射する．
c：青色フィルターは青色光のみを通過させる．また，白色の物体はその光をそのまま反射する．
d：蛍光色素は，ある特定の波長の光（励起光）を照射すると照射光と異なる波長の光を放出する．励起フィルターとバリアフィルターを用いて撮影することにより，蛍光色素の存在部位を選択的に検出できる．

える（図 13-15b）．同様に，青色のフィルターは青色の光を選択的に通過させる（図 13-15c）．

白色の物体に青色の光を当てた場合はそのまま同じ波長の青色の光が反射される（図 13-15c）．それに対して，蛍光色素は，ある特定の波長の光（励起光）が当たると，その光を異なる波長の光（蛍光）に変換して放出する性質をもつ（図 13-15d）．眼底撮影機器において，照明光路に選択的に励起波長光を透過するフィルター（励起フィルター）を組み込んだ光源を用い，撮像光路には励起された蛍光波長光を選択的に透過するフィルター（バリアフィルター）を通して撮像することにより，眼球内の組織において蛍光色素の存在する部位のみを描出することが可能となる．

### b. 蛍光眼底カメラ

眼底カメラの照明系に励起波長光を選択的に通過させる励起フィルターを，撮影系に発生する蛍光の波長光を選択的に通過させるバリアフィルターを設置して撮影することにより，眼底に蛍光色素が存在する部位を選択的に撮影できる（図 13-16）．

---

\* 励起：色素が光エネルギーを吸収し，波長の異なる光に変換される過程
\*\* 蛍光：励起された色素から放出される新たな，より波長の長い光

### c. 蛍光眼底撮影の撮影原理

#### 1）フルオレセイン蛍光眼底撮影（fluorescein angiography：FA）

フルオレセイン・ナトリウム（分子量376）は，中心波長 485～500 nm（青）の励起光に対して中心波長 525～530 nm（緑）の蛍光を発する蛍光色素で，静脈注射（または経口摂取）後，体循環を経て網膜中心動脈と毛様体動脈から眼内に至る．

フルオレセインの色素粒子は網膜血管壁からは漏出しないので，網膜血管は明瞭に描出される．それに対して脈絡膜内の血管には孔構造があり，蛍光色素は脈絡膜組織内全体に漏出して広がる．そのため脈絡膜血管の具体的な形態は描出されない．網膜色素上皮内のメラニン色素や黄斑部色素（キサントフィル）は脈絡膜からの蛍光を減弱させる．そのため，脈絡膜全体からの背景となる蛍光は網膜血管の蛍光よりもやや暗く，特に黄斑部は暗く描出される（図 13-17）．

FA の主要な診断対象は，網膜・脈絡膜血管の血行動態ならびに網膜血管と網膜色素上皮の状態である．網膜血管や網膜色素上皮からの網膜組織内への蛍光色素の漏出は，同部位の障害を示唆し，時間とともに障害部位から蛍光が増強，拡大する像が観察される．また，何らかの原因で色素上皮細胞の色素が少なくなった場合には脱色素した部位の蛍光が増強するが，蛍光色素の漏出が生

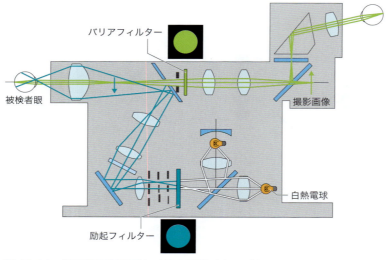

図 13-16　蛍光眼底撮影用カメラの撮影メカニズム

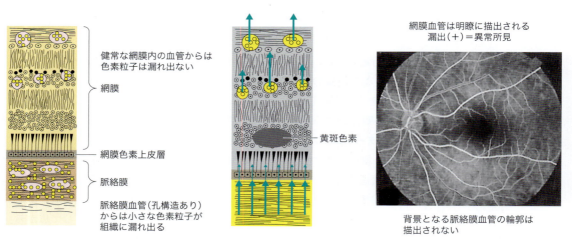

図 13-17　FA の撮影原理
網膜血管壁からは蛍光色素粒子は漏出しないのに対して脈絡膜内の血管には孔構造があるため蛍光色素は脈絡膜組織内全体に漏出して広がる．網膜血管は明瞭に描出されるのに対して脈絡膜血管は描出されない．網膜色素上皮や黄斑部の色素は脈絡膜からの蛍光を減弱させる．

じているわけではないためその形は時間とともに変化することはない．

### 2) インドシアニングリーン蛍光眼底撮影
（indocyanine green angiography：IA）

インドシアニングリーン（分子量：766）は，780 nm の励起光に対して 825 nm（赤外光）をピークとする蛍光を発する蛍光色素であり，静脈注射後速やかに血漿蛋白質と結合して高分子化する．フルオレセインと異なり，高分子化したインドシアニングリーンは，網膜血管からも脈絡膜血管からも漏出しないため，網膜血管のみならず脈絡膜血管も明瞭に描出される（図 13-18）．

IA の主要な診断対象は，脈絡膜血管の異常を原因とする病態である（図 13-19）．特に黄斑部の脈絡膜から新生血管や異常な形態の血管が生じて黄斑部網膜に障害を与える，加齢黄斑変性の病態診断に有用な撮影法となっている．

### 3) 自発蛍光眼底撮影
（fundus autofluorescence：FAF）

前述の蛍光眼底撮影は，眼外から血管系を通じ

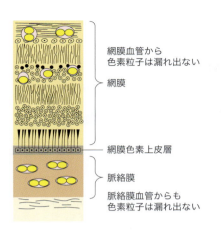

**図 13-18　IA の撮影原理**
インドシアニングリーンの色素粒子は，静脈注射後速やかに血漿蛋白質と結合して高分子化し，脈絡膜血管壁の小孔よりも大きな粒子となる．したがって，脈絡膜血管からも蛍光色素は漏れ出ることがない．そのため網膜血管のみならず脈絡膜血管の形態も明瞭に描出される．

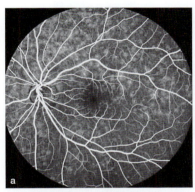
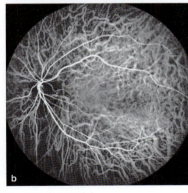

**図 13-19　FA（a）と IA（b）**
FA では脈絡膜血管は描出されないが，IA では脈絡膜血管が描出されている（撮影：HRA2，ハイデルベルグ）．

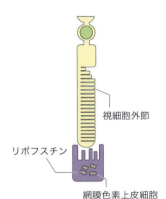

**図 13-20　網膜色素上皮細胞内に存在する自発蛍光物質：リポフスチン**
網膜色素上皮に貪食された視細胞外節先端組織は色素上皮細胞内で消化され，その消化残渣のリポフスチンが細胞内に蓄積する．

て注入された蛍光色素を検出して撮影する方法であるが，眼内には自然に蛍光を発する物質があり，その代表となるものが網膜色素上皮細胞内に存在するリポフスチンである．

　視細胞外節はその先端が常に網膜色素上皮に貪食されることによって新しく組織が更新されている．貪食された視細胞外節組織は，色素上皮細胞内の酵素で消化され，その消化残渣のリポフスチンが細胞内に蓄積する（図 13-20）．リポフスチン

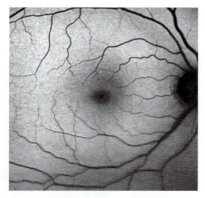

**図 13-21　正常眼底の自発蛍光所見の特徴**
網膜主幹血管（ヘモグロビンで吸収される）や視神経乳頭部（蛍光物質が存在しない）にはほとんど自発蛍光は認められない．黄斑部はキサントフィルで一部吸収されるため自発蛍光が減弱する．

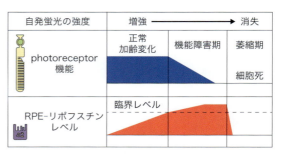

**図 13-22　視細胞機能と自発蛍光レベルの推移**
網膜色素上皮細胞の代謝機能の低下とともに徐々に自発蛍光レベルは増強する．次に視細胞に機能障害が生じ，障害が進み機能の廃絶に至ると，逆に自発蛍光は減弱，消失する．

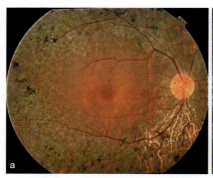
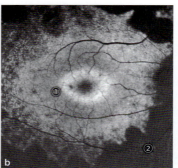

**図 13-23　代表的な異常自発蛍光所見**
a：カラー眼底写真　b：自発蛍光撮影
網膜色素上皮細胞の機能低下が生じている部位 ① では，リポフスチンの蓄積により自発蛍光が増強している．障害がさらに進み，視細胞機能が廃絶に至った部位 ② では，逆に自発蛍光は減弱，消失する．

は，中心波長 488 nm の励起光で中心波長 630 nm の蛍光を発する自発蛍光物質である．

　網膜自発蛍光の撮影所見は，視細胞-網膜色素上皮細胞の機能を反映する（図 13-21）．正常な加齢変化に伴って網膜色素上皮細胞の代謝機能が低下するとリポフスチンが蓄積し徐々に自発蛍光レベルは増強する．次に視細胞に障害が生じ，さらに障害が高度となり視細胞機能の廃絶に至ると，逆に自発蛍光は減弱，消失する（図 13-22, 23）．

▶参考文献
- 野田　徹：眼底カメラの基本構造．光技術コンタクト 51：12-18, 2013
- 高野栄一：目と目の光学機械（Ⅰ）眼底カメラ．写真工業 3：102-106, 1985
- 高野栄一：目と目の光学機械（Ⅱ）日本における眼底カメラの発達．写真工業 3：102-106, 1985
- 早水良定，山下伸夫，井場陽一：最近の内視鏡と眼底カメラの光学系．光学 10：314-325, 1981
- 小早川　嘉：眼底カメラ．眼診療プラクティス 71：84, 2001
- Behrendt T, Duane TD: Investigation of fundus oculi with spectral reflectance photography. I. Depth and integrity of fundal structures. Arch Ophthalmol 75: 375-379, 1966
- Berkow JW, Flower RW, Orth DH, et al: Fluorescein and Indocyanine Green Angiography. American Academy of Ophthalmology, 1997
- 角田和繁，藤波　芳：網膜自発蛍光．眼科 55, 1003-1008, 2013

（野田　徹）

# Ⅲ OCT，SLO

光干渉断層計(optical coherence tomography：OCT)[1]と走査レーザー検眼鏡(scanning laser ophthalmoscope：SLO)[2]は，共に光を用いて眼底からの情報を得る装置である．しかし，OCT画像は得られたシグナル強度つまり数値を画像化したものであり，SLO画像は眼底からの反射像を直接捉えた実際の画像であるという根本的違いを忘れてはならない．

ここでは，OCTとSLOに関して，臨床応用に関しては他項に譲り，基本的な原理について解説する．

## 1 OCT

光は波としての性質を有し，2つの波が重なり合う際，山や谷が重なり合うと強め合い，山と谷が重なり合うと打ち消し合って弱くなる可干渉性を有する．この特性を利用し，光源から出た光を2方向に分光させ，参照鏡で反射して戻ってきた参照光と目的物からの入射した光と同じ方向に反射する光(後方散乱光)を重ね合わせてできる干渉縞を観察することで2つの光路差(距離)を測定するMichelson干渉計がOCTの基本原理である．

これらの干渉波から得られた位置情報を横軸に，信号強度を縦軸にとると，1本の曲線のグラフを描くことができる．この測定を同一方向にわずかにずらしながら行い，得られた信号強度を輝度に変換して順に並べると断層像を得ることができる．このとき，反射の強い線維層と散乱が大きい顆粒層では信号強度が異なるため，網膜断層像においては染色した組織のように層状の所見を得ることができる．それらの境界でセグメンテーションを行うことにより，目的とした層の厚さを評価することが可能である．なお，多焦点眼内レンズは，OCTを用いた網膜厚の評価には影響しないことが報告されている[3]．

### a. OCTの種類

#### 1) タイムドメインOCT〔time-domain(TD)OCT〕

タイムドメインOCTでは，参照鏡を動かして分光位置からの距離を変化させることで，深さ方向の情報を得ることができる(図13-24a)．

この際，低可干渉性の広帯域光源(多くの波長を含む光源)を用いている．これは，波長幅の広い光源のほうが深さ方向の分解能が高くなるためである．

#### 2) フーリエドメインOCT〔Fourier domain(FD)OCT〕

フーリエドメインOCTは，干渉波をFourier変換して解析を行う方式であるが，光の波長を分離させる方法の違いによって以下に示す2種類の方式がある(図13-24b, c)．いずれも参照鏡の位置は動かさないため，タイムドメインOCTに比べ高速の検査が可能である．

##### a) スペクトラルドメインOCT〔spectral domain(SD)OCT〕

この方式では，タイムドメインOCTと同様に広帯域光源を用いている．光源には様々な波長の光が含まれており，干渉波を分光器でそれぞれの波長に分離して解析を行う(図13-24b)．ただし，この方式では分光器の分解能により深い位置では検出感度が低下する．この際，通常浅い位置に設定されている参照鏡を深い位置に設定して，深い位置で感度が上昇するようにして脈絡膜所見の評価を容易にするenhanced depth imaging(EDI)という手法もある．

##### b) スウェプトソースOCT〔swept source(SS)OCT〕

この方式では，波長掃引レーザーを光源として用いている．この光源は，光の波長を高速で変化させるもので，分光することなく解析できる．さらに，波長帯域の広さにより硝子体から脈絡膜ま

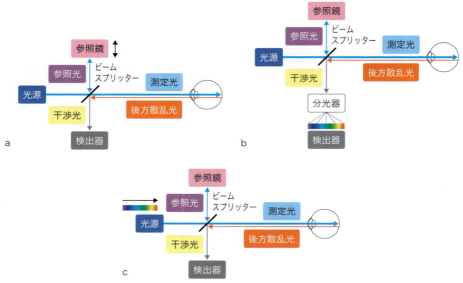

**図 13-24　OCT の原理**
光源からの光はビームスプリッターで 2 分割され，一方は参照鏡で反射し，眼内から反射して戻ってきた後方散乱光と重ね合わせてできた干渉信号を検出する.
a：**タイムドメイン OCT**　参照鏡を動かし深度を変化させる.
b：**スペクトラルドメイン OCT**　干渉光の波長は深度に依存するため分光する.
c：**スウェプトソース OCT**　光源波長を高速に変化させて時間ごとの干渉波を検出する.

でを描出できる（図 13-24c）.

### b. OCT Angiography（OCT-A）[4]

OCT-A では，同一領域を連続的にスキャンして複数の断層像を取得し，経時的にシグナル強度変化（モーションコントラスト）のある部分を描出する技術を用いている．この際，血流のある部分からのシグナルが赤血球の密度によって変化することからその領域を描出し，検査ラインと直交する方向に高速に移動させながら多数のスキャンを行い検査領域を立体的に再構築するボリュームスキャンを行うことで血流のある領域のみを 3 次元的に画像化する（図 13-25）．任意の検査領域のスラブ（層状に切り出した領域）で網膜表面の血管構築を捉えたり，あるいは深層の血管構築のみを描出させる層別解析が可能である．ただし，網膜表層側の血管の下方領域では，血管が映り込む場合があり（プロジェクションアーチファクト），読影の際には注意が必要である．さらに，血流速度が遅い場合には捉えられなくなるため，描出された領域には血流があると判断できるが，描出されない場合には血流がない可能性と描出困難なほど速度が遅い血流がある可能性の両方を考える必要がある.

## 2 SLO

### a. SLO の基本原理とその特徴

SLO は，基本的にはスポット光を眼底に照射してその反射を捉え，これを連続的に高速移動させて眼底を走査しその全体像を再構築する装置である．そのため，2 種類のミラーを用いてスポット光の縦方向と横方向の動きをそれぞれ制御していた．このスポットスキャンに対し，ライン状の光を用いるラインスキャンでは一方向のみの制御となり，より高速に撮影が可能となるのみならず，装置の構造が簡単なため小型化が可能になった．さらに，微小電子機械システム（micro electro mechanical systems：MEMS）技術を用いた装置も作られてきている．

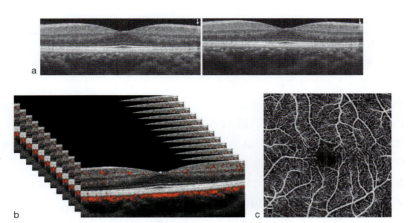

**図 13-25　OCT-A の原理**
a：同じ位置の断層像を複数枚作製して位置を調整.
b：画像の輝度の変化から血流のある部位を描出し，その画像を位置を動かしながら取得.
c：得られたデータから任意の深さのスラブを作製する（図は網膜表層毛細血管網を正面からみたスラブ）.

　SLO では網膜に照射される光は常に動いており，眼底カメラと比べ少ない光量で眼底観察ができるのみならず撮影時のフラッシュも不要である．また，走査方式にかかわらず，照射光は瞳孔面で一度収束して眼内に入射される．そのため小瞳孔あるいは無散瞳での眼底撮影が可能である．

　基本的には単波長のレーザー光を用いていることも特徴として挙げられる．レーザーを用いることで小さなスポットに十分な光量を照射することができることや散乱などの影響が少ないこと，用いる波長により波長特性に応じた特色のある眼底像を得ることができるのも特徴の 1 つである．単波長で得られた画像はモノクロで表示されるが，赤青緑の 3 色あるいは赤緑の 2 色のレーザーで得られた所見を重ね合わせ，擬似カラーとして表示が可能な装置もある．合成された画像はリアルな眼底像とは色調が異なる場合があるものの，それぞれの波長特性に応じた所見が強調されるため異常所見を把握しやすくなる．リアルな色調の画像を得ることを目的として，白色レーザーを用いて観察を行う装置もある．また，まぶしさを感じさせない赤外光領域波長のレーザーを用いて眼底を観察しながら，ほかの波長のレーザー光を用いて光刺激を眼底に投影することで，視野検査なども視機能検査が可能になる．

　さらに，眼底からの反射光を捉える検知器の前に共焦点絞りを搭載していることも特徴の 1 つである．この絞りにより，点光源と共役の関係にある反射のみを選択的に捉え，散乱光や焦点外からの反射光をブロックすることで，高コントラストで焦点深度の深い画像を得ることができる．この装置では共焦点面の画像所見のみが描出されるため，蛍光眼底造影検査を行った場合には，すべての層からの蛍光を重ね合わせている通常の眼底カメラで撮影した画像とは所見が異なることに注意が必要である．そのほか絞りの種類として，中央に遮蔽板を設けて共焦点面以外からの画像を描出する輪状絞りや，片側に遮蔽板を設けて網膜内の立体的変化をレトロイルミネーションの画像のように描出する側方絞りを有している装置もある．

　なお SLO には，撮影中の画像を平均加算処理して鮮明な画像を得ることができる装置や，超広角撮影ができる装置もある．

### b. 超広角走査型レーザー検眼鏡

　超広角 SLO としていくつか市販されているが，ここでは基本となる Optos®（NIKON）について解

説する．この装置の基本原理は楕円鏡である．これを用いたシステムでは2つの焦点があり，一方の焦点から出た光はもう一方の焦点を通る．レーザー光源からの光はこのシステムにより瞳孔面に焦点を作り，そこを中心として眼内を走査するため，広角の画像を得ることができる(図13-26)．本装置では，水平方向200°，垂直方向170°の撮影が可能とされているが，彎曲した構造を平面的に表示しているため，得られた画像は地図におけるメルカトル図法のように周辺は引き伸ばされ，歪んでいることに注意が必要である[5]．本装置ではラインスキャン方式を採用している．また，赤と緑の2波長で擬似カラーを合成している．そのため，視神経乳頭などの色調の評価は困難であるが，剥離した網膜では波長特性により緑が強調されるため，透明な網膜剥離の領域を把握しやすくなるなどの特徴がある．

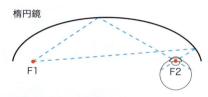

**図13-26　Optos®の原理**
楕円鏡では2つの焦点(F1, F2)ができる．F2に瞳孔面がくるようにして，F1から光を照射すると，F2を中心として眼内の広角画像が撮影できる．

▶文献
1) 板谷正紀：1. OCT総論，OCT技術の種類．大鹿哲郎(編)：専門医のための眼科診療クオリファイ〈18〉眼底OCTのすべて．pp2-9, 中山書店，2013
2) 石子智士：17. 眼底写真，走査レーザー検眼鏡．根木昭(監)，飯田知弘，近藤峰生，中村誠，他(編)眼科検査ガイド　第2版．pp571-575, 文光堂，2016
3) Dias-Santos, A, Costa, L, Lemos, V, et al: The impact of multifocal intraocular lens in retinal imaging with optical coherence tomography. Int Ophthalmol 35: 43-47, 2015
4) 間瀬智子，石羽澤明弘：OCTアンギオグラフィ．臨眼 72：209-217, 2018
5) Oish A, Hidaka J, Yoshimura N: Quantification of the image obtained with a wide-field scanning ophthalmoscope. Invest Ophthalmol Vis Sci 55: 2424-2431, 2014

（石子智士）

# IV　補償光学

眼底カメラやOCTのように，網膜を角膜からのぞくように観察した場合，どこまで細かい物が観察可能なのか分解能を検討する．この分解能は簡単には下記Rayleighの分解能式で計算することが可能である．

$$1.22f\frac{\lambda}{D}$$

$f$：焦点距離，$\lambda$：観察波長，$D$：瞳孔径

例えば眼の焦点距離17 mm(空気換算)，波長550 nm，瞳孔径6 mmとするとRayleighの分解能はおおよそ2 $\mu$mとなり，原理的には網膜上の数 $\mu$mの細胞も分解できる．しかし，眼球光学系は角膜や水晶体の歪み，さらには涙液変動の影響により収差が発生する．収差の影響により分解能は著しく低下し，通常の眼底カメラでは網膜の細胞を観察することは不可能である[1]．

補償光学(adaptive optics：AO)とは収差を実時間に補償する技術である．もともと天体観察の分野で開発された技術であり，望遠鏡に大気の揺らぎを補償する機能をもたせることで天体を高解像度に観察することが可能である．補償光学技術を眼球光学系の収差の補償に使用する眼底カメラを補償光学眼底カメラ(adaptive optics retinal camera)，OCTに適用するものを補償光学OCT (adaptive optics optical coherence tomography)とよび，Rayleighの分解能で定義される値に近い分解能をもつ眼底顕微鏡が実現可能となる[2]．通常の眼底カメラでは観察が難しい，錐体や網膜色素上皮(retinal pigment epithelium：RPE)といった網膜の細胞までも観察可能である(図13-27)．

## 1 補償光学眼底カメラの原理

図13-28は補償光学眼底カメラの原理図であ

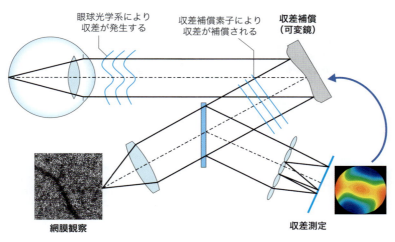

図 13-28　補償光学眼底カメラの原理

図 13-27　補償効果例
a：補償なし　b：補償あり

図 13-29　杆体錐体ジストロフィ撮影例
a：杆体錐体ジストロフィ患者　b：同年代の健常眼
(Jessica I, Chung M, Carroll J, et al: High-Resolution Retinal Imaging of Cone-Rod Dystrophy. Ophthalmology 113: 1015-1019, 2006, Fig. 4 より一部改変)

る．補償光学眼底カメラは収差測定，収差補償，網膜観察といった3つの技術が必要となる[3]．
(1) 収差測定：眼の収差を実時間で測定する．Hartmann-Shack型の波面センサーが用いられることが多い（詳細は第11章「収差解析装置」項参照，⇒140頁）．
(2) 収差補償：収差測定によって得られた収差を補償するように補償素子を動作させる．補償素子には可変鏡(deformable mirror)とよばれる，自由に反射面を変形することができる鏡を用いることが多い．
(3) 網膜観察：網膜を高倍率で観察する．顕微鏡のような拡大レンズ群が用いられる．

収差測定，収差補償のルーチンを繰り返すことで，常に眼球光学系で発生した収差の補償が行われ，網膜観察部にて収差のない理想的な状態で，網膜を高倍率にて観察する．

## 2　補償光学眼底カメラの臨床応用

補償光学眼底カメラはその高解像度であるという特徴から，新たな眼疾患診断への応用が期待されている．一部の臨床上有効とされる例として，錐体杆体ジストロフィ[4]，急性帯状潜在性網膜外層症(acute zonal occult outer retinopathy：AZOOR)，網膜色素変性，黄斑ジストロフィ[5]などがある．いずれの症例に関しても，細胞レベルでの画像観察により，細胞数の低下や細胞が疎な部分が明らかとなることで診断において有用とされている（図13-29）．そのほかにも色覚の他覚評価（赤緑青の錐体分布測定）[6]，網膜血流の速度測定にも応用される[7]．

製品化された補償光学眼底カメラにRTX1

**図 13-30** RTX1
〔Imagine Eyes(http://www.imagine-eyes.com/)〕

(Imagine Eyes：図 13-30)，Compact Adaptive Optics Retinal Imager(Physical Science) がある．

### ▶文献

1) 山口達夫，三橋俊文：眼底カメラと補償光学．O plus E 31：301-305，2009
2) Jason P, Hope Q, Lin J, et al: Adaptive Optics for Vision Science. pp235-283, Wiley, 2006
3) 前田直之，大鹿哲郎，不二門 尚(編)：角膜トポグラフィーと波面センサー．pp182-186，メジカルビュー，2002
4) Jessica I, Chung M, Carroll J, et al: High-Resolution Retinal Imaging of Cone-Rod Dystrophy. Ophthalmology 113: 1015-1019, 2006
5) Kitaguchi Y, Kusaka S, Yamaguchi T, et al: Detection of photoreceptor disruption by adaptive optics fundus imaging and Fourier-domain optical coherence tomography in eyes with occult macular dystrophy. Clin Ophthalmol 5: 345-351, 2011
6) Zhang F, Kurokawa K, Lassoued A, et al: Cone photoreceptor classification in the living human eye from photostimulation-induced phase dynamics. Proc Natl Acad Sci USA 116: 7951-7956, 2019
7) Joseph A, Guevara-Torres, A, Schallek J: Imaging single-cell blood flow in the smallest to largest vessels in the living retina. Elife 8: 45077, 2019

（山口達夫）

# 第14章
# 視野検査

　視野検査の目的は，網膜から中枢までの機能評価である．静的・動的検査ともに屈折異常あるいは加入度の調整が必要で静的視野検査においては，中間透光体の混濁の影響を小さくするパターン偏差などアルゴリズムの配慮がある．このように視野検査時には，眼球光学系の影響は，極力除外することが求められてきた．しかし，最近では，新しい多焦点眼内レンズや屈折矯正手術などが登場することで眼球光学特性もさらにバリエーションが多くなり，影響調査と対応が求められている．

　本章では，視野検査時における光学的矯正の基本とアーチファクト，そして最近の屈折矯正法における視野検査時の配慮について解説する．

## 1 視野検査時の光学的矯正の基本

　視野検査では，視標提示面を明視できるように適切なレンズ補正を行う．レンズホルダーは睫毛に触れない程度まで可能な限り被検眼に近づける．レンズ補正に関して，Humphrey フィールドアナライザー HFA II (Carl Zeiss Meditec) (図14-1) や Goldmann 視野計 MT-325UD (タカギ) (図14-2) などでは，視標と眼の距離は 30 cm である．したがって，S−3.0 D よりマイナス側の近視症例に対してのこれら検査ではレンズ補正が必要である．このとき具体的なレンズ補正の方法は，施設や検査員によって若干対応が異なっている．調節力が十分ある（最低でも 3.0 D 以上ある）症例においては，遠見屈折矯正により行う場合と視標面への最小限の屈折補正を行う場合がある．例えば S−6.00 D の症例の場合，前者では S−6.00 D 矯正下で行うが，後者では S−3.00 D 矯正下で行う．調節力が減弱した高齢者あるいは患者に対してはレンズ近見加入を行う．残余調節量と偽調節量を考えると，40歳で 1.0 D 程度，50歳で 2.0 D 程度，60歳で 3.0 D 程度の加入が目

図14-1　Humphrey フィールドアナライザー HFA II (Carl Zeiss Meditec)

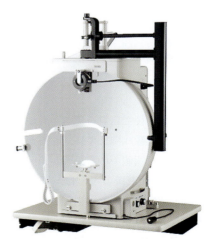

図14-2　Goldmann 視野計 MT-325UD (タカギ)

表 14-1　Humphrey フィールドアナライザー HFA II（Carl Zeiss Meditec）における年齢に応じた球面度数矯正表

| 年齢 | 遠視 | 遠用度数(D) 0 | −0.50 | −1.00 | −1.50 | −2.00 | −2.50 | −3.00 | ＞−3.00 近視 |
|---|---|---|---|---|---|---|---|---|---|
| | | | | | 球面矯正度数 | | | | |
| 30 歳未満 | 遠用度数 | ● | ● | ● | ● | ● | ● | ● | 遠用度数 +3.25 |
| 30〜39 歳 | 遠用度数 +1.00 | +1.00 | +0.50 | ● | ● | ● | ● | ● | 遠用度数 +3.25 |
| 40〜44 歳 | 遠用度数 +1.50 | +1.50 | +1.00 | +0.50 | ● | ● | ● | ● | 遠用度数 +3.25 |
| 45〜49 歳 | 遠用度数 +2.00 | +2.00 | +1.50 | +1.00 | +0.50 | ● | ● | ● | 遠用度数 +3.25 |
| 50〜54 歳 | 遠用度数 +2.50 | +2.50 | +2.00 | +1.50 | +1.00 | +0.50 | ● | ● | 遠用度数 +3.25 |
| 55〜59 歳 | 遠用度数 +3.00 | +3.00 | +2.50 | +2.00 | +1.50 | +1.00 | +0.50 | ● | 遠用度数 +3.25 |
| 60 歳以上 | 遠用度数 +3.25 | +3.25 | +2.75 | +2.25 | +1.75 | +1.25 | +0.75 | ● | 遠用度数 +3.25 |

●：矯正レンズは必要ない．

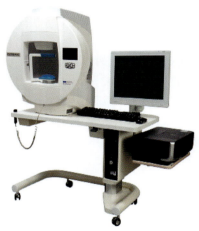

図 14-3　オクトパス 900（Haag-streit）

図 14-4　Humphrey FDT スクリーナー（Carl Zeiss Meditec）

安となり，その前後で自覚を確認しながら決定するとよい．乱視度数に関しては，しっかりと矯正したほうが中心窩閾値や中心視野が正確に計測できるが，C＋1.0 D 未満の場合は，等価球面度数に換算されて球面度数のみが補正されることがある．参考までに Humphrey フィールドアナライザー II は，中心 30°内の中心視野検査で年齢に応じた補正レンズパワーの自動計算機能を有しており，表 14-1 のような球面度数矯正表となっている．

オクトパス 900（Haag-Streit）（図 14-3）や Humphrey Frequency-doubling technology Matrix（FDT）スクリーナー（Carl Zeiss Meditec）（図 14-4）は，設計上，遠方矯正下で検査を行う．Humphrey FDT スクリーナーは，magnocellular 系（M 細胞系）の眼疾患スクリーニングに特化した機器で，屈折補正不要といわれることもあるが，屈折補正により精度や信頼性が向上すると報告されていることから，屈折補正は行っておいたほうがよいと思われる[1]．

屈折補正レンズ使用のタイミングに関しては，

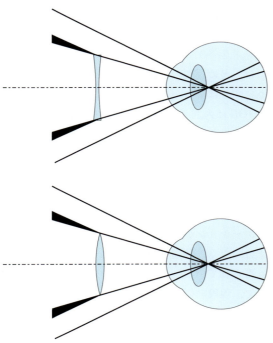

図14-5 レンズによる輪状暗点イメージ図

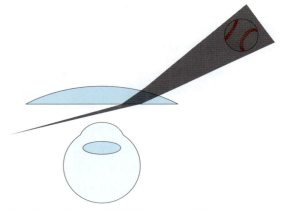

図14-6 びっくり仰天現象イメージ図

一般にHumphrey視野計あるいはオクトパス視野計では，検査開始時から屈折補正を行い，Goldmann視野計においては，周辺視野は，屈折異常の影響を受けにくいことから，中心30°以内で使用する．また，サングラスやNDフィルターは，視感透過率が減弱し，感度が低下することから視野検査での使用は避けたほうがよい．

上記のように施設や検査員，そして機種によって屈折補正レンズの対応は若干異なるが，少なくとも同一施設内では，どのように屈折補正を行うのか同意のもとで統一した環境下で検査を行うことが重要である．

## 2 補正レンズによる屈折暗点と輪状暗点

視野検査時に屈折補正を行わなかった場合，屈折暗点という見かけの比較暗点が生じたり，沈下したりすることがある．したがって，視野検査時の屈折補正は，極めて重要である．また，Humphrey視野計においては，補正レンズ枠によるアーチファクトで，30°付近に弧状の感度低下部位が生じ，疾患との鑑別を要することがある．眼と補正レンズの頂点間距離は，補正レンズのパワーに誤差が生じないよう，また上述したレンズ枠のアーチファクトの影響を極力避けられるように12 mmで使用するとよい．

レンズの大きさと距離，視野検査の種類にもよるが，強度近視眼に対する両凹レンズの使用，強度遠視眼に対する両凸レンズの使用により，見かけ上，輪状暗点（ring scotoma）が生じることがある（図14-5）．この輪状暗点に入っていて見えなかったものがこの領域を抜けて突然出現する現象をびっくり仰天現象（startling phenomena）という（図14-6）．正面視していて周辺視野の対象を固視しようと視線を向けると輪状暗点により見えなくなり，視線を再び視線を戻すと視野周辺に再度対象が現われる現象をびっくり箱現象（jack-in-the-box phenomena）という．特に＋12 D程度のレンズで50〜65°付近に10〜15°の範囲で生じやすい．視野検査でのレンズ補正は，中心視野で使用されるため，検査中にこれらの現象をみることは少ないが，患者の手持ちの眼鏡でGoldmann視野検査を行うときには，注意を要する．

# 3 様々な屈折矯正法における視野検査への影響と注意点

## a. 遠近両用コンタクトレンズ装用による視野検査への影響

　最近では，様々なタイプの遠近両用コンタクトレンズが登場している．視野検査時にはおそらく大半の施設で，これらのコンタクトレンズは外して検眼レンズによる補正を行っていると思われるが，万が一装用して計測した場合どのように影響するか考察したい．既報では，初期老視症例に対し，3種類の多焦点コンタクトレンズにて，視力，コントラスト感度，高次収差，調節反応量を計測したが，いずれもレンズ間で差がなかったとされる[2]．また，若年者に対し，2種類の遠近両用ソフトコンタクトレンズ（遠用中心近用加入MFSCL-Dタイプと近用中心遠用加入MFSCL-Nタイプ）およびコントロールの単焦点ソフトコンタクトレンズにて，Humphrey視野検査を行ったところ，3種のソフトコンタクトレンズ装用下の中心窩閾値，全測定点の合計，また偏心域ごとの網膜感度には統計学的有意差はなかったとある[3]．これらの結果より，遠近両用ソフトコンタクトレンズは，視野検査結果にそれほど大きな影響は及ぼさないと推察される．しかし，厳密には，網膜像コントラストの低下や周辺屈折（軸外入射光からの結像特性）も変化していることから，念のため外して検査することが望ましいと思われる．

## b. 多焦点IOLの視野検査への影響と屈折補正

　多焦点IOLは，眼鏡レンズやコンタクトレンズほどではないにしても最近では様々なデザインの多焦点IOLが登場しており，かつすでに多焦点IOLが挿入されている患者のデザインまで含めるとかなりのバリエーションになる．具体的には，遠方重視型から遠近バランス型，瞳孔径に依存しやすい型，二重焦点型と三重焦点型，また加入度数の違いなどである．上述した遠近両用コンタクトレンズとは違い，視野検査時に一時的にレンズを外すことができないことから視野検査時には，どの程度の影響があり，近見加入をどのようにすればよいかという問題がある．まず，多焦点IOLは大別して回折型と屈折型があるが，どちらも構造上，網膜像コントラストの低下が避けられない．そのため，視野検査では単焦点IOLと比べてPSDには影響がないものの，MD値は下がることが報告されている[4]．また，視野検査時の屈折補正に関しては，現段階の結論としてバリエーションが多いということもあり影響調査が十分でなく，各施設の対応は様々でコンセンサスは得られていない．そのことを理解いただいたうえで，現段階において，私見として以下の方法がよいと考えている．① 遠方から近方まで球面度数を変えながら詳細な視力計測を行っているのであれば，その結果が最も高くなる屈折度数を視野の視標面に合わせる．② そのようなデータがなければ，遠方自覚屈折度数から+3.0 Dの加入を行い，さらに自覚を確認しながら微調整を行う．②の理由としては，多焦点IOLのデザインは，遠方の結像特性が近方の結像特性よりも高いレンズが多いことが挙げられる（図14-7）[5]．さらに，近用部の加入度はIOLによってばらつきがあり，他院で施行された場合には検者が把握できない可能性もあり，調整に時間を要するためである．

## c. 着色IOLの視野検査への影響

　太陽光による200〜400 nmの紫外線（ultraviolet：UV）や，400〜450 nmにおける青紫色の可視スペクトルは，加齢黄斑変性のリスクを上昇させることがわかっている[6]．そこでこれら短波長の光線をカットあるいは低減し，加齢黄斑変性など網膜疾患のリスクを下げることを目的に開発されたイエローの着色IOLが多く登場している．緑内障早期検出に使われるshort-wavelength automated perimetry（SWAP）のようなblue-yellow testは，黄色の背景色で440 nmの青色視標を用いることから，視野検査への影響が懸念されてい

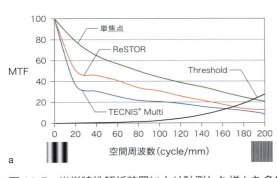
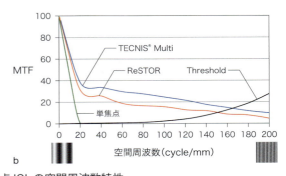

図 14-7　光学特性解析装置により計測した様々な多焦点 IOL の空間周波数特性
MTF は，コントラスト値を示し，高いほど結像性が良好であることを示す．a は遠用光学部 MTF で，b は近用光学部 MTF を示す．Threshold は網膜中枢系の閾値曲線である．

図 14-8　blue-yellow test

図 14-9　Humphrey フィールドアナライザー 3（Carl Zeiss Meditec）の自動式リキッドトライアルレンズ

る（図 14-8）．blue-yellow perimetry や FDT 検査において，着色 IOL 挿入眼と非着色 IOL との間に有意な差はなかったとの報告は多い[7]．しかし，一部の報告で，スタンダードな視野には影響を及ぼさないものの，SWAP において，MD と PSD，Glaucoma Hemifield Test Scores が低下したと報告されている[8]．このように結論は出ていないが，着色 IOL といっても様々な分光透過率曲線があり，影響が異なる可能性もある．現状では，着色 IOL においては SWAP の結果に極端に大きな影響はないものの，若干バイアスが入る可能性に注意しておいたほうがよいように思われる．

### d. その他屈折矯正法における視野検査への影響

近視 LASIK においては，術後に傍周辺視野の感度低下が報告されている[9]．この報告では，視神経や神経線維層のダメージがなく，屈折異常や角膜厚，オプティカルゾーンに依存していたことから，切除領域と非切除領域の境界付近で発生した光散乱が 15〜30°付近の視野感度の低下を導いていると考えられている．また，全径 3.8 mm，内径 1.6 mm のピンホールを LASIK フラップ下に挿入し，ピンホール効果で老視矯正を行う corneal inlay は，視野狭窄や輪状暗点は見られないもののわずかに MD 値が低下したとある[10]．

最近では，リキッドレンズテクノロジーという自動式リキッドトライアルレンズを搭載した Humphrey フィールドアナライザー 3（Carl Zeiss Meditec）という機種が登場した（図 14-9）．前回の検査から患者の屈折値を自動的に読み込むことで，液体レンズが目標となる屈折度数を作り，検査準備時間の短縮やレンズ選択ミスの低減

が期待される．今後も検査機器と屈折矯正法の技術革新は進んでいくことが予想される．眼鏡からIOL，レーザーによる屈折矯正法に至るまで新しい屈折矯正法，そして新しい検査機器についても常に学ぶことが重要である．そして，中心視野における結像性の議論だけでなく傍中心，周辺視野においても注目し，視野検査において特別な対応が必要か否か検討していく必要があると思われる．

▶文献

1) Contestabile MT, Perdicchi A, Amodeo S, et al: Effect of refractive correction on the accuracy of frequency-doubling technology Matrix. J Glaucoma 22: 413-415, 2013
2) Vasudevan B, Flores M, Gaib S: Objective and subjective visual performance of multifocal contact lenses: pilot study. Cont Lens Anterior Eye 37: 168-174, 2014
3) 柴田優子，魚里 博，平澤一法，他：遠近両用ソフトコンタクトレンズ装用による視野への影響．あたらしい眼科 30: 381-384, 2013
4) Farid M, Chak G, Garg S, et al: Reduction in mean deviation values in automated perimetry in eyes with multifocal compared to monofocal intraocular lens implants. Am J Ophthalmol 158: 227-231, 2014
5) Kawamorita T, Uozato H, Aizawa D, et al: Optical performance in rezoom and array multifocal intraocular lenses in vitro. J Refract Surg 25: 467-469, 2009
6) Tomany SC, Cruickshanks KJ, Klein R, et al: Sunlight and the 10-year incidence of age-related maculopathy: the Beaver Dam Eye Study. Arch Ophthalmol 122: 750-757, 2004
7) Ueda T, Ota T, Yukawa E, et al: Frequency doubling technology perimetry after clear and yellow intraocular lens implantation. Am J Ophthalmol 142: 856-858, 2006
8) Jang SY, Ohn YH, Kim SW: Effect of yellow-tinted intraocular lenses on short-wavelength automated perimetry. Am J Ophthalmol 150: 243-247, 2010
9) Brown SM, Bradley JC, Xu KT, et al: Visual field changes after laser in situ keratomileusis. J Cataract Refract Surg 31: 687-693, 2005
10) Seyeddain O, Hohensinn M, Riha W, et al: Small-aperture corneal inlay for the correction of presbyopia: 3-year follow-up. J Cataract Refract Surg 38: 35-45, 2012

〔川守田拓志〕

# 第15章
# 色覚検査

## I 色覚理論

### 1 色覚理論と色覚モデル

　人間の色覚は，外界からの光が網膜内の視細胞により捉えられ，その応答がその先の大脳に至る様々な神経細胞により処理され，その結果生まれる「感覚」である．色覚系は眼球内に入射した光子を網膜内の光受容器である錐体が吸収し，電気応答に変換することから始まる．その応答が網膜内で双極細胞と神経節細胞へと順方向に伝わり，また，水平細胞とアマクリン細胞により横方向に修飾される．その後，応答は神経節細胞の軸索である視神経により網膜外へと送られ，視床にある外側膝状体(LGN)を経由して，大脳皮質1次視覚領(V1)へと到達する．V1以降はさらにV2から高次レベルへと応答は伝わっていく．これが色覚系における神経応答の流れである．

　色覚応答は網膜から大脳皮質に至る各部位の神経細胞におけるそれぞれ特有な処理を経て，伝えられていく．最近の色覚の心理物理学および生理学研究により，色覚の初期過程に関してはそのメカニズムがかなり詳細なところまで解明されてきた．色覚のメカニズムが解明されていない時代には，研究者は色覚の様々な現象，例えば，等色，混色，色の見えなどをもとにして，推論によりYoung-Helmholtzの3色説，Heringの反対色説，Müllerの段階説といった古典的な「色覚理論」を提唱した[1]．これらの古典的色覚理論がその後の色覚研究の発展に果たした貢献は非常に大きいものがある．しかし，古典的色覚理論は今では，「実験事実」に置き換わり，いわゆる「色覚理論」の役割は終了したといえる．現代の色覚研究において，色覚過程，特に色覚の初期過程はほとんど実験事実に基づく色覚モデルによって説明されている．そこでここでは，視覚光学的な観点から，色覚の初期過程モデルについて解説する．

### 2 錐体の分光感度

　人間の色覚系の入り口の光受容器としての視細胞には杆体(rod)と錐体(cone)の2種類があるが，このなかで色覚に直接関係するのは錐体である．人間の視細胞のもつ最も重要な特性の1つに単一自由度の原理(principle of univariance)がある．この原理は視細胞の応答は大きいか小さいかの1次元の変化しかできない，つまり自由度が1つ(単一自由度)しかないというものである．光(光子)には波長(振動数)とエネルギー(光子数)の2次元の自由度があるが，視細胞の外節に含まれ，光子を吸収する視物質の化学変化は吸収された光子数のみに依存して，その振動数には依存しないのである[2]．ただし，視物質がある光子を吸収するかどうかの吸収確率は光子の振動数に依存する．一度光子が視物質に吸収されてしまうと，この光子がどんな振動数であったかには関係なく化学反応が進むが，その光子が吸収される

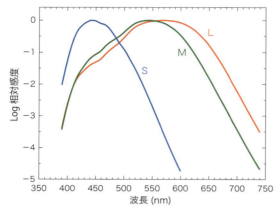

図 15-1　L, M, S 錐体系の分光感度

かどうかは振動数の関数である吸収確率が決めているということである．

　この視細胞の単一自由度の原理と光の吸収率の特性からわかることは，1つの視細胞だけではその応答が変化しても入力する光のエネルギー（光子数）が変わったのか，波長（振動数）が変わったのかを区別することができないということである．つまり，1つの視細胞は光には応答できるが，その光のスペクトルは判別できないことになる．例えば光子A（振動数a）と光子B（振動数b）があり，ある視細胞に対して光子Aのほうが光子Bよりも吸収率が2倍大きいとしよう．するとこの視細胞は，光子Aが100個きた場合と，光子Bが200個きた場合で，吸収する光子数は等しくなり，したがってその応答も等しくなるので，光子AとBの波長（振動数）を区別できない．

　このように1種類の錐体では入射する光の波長の区別ができないが，人間の色覚系は光子の分光吸収確率が異なる3種類の錐体をもち，それにより光の波長を区別している．3種類の錐体はL, M, S 錐体とよばれ，それぞれ長波長（long），中波長（middle），短波長（short）側で光の吸収確率が最大値をとる，つまり分光感度のピーク波長が異なっている．L, M, S 錐体系の視角2°視野に対する分光感度を図 15-1 に示す[3]．ここでは，分光感度は対数で示されている．またこれらの分光感度は角膜の上での光エネルギーに対する分光感度であり，眼球光学系の水晶体や黄斑色素の分光透過率を含んだ値となっている．

　分光エネルギー$I(\lambda)$をもつ光が眼に入射した場合を考える．L, M, S 錐体の分光感度をそれぞれ，$S_L(\lambda)$, $S_M(\lambda)$, $S_S(\lambda)$ とすると，3錐体の応答 $R_L$, $R_M$, $R_S$ は式❶で示すようになる．

$$R_L = \int_\lambda S_L(\lambda)I(\lambda)d\lambda$$
$$R_M = \int_\lambda S_M(\lambda)I(\lambda)d\lambda$$
$$R_S = \int_\lambda S_S(\lambda)I(\lambda)d\lambda \quad \cdots ❶$$

もし錐体が1種類しかないとすると，$I(\lambda)$のスペクトルが変化しても$I(\lambda)$の大きさが変化しても錐体応答は変化するので，光のスペクトルを弁別できない．しかし，3種類の応答 $R_L$, $R_M$, $R_S$ があれば，光のスペクトルを3変数の比により表現できる．実際に光が単波長の場合は，波長の弁別ができ，それが波長弁別関数となっている．しかし，$I(\lambda)$が複合光の場合は$I(\lambda)$がどのような形をしていても，3錐体応答 $R_L$, $R_M$, $R_S$ が等しくなってしまえば，錐体以降の色覚系では全く区別できない．これが3原色による等色である．$I(\lambda)$が異なったスペクトルである光同士の等色はメタメリックマッチングとよばれている．

　この3錐体応答 $R_L$, $R_M$, $R_S$ が"色"の原信号となる．つまり，色とは光の波長組成を3次元の $R_L$, $R_M$, $R_S$ で表現したものである．ただし，注意しなければならないことは，この3錐体応答はあくまでも原信号であり，まだ"色"の感覚ではないということである．

## 3 等色の原理

　等色とは「色の見えが等しくなる」ということである．物理的に異なる分光特性をもった2つの光は必ずしも異なって見えるわけではなく，場合によっては等色する．この等色の事実を発見し，そこから色が感覚であることを見出したのが Newton である．等色の特性は，その後，Grassmann の第一法則「3色性の法則」としてまとめられ，等色の原理「任意の色光に対して，3原色光を適当な強度で混色することにより全く等しい色

の見えを作ることができる」となった．図 15-2 に等色視野を示す．

等色の原理が成立するためには，次の2つの前提条件が必要である．
(1) 3原色光は互いに独立でなくてはならない．

つまり，どの原色光も他の2つの原色光によって等色されてはならない．
(2) 負の混色を許す．

負の混色とは図 15-2 の混色視野のどれか1つの原色光をテスト視野に入れて，テスト光と混色することを意味する．この場合，テスト光とその原色光の混色光(テスト視野)と残りの2つの原色の混色光(混色視野)が等色することになる．

等色の原理では，混色する原色光の数は3である．なぜ3なのかは錐体が L, M, S の3種類あり，等色の自由度が3だからである．原色光を3個用意すれば，等色の前提条件の下で，テスト光に対する L, M, S 錐体の応答に等しい応答を作ることができる．3原色光による等色は L, M, S 錐体の応答により，一意的に決められる．これは，逆に3原色光による等色結果から L, M, S 錐体の分光感度 $S_L(\lambda)$, $S_M(\lambda)$, $S_S(\lambda)$ が導出されなければならないことを意味する．次にこの導出を考えてみよう．

ここでは，わかりやすくするために，テスト光 $A$ として等エネルギーの単色光を考える．また，3原色光 $X1$, $X2$, $X3$ は単色光 red (640 nm), green (526 nm), blue (444 nm) とする[4]．任意の単色光，例えば 500 nm，がテスト視野に入ると，テスト視野での L, M, S 錐体の応答は式 ❶ より，

$R_L = S_L(500)$,
$R_M = S_M(500)$,
$R_S = S_S(500)$  …❷

となり(ただし，ここではテスト視野に入る単色光のエネルギーを1とする)，$R_L$, $R_M$, $R_S$ がそれぞれ 500 nm に対する L, M, S 錐体の分光感度に相当する値となる．このとき，混色視野では3原色光 red (640 nm), green (526 nm), blue

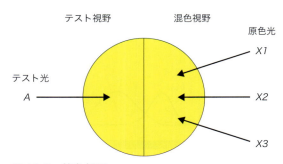

**図 15-2 等色視野**
テスト視野にはテスト光 $A$，等色視野には3原色光 $X1$, $X2$, $X3$ が呈示される．

(444 nm) を用いて 500 nm の単色光に等色する混色光が作られる．500 nm の単色光に等色したときのそれぞれの3原色光のエネルギーを $\bar{r}(500)$, $\bar{g}(500)$, $\bar{b}(500)$ とすると，L, M, S 錐体の応答は次のようになる．

$R_L = S_L(640)\bar{r}(500) + S_L(526)\bar{g}(500) + S_L(444)\bar{b}(500)$,
$R_M = S_M(640)\bar{r}(500) + S_M(526)\bar{g}(500) + S_M(444)\bar{b}(500)$,
$R_S = S_S(640)\bar{r}(500) + S_S(526)\bar{g}(500) + S_S(444)\bar{b}(500)$  …❸

ここで，式 ❷ の右辺と式 ❸ の右辺を＝で結び，さらに 500 nm を一般の $\lambda$ とすると，

$S_L(\lambda) = S_L(640)\bar{r}(\lambda) + S_L(526)\bar{g}(\lambda) + S_L(444)\bar{b}(\lambda)$,
$S_M(\lambda) = S_M(640)\bar{r}(\lambda) + S_M(526)\bar{g}(\lambda) + S_M(444)\bar{b}(\lambda)$,
$S_S(\lambda) = S_S(640)\bar{r}(\lambda) + S_S(526)\bar{g}(\lambda) + S_S(444)\bar{b}(\lambda)$  …❹

となる．

式 ❹ の右辺の $\bar{r}(\lambda)$, $\bar{g}(\lambda)$, $\bar{b}(\lambda)$ は実験によって求められる既知関数であり，$S_L(640)$, $S_L(526)$, $S_L(444)$, $S_M(640)$, $S_M(526)$, $S_M(444)$, $S_S(640)$, $S_S(526)$, $S_S(444)$ は定数であるから，未知関数である式 ❹ の左辺の $S_L(\lambda)$, $S_M(\lambda)$, $S_S(\lambda)$ は $\bar{r}(\lambda)$, $\bar{g}(\lambda)$, $\bar{b}(\lambda)$ から導出されることになる．この $\bar{r}(\lambda)$, $\bar{g}(\lambda)$, $\bar{b}(\lambda)$ は3原色光 red (640 nm), green (526 nm), blue (444 nm) の等色関数とよばれている．図 15-3a に実際に求めた等色関数，図 15-3b に等色関数から求めた錐体の基本分光感度を示す[5]．

このように等色関数の線形変換により錐体の基本分光感度は求められる．ただし，実際に錐体の

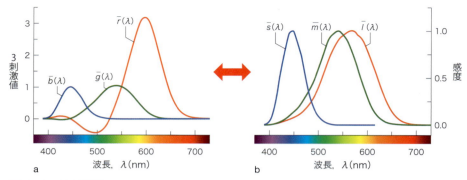

**図 15-3　等色関数**
a：Stiles and Birch の等色関数．
b：錐体の基本分光感度．等色関数と錐体の分光感度は互いに線形変換の関係にある．
(Stockman A, Brainard DH: 3 Fundamental of color vision I: color processing in the eye. Elliot AJ, Fairchild MD, Franklin A(eds): Handbook of Color Psychology. pp27-69, Cambridge University Press, 2015 より)

分光感度を得るには，式 ❹ の9個の未知の定数(係数)を決めなくてはならない．ここでは，この係数の決め方の詳細は省略するが，2色覚者の等色実験の結果を用いたり，あるいは直接に錐体分光感度を心理物理実験により測定したりすることから係数は決められている．

## 4 網膜内の神経細胞結合

錐体の応答は図 15-4 に模式的に示すような網膜内の神経細胞の結合によってさらに後段に送られる[5]．網膜内の錐体からの信号は双極細胞，神経節細胞と受け継がれて，最終的には神経節細胞の軸索である視神経を通って眼球外に出ていく．錐体から双極細胞へと信号が送られるシナプス結合部では水平細胞が横方向に信号をつないでいる．L錐体とM錐体は両方とも diffuse 双極細胞(DB)と midget 双極細胞(MB)につながり，光が入ると興奮する ON 型(ON 層)と光が入ると抑制される OFF 型(OFF 層)の結合を作っている．S錐体はS錐体双極細胞(SB)と接触し，ON 型の結合を作っている．水平細胞 H1 と H2 は錐体間の側抑制結合を作っている．ただし，H1 にはS錐体は接触していない．MB は midget 神経節細胞(MG)と同極性でつながり，DB は parasol 神経節細胞(PG)と同極性でつながっている．SB はS錐体 bistratified 神経節細胞(SBG)とつながるが，SBG はまた $DB_{OFF}$ からの入力も得ている．

ここで注意すべきは，神経節細胞 MG の受容野中心には錐体1個からしか入力がないこと，受容野周辺には異なった種類の複数の錐体からの抑制的入力があることである．この結合様式が色覚処理のうえで重要な意味を生み出す．次に，神経節細胞 PG の受容野中心と受容野周辺にはどちらも複数の種類の錐体がつながっていること，神経節細胞 SBG の受容野中心にはS錐体のみから ON 入力があり，受容野周辺には複数の種類の錐体が OFF で結合していることも重要である．

## 5 色覚初期過程モデル

図 15-5 に図 15-4 で示した網膜内の神経結合に基づいた色覚初期過程のモデルを示す[5]．図 15-5 左列には，L, M, S 錐体からの ON あるいは OFF 出力が，それぞれ，大三角形からの出力の形で示されている．その周りにある4個の小三角形は水平細胞で媒介される受容野周辺の結合(L錐体2個，M錐体1個，S錐体1個)を示す．ただし，S錐体からの入力はまだ未確定なので，点線で示されている．その横の同心円は錐体反対色型(cone-opponent)の空間拮抗型中心-周辺受容野を示す．

図 15-5 中央列には，小細胞系経路(parvocellular 経路)，大細胞系経路(magnocellular 経路)

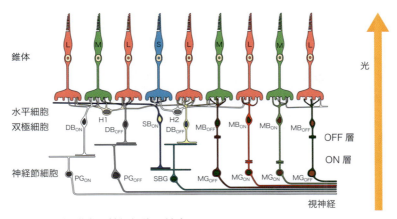

図15-4　網膜内の神経細胞の結合．
ここでは杆体とアマクリン細胞は省略されている．
(Stockman A, Brainard DH: 3 Fundamental of color vision I: color processing in the eye. Elliot AJ, Fairchild MD, Franklin A(eds): Handbook of Color Psychology. pp27-69, Cambridge University Press, 2015 より)

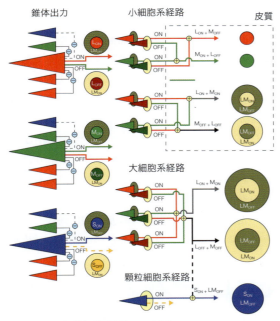

図15-5　色覚初期過程のモデル
(Stockman A, Brainard DH: 3 Fundamental of color vision I: color processing in the eye. Elliot AJ, Fairchild MD, Franklin A(eds): Handbook of Color Psychology. pp27-69, Cambridge University Press, 2015 より改変)

および顆粒細胞系経路(koniocellular経路)の結合とその出力が示されている．小細胞系経路では，点線で囲まれた範囲内に空間非拮抗型の色度情報と空間拮抗型の輝度情報を引き出す結合方式が示されているが，この再結合は皮質内の処理と

されている．大細胞系経路では，3錐体のみからの入力を受けるように描かれているが，実際は網膜中心部ではDBには5〜7個の錐体が接続している．顆粒細胞系経路では，S錐体ON経路のみが示されている．これは，S錐体OFF経路の存在はまだ明確になっていないからである．

　ここで注意すべきは，小細胞系経路の点線で囲んでいる部分は皮質内に存在するが，一方，大細胞系経路と顆粒細胞系経路に描かれている部分は網膜内に存在することである．小細胞系経路内での色度と輝度の分離は皮質内で行われると考えられている．

　図15-5 右列には，それぞれの経路からの出力点での受容野が図示されている．受容野サイズはおよその大きさで正確ではないが，錐体出力が集められるため，錐体出力点での受容野サイズよりも大きくなっている．右上に示されている $L_{ON}+M_{OFF}$ と $M_{ON}+L_{OFF}$ の受容野は二重反対色型(double-opponent)にあるが，拮抗型の周辺領域がないことが特徴的である．

　このように色覚の初期過程モデルでは，色覚応答は錐体レベルで3色型，その後，錐体反対色型を介して，小細胞経路では皮質においてr-g反対色チャンネルと輝度チャンネルが分離する．大細胞系では神経節細胞レベルで輝度応答のみの空

間拮抗型となり，顆粒細胞系では神経節細胞レベルで周辺領域のないb-y反対色チャンネルが作られる．これらのメカニズムは古典的な色覚理論で示されている3色型から反対色型になる段階説に類似しているが，実際のメカニズムの反対色型は色の見えとは必ずしも対応していないなど，古典的な色覚理論が示す考えとは異なる点が多い．古典的色覚理論とは切り離して捉えるべきであろう．

▶文献

1) 池田光男：色覚と色覚説．テレビジョン学会(編)：測色と色彩心理．pp1-20, 日本放送出版協会, 1973
2) 村上元彦：どうしてものが見えるのか．岩波書店, 1995
3) Stockman A, Sharpe LT: Spectral sensitivities of the middle- and long-wavelength sensitive cones derived from measurements in observers of known genotype. Vision Res 40: 1711-1737, 2000
4) Stiles WS, Burch JM: NPL colour-matching investigation: final report (1958). Optica Acta 6: 1-26, 1959
5) Stockman A, Brainard DH: 3 Fundamental of color vision I: color processing in the eye. Elliot AJ, Fairchild MD, Franklin A(eds): Handbook of Color Psychology. pp27-69, Cambridge University Press, 2015

(内川惠二)

# II 色覚検査

## 1 仮性同色表

### a. 検査機器と原理

現在わが国で販売され使用されている主要な検査表は石原色覚検査表II(国際版38表，24表，コンサイス版14表)と標準色覚検査表(SPP：Standard Pseudoisochromatic Plates, 第1～3部)のみである．現行の石原色覚検査表IIは環状表(Landolt環の形をした表)が新たに追加されている．SPPは先天色覚異常用(第1部，SPP1)，後天色覚異常用(第2部，SPP2)，検診用(第3部，SPP3)となっている．SPP3は先天および後天色覚異常の両方を調べられる．原理は混同色の理論に基づいたものであるが，単純に混同する2色を並べたものではなく，色同士の距離や，大きさ，明るさ，鮮やかさなどに変化を与えることによって検出精度を高めたり，ある程度の照明光の影響を受けづらいように工夫されている[1]．

### b. 方法

石原色覚検査表IIとSPPの検査方法はほぼ同様である．照明は，CまたはD65光源を用いるか，直射光を避けた昼光の下で500 lxを超えないようにする．仮性同色表はいわゆる物体色の検査であり，照明の影響を受けやすい．CとD65の光源は両者とも昼光の光を示すが，D65は紫外領域のエネルギーも含んでいることに注意が必要であり，使用する際は長時間検査表を光源のもとに曝さないようにする必要がある．また光源の光は被検者の眼に直接入らないようにする必要もある．検査距離は眼前75 cmとし，提示時間は1表につき3秒以内である．なお，SPPに関してはほぼすべての表が1表につき2つの文字があるが，2つとも読めた場合は「どちらがよりはっきり読めるか」を聞くことによって異常の有無と型の推定をより確実に行うことが可能である．また，先天色覚異常に関しては基本的に両眼での検査でよいが，後天色覚異常の疑いの場合には片眼ずつ行う．

### c. 適応

先天(石原色覚検査表II，SPP1，SPP3)および後天(SPP2およびSPP3)色覚異常の疑いのある者．主に色覚異常の有無のスクリーニングに用いられる．ただし，型の判定は参考程度に留める．

### d. 正常と異常

石原色覚検査表IIでは，検出表と環状表(計22表)のうち誤り数が4表以下で正常色覚，5～7表では色覚異常の疑いありでアノマロスコープを用いた検査が必要，8表以上であれば先天色覚異常

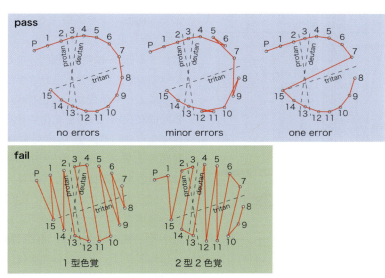

**図 15-6** Panel D-15 の並べ方の例
異常の線に沿った 1 往復以上の線があれば "fail" である.

と判定する．SPP1 では検出表 10 表のうち，8 表以上正答できれば正常としている．詳細は各検査表に付属の説明文書を参照されたい．

> **ポイントと落とし穴**
> ☑ 注意する必要があるのは，詐病や後天色覚異常と微度色覚異常（Spektralfarbenanomale）[1]，そして色覚検査表の答えを記憶している場合である．特に微度色覚異常については，仮性同色表や色相配列検査では誤りが正常範囲であり，アノマロスコープにて典型的な色覚異常の等色範囲を示すので，通常のスクリーニング検査では注意が必要である．

## 2 色相配列検査（Panel D-15）

### a. 検査機器と原理

現在，先天色覚異常の検査として一般的に使用されているものは Panel D-15（Luneau）である．16 個のコマがあり，1 つはケースの端に固定されている．原理は仮性同色表と同じく，混同色軌跡の考え方に準じた 1・2 型色覚の色混同を主と

する検査である．強度の色覚異常がある場合は，混同色軌跡に沿った色の並べ方をする．

### b. 方法

D65 の光源または北向きの昼光下で検査を行い，部屋の照度は 250 lx 以上とする．無彩色のテーブルクロスの上に 15 個のコマを順不同に散りばめ，固定されている 1 つの色を基準にして，似た色の順に 15 個のコマを並べさせる．検査時間は 2 分程度を目安とする．先天色覚異常は基本的に両眼での検査でよいが，後天色覚異常の場合は片眼ずつ検査を行う．

### c. 適応

基本的に仮性同色表で色覚異常と検出された者に対して行い，先天色覚異常の 1〜3 型に加え，後天色覚異常および杆体 1 色覚の検査も可能となっている．

### d. 正常と異常（pass/fail）

図 15-6 は Panel D-15 の並べ方の例であり，protan, deutan, tritan はそれぞれ先天色覚異常の 1〜3 型色覚を示し，網脈絡膜系疾患などの後天色覚異常では tritan の線に沿った間違いを示す

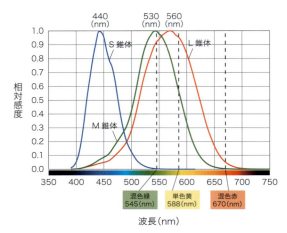

図 15-7　錐体の相対感度とアノマロスコープに使用されている 3 つの光の波長

ことが多い．検査は pass の場合や典型例でない限り 2 回試行する．

> **ポイントと落とし穴**
> ☑ Panel D-15 は，異常の程度を中等度以下か強度に分けるものであり，色覚異常の有無を判定できるものではない．結果が pass であるからといって，色覚異常がないとは限らないことに注意しなければならない．

## 3 アノマロスコープ

### a. 検査機器と原理

現在わが国で販売されているアノマロスコープは，アノマロスコープ OT-II (NEITZ) と HMC アノマロスコープ (OCULUS) がある．古くからは Nagel アノマロスコープ (SCHMIDT HAENSCH) が広く使われているが，現在は製造が中止され，入手不可能である．

アノマロスコープは，色光，いわゆる光源色を用いた検査であり，視標は円形で，上下に色が分かれており，それぞれ色を調整できるようになっている．上半分の色は赤 (670 nm 付近) と緑 (545 nm 付近) の 2 つの単色光の合成で得られる混色光で，混色ノブを調整することによって強度 (明るさ) を一定にしたまま赤，緑の混色割合を変化させる (赤〜緑の色の変化) ことができるようになっている．一方で下半分は単色ノブを調整することによって単色光の黄色 (588 nm 付近) のみの強度 (黄色の明るさ) を変化させることができるようになっている．図 15-7 は錐体 (L, M, S) の相対感度とアノマロスコープに使用されている 3 つの単色光の波長を示している．アノマロスコープの混色赤 (670 nm) の光に反応する錐体は，ほぼ L 錐体のみであることから，L 錐体の働きが弱い 1 型色覚の場合では，混色目盛が 73 (赤のみ) にしたときは，上半分の光はほぼ感じられないことがわかる．

### b. 方法

#### 1) 検査の準備

基本的に自然光の下で検査を行うこととなっているが，被検者の眼に直接日光が当たらない場所がよい．まず正常色覚である検者の眼を用いて，正常等色 (混色 40，単色 15 付近) で等色が成立していることを確かめる．正常色覚および色覚異常で等色しえない混色・単色目盛に設定し，被検者に観察野をのぞいてもらい，円形の視標がはっきり見えていることを確認し，鮮明でない場合は視度調整をする (眼鏡はできるだけ使用しない)．その後，上下に別々の色が分かれていることを確認させ，上下の色が同じかどうか (等色成立) を答えてもらう検査をすることを伝える．

#### 2) 等色成立の判断

アノマロスコープでの診断における等色成立の判断は，絶対等色に限る．絶対等色とは，視標を見て 3 秒以内に答えた場合の等色である．それ以上の時間をかけて答えた場合は，比較等色となり色順応 (見ている色に対する感度が下がった状態) を起こしたことになる．その場合はいったん明順応板を 5 秒程度注視させ，色順応を打ち消したうえで，もう一度絶対等色が成立するかどうかを確認する．

## 3) 各等色点

　正常色覚の場合には，正常等色付近のみで等色が成立する．ただし個人差もあり，等色幅もある程度広い場合もある．一点等色する点があれば，そこを起点にしてどの程度までの混色目盛の等色範囲があるかを調べる必要がある（図15-8）．

### c. 適応

　基本的には先天色覚異常が疑われる者，1，2型の2色覚者および異常3色覚者を対象とするが，杆体1色覚の検査も可能である．

### d. 正常値

　仮性同色表による結果が正常で，アノマロスコープの等色点が正常等色のみであれば，正常色覚である．

> **ポイントと落とし穴**
> ☑ 基本的には10歳程度にならないと信頼のおける検査結果が得られないとされている[2]．検査の理解が得られなかったり，集中力が続かなかったりする場合は検査を見送ることも考える必要がある．

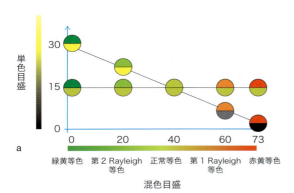
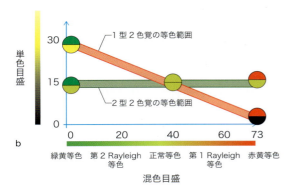
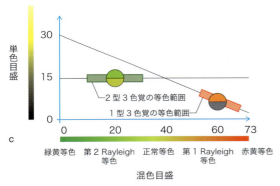

**図15-8** 主要な等色点と先天色覚異常が示すアノマロスコープの均等点
a：主要な等色点　b：2色覚の等色範囲　c：異常3色覚の等色範囲

▶文献
1) 田辺詔子：4．色覚異常検査法（I）仮性同色表，アノマロスコープ．市川 宏（編）：色覚異常．三島済一，塚原勇，植村恭夫（編集主幹）：眼科Mook 16．pp128-138，金原出版，1984
2) 太田安雄，清水金朗：色覚と色覚異常．pp257-266，金原出版，1990

（田中芳樹，玉置明野）

# 第16章 生体計測

　眼科で行われる生体計測(または生体距離計測)には,主に水晶体再建術の術前検査として移植眼内レンズ度数の計算パラメータである"眼軸長"を計測する眼軸長計測と,主にLASIK手術などの角膜屈折矯正手術の適応確認のための角膜厚計測がある.本章では水晶体再建術の術前検査として行われる眼軸長計測について述べる.

　現在,眼軸長計測方法には超音波法と光干渉法の2種類の計測方法があり,被検眼の状態あるいは他方の欠点を補うために併用されている.

## 1 超音波法

### a. 超音波の性質と超音波反射法

　超音波法は一般的に"Aモード法"とよばれ,超音波反射法を利用した計測方法である.

#### 1) 超音波の性質

　超音波は,① 伝わる物体により伝わる速度が異なり,通常,固体,液体の順に速く伝わり,固体では軟らかい物体より硬い物体のほうが速く伝わる.超音波が物体中を伝わる速度を音速値といい,単位は[m/sec]である.② 超音波は音速値の異なる物体の境界面で反射し,音速値の差が大きいほど強く反射する.

#### 2) 超音波反射法

　超音波反射法はこの超音波の性質を利用して,超音波振動子から発信した超音波が音速値の異なる生体組織の境界面で反射して返ってきて,発信と同じ超音波振動子で受信するまでの時間を計測し,この計測時間の半分の時間(片道分の時間)と透過してきた生体組織の音速値から,透過してきた組織の生体距離を算出している(図16-1).生体距離は,次の式で算出される.

　生体距離＝音速値×計測時間/2

　また,有水晶体眼の各生体組織の音速値は,以下の音速値が一般的に使用されている.

　角膜　　　：1,640 m/sec
　前房(前房水)：1,532 m/sec
　水晶体　　：1,641 m/sec
　硝子体　　：1,532 m/sec

　超音波振動子は電気を加えると固有の周波数で振動して超音波を発振するが,逆に物理的に振動させると電気信号を生じる.生体組織の境界面で反射して返ってきた超音波が振動子を振動させると電気信号が生じ,この電気信号を増幅して記録(視覚化)したものが"Aモード波形"である.

　物体からの超音波の反射が強いと振動子は強く

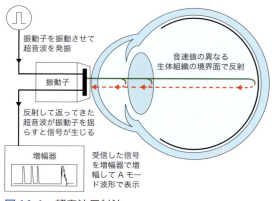

図16-1　超音波反射法

振動するため大きな電気信号が生じAモード波形は大きくなり，反射が弱いと振動子は弱く振動するため微弱な電気信号しか生じずAモード波形は小さくなる．

### b. 接触法/コンタクト法と水浸法/イマージョン法

超音波法には，接触法/コンタクト法と水浸法/イマージョン法の2種類の計測方法がある（図16-2）．

#### 1) 接触法/コンタクト法

測定プローブを直接眼球（角膜）に接触させて計測を行う方法で，主に日本で行われている計測方法である．

有水晶体眼の眼軸長計測では，通常，① 測定プローブの接眼部と角膜表面の境界面からの反射波形である角膜前面波形，② 前房（前房水）と水晶体前面の境界面からの反射波形である水晶体前面波形，③ 水晶体後面と硝子体の境界面からの反射波形である水晶体後面波形，④ 硝子体と網膜内境界膜の境界面からの反射波形である網膜波形の4つのAモード波形が得られる．

測定プローブが空気中に放置されている状態では測定プローブの接眼部と大気（空気）との境界面で反射波形が生じ，これを"イニシャル波形"という．接触法/コンタクト法の計測では測定プローブと眼球（角膜）は接触しているため，測定プローブの接眼部と角膜表面の境界面の反射波形である角膜前面波形が生じるが，このイニシャル波形と重なるため「イニシャル波形＝角膜前面波形」と考える．接触法/コンタクト法においてはイニシャル波形は計測の起点であり，いずれの生体計測もイニシャル波形からの距離を計測している．

接触法/コンタクト法では，測定プローブが眼球（角膜）に直接接触するため，接触により角膜圧迫が生じて眼球形状を変化させ，結果として眼軸長と前房深度を短く計測する要因になる．

#### 2) 水浸法/イマージョン法

眼球に水槽を装着してこの水槽に生理食塩水を溜め，眼球（角膜）に触れないように測定プローブ

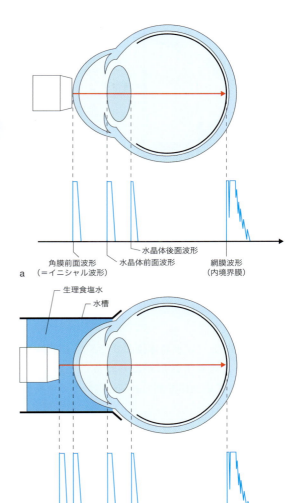

**図 16-2** 接触法/コンタクト法と水浸法/イマージョン法
a：接触法/コンタクト法　b：水浸法/イマージョン法

を生理食塩水中に浸漬して計測する方法で，主に欧米で行われている計測方法である．

水浸法/イマージョン法では測定プローブは眼球（角膜）に接触しないため，接触法/コンタクト法のように「イニシャル波形＝角膜前面波形」とはならず，イニシャル波形と水槽中の生理食塩水と角膜表面の境界面からの反射波形である角膜前面波形とは分離する．したがって，有水晶体眼では，① イニシャル波形，② 角膜前面波形，③ 水

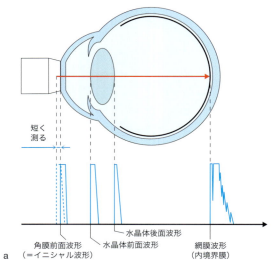

**図 16-3　角膜圧迫と角膜非接触**
a：角膜圧迫　b：角膜非接触

晶体前面波形，④ 水晶体後面波形，⑤ 網膜波形の5つのAモード波形が得られることになる．当然，すべての生体計測の計測起点はこの角膜前面波形である．

水浸法/イマージョン法では測定プローブが眼球（角膜）に接触せず眼球形状を変化させないため，接触法/コンタクト法のように眼軸長と前房深度を短く計測することはない．

### c. 平均音速値算出法と区分音速値算出法

超音波法の計測では，超音波が音速値の異なる生体組織の境界面から反射して返ってきた時間の半分の時間（片道分の時間）に透過してきた生体組織の音速値を掛けて生体距離を算出するが，この算出方法には平均音速値算出法と区分音速値算出法の2種類がある．

#### 1) 平均音速値算出法

音速値に"眼軸長平均音速値"を用いて眼軸長を直接算出する方法で，通常，有水晶体眼の眼軸長平均音速値には[1,550 m/sec]が使用されている．

日本では平均音速値算出法が多く用いられているが，眼軸長平均音速値は平均的な成人眼球にお

ける水晶体厚みが眼軸長に占める比率から作られているため，短眼軸長眼や長眼軸長眼，あるいは眼球形状のバランスが悪い非均整眼では水晶体厚みが眼軸長に占める比率が異なるため，一般的に使用されている眼軸長平均音速値[1,550 m/sec]では算出誤差が生じることが指摘されている[1]．

#### 2) 区分音速値算出法

前房深度は前房（前房水）の音速値，水晶体厚みは水晶体の音速値，硝子体長は硝子体の音速値を用いてそれぞれ別個に生体距離を算出して，算出された前房深度，水晶体厚み，硝子体長を足して眼軸長を算出する方法である．

### d. 角膜圧迫と角膜非接触（図 16-3）

#### 1) 角膜圧迫

前述のとおり日本では接触法/コンタクト法が多く用いられているが，接触法/コンタクト法は測定プローブが眼球（角膜）に直接触れるため多かれ少なかれ必ず角膜圧迫が生じる．角膜圧迫が生じると角膜ドームは凹み眼軸長と前房深度を短く計測することになり，結果として術後に近視化する要因になる．また，角膜の圧迫量は検者の手技，経験，技量によるため一定ではなく，検者間誤差や同一検者であっても計測の再現性の低下の

要因になることはいうまでもない．

### 2）角膜非接触

　角膜圧迫による弊害は周知のことであるため，多くの検者は角膜圧迫を生じさせないよう配慮して，角膜圧迫が生じないぎりぎりの接触状態での計測を目指している．ところが，角膜圧迫が生じないぎりぎりの接触状態での計測は，時に角膜に測定プローブが触れていない角膜非接触が生じるおそれがある．

　通常，超音波は気体中は伝わらないため（少なくとも眼軸長測定装置のような計測器で使用されている低い超音波出力では気体中は伝わらない），測定プローブの接眼部と角膜表面との隙間が十分に広ければ隙間に空気層ができ超音波が伝わらないため計測自体が行えず問題は生じないが，隙間が狭いと涙液や角膜保護剤が隙間に入り込んで貯留するため，これらが媒体となって超音波が伝わり計測が行えることになる．

　接触法/コンタクト法の計測ではイニシャル波形（測定プローブの接眼部の波形）が計測の起点であるため，涙液や角膜保護剤が介在するとその介在層の厚み分だけ眼軸長や前房深度を長く計測することになり，結果として術後に遠視化する要因になる．特に角膜保護剤は粘性があるため涙液に比べて貯留しやすく介在層の厚みが厚くなる傾向にあるため，使用にあたっては注意が必要である．

### e．超音波法の特徴

　超音波法の接触法/コンタクト法は"接触検査"であるため，次のような特徴がある．
(1) 光軸で計測している．
(2) 角膜表面から網膜内境界膜までの生体距離を計測している．
(3) 角膜圧迫により眼球形状を変える．
(4) 検者の手技，経験，技量に影響を受けるため検者間誤差が生じやすく，計測の再現性が劣る．
(5) 測定プローブによる被検眼への侵襲（消毒用アルコールの残留による角膜への侵襲など）

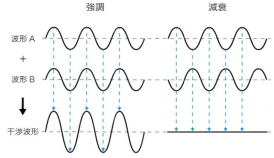

図16-4　波の重ね合わせ現象

や感染のリスクがある．
(6) 計測不能眼がほとんどない．

## 2 光干渉法

　光干渉法を用いた眼軸長計測は，2000年代初頭に光干渉（光学）式眼軸長測定装置が登場したことにより始まった．光干渉法の技術は，すでにOCTで実用化されていたので，眼軸長測定装置への展開が待たれていた．

### a．光干渉法と光干渉法の網膜反射

#### 1）光干渉法

　2つ以上の波が空間的および時間的に重なり合い，波が強調または減衰する"波の重ね合わせ現象"（図16-4），を利用した方法で，単一光源から発信した光を分光器で測定光と参照光に分解（分光）し，測定光は眼球組織（眼軸長計測においては網膜色素上皮）で反射し，参照光は参照ミラーで反射して再び分光器に集光して干渉を起こし干渉光が生じる．この干渉光を光検出器で信号として検出する方法が光干渉法である．

#### 2）光干渉法の網膜反射

　光は透明な組織同士の境界面では透過するため反射は弱く，透明な組織と色素を有する組織の境界面では強く反射する．眼軸長計測における網膜からの反射強度は網膜色素上皮（RPE）が最も強く，次いで ellipsoid zone（視細胞内節外節接合部；IS/OS），強膜（sclera），網膜内境界膜（ILM）の順である（図16-5）．

　実際の測定では網膜内境界膜の反射が確認でき

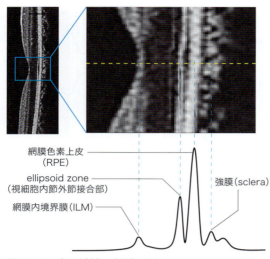

図16-5 光干渉法の網膜反射

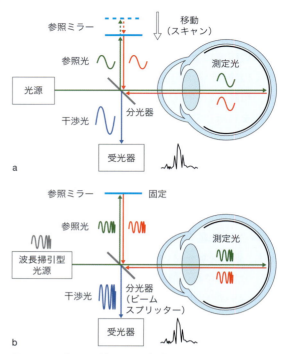

図16-6 タイムドメイン方式とフーリエドメイン方式の模式図
a：タイムドメイン方式　b：フーリエドメイン方式

ることは少なく，網膜色素上皮，ellipsoid zone，強膜の反射のみが確認できることが多い．網膜色素上皮の反射がほかの反射に比べ十分大きい場合は，ほかの反射はあっても相対的に小さく表現（表示）されるため，一見して網膜色素上皮の反射しかないように見える場合がある．また，網膜の状態によっては網膜色素上皮よりellipsoid zoneの反射のほうが強く得られる場合もある．通常，ellipsoid zoneの反射は網膜色素上皮の前方（硝子体側）0.1 mm未満の距離に現われ，強膜の反射は網膜色素上皮の後方0.1 mm以上の距離に現われるため，これらの反射の判別は比較的容易に行える．

### b. タイムドメイン方式とフーリエドメイン方式

光干渉法には，大別してタイムドメイン（time domain）方式とフーリエドメイン（Fourier domain）方式がある（図16-6）．

光学式眼軸長測定装置でも最初に実用化されたのがタイムドメイン方式で，15年程遅れてフーリエドメイン方式の装置が実用化された．現在，光学式眼軸長測定装置の主流はフーリエドメイン方式である．

#### 1）タイムドメイン方式

タイムドメイン方式では単一光源から分光した同じ性質をもつ測定光と参照光の光路長（分光して再び集光するまでの透過距離）が一致したときに最も強く干渉するため，参照ミラーを機械的に移動させて参照光の光路長を変化させることで生体組織の深さ方向の反射光強度分布を検出する．したがって，最も強い増強干渉が生じた位置は参照光の光路長と測定光の光路長が等しいと考えることができるため，参照ミラーの移動量から生体距離を計測することができる．

#### 2）フーリエドメイン方式

出力段階で波長を順次切り替える波長掃引型光源を使い，得られた干渉光に含まれる波長ごとの反射信号をFourier変換することで深さ方向の反射光強度分布を得る方法である．

### c. フーリエドメイン方式の測定可能率

前述のとおり，タイムドメイン方式が参照ミ

ラーを機械的に移動させて参照光の光軸方向への走査である"A-scan 走査"を行うのに対し，フーリエドメイン方式は参照ミラーを固定し移動することなく A-scan 走査を行う．そのため，フーリエドメイン方式はタイムドメイン方式に比べ高速に A-scan 走査が行え，以下の理由からタイムドメイン方式に比べ測定可能率が向上する．

フーリエドメイン方式はタイムドメイン方式に比べ 8〜10% 程度測定可能率が向上するとされており，特に水晶体の混濁が強い眼や後囊下白内障のような測定困難な症例で測定可能率が向上している[2]．

### 1) 多点の測定

フーリエドメイン方式は高速走査が可能なため，例えばタイムドメイン方式が 1 回の A-scan 走査を行う間にフーリエドメイン方式では複数回の A-scan 走査が行える．そのため，タイムドメイン方式の測定装置が通常，網膜面上の 1 点で計測を行っているのに対し，フーリエドメイン方式の計測装置は短時間に複数回の A-scan 走査が行えるため，A-scan 走査を光軸方向に対して垂直方向へ移動させる"B-scan 走査"を併せて行うことで，網膜面上の多点での計測が可能になる．したがって，水晶体の中央部分の混濁が強い眼で 1 点の計測では計測が困難な場合でも，多点で計測することで混濁部分を外れた部分で計測が行えれば，結果的に測定可能率が向上する（図 16-7）．

### 2) 高感度測定

測定光の利用効率がよく高感度な計測が行えるため，測定光の混濁部分での透過率が向上し，また深さによる信号強度の低下も少なくなるため，この点も計測可能率の向上に寄与している．

### d. 等価屈折率方式と区分屈折率方式

光干渉法の計測では角膜表面から網膜色素上皮までの光路長を計測し，この光路長を透過してきた生体組織の屈折率で除して生体距離を算出するが，この算出方法には等価屈折率方式と区分屈折率方式の 2 種類の方法がある．

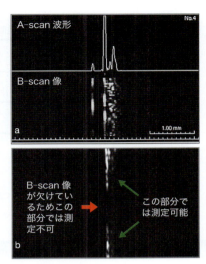

**図 16-7　B-scan 走査**
a：網膜面上の多点の A-scan で構成した B-scan 像と，B-scan 像中の 1 点の A-scan 波形．
b：水晶体の中心部分に強い混濁があると，その部分は測定光が透過しないため B-scan 像が得られないが，周辺部には信号があるため計測が可能．

### 1) 等価屈折率方式

屈折率に"等価屈折率"を用いて眼軸長を直接算出する方法で，超音波法の平均音速値算出法に相当する算出方法である．

日本では等価屈折率方式を採用した光学式眼軸長測定装置が多く用いられているが，超音波法の平均音速値算出法と同様に，等価屈折率方式では短眼軸長眼や長眼軸長眼，あるいはバランスの悪い非均整眼では算出誤差の生じることが指摘されている[3]．

### 2) 区分屈折率方式

"セグメント方式"ともよばれ，超音波法の区分音速値算出法に相当する算出方法である．

角膜厚みは角膜の屈折率，前房深度は前房（前房水）の屈折率，水晶体厚みは水晶体の屈折率，硝子体長は硝子体の屈折率を用いてそれぞれ別個に生体距離を算出して，算出された角膜厚み，前房深度，水晶体厚み，硝子体長を足して眼軸長を算出する．

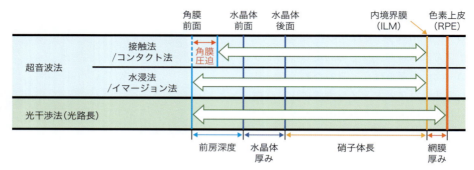

**図 16-8　計測方法別の測定部位**
眼軸長：超音波法・接触法/コンタクト法＜超音波法・水浸法/イマージョン法＜光干渉法

### e. 光干渉法から超音波法への換算

#### 1) 光干渉法と超音波法の違い

　超音波法には接触法/コンタクト法と水浸法/イマージョン法の2種類の計測方法があり，光干渉法と合わせた3種類の計測方法の計測位置は図16-8のようになる．

　超音波法は角膜表面から網膜内境界膜までの生体距離を計測しており，接触法/コンタクト法と水浸法/イマージョン法の違いは角膜圧迫の有無である．光干渉法は角膜表面から網膜色素上皮までの生体距離を計測しており，超音波式との違いは網膜(感覚網膜)の厚み分だけ長く計測していることである．したがって同一被検眼を3種類の計測方法で計測すると眼軸長は超音波法の接触法/コンタクト法が最も短く，次いで超音波法の水浸法/イマージョン法で，光干渉法が最も長く計測していることになり，計測方法により計測結果が異なることになる．

#### 2) 超音波法への換算

　通常，光学式眼軸長測定装置は光干渉法で得られた純粋な距離"光路長"を計測結果として提供することはなく，超音波法の計測結果と同等になるよう換算して提供している．超音波法には光干渉法が登場するまでの長い歴史があり，現在使用されている移植眼内レンズ度数計算式や計算式で使用するレンズ定数の多くは超音波法をベースに作られている．したがって，これらの計算式やレンズ定数をそのまま使用するには光干渉法の光路長は不適であるため，超音波法の計測結果と同等になるよう換算する必要がある．

　光干渉法の光路長を超音波法の計測結果に直接換算する理論式はないため，光学式眼軸長測定装置の製造メーカーは独自に光干渉法と超音波法の比較データを取得して，これをもとに作成した統計学的換算式を用いて換算を行っている．したがって，すべての施設で光干渉法の光路長を超音波法の計測値に換算した計測結果が，実際の超音波法の計測結果と必ずしも一致するわけではないことを理解して使用する必要がある．

　光干渉法が眼軸長計測の主流となった現在，角膜圧迫などの問題を抱えた超音波法(特に接触法/コンタクト法)の計測結果にわざわざ換算することなく，純粋な光干渉法の計測結果である光路長をベースとした計算式の登場やレンズ定数の最適化が待たれる．

### f. 光干渉法の特徴

　光干渉法は"非接触検査"であるため，以下のような特徴がある．
(1) 視軸で計測している．
(2) 角膜表面から網膜色素上皮までの生体距離を計測している．したがって，超音波法に比べ網膜(感覚網膜)の厚み分だけ長く計測しているため，超音波法の水浸法/イマージョン法の計測値と同等となるよう，換算して表示している．
(3) 角膜圧迫がないため眼球形状を変えない．
(4) 検者の手技，経験，技量に影響され難いため

表 16-1 超音波法と光干渉法の比較

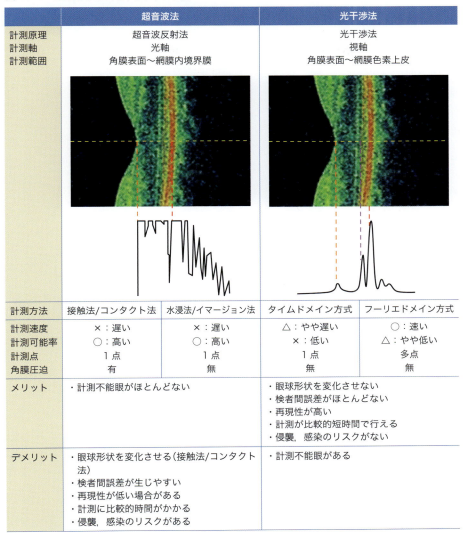

| | 超音波法 | | 光干渉法 | |
|---|---|---|---|---|
| 計測原理 | 超音波反射法 | | 光干渉法 | |
| 計測軸 | 光軸 | | 視軸 | |
| 計測範囲 | 角膜表面〜網膜内境界膜 | | 角膜表面〜網膜色素上皮 | |
| 計測方法 | 接触法/コンタクト法 | 水浸法/イマージョン法 | タイムドメイン方式 | フーリエドメイン方式 |
| 計測速度 | ×：遅い | ×：遅い | △：やや遅い | ○：速い |
| 計測可能率 | ○：高い | ○：高い | ×：低い | △：やや低い |
| 計測点 | 1点 | 1点 | 1点 | 多点 |
| 角膜圧迫 | 有 | 無 | 無 | 無 |
| メリット | ・計測不能眼がほとんどない | | ・眼球形状を変化させない<br>・検者間誤差がほとんどない<br>・再現性が高い<br>・計測が比較的短時間で行える<br>・侵襲，感染のリスクがない | |
| デメリット | ・眼球形状を変化させる（接触法/コンタクト法）<br>・検者間誤差が生じやすい<br>・再現性が低い場合がある<br>・計測に比較的時間がかかる<br>・侵襲，感染のリスクがある | | ・計測不能眼がある | |

検者間誤差が生じ難く，計測の再現性が高い．
(5) 被検眼への侵襲や感染のリスクがない．
(6) 計測不能眼がある．

超音波法と光干渉法の比較を表 16-1 に示す．

現在，計測精度や再現性が高く被検眼に非侵襲な光干渉法が眼軸長計測の主流であるが，"光"という特性上，光干渉法ですべての眼が計測できないことも事実で，今後も光干渉法と超音波法の併用は避けられない．そのため，両計測方法の特徴，メリットとデメリットを十分に理解して各々の欠点を補うだけでなく，併用による相乗効果によって，より正確な眼軸長計測に努めることが術後屈折誤差の軽減のために必要である．

▶文献
1) 福山 誠：超音波眼軸長測定．大鹿哲郎（編）：眼科プラクティス〈25〉眼のバイオメトリー．pp202-206，文光堂，2009
2) 玉置明野，小島隆司，長谷川亜里，他：白内障症例におけるフーリエドメイン方式とタイムドメイン方式による光学式眼軸長測定の比較．IOL&RS 29：378-383，2015
3) 島村恵美子，須藤史子：長眼軸長眼の測定方法と注意点．あたらしい眼科 36：1479-1483，2019

（小郷　実）

第 **3** 部

# 眼鏡

# 第17章 調節

## A. 生理的機構

　遠方が明視できる矯正状態で，視目標を眼に近づけると眼に何も起こらなければ像はぼけて見える．若くて正常な眼であれば，瞬時に近づいた物体にピントが合うようになる．この視目標にピントを合わせる機構を調節という（図17-1）．調節には水晶体，毛様体筋，自律神経が関与している．水晶体は両凸レンズで円盤状の形状をしており，若いときには弾性に富んでいる．毛様体筋は平滑筋で，線維の走行により毛様体筋は輪状線維（Müller筋），放射状線維および経線状線維（Brücke筋）に分けられる．毛様体のヒダ状の突起からは多数の毛様体小帯（Zinn小帯）とよばれる線維が起こり，水晶体を赤道部で吊り下げている．調節が休止状態にあるときには，毛様体筋は弛緩し輪状に広がり毛様体根部に近づいているため，毛様体小帯が水晶体を円板状に引っ張り，水晶体は薄くなる．水晶体が扁平化することによって，水晶体屈折力は減少し，遠くにピントが合う．近くを見るときには，毛様体筋が輪状に収縮するため，毛様体小帯にかかる牽引力が緩み，水晶体は自らの弾性によって厚みを増す．水晶体が球状化することによって，水晶体屈折力は増加し，近くにピントが合う．

　毛様体筋の動きは自律神経の支配を受けており，副交感神経が興奮すると毛様体筋が収縮し，水晶体は厚くなり，交感神経が興奮すると水晶体は薄くなり，遠方が明瞭に見える[1]．

## 1 自覚的調節力

　ピント位置を調整して，最も遠くにピントが合う位置を遠点といい，最も近くにピントが合う位置を近点という．

　遠点と近点の差の大きさを調節域という．この調節域を得るための屈光力が眼の調節力である．

　近点距離が $N$ m（メートル），遠点距離が $F$ m のとき，眼の調節力は次式で算出される．

$$調節力(D) = (1/N) - (1/F)$$

この場合の距離はm単位であることに注意が必要である．

　なお，遠視眼では遠点が実空間にないため，裸眼では遠点を実測することができない．この場合，眼前12 mmの位置に凸レンズ（$P$[D]）を置いて，実空間でピントが最も遠くに合う位置（$F_h$）を

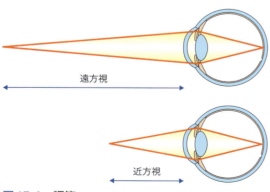

**図17-1　調節**
遠くを見ているときには毛様体筋は弛緩しており，毛様体小帯には張力が加わって水晶体を円板状に薄くしている．近方を見ると瞬時に毛様体筋が輪状に収縮し，毛様体小帯に加わる張力が緩み，水晶体は自らの弾性で膨らみ水晶体屈折力を増す．

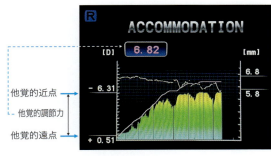

図 17-2　他覚的調節力測定
ニデック社製 ARK-1s で測定した他覚的調節力．他覚的遠点屈折値と他覚的近点屈折値の差を求めている．

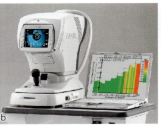

図 17-3　調節機能解析装置
ライト製作所製アコモレフ 2 (**a**) とニデック社製 AA-2 (**b**) が提供されている．
AA-2 は乱視眼でも安定した調節を誘発できるように工夫されており，アコモレフ 2 はスクリーニングモードを備え，測定時間を短くし，臨床に応用しやすく工夫されている．

求めて，次式で算出する．

$$調節力[D] = (1/N) - (1/F_h) + P$$

ここで，$N$ と $F_h$ は m 単位，$P$ の単位は D である．

さらに，近点距離も実空間にない強度の遠視や老視の場合には，眼前 12 mm の位置に凸レンズ($P$[D])を置いて，実空間でピントが最も遠くに合う位置($F_h$)とピントが最も近くに合う位置($N_h$)を求めて，次式で算出する．

$$調節力[D] = (1/N_h) - (1/F_h)$$

目の前に凸レンズを置いて測定した近点や遠点は凸レンズによる像の結像位置のずれや拡大効果が生じるため，裸眼で測定した距離とは若干異なるが，便宜的には上記の計算を用いることが多い．

また，上述の計算は自覚的な調節力であり，感覚的な要素が強く関与しており，実際に水晶体が屈折力を変えた量とは一致しない．

## 2 他覚的調節力

オートレフラクトメータ(オートレフ)で経時的な屈折値を記録できる装置(赤外線オプトメータ)が開発され，他覚的な調節が記録できるようになった．オートレフ装置に内蔵された固視標の位置をパソコンでコントロールして，固視標を注視しているときの被検眼の屈折値を経時的に測定する(図 17-2)．固視標の提示は等屈折度で移動する．自覚的調節力のように近接視標のボケ程度の判断基準を一定に保つ必要はなく，他覚的に調節力を測定できる．調節の状態を他覚的に観察できるものの，最大調節力を引き出すために最大限の調節努力が強いられているため，測定時の被検者の心理状態が測定結果に反映しやすい[2]．

調節機能を動的に観察できるため，調節機能が正常から逸脱していることは推測できるが，異常の程度や治療の効果を定量的に把握することは困難である．

## 3 調節機能解析

赤外線オプトメータで他覚的屈折値を継続的に観察すると，屈折値がゆれ動いている状態が観察される．この屈折値のゆれは調節微動とよばれている．調節微動の周波数分析を行うと，意味ある周波数として，0.6 Hz 未満の低周波数成分と 1.0〜2.3 Hz の高周波数成分が存在する．低周波数成分は調節そのものの動きを示し，高周波数成分は毛様体筋の震えであることがわかってきた[3-5]．視標提示位置を注視しているときの屈折値と高周波数成分の出現頻度(HFC: high frequency component 値)を観察できる装置が調節機能解析装置である(図 17-3)．調節機能の状態を他覚的にイメージできる(図 17-4)．

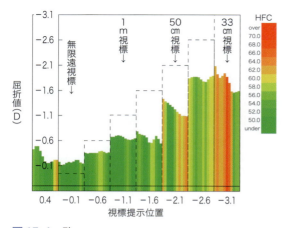

図 17-4　Fk-map
横軸に視標提示位置，縦軸に被検眼の屈折値を示し，縦棒の色はHFC値の出現頻度をグラデーションカラーで示す．HFC値が高値であれば赤色で，HFC値が低値であれば緑色で表示する．HFC値は高周波数成分区間で周波数スペクトルを積分した値で，単位はまだない．

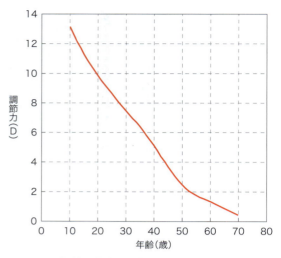

図 17-5　年齢・自覚的調節力曲線
これまでに過去に報告されている石原，矢野，福田，Donders，Clarke，Duane，6氏の年齢調節力曲線を平均して示した．

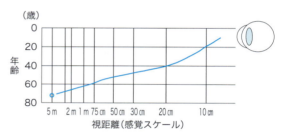

図 17-6　近点距離の加齢による変化
図 17-5 から正視眼の自覚的近点距離を算出して表示した．加齢に伴い勢いよく近点が遠ざかる様子がわかる．

## B. 加齢変化

　調節力は年齢とともに減少し（図 17-5），近点距離は年齢とともに長くなる（図 17-6）．調節力が低下するのは，加齢に伴って，水晶体が十分に膨らまなくなるためである．加齢に伴い水晶体が十分に膨らまなくなる原因は，水晶体の硬化[6]，毛様体筋の機能低下や毛様体小帯の張力の低下[7,8]，毛様体筋の結合組織の増加[9]などが報告されている．また，一方で，毛様体筋の収縮力は老視が進行した50歳代では調節力が十分にある30歳代よりもむしろ増加している[10]という報告や，ヒトの毛様体筋の収縮を in vitro で調査したところ，かなり高齢者でも毛様体筋の機能は保たれている[11,12]との報告もある．現在では水晶体の赤道部付近の囊の硬化が関与している説が有力のようである．

　老視は「眼の調節力が年齢の増加とともに減少し，45歳頃になると読書やその他の細かい手仕事が不自由になる状態」と説明されている．一種の生理的老化現象である[13]．具体的に調節力が何ジオプターになった状態とは明確に示されていない．一般には正視眼で明視距離といわれている近点距離が25 cm あるいは30 cm よりも遠ざかった状態と考えられている．

　近点距離だけで判断すると，近視では裸眼で近方にピントがよく合うので，近視は老視にならない，反対に遠視は裸眼では若くして近方視に支障が出るので，遠視は早く老視になると思われている．しかし，老視は誰にでも同じように起こる．

　調節機能解析装置を用いて，正常な調節をもつ症例のFk-mapの平均値をみると，30～34歳までは調節反応量の減少は認めないが，35～39歳からは調節反応量は減少し，50～54歳になると他覚的にはほとんど調節ができなくなる（図 17-7）．

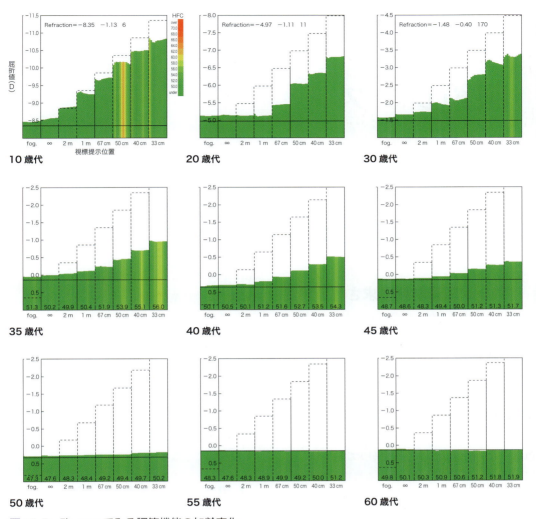

**図 17-7　Fk-map でみる調節機能の加齢変化**
調節反応量は 35 歳くらいまでは緩やかな低下であるが，40 歳から 50 歳にかけて急激に減少する様子がわかる．

### ▶文献

1) 二唐東朔：視覚系．二唐東朔，阿倍紀一郎（編）：基礎身体機能学，第 2 版．pp119-140，廣川書店，2004
2) 橋本禎子，加藤桂一郎，八子恵子，他：小児遠視眼における調節機能の検討．日眼紀 42：1628-1632，1991
3) 鈴村昭弘：微動調節の研究．日眼会誌 79：1257-1271，1975
4) Campbell FW, Rebson JG, Westheimer G: Fluctuations of accommodation under steady viewing conditions. J Physiol 145: 579-585, 1959
5) Winn B, Pugh JR, Gilmartin B, et al: The frequency characteristics of accommodative microfluctuations for central and peripheral zones of the human crystalline lens. Vision Res 30: 1093-1099, 1990
6) Semmlow JL, Stark L. Vandepol C, et al: The relationship between ciliary muscle contraction and accommodative response in the presbyopic eye. Obrecht G, Stark LW (eds): Presbyopia Research-from molecular biology to visual adaptation. pp245-243, Plenum Press, 1991
7) Duane A: Are the current theories of accommodation correct? Am J Ophthalmol 8: 196-202, 1925
8) Tamm E, Lutjen-Drecoll E, Jungkunz W, et al: Posterior attachment of ciliary muscle in young, accommodating old, presbyopic monkey. Invest Ophthalmol Vis Sci 32: 1678-1692, 1991
9) 西田祥蔵：眼組織の老化と調節．日眼会誌 94：93-119，1990
10) Fisher RF: The force of contraction of the human ciliary muscle during accommodation. J Physiol 270: 51-74, 1977
11) Kern R: Die adrenergischen Receptoren der intraoclären Muskeln des Menschen. Albrecht Von Graefes Arch Klin Exp Ophthalmol 180: 231-248, 1970
12) 吉富健志，石川　均，鳩野長文，他：IOL 挿入老人眼の毛様体筋収縮能．臨眼 47：983-986，1993
13) 勝木保次：生理学大系Ⅵ 感覚の生理学．pp486-490，医学書院，1967

（梶田雅義）

# 第18章
# 眼鏡レンズ

## I　レンズの素材と特徴

### 1 眼鏡レンズ素材に要求される特性

　眼鏡レンズの素材は，光学媒質としての基本性能である均質透明以外に，眼鏡装用者のため，加工を行う眼鏡店のために，下記の特性を備えていることが望まれる．
(1) 高屈折率，高 Abbe 数，低比重
・同じ屈折力では，屈折率が高いほど薄い，軽いレンズができる．
・Abbe 数が高いほど，色収差が少ない．
・素材が軽いほど耳や鼻に掛かる負担が少ない．
(2) 加工性
・研削研磨加工や玉摺り加工しやすい．
・割れにくい．
(3) 耐環境性
・表面が硬く，傷つきにくい．
・耐熱性，耐候性，耐衝撃性，耐溶剤性など，加工環境，使用環境によって物性変化しにくい．

(4) 染色性
・様々な色に染色可能．
(5) 安全性
・人体に毒性がなく，アレルギー反応が起こりにくい．
・レンズ加工時の削りかすによる環境汚染が起こらない．
　これらの性能をレンズ素材のみ，または表面処理と組み合わせて実現しないと，眼鏡レンズとしては利用できない．

### 2 眼鏡レンズ素材の種類

　眼鏡レンズの素材は，無機ガラス素材と有機プラスチック素材に分けられる．表 18-1 にガラスとプラスチック素材の比較を表わす．
　約 30 年前までは，ガラスレンズが主流であった．その後プラスチックレンズの弱点の軟らかさと傷つきやすさがコーティング技術でカバーさ

表 18-1　ガラス素材とプラスチック素材の比較

| 種類 | 細分類 | 製造方式 | 成型方法 | 主な利点 | 主な弱点 |
|---|---|---|---|---|---|
| プラスチック | 熱硬化性樹脂 | 熱重合 | 注型成型＋研削研磨 | 軽い，割れにくい，染色可能 | 軟らかい，傷つきやすい，耐候性が低い |
| | 光硬化性樹脂 | 光重合 | | | |
| | 熱可塑性樹脂 | 溶融，加圧，冷却 | 射出成型＋研削研磨 | | |
| ガラス | クラウンガラス，フリントガラス | 溶融，冷却 | 研削研磨 | 屈折率，Abbe 数が高い，耐候性が高い | 重い，硬い，割れやすい |

表 18-2 主な眼鏡レンズ素材の屈折率,Abbe 数,比重(メーカー名,商品名は省略)

| 分類 | | 組成 | 屈折率($n_e$) | Abbe 数($\nu_e$) | 比重(g/cm³) |
|---|---|---|---|---|---|
| プラスチック | 超高屈折 | エピスルフィド系樹脂 | 1.74 | 33 | 1.46 |
| | | チオウレタン系樹脂 | 1.67 | 32 | 1.35 |
| | 高屈折 | チオウレタン系樹脂 | 1.60 | 42 | 1.30 |
| | | チオウレタン系樹脂 | 1.60 | 36 | 1.32 |
| | | PC | 1.59 | 31 | 1.20 |
| | 中屈折 | (ウレタン)メタクリレート | 1.56 | 41 | 1.17 |
| | | DAP 系樹脂 | 1.55 | 40 | 1.27 |
| | 低屈折 | ADC(CR39) | 1.50 | 58 | 1.32 |
| | | PMMA | 1.49 | 58 | 1.18 |
| ガラス | 超高屈折 | フリント | 1.892 | 31.0 | 3.97 |
| | | フリント | 1.800 | 35.0 | 3.50 |
| | 高屈折 | フリント | 1.702 | 40.2 | 2.99 |
| | 中屈折 | フリント | 1.606 | 40.8 | 2.57 |
| | 低屈折 | クラウン | 1.525 | 59 | 2.54 |

れ,本来の特徴である軽さ,割れにくさ,加工しやすさもあり,市場に歓迎された.プラスチックレンズも高屈折率の商品が開発されている(表 18-2).今は眼鏡レンズ全体の出荷量に占める割合が 90% 以上になり,ガラスレンズは高屈折率の一部品種だけになっている.

プラスチックレンズが普及している原因の 1 つに,ファッション性要求に対応しやすいことが挙げられる.特殊形状の玉形に加工や,リムレスのフレームに必要な穴あけ加工が可能になっているからである.

## II フィルター,反射防止コート

本章「着色レンズ」項参照,⇒233 頁.

## III 光学設計

### A. 面の屈折力,バージェンス,レンズの屈折力

レンズを構成する面の最も基本的な形状は球面である.図 18-1 に球面による光線屈折状態を示している.
球面の屈折の式は,

$$\frac{n'}{l'} - \frac{n}{l} = \frac{n'-n}{r} \quad \cdots ❶$$

であり,$l$ と $l'$ は面の頂点 O から測定した物体距離 OP と像距離 OP'(図 18-1)である.光が左から右に伝搬するとして,面の頂点 O から左側の点の距離はマイナス,右側の点はプラスの符号をとる.面の曲率半径の符号は,曲率中心 C の位置によって決まり,面頂点 O の左側にある場合はマイナス,右側にある場合はプラスになる.物体点 P から発射した波面が O 点に到達すると,

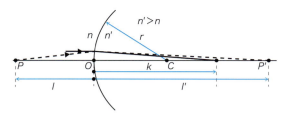

図 18-1　球面の屈折

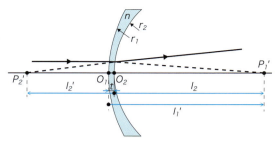

図 18-2　レンズの屈折力

半径 l の球面であり，そのバージェンスは $L=\dfrac{n}{l}$ と定義する．同様に出射波面のバージェンスは $L'=\dfrac{n'}{l'}$ である．波面のバージェンスの符号は，発散光の場合（波面の曲率中心が左側にある）がマイナス，収束光の場合（波面の曲率中心が右側にある）がプラスである．さらに面屈折力を $K=\dfrac{n'-n}{r}$ と定義すると，球面の屈折の式❶は $L'=L+K$ に書き換えられる．つまり，出射波面のバージェンス $L'$ は入射光のバージェンス $L$ と面屈折力の和になる．面屈折力やバージェンスの単位は通常ジオプター[1/m]である．計算するときに半径や物体距離などはメートル単位に変換する必要がある．面屈折力に関しては，曲面の曲がる程度なので，面カーブ，ベースカーブなどのよび方もある．また定性的に深いカーブ，浅いカーブなどとよぶ場合もある．ただ，「カーブ」というよび方は，多くの場合，屈折率を 1.530 に換算した面屈折力を指していて，屈折率要素を排除した曲率の大きさを表わす．屈折率を 1.530 に換算した面屈折力をノミナルカーブ (nominal curve) とよぶこともある．

レンズ前面の曲率半径が $r_1$，後面の曲率半径が $r_2$，屈折率 n，厚みのない薄レンズ（図 18-2，$t=0$）の屈折は，前面の出射波面がそのまま後面の入射波面になって，さらに後面によって屈折されると考えることができる．つまり，$L_2'=L_2+K_2=L_1'+K_2=L_1+K_1+K_2$，したがって，レンズ全体の屈折力は，

$$K=K_1+K_2=\dfrac{n'-1}{r_1}+\dfrac{1-n}{r_2}$$
$$=(n-1)\left(\dfrac{1}{r_1}-\dfrac{1}{r_2}\right) \quad \cdots ❷$$

である．

厚みのあるレンズの屈折力は，焦点距離の逆数と考えることが一般的だが，焦点距離は主点から焦点までの距離なので，主点の位置を確定しないと焦点距離が測れない．主点位置はレンズ前後面のカーブと肉厚で計算され，レンズ面の頂点から距離で確定する．眼鏡レンズの場合，主点と後面頂点との距離が，レンズの焦点距離に比べて小さいので，焦点距離の基準点を後面頂点にすることが決まっている．屈折力は後面頂点と後方焦点までの距離の逆数と定義される．

中心厚が t の場合，無限遠方物体点（入射光が平行光線）の前面による像が $P_1'$，この $P_1'$ 点が後面の物体点となり，後面による像点が $P_2'$ となる（図 18-2）．この $P_2'$ は無限遠方物体点のレンズによる像である．

図 18-2 のように，$l_2=l_1'-t$．したがって，

$$L_2=\dfrac{n}{l_2}=\dfrac{n}{l_1'-t}=\dfrac{n}{l_1'}\cdot\dfrac{1}{1-\dfrac{t}{n}\cdot\dfrac{n}{l_1'}}=\dfrac{L_1'}{1-\dfrac{t}{n}L_1'}$$

$$=\dfrac{L_1+K_1}{1-\dfrac{t}{n}(L_1+K_1)},$$

$$L_2'=L_2+K_2=\dfrac{L_1+K_1}{1-\dfrac{t}{n}(L_1+K_1)}+K_2,$$

無限遠方物体 $L_1=0$ の場合，後面の出射波面のバージェンス $L_2'$ はそのままレンズ屈折力である．

$$K=\frac{K_1}{1-\frac{t}{n}K_1}+K_2 \quad \cdots ❸$$

## B. 単焦点レンズ（球面レンズ，非球面レンズ）

レンズ全面に屈折力がほぼ一定のレンズを単焦点レンズという．単焦点レンズの典型が球面レンズである．球面レンズは，前面と後面ともに球面形状のレンズだが，片面がトロイダル面である乱視用レンズも球面レンズの範疇に入る．

### 1 球面とトロイダル面

光軸を $x$ 軸，上方向を $y$ 軸，水平方向を $z$ 軸とする場合，球面（図 18-3a）の式は，

$$x=r-\sqrt{r^2-(y^2+z^2)}=r-\sqrt{r^2-\rho^2}$$
$$=\frac{c\rho^2}{1+\sqrt{1-c^2\rho^2}}$$

である．

トロイダル面は，図 18-3b のように，x-y 平面にある半径 $r_y$ の母円を，y 軸に平行の直線（$x=r_z, z=0$）を回転軸に回転半径 $r_z$ で回転させたときにできた母円の軌跡である．その式は，

$$x=r_z-\sqrt{(r_z-r_y+\sqrt{r_y^2-y^2})^2-z^2} \quad \cdots ❹$$

である．$r_z>r_y$ の場合タイヤ型，$r_z<r_y$ の場合樽型の面になる．

ここで少し微分幾何学の知識を紹介する．平滑な曲面に存在する任意の一点の，法線を含む平面はこの点における直截面という．直截面と曲面が交わる曲線は直截曲線という．直截曲線のこの点における曲率は直截面の角度によって変わるが，最大値をとる方向（第一主方向）と最小値をとる方向（第二主方向）があり，両主方向が必ず直交する（図 18-4）．両主方向の直截曲線曲率（主曲率）が仮に $K_1$ と $K_2$ とすると，第一主方向から第二主

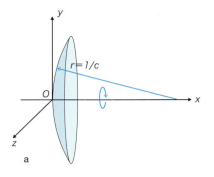

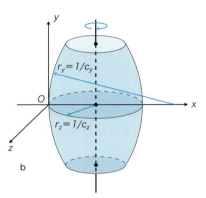

図 18-3　球面とトロイダル面
a：球面，b：トロイダル面

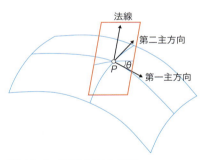

図 18-4　平滑曲面の曲率

方向へ $\theta$ 角だけ転向した方向の直截曲線曲率は，

$$K=K_1(\cos\theta)^2+K_2(\sin\theta)^2 \quad \cdots ❺$$

この式を Euler（オイラー）の式という．

トロイダル面の頂点の法線は $x$ 軸にあたり，$y$ 方向と $z$ 方向が主方向，$C_y=1/r_y$ と $C_z=1/r_z$ が主曲率である．式 ❹ で確かめてみるとよい．$\theta$ 方向の直截曲線は，$y=\rho\cos\theta$，$z=\rho\sin\theta$ を式 ❹ に代入して求める．さらに原点の曲率は，

$$C(\theta) = \left.\frac{\partial^2 x}{\partial \rho^2}\right|_{\rho=0}$$

である．

レンズの前面と後面を球面またはトロイダル面を組み合わせて配置すれば，すべての度数のレンズを構成することができる．レンズ前面はトロイダル面を使用する時代もあったが，現在はすべて球面を使用している．これは，シェイプファクターを一定に保つこともあるが，眼鏡を装用したとき，外観が左右眼鏡で整って美しく見えるためでもある．球面レンズの場合，前面球面の屈折力が決まると後面の屈折力も決まる．

眼鏡レンズのレンズ製造範囲を，例えば球面度数$-11.00$〜$+8.00$ Dの$0.25$ Dピッチ，乱視度数$-0.25$〜$-6.00$ Dの$0.25$ Dピッチとすると，度数のバリエーションが1,625種類に達する(図18-5参照)．そのすべてに異なる前面屈折力(ベースカーブ)を設定すると，生産効率が悪くなるので，いくつかのグループに分け，各グループで共通のベースカーブを使用することが普通である．各グループに採用するベースカーブは，収差を考慮して決める(後述)．図18-5にベースカーブ区分の一例を示している．製造範囲のS≦8.00かつS＋C≧$-11.0$かつ$-6.00$≦C≦0の範囲を8の区分に分けて，それぞれにベースカーブを決めている．例えば，S＋4.00 C$-2.00$のレンズは6.25 BC(ベースカーブ)の前面を採用する．

## 2 乱視度数の表記，度数転換

乱視レンズの屈折力の表記には，次のような方法がある．
① 両主経線の屈折力の値を併記する．
② 一方の主経線の屈折力を球面屈折力にし，もう一方の主経線屈折力との差を乱視屈折力として表記する．

② については，どちらの主経線の屈折力を球面屈折力にするかによって，2種類の表記がある．この結果，乱視度数の表記は全部で3通りあり，互いに置き換えることを度数転換という(図18-6)．

例えば，A=2.00 D，B=3.50 D，θ=15°の場合，下記の3通りがある
① C＋2.00 D Ax15°，C3.50 D Ax105°
② S＋2.00 D⊃C＋1.50 D Ax15°
③ S＋3.50 D⊃C$-1.50$ D Ax105°

実際は ② か ③ の表記を使うことがほとんどである．

乱視度数の符号表記は国によって習慣が異なる．わが国の眼鏡店やレンズメーカーでは，
- 遠視性乱視(両主経線ともプラス度数)：
  S＋C＋
- 近視性乱視(両主経線ともマイナス度数)：
  S－C－
- 混合乱視(片方の主経線がプラス，もう片方の主経線がマイナス度数)：S＋C－

となっている．ただこの方式では，レンズの度数範囲表を3つに分けて描くことになり，やや煩雑である．ドイツやフランスでは全範囲C＋表記である．図18-6は全範囲C－表記である．

## 3 乱視度数の合成

球面レンズを2枚重ねると，間隔の影響を無視すれば，その屈折力は両レンズの屈折力を足し合わせた値になる．乱視レンズの場合は以下のようになる．

仮にレンズ1の屈折力が，球面度数$S_1$，乱視度数$C_1$，軸角度$\theta_1$で，レンズ2の屈折力が，球面度数$S_2$，乱視度数$C_2$，軸角度$\theta_2$の場合，任意角度$\theta$方向の屈折力はEulerの式によって求められる．

$$K_1(\theta) = S_1 \cos^2(\theta-\theta_1) + (S_1+C_1)\sin^2(\theta-\theta_1)$$
$$= S_1 + C_1 \sin^2(\theta-\theta_1)$$

$$K_2(\theta) = S_2 \cos^2(\theta-\theta_2) + (S_2+C_2)\sin^2(\theta-\theta_2)$$
$$= S_2 + C_2 \sin^2(\theta-\theta_2)$$

したがって合成レンズの任意角度$\theta$方向の屈折力は，

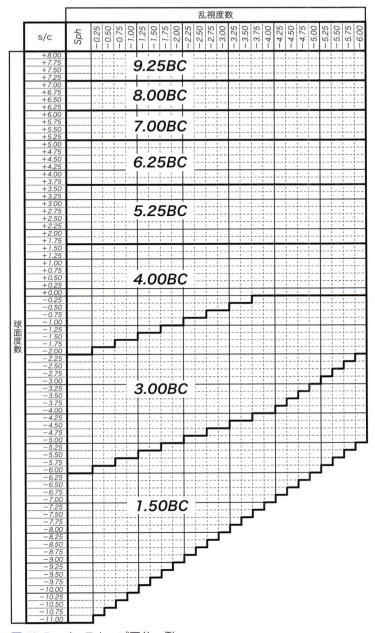

図 18-5　ベースカーブ区分一例

$$\begin{aligned}
K(\theta) &= K_1(\theta) + K_2(\theta) \\
&= S_1 + S_2 + C_1 \sin^2(\theta - \theta_1) + C_2 \sin^2(\theta - \theta_2) \\
&= S_1 + S_2 + \frac{C_1 + C_2}{2} - \frac{1}{2}(C_1 \cos^2(\theta - \theta_1) \\
&\quad + C_2 \cos^2(\theta - \theta_2)) \\
&= S_1 + S_2 + \frac{C_1 + C_2}{2} - \frac{1}{2} C_3 \cos^2(\theta - \theta_3) \\
&= S_1 + S_2 + \frac{C_1 + C_2 - C_3}{2} + C_3 \sin^2(\theta - \theta_3) \\
&= S_3 + C_3 \sin^2(\theta - \theta_3)
\end{aligned}$$

となる．

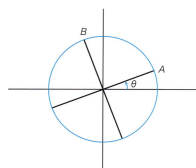

① C A Ax θ°；C B Ax θ±90°
② S A⊃C B−A Ax θ
③ S B⊃C A−B Ax θ±90°

図 18-6　度数転換

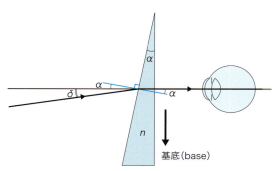

図 18-7　プリズム効果とフレの角

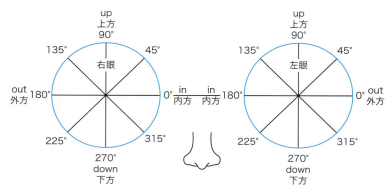

図 18-8　プリズムベース方向

ここで，
$$C_3=\sqrt{C_1^2+C_2^2+2C_1C_2\cos2(\theta_1-\theta_2)}$$
$$S_3=S_1+S_2+\frac{C_1+C_2-C_3}{2}$$
$$\theta_3=\frac{1}{2}\tan^{-1}\left(\frac{C_1\sin2\theta_1+C_2\sin2\theta_2}{C_1\cos2\theta_1+C_2\cos2\theta_2}\right) \quad \cdots ❻$$

つまり，合成レンズの球面度数 $S_3$，乱視度数 $C_3$，軸角度 $\theta_3$ は上記の式 ❻ で求めることができる．矯正レンズの屈折力が，例えば乱視度数の軸が眼の屈折値に合っていない場合や，あるいは検眼時に得た乱視軸角度に誤差がある場合に発生する残余乱視は，式 ❻ で計算することができる．$\theta_3$ を計算するとき，カッコ内分子と分母の符号も考慮した arctan 関数を使う．

## 4 プリズム屈折力

プリズムレンズは光線の進行方向を変えるためのレンズである．平面プリズムは平行でない平面で構成されるレンズである（図 18-7）．

プリズムの頂角 α と光線の方向の偏向角度，つまりフレの角 δ との関係は，Snell（スネル）の法則で求めることができる．図 18-7 のように，空気中の光線入射角が α+δ，レンズ内の光線出射角が α なので，$\sin(\alpha+\delta)=n\sin\alpha$ となる．α と δ が十分小さい場合，$\sin\alpha≒\alpha$ が成立するので，整理すると，フレの角は $\delta≒(n-1)\alpha$ である．

プリズムの強弱はプリズム屈折力で表わし，その単位は「cm/m」，プリズムジオプター［Δ］である．1Δ のプリズム屈折力は光線が 1m 進むと 1cm 偏位する能力をもつという意味である．頂角

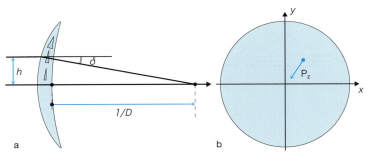
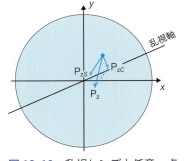

図 18-9 球面レンズ上任意一点のプリズム屈折力
a：任意一点のプリズム屈折力　b：任意一点のプリズム屈折力ベクトル

図 18-10 乱視レンズ上任意一点のプリズム屈折力

$\alpha$の場合のプリズム屈折力は，

$$P_z = 100\tan\delta \fallingdotseq 100\,\delta \fallingdotseq 100(n-1)\alpha \quad \cdots ❼$$

となる．$\alpha$の単位はラジアンである．

プリズムによって光線は基底（ベース）の方向に偏向するので，プリズムの方向を指定する場合は基底の方向を指定する．基底方向は乱視度数の軸方向と同じ座標系を使うが，角度の範囲は 0〜360°をとる必要がある（図 18-8）．これは基底方向 90°と 270°は全く反対方向のプリズムであるのに対し，乱視軸の 90°と 270°は同じ意味をもつからである．

慣用として，垂直と水平方向のプリズム基底は専用のよび方がある．鼻側を内方(in)，耳側が外方(out)，上は上方(up)，下は下方(down)などである．ただし，鼻側と耳側のベース方向角度は左右眼によって異なるので，注意が必要である．

## 5 球面レンズのプリズム屈折力分布

光軸に平行する光線を入力すると，レンズの焦点に集まる（図 18-9a）．入力平行光線が光軸から $h$ だけ離れるとき，出射光線のフレの角 $\delta$ は，$\tan\delta = \dfrac{r}{f} = hD$ となる．$h$ の単位を mm に変えると，プリズムの値は，

$$P_z = 100\tan\delta = \frac{100hD}{1000} = \frac{hD}{10} \quad \cdots ❽$$

となる．この式はプレンティスの式（Prentice's law）という．球面レンズ上一点のプリズム屈折力は光軸からの距離に比例している（図 18-9a）．プリズムの基底方向は，所定点から光軸に向かう方向（プラスレンズ），または光軸から離れる方向（マイナスレンズ）である．このようにレンズ上一点のプリズム屈折力は基底方向と組み合わせてベクトルで表現することができる（図 18-9b）．

円柱型乱視レンズ上一点のプリズム屈折力は，同じく Prentice の式で求めることができる．ただ，$h$ は所定点から乱視軸までの距離，基底方向は乱視軸に直交する方向である．

乱視処方を含むレンズ上任意一点のプリズム屈折力は，そのレンズを球面レンズと円柱乱視レンズ（C 度数のみ）に分解し，それぞれのレンズの所定点におけるプリズム屈折力ベクトルを求め，両ベクトルの和が合成レンズのプリズム屈折力ベクトルになる（図 18-10）．

レンズ上プリズム分布の性質を利用し，通常の球面レンズを偏心して枠入れ（眼鏡レンズを削りフレームに入れて作製すること）することで，所定のプリズム処方の実現が可能である．ただ，処方プリズムが大きく，レンズの偏心量が大きい場合，レンズ径が足りなくなる場合がある．また，光学性能を追求する非球面レンズでは，偏心枠入れすると，所定光学性能が損なわれる可能性がある．これらの場合，特注のプリズム加工で，光軸において前面と後面が所定プリズム頂角を形成するようにレンズを作製することになる．眼鏡の厚みや重量が増えすぎないように，眼鏡レンズでこのようにプリズム加工の範囲は一般的に 5.0 Δ ま

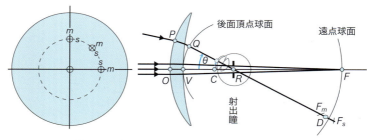

図 18-11 眼鏡レンズの光学系

でである．もっと大きいプリズムが必要な場合，Fresnel 膜プリズムを貼る方法がある．Fresnel 膜プリズムは幅の狭いプリズムを帯状に並べたもので，ポリ塩化ビニル（PVC）で作られている．細かいプリズムを連続させることで度の強いプリズムも薄くなり，眼鏡に貼り付けできるようになっている．

## 6 眼鏡レンズの収差

眼鏡レンズはフレームによって眼球の前に固定され，眼球光学系とともに目標物からの光線を網膜上の中心窩に結像させる．視野中央部のものは，レンズの中央部分を通して見るが，視野周辺部のものは，頭を回転して目標物を視野の中心にもってくるか，眼を回転してレンズの周辺部を通して見ることになる．したがって，眼鏡レンズは光軸上の度数が眼の屈折異常を正しく補正すると同時に，眼が回転してレンズの周辺部を通して物を見るときでも，光学性能が低下しないように注意して設計されている．

Seidel 収差理論によると，光学系の単色収差は球面収差，コマ収差，非点収差，像面彎曲，歪曲収差の 5 種類ある．それ以外に光学媒体の色分散による色収差もあるが，眼鏡レンズでは素材の Abbe 数で決まるので，設計によって改善することはできない．以下眼鏡レンズの収差補正はどのようにするかを簡単に説明する．図 18-11 に示したのは眼鏡レンズの光学系である．眼鏡レンズの光軸は第一眼位の視線に光軸を合わせている．眼球は眼鏡レンズの光軸上 $R$ 点を中心に回旋して視野内の任意方向に眼を向ける．視野内すべての方向からの光線が回旋中心点 $R$ を通るので，$R$ は眼鏡レンズ光学系の射出瞳の位置と考えることができる．射出瞳の大きさは，眼球の瞳孔径と同程度で，最大でも 6 mm 程度である．視野角 $\theta$ はレンズのサイズから 40° 以上である．このように，眼鏡レンズの光学系は小口径，大視野の特徴をもつ．収差論によれば，口径の 3 乗に比例する球面収差と口径の 2 乗に比例するコマ収差はもともと小さいので，無視しても差し支えない．視野角の 2 乗に比例する非点収差と像面彎曲と視野角の 3 乗に比例する歪曲収差は無視できず，補正対象となる．歪曲収差は確かに大きいが，レンズ 1 枚だけではできることが限られる．このように，眼鏡レンズ光学系の収差補正の対象は非点収差と像面彎曲だけである．

図 18-11 のように，光軸に沿って入射する平行光束は光軸上後方焦点 $F$ に結像する．レンズの屈折力 $K$ はレンズ後方頂点と後方焦点との距離 $VF$ の逆数と定義される．レンズの軸外一点 $P$ を通して見る場合，非点収差があり，メリジオナル方向（$m$ 方向）とサジタル方向（$s$ 方向）で像の位置が異なる．それぞれの屈折力は，$K_m = 1/QF_m$，$K_s = 1/QF_s$ である（図 18-11）．ここで $Q$ 点は後面頂点球面（$R$ を中心とし，レンズ後面頂点 $V$ を通る球面）と主光線の交点である．$Q$ 点を屈折力評価点にするのは，軸上の場合と条件を合わせるためである．これらの屈折力によって，眼鏡レンズ軸外光線の平均屈折力（mean oblique power：MOP），平均屈折力誤差（mean oblique error：MOE）および非点収差（oblique astigmatic error：OAE）は下記のように定義されている．

$$MOP = \frac{1}{2}(K_m + K_s)$$
$$MOE = MOP - K$$
$$OAE = K_m - K_s \qquad \cdots ⑨$$

このように眼鏡レンズの光学系の収差は，像面彎曲に相当する $MOE$ と非点収差 $OAE$ に集約することができる．

## 7 球面レンズの設計

球面レンズの内面と外面がともに球面なので，光学設計は外面屈折力 $K_1$（ベースカーブ）を，前述の $MOE$ と $OAE$ を最小にするように決めるだけである．球面レンズのベースカーブと収差の関係は古くから研究されていた．図 18-12 に示したのは 100 年以上も前に発表された Tscherning の楕円である．横軸はレンズの屈折力，縦軸はベースカーブである．楕円上のベースカーブを採用すると，30°入射のときに非点収差が 0 になるという．ただし，当時は厳密な光線追跡ではなく，簡略条件下の近似式を使って非点収差を計算していたので，Tscherning の楕円はあくまで目安と考えるべきである．

図 18-12 によれば，ある屈折力のレンズの最適ベースカーブ値が Wollaston 解と Ostwald 解の 2 つある．例え小さいベースカーブの Ostwald 解を採用しても大変深いカーブになる．例えば，−10 D のレンズのベースカーブが 4 D，内面が 14 D になる．そして，+6.00 D 以上のレンズだと解が存在しない．したがって，Tscherning の楕円に厳密に従ってベースカーブ設定は不可能である．実際の球面レンズ製品は図 18-12 に青色で示した曲線付近で球面レンズのベースカーブを設定している．

## 8 単焦点非球面レンズ

眼鏡レンズの素材をガラスからプラスチックに切り替えることによって，ファッション性を追求する機運が高まり，大きい玉形のフレームが流行する時期があった．それに対応するには，大きい

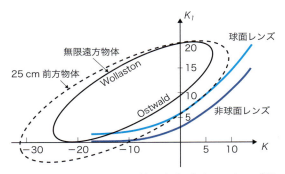

図 18-12 Tscherning の楕円およびベースカーブ設定例

径のレンズが必須である．しかし，ベースカーブが深いままで径を大きくすると，マイナスレンズの縁厚（コバ厚），プラスレンズの中心肉厚が大きくなるばかりである．ベースカーブを浅くすると，前節のように収差状況が悪くなる．浅いカーブを採用しても収差補正を可能にする方法は，レンズの前面または後面，または両方の面に非球面を使うことである．

一般的には球面でない曲面をすべて非球面とよんでいるが，眼鏡レンズの分野では，軸回転対称をもつ曲面だけを非球面とよぶことが多い．非球面の回転軸を含む平面の断面曲線は次の式で表わされる．

$$x = \frac{c\rho^2}{1+\sqrt{1-(1+\kappa)c^2\rho^2}} + \sum_{i=2}^{n} A_{2i}\rho^{2i} \qquad \cdots ⑩$$

ここで，$\kappa$：円錐係数．

$\kappa > -1$：第一項は楕円．そのうち $\kappa = 0$：円
$\kappa = -1$：第一項は放物線
$\kappa < -1$：第一項は双曲線

非球面を浅いカーブの眼鏡レンズの前面または後面に採用して，前述の $MOE$ や $OAE$ が減少するように設計すると，さらに中心肉厚または縁厚の小さいレンズが得られる（図 18-13）．非球面設計によって得られる収差改善の効果を図 18-14 に示す．これはあくまでイメージであり，本当の収差は度数，カーブ値，VR 値（後面頂点から回旋中心までの距離）など様々なパラメータによって決められる．図 18-13 のように非球面周辺部

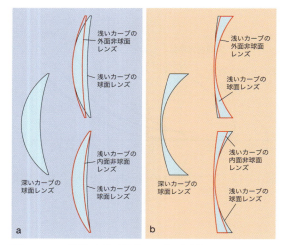

図 18-13　単焦点非球面レンズの形状
a：プラスレンズ　b：マイナスレンズ

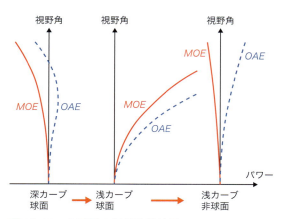

図 18-14　非球面の収差改善効果

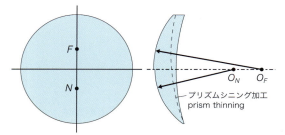

図 18-15　EX 型二重焦点レンズ

の両主経面に関して対称な面で，乱視度数のレンズに対して周辺部の残余非点収差と残余度数誤差を最適化することが可能である．最近の非球面単焦点レンズは，前面が球面，後面が非球面または非トロイダル面構成の内面非球面レンズと，前面が非球面，後面が非球面または非トロイダル面構成の両面非球面レンズの商品が加わり，すべての度数に対して最適設計ができるようになった．レンズのベースカーブも，メニスカス形状を保持するぎりぎりの値を採用している（図 18-13）．

## C. 二重焦点レンズ

　老視や調節不全，調節障害，あるいは非屈折性調節性内斜視においては近見時の加入度を必要とする場合がある．遠方視と近方視を同時に使い分けることができるレンズが二重焦点レンズである．二重焦点レンズは，人間が下方を見るときに自然に視線を下げることを利用して，遠用レンズの下方に近用領域を設けたレンズである．近用領域の上に中間距離用の中間領域を設ける三重焦点レンズもあるが，ここでは最も普及している二重焦点レンズに的を絞って述べる．

　二重焦点レンズは，おおむね EX 型（図 18-15）と小玉型（図 18-16）に分けることができる．EX 型はレンズの上半分が遠用屈折力，下半分が遠用屈折力＋加入屈折力のレンズで，内面を共通の球面またはトロイダル面で構成されたレンズである．外面では遠用部の球面形状の曲率半径が大きく，近用部の曲率半径が小さい．像の跳躍を少なくするように，接合部の垂直プリズムを合わせる

のカーブは度数を弱くする方向に変化している．これは，周辺部光線の Q 点における度数（図 18-11）が，光軸上の度数からなるべく変化しないように，つまり MOE が大きくならないように設計した結果である．

　初期の非球面レンズは，外面を非球面，内面を球面またはトロイダル面を採用し，球面度数と乱視度数を作成した．乱視がある場合，外面の回転対称非球面は片方の主経線の度数か，両主経線の度数の中間値に合わせて設計されるので，レンズ全面にわたって最適収差改善ができない．そこで，"非"球面（aspheric）と同じように，"非"トロイダル面（atoric）が提案された．非トロイダル面

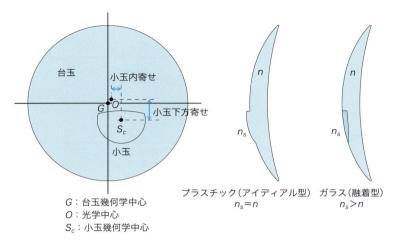

図 18-16　小玉型二重焦点レンズ

ようになっている．水平プリズムが等しい場所は一点しかない．この点を横にずらして加工することで，遠用水平プリズムと近用水平プリズムを自由に設定することができる．つまり，調節力を補うと同時に輻湊力も補うことが可能である．これができるのは，EX 型二重焦点レンズだけである．EX 型二重焦点レンズは上に縁厚が大きく，下の縁厚が小さいレンズになるが（図 18-15），プリズムシニング（prism thinning）加工で上下縁厚を均等にすることができる．ただ，この加工は上下プリズムが発生するので，左右レンズが全く同じ上下プリズムを付与しなければならない．

　小玉型二重焦点レンズは，遠用レンズの下方一部領域，つまり小玉のみに加入屈折力を付与するレンズである．図 18-16 の小玉形状は現在最も普及しているアイディアル型である．ガラスの場合，小玉部分を屈折率の高い素材で作り，台玉レンズと熔着してさらに表面を切削研磨すると，表面に段差の全くないレンズが作れる．プラスチック素材では，ガラスモールドにツボクリ加工（球面のガラス表面の一部区域を削り，より深いカーブの球面を形成する方法）で小玉部分の形状を作り，キャスト成型（2 枚のガラスモールドの間に液体のモノマーを流し込み，加熱してモノマーを固化することによって樹脂素材のレンズを形成する方法）するので，小玉が出っ張る形状になる．

　近くの物を見る場合は，一般的に眼球が下方に回旋し，さらに輻湊して目標物を捉える．このときに視線がレンズを通った場所はレンズの下方の内側（鼻側）にある．この場所に小玉を置く必要がある．内側に寄せることは内寄せ（inset），下げることは下方寄せとよばれる．内寄せの量は，装用者の近用目的距離，PD，遠用度数，VR（レンズ後方頂点から回旋中心までの距離）などによって決められる（図 18-17）．

$$x = \frac{h}{1 + \left(\dfrac{1}{a} - \dfrac{D}{1000}\right)l} \qquad \cdots ⓫$$

ここで，$h$ はハーフ PD，$D$ が台玉レンズの水平方向の屈折力，$a$ が VR 距離，$l$ が近用目的距離（レンズから）である．単位は，長さは mm，屈折力は D である．

　小玉型二重焦点レンズでは，小玉レンズ自体のプリズム屈折力が 0 なので，輻湊力を補う機能はない．

## D. 累進屈折力レンズ

　二重焦点レンズは遠近の境目があり，また，レンズの構造上遠用領域と近用領域に移るときに像の跳躍が起こり，視野内に死角ができてしまう．これらの欠点を解消するために開発されたのが累

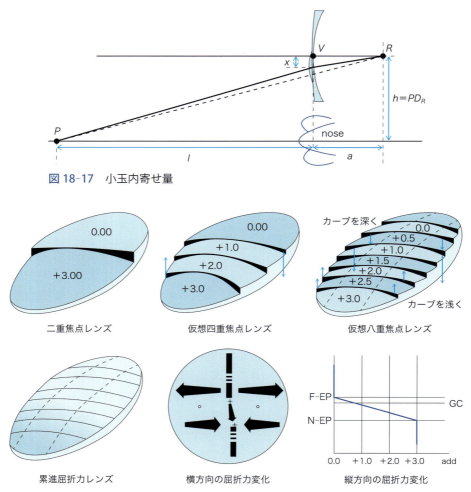

図 18-17　小玉内寄せ量

図 18-18　累進レンズの形状形成

進屈折力レンズである．

　初期の累進屈折力レンズ（progressive addition lens：PAL）は，累進面の外面と球面またはトーリック面の内面で構成される．ここでは EX 型二重焦点レンズの外面であるバイフォーカル面が累進面に変化していく過程を説明する（図 18-18）．EX 型バイフォーカル面は，レンズの上半分が遠用度数用のカーブの浅い球面と近用度数用のカーブの深い球面が合体してできた面である．レンズの中央部の縦断面曲線は，遠用部と近用部の段差がなく，しかも勾配も一致する．中央から離れた縦断面は段差がある．しかも中央から離れれば離れるほど段差が大きい．この段差を小さくし，連続面に近づけるためには度数の階段を増やす必要

がある．例えば，連ねる球面の数が 2 つから 4 つ，8 つのように増やすと，中央断面が連続に保つと同時に両側縦断面の段差が小さくなる．しかし隣接する 2 つの球面の曲率に差がある限り，両側縦断面の段差はなくならない．ここで横断面の曲線の曲率を変化させて，隣接する上の面の高さを低く下の面の高さを高くして，段差を小さくする必要がある．つまり，近用部（レンズ下部）の横断面曲線は両側へ行くにつれて曲率を小さくして高さを引き上げる．逆に遠用部の横断面曲線は両側へ行くにつれて曲率を大きくして高さを引き下げる．このように，中央の縦断面では局所に曲率が連続に変化する球面を保ちながら，周辺部の段差を解消した平滑な累進面を形成する．小範囲

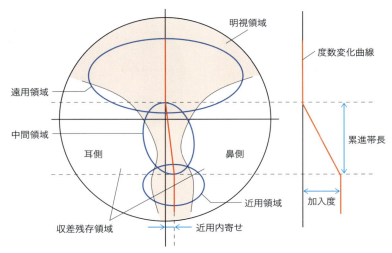

図 18-19　累進屈折力レンズ(右)の領域区分

で球面が保てている中央断面付近の領域は累進帯という．小玉型二重焦点レンズと同様，累進帯は輻湊に合わせて近方視領域で少し鼻側に寄るように設計するのが普通である．その量を内寄せという．累進面の内寄せは，前述の隣り合う球面の段差と勾配が一致する場所を少しずつ鼻側に移動することによって実現している．

このように構成した累進面は，度数の比較的安定した中央の明視領域と大きな非点収差が発生する収差残存領域に分けることができる(図 18-19)．

## 1 累進屈折力レンズの設計

図 18-19 のように，累進屈折力レンズは，上方に遠用部，下方に近用部，遠用部と中間部の間の中間部から成り立つ．遠用部と近用部の間隔が累進帯長である．近用部の屈折力と遠用部の屈折力の差が加入屈折力(加入度)である．遠用領域，中間領域，近用領域それぞれの明視領域の大きさは，加入度の大きさ，累進帯の長さに大きく関係している．Minkwitz(1963)によれば，収差領域の非点収差増加勾配は，およそ加入屈折力勾配の2倍になるという[1]．これは Minkwitz の法則といわれている．実際の累進屈折力レンズの非点収差は Minkwitz の法則ですべて決められることはなく，前述の両側縦断面の段差をなくすための横断面曲率変化の仕方，つまり設計の仕方にも大きく左右される．おおまかにいうと，両側縦断面を滑らかに変化させるソフト設計と，メリハリのあるように変化させるハード設計に分けることができる．ハード設計の場合，遠用部と近用部の明視領域が広く，中間領域の明瞭領域が狭い．非点収差領域の非点収差のピーク値が大きい．逆にソフト設計の場合，遠用部と近用部の明視領域がハード設計に比べ見劣りするが，中間部明視領域が広い．非点収差領域の非点収差のピーク値が小さい．

累進屈折力レンズの評価にも，平均度数と非点収差の分布図，いわゆる収差図がよく利用される．収差図は累進面表面曲率をベースにした表面収差と，図 18-11(⇒220 頁)の後面頂点球面における $MOP \& OAE$ の 2 種類ある．$MOP \& OAE$ を使用すべきなのはいうまでもないが，初期の累進屈折力レンズはおおむね表面収差を用いて設計されていた．$MOP \& OAE$ はレンズを透過した光線に沿って定義されるので，$MOP \& OAE$ をベースにした設計を透過収差設計と称するメーカーがある．$MOP \& OAE$ に基づく設計と表面収差に基づく設計の関係は，単焦点レンズの球面設計と非球面設計との関係に類似しているので，$MOP \& OAE$ に基づく設計を非球面設計と称するメーカーもある．同様に，非球面設計を採用することで，浅いベースカーブの採用が可能である．

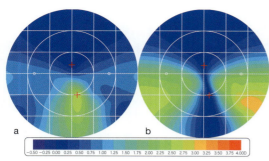

図 18-20　遠近累進屈折力レンズ(右)の収差分布の例(S 0.00 D add 2.50 D CL=11 mm)
a：平均度数(MOP)分布　b：非点収差(OAE)分布

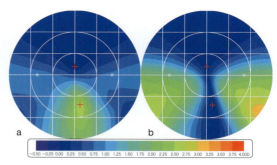

図 18-21　遠近累進屈折力レンズ(右)の収差分布の例(S 0.00 D add 2.50 D CL=14 mm)
a：平均度数(MOP)分布　b：非点収差(OAE)分布

図 18-20～23 に各種累進レンズの MOP & OAE 収差図の例を示す．表示範囲は直径 60 mm，格子線，リング線の間隔は 10 mm である．上の赤い十字マークはアイポイントの高さ，下のほうの赤い十字マークは近用位置を表わす．下方の色目盛りに各色が代表する屈折力範囲を示している．右眼用レンズ，鼻側が図の右方向である．

## 2 累進屈折力レンズの用途別種類

累進レンズの各領域の大きさや対応距離を変更すると，視環境に応じた専用レンズに設計することができる．

### a. 遠近両用型

このタイプは最も一般的な累進レンズで，広く使われている．遠用領域と近用領域ともにある程度の広さを確保し中間領域も使えることが要求される．従来，遠近両用レンズは，累進帯が短いと収差が悪化するので，小型フレームに向かないとされてきたが，最近光学設計を改良した短累進レンズが発売され，小型フレームにも装着できるようになった．長い累進帯のレンズは，収差は少ないが，眼球回旋を大きくしないと近用領域に届かず，結局のところ累進帯途中の中間領域近くを見ているケースが多い．このように光学設計は収差だけでなく，眼球運動など生理的な使用側面も考慮し行う必要がある．

図 18-20, 21 は，遠近累進屈折力レンズの透過収差図の例である．遠用度数 S 0.00 D，加入 2.50 D，図 18-20 のケースは累進帯長 11 mm，図 18-21 のケースは累進帯長 14 mm である．

図 18-20 と図 18-21 を比較すると，累進帯が短い図 18-20 のケースが非点収差のピーク値が大きいことがわかる．

遠近累進屈折力レンズでも，遠用・近用の広さを細かく設定できる商品も販売され，装用者の細かいニーズに対応できるようになっている．

### b. 中間・近方重視型(中近)

遠近累進レンズは遠方領域が広く，特に高加入度になると，Minkwitz の法則で非点収差が増えて，中間近方距離の視野が狭くなり，室内のデスクワークやパソコン作業には不向きである．加入度勾配を減らすため，レンズ上屈折力が遠用度数から近用度数までではなく，中間度数から近用度数まで変化するように設計されたのが中近レンズである．室内，デスク周りはとても便利だが，遠用領域がほとんどないので，運転など遠方視力が要求される場合に使用できない．

図 18-22 に中近型累進屈折力レンズの収差分布(S 0.00 D add 2.50 D CL=22 mm)の一例を示している．上の赤い十字マークを少し鼻側に寄せているのは，この高さにおいて少し度数加入があり，目的距離が無限遠方ではなく，有限距離だからである．この例では，アイポイントより 10 mm 上に遠用領域が残っている．設計によって

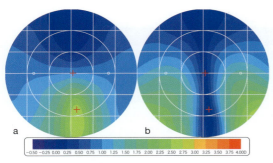

**図 18-22** 中近型累進屈折力レンズ（右）の収差分布の例（S 0.00 D add 2.50 D CL＝22 mm）
a：平均度数（MOP）分布　b：非点収差（OAE）分布

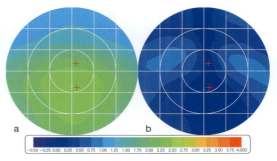

**図 18-23** 近近型累進屈折力レンズ（右）の収差分布の例（S 2.50 D add－1.00 D CL＝20 mm）
a：平均度数（MOP）分布　b：非点収差（OAE）分布

は遠用領域が全くないタイプ，近用領域がもっと大きいタイプなどが可能である．装用者のニーズを的確に把握すれば，最良のレンズを提供することが可能である．

### c. 近方専用型（近近）

中近レンズよりさらにカバーする距離範囲を狭くし，加入屈折力が近用部より－0.5～1.5 D 程度の近方専用のレンズである．単焦点老眼鏡は明視距離が単一（例えば 40 cm）なので，少し遠いもの（例えば 50 cm）はぼやけてしまう．近近レンズはその弱点を補うレンズである．通常処方は近用度数で，加入屈折力はマイナス表示である．単焦点レンズとして販売し，加入度表示を省略するメーカーもある．

図 18-23 に近近型累進屈折力レンズの収差分布の一例を示している．下のほうの赤い十字マークが近用度数測定ポイントである．右側に偏っているのは，視線の通過点が内寄せしているからである．

## 3 累進屈折力レンズの構造別種類

累進屈折力レンズは，最初は外面が累進面，内面が球面またはトロイダル面の構成だけである．これは外面累進といわれる構造で，外面が累進屈折力機能，内面が遠用屈折力と乱視屈折力機能を作り出す役割分担である．外面をあらかじめセミフィニッシュレンズ（semi finish lens）として作り置き，注文を受けて内面を従来の球面レンズと同じ加工設備で内面を加工する形式である．この構造ではある度数範囲で同じ外面累進面を共通して使用するので，この度数範囲の一度数しか最適光学設計ができないことになる．

内面累進レンズは，外面が球面，内面が累進面，または累進面とトロイダル面が合成された面で構成される．この構造では，作り置きした球面のセミフィニッシュレンズをピックアップし，注文に応じて内面形状を設計して，自由曲面加工設備で面形状を仕上げる．

外面累進と内面累進以外にも，両面累進，両面複合累進などがある．いずれも累進機能，遠用度数乱視度数機能を前後面で分担する独自の方法を採用している．表 18-3 に各種構造の累進屈折力レンズの特徴をまとめている．内面累進，両面累進および両面複合累進は，自由曲面形成方法を生かし，すべての度数に対して最適光学設計を施すことができる．

各種構造の累進屈折力レンズに共通することが 1 つある．EX 型二重焦点レンズ同様，レンズ上方の屈折力が弱く，下方の屈折力が強い．縁厚は上方が厚く下方が薄い．EX 型二重焦点レンズ同様プリズムシニング（prism thinning）加工によってバランスをとることが可能である．

## 4 眼鏡レンズの設計への個別装用パラメータの導入

眼鏡レンズの設計は，遠方視の眼の視線にレンズの光軸を置き，頂点間距離 VC や回旋中心位置

表 18-3　各種構造の累進屈折力レンズの特徴

| 構造 | 外面 | 内面 | 製造方式 | 特徴 |
|---|---|---|---|---|
| 外面累進 | 累進面 | 球面またはトロイダル面 | 伝統切削方法 | 一部度数のみ最適光学設計．個別パラメータ対応不可 |
| 内面累進 | 球面 | 累進面または累進面と乱視面の融合 | 自由曲面CG | 全度数最適光学設計．個別パラメータ対応可 |
| 両面累進 | 累進面 | 累進面または累進面と乱視面の融合 | 自由曲面CG | 全度数最適光学設計．個別パラメータ対応可 |
| 両面複合累進 | 累進の縦成分のみの面 | 累進の横成分のみの面または累進の横成分のみと乱視面の融合 | 自由曲面CG | 全度数最適光学設計．個別パラメータ対応可．スキュー歪み軽減 |

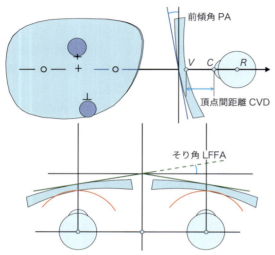

図 18-24　装用パラメータ

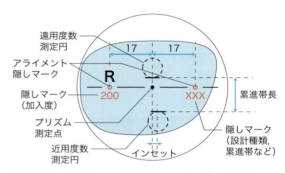

図 18-25　累進レンズの隠しマーク，レイアウト

$R$ が決まった値の状況で設計されるのが普通である（図 18-11，⇒220頁）．例えば日本では $VC=12$ mm，$CR=13$ mm だが，実際の眼鏡装用状態はそうなっていないことがほとんどである．自由曲面で装用者の屈折値に合わせて光学性能を最良に設計したレンズが，設計時の想定と違う状態で装用されると，光学性能が発揮できない．

実際の装用状態に合わせて，眼鏡レンズを設計しなければならないが，その前に眼鏡店において装用者の装用パラメータ値を測定し，その値を注文データに加えることが必要である．最近各メーカーがその測定装置やツールを眼鏡店に提供し始めている．

図 18-24 に装用パラメータを示す．測定方法の一例として，購入予定のフレームを掛けた状態で正面，側方，上方の3方向から写真を撮り，画像計測の手法を用いて，前傾角，そり角，頂点間距離を測定する方法がある．

## 5　累進屈折力レンズのマーク，度数測定方法

累進屈折力レンズが光学設計どおりの性能を発揮するためには，正確に枠入れすることが極めて重要である．そのため，レンズ上に永久に消えない隠しマークがある．図 18-25 に隠しマークの位置が示されている．アライメント基準マークはレンズ中心から左右に17 mm に刻印された水平基準線を再現するためのマークである．耳側のアライメント基準マークの下方に加入屈折力を表わす3桁の数字の隠しマークがある．鼻側のアライメント基準マークの下方に3桁程度のアルファベットまたは数字の隠しマークがある．内容はメーカーによって異なるが，設計種（商品名），屈折率，累進帯長などを表わす．図 18-25 は右用レンズを示しているが，左眼用レンズの場合は鼻

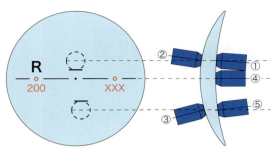

図 18-26　JIS T 7315 規定の累進レンズの度数測定方法

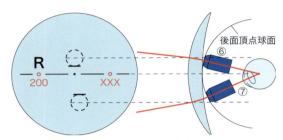

図 18-27　装用状態の度数測定方法

側と耳側が逆になる．

　隠しマークの形，内容については，メーカーによって異なる．アライメント隠しマークから，メーカー提供のレンズ技術情報を参照しながら，レンズのプリズム測定点，遠用度数測定円，近用度数測定点を復元することができる．そのプロセスをスムーズに行うために，メーカー提供のレイアウトシートなどを活用するとよい．

　通常の累進屈折力レンズの屈折力測定は，JIS T 7315 で規定された方法で測定することになっている．外面累進と内面累進では，加入度の測定方法が異なる．外面累進の場合，遠用屈折力は①の測定値，加入屈折力は③の測定値－②の測定値，プリズム屈折力は④の測定値となる．内面累進の場合，遠用屈折力は①の測定値，加入屈折力は②の測定値－①の測定値，プリズム屈折力は④の測定値となる（図 18-26）．

　図 18-26 に示した従来の遠用屈折力，近用屈折力の測定光線は，外面または内面の法線に沿っていて，実際眼がものを見るときの光線と異なる．たとえ処方どおりの遠用屈折力と加入屈折力のレンズでも，眼に作用する屈折力は必ずしも処方箋の屈折力ではない．

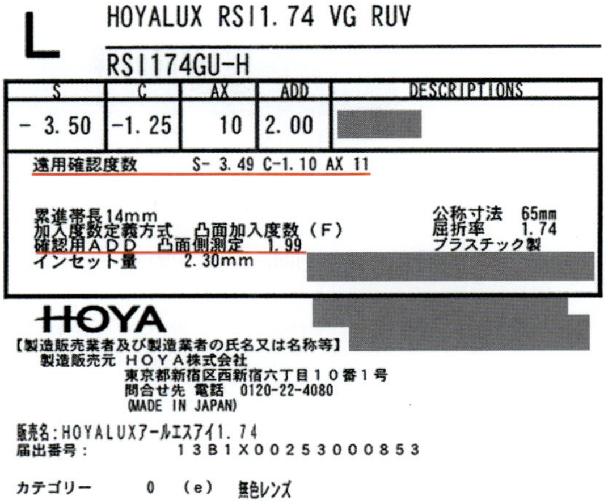

　最近の自由曲面を駆使した個別対応設計の累進レンズは，実際の装用状態で処方屈折力と加入屈折力を再現するように設計できるようになった．この場合の屈折力の測定は図 18-27 のように，遠用屈折力が⑥，加入屈折力が⑦－⑥である．しかし，個別対応のレンズを従来の方法で測定すると，異なる測定値になるので問題である．

　この問題を解決するために，処方度数と一致するはずの装用状態における実効度数とともに，従来どおりレンズメータを当てて測定したときの度数（チェック度数，または確認度数）を併記することが提案され，メーカー各社で実施している．チェック度数は，通常の 0.25 D とびではなく，端数をもった値になる．なおチェック度数の加入度を測るときに，レンズメータに外面を当てるか，内面を当てるかは，メーカーの指示に従う．図 18-28 は確認度数併記の一例である．

図 18-28　確認度数併記の一例
遮閉部分は個人情報などである．

▶文献
1) Minkwitz G: Über den Flächenastgmatismus bei Gewissen Symmetrischen Asphären. Opt Acta 10: 223-227, 1963

（祁　華）

表18-4 PALで報告された近視進行抑制および眼軸長延長抑制効果

| NO. | 研究者 | 発表年 | 研究デザイン | 人種 | n | 近視進行抑制率 | 眼軸延長抑制率 |
|---|---|---|---|---|---|---|---|
| 1 | Leung | 1999 | 2年CT | アジア人 | 46 | 46% | 50% |
| 2 | Shih | 2001 | 2年RCT | アジア人 | 188 | 15% $P<0.001$ | 2% |
| 3 | Edwards | 2002 | 1.5年RCT | アジア人 | 298 | 11% N.S. | 3% N.S. |
| 4 | COMET | 2004 | 3年RCT | 主に白人 | 469 | 14% $P<0.001$ | 15% $P<0.001$ |
| 5 | Hasebe | 2008 | 3年RCT | アジア人 | 92 | 15% $P<0.001$ | データなし |
| 6 | Yang | 2009 | RCT | アジア人 | 178 | 17% $P<0.01$ | 16% $P<0.04$ |
| 7 | Cheng | 2010 | 2年RCT | 主に白人 | 150 | 30% $P<0.001$ | 35% $P<0.001$ |
| 8 | COMET-2 | 2011 | 3年RCT | 主に白人 | 118 | 24% $P<0.05$ | データなし |
| 9 | Berntsen | 2012 | 1年RCT | 主に白人 | 85 | 33% $P<0.01$ | データなし |

No.1〜6は近視学童一般に対する比較対照試験,No.7〜9は近視進行の速い例,近見内斜位を示す例,調節ラグの大きい例などに適用を限定したターゲット研究.
CT:比較対照試験　RCT:ランダム化比較対照試験　N.S.:有意差なし

## E. 近視進行抑制眼鏡

### 1 累進屈折力眼鏡
progressive addition lens:PAL

PALを用いた臨床試験は,全世界で繰り返し実施されてきた(表18-4).ランダム化比較対照試験(randomized controlled trial:RCT)の結果をもとにメタ解析で統合すると,治療期間1.5〜3年間の近視進行抑制効果は,単焦点レンズ基準で平均0.16 D/年であった(Cochrane Collaboration, 2011)[1].しかし抑制率〔(単焦点レンズでの近視進行−PALでの近視進行)/単焦点レンズでの近視進行×100(%)〕としては平均11〜17%にすぎず,「PALによる近視進行予防効果は統計学的には有意であるが,臨床的治療としては効果が不十分であり,近視児童一般に対する進行予防治療として推奨することはできない」と結論された.日本の小学生を対象とする筆者らのRCTでも同様の結果であった[2].

しかし,ほかに有効かつ安全な予防的治療が確立されていない現在,またPAL装用に伴う有害事象は報告が皆無であることを考えれば,治療効果が小さいことを説明したうえで,PALを処方することも選択肢の1つである.

### 2 PAL—治療機転と処方上の注意

調節運動は,視距離の変化に対して,網膜像を鮮明に保つフィードバック制御である.しかし生物学的なフィードバック制御は,その不完全な特性により,一定の誤差を示す.健常者であっても調節安静位(遠点から0.5〜1.5 D近方)を起点として,視距離が短くなるほど反応は鈍る(図18-29).その結果,近業時には0.5〜1 D程度の調節ラグ,つまり網膜後方へのデフォーカスが残ることになる.

網膜後方へのデフォーカスが引き金となり,Earl Smithらが一連の動物実験によって詳細を明らかにした眼球の適応能力-眼軸長の視覚制御機転[3]が反応し,徐々に眼軸の過伸展が起こる.

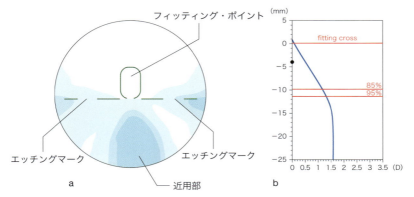

**図 18-30** 近視進行予防用 PAL（Carl Zeiss Meditec）の加入度数
a：平均パワー　b：垂直経線でのパワープロファイル

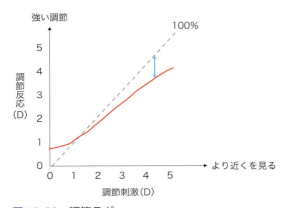

図 18-29　調節ラグ

**図 18-31**　PAL の下方ずれ
矢印は印付けしたエッチングマーク．2 つのエッチングマークの中点より 3〜4 mm 上方にフィッティング・ポイントがある（円で示す）．正面視で，フィッティング・ポイントが瞳孔中心と一致していなければ抑制効果は期待できない．フレームのフィッティングは良好に見えるが，5 mm 以上の下方ずれが生じている例．

この反応は，近業時の網膜像の鮮鋭度を高め，調節努力を軽減することができるが，引き換えに眼軸長が過伸展しただけ遠見での焦点は網膜前方に偏位するため，遠見の視力障害が起こる．

　PAL の装用によって近業時の調節刺激を調節安静位以下にできれば，理論的には網膜後方へのデフォーカスは起こらず，近視進行を抑制できることになる．

　図 18-30 に近視進行予防を目的に設計された小児用 PAL（Carl Zeiss Meditec）を示す．遠方から近方，近方から遠方に視線を移す際の自然な眼球-頭部協調運動（eye-head coordination）を利用して自然に眼鏡遠用部と近用部が使い分けられるよう，累進帯長は短く（10 mm），また近用部は広めに設計されている．加入度数は調節必要量を調節安静位以下に止めることを目的とするため，＋1.50 D のみである．米国の COMET 研究[4]で使用された PAL，Comfort（Varilux）の加入度数＋2.00 D を選択してもよい．

　小児に PAL を処方するうえで注意したいのは，レンズの下方ずれである（図 18-31）．小児は鼻根部が低く，しばしば大きな下方ずれがみられる[5]．老視であれば，下方ずれが起こると近業時に視力障害が起こるので，自ら眼鏡の位置を直すか，顎上げ頭位で対応できるだろう．しかし，調節力が豊富な小児には視力障害は起こらないので，これを期待できない．眼鏡のフィッティングを眼鏡店任せにするのでなく，下方ずれがないかを定期的に確認すべきである．

## 3 低矯正眼鏡 vs. 完全矯正眼鏡

　近業時の網膜後方へのデフォーカスを軽減させるだけならば，低矯正眼鏡でも効果が期待できる．しかし完全矯正眼鏡と低矯正眼鏡を比較した

2度のRCTでは，低矯正眼鏡のほうがむしろ近視進行がわずかに速いか[6]，または両者に有意差がみられなかった[7]．

## 4 デフォーカス組み込み眼鏡
defocus incorporated multiple segments（DIMS）lens

PALを代表とする従来の近視進行抑制眼鏡は，眼軸過剰伸展の引き金となる網膜後方へのデフォーカスを取り除くことに主眼があったが，効果は不十分であった．逆転の発想で，網膜前方へ第2のフォーカスを組み込むことで，眼軸長の視覚制御の作用を無効にしようとするのがDIMS眼鏡である．

最初に報告されたDIMS眼鏡は，香港工科大学とHOYAの共同研究によるMiyoSmart®であった．レンズ中心のクリアゾーンの周辺に直径1 mmの微小レンズが約400個，等間隔で配置されている（図18-32）．微小レンズにより，レンズ本体のフォーカスとは別に，＋3.5Dの網膜前方へフォーカスが組み込まれる．視線移動が起こっても，瞳孔内には常時数個の微小レンズが含まれるため，コンプライアンス低下は起こらない．続いて登場したのが，EssilorのMyopilux®である．特徴としては，微小レンズが強い非球面レンズとなっており，同心円状に配置された点である．網膜前へのフォーカスを焦点面としてではなく，前後に長い光束として組み込むことで，より強い抑制効果が期待されている．

中国で実施されたRCTによれば，屈折度数と眼軸長における平均抑制率は，MiyoSmart®で，それぞれ52％と62％[8]，Myopilux®では67％と64％であった[9]．いずれもPALとの比較で2.5〜4倍強力であった．ただしエビデンスの数が限られており，執筆時点で国内市販される予定

**図18-32** DIMS眼鏡の例
MiyoSmart®（HOYA）．直径1 mm，加入度数＋3.5Dの微小レンズが眼鏡レンズの前面に約400個配置されている．

はない．

---

▶文献

1) Walline JJ, Lindsey K, Vedula SS, et al: Interventions to slow progression of myopia in children. Cochrane Database Syst Rev 7, 2011
2) Hasebe S, Ohtsuki H, Nonaka T, et al: Effect of progressive addition lenses on myopia progression in Japanese children: a prospective, randomized, double-masked, crossover trial. Invest Ophthalmol Vis Sci 49: 2781-2789, 2008
3) Smith EL 3rd: Optical treatment strategies to slow myopia progression: effects of the visual extent of the optical treatment zone. Exp Eye Res 114: 77-88, 2013
4) Gwiazda J, Hyman L, Hussein M, et al: A randomized clinical trial of progressive addition lenses versus single vision lenses on the progression of myopia in children. Invest Ophthalmol Vis Sci 44: 1492-1500, 2003
5) Hasebe S, Nakatsuka C, Hamasaki I, et al: Downward deviation of progressive addition lenses in a myopia control trial. Ophthalmic Physiol Opt 25: 310-314, 2005
6) Chung K, Mohidin N, O'Leary DJ: Undercorrection of myopia enhances rather than inhibits myopia progression. Vision Res 42: 2555-2559, 2002
7) Li SY, Li SM, Zhou YH, et al: Effect of undercorrection on myopia progression in 12-year-old children. Graefes Arch Clin Exp Ophthalmol 253: 1363-1368, 2015
8) Lam CSY, Tang WC, Tse DY, et al: Defocus Incorporated Multiple Segments (DIMS) spectacle lenses slow myopia progression: a 2-year randomised clinical trial. Br J Ophthalmol 104: 363-368, 2020
9) Li X, Ding C, Li Y, et al: Influence of lenslet configuration on short-term visual performance in myopia control spectacle lenses. Front Neurosci 15: 667329, 2021

（長谷部　聡）

# IV 着色レンズ

## 1 光と色

色は，人間の視覚に視感覚を生じさせる約380〜780 nm の波長光が，視細胞を刺激することによって認識される心理物理量である．

物理量としての色には，大きく分けると光源色と物体色がある．光源色は，光源から直接眼球に入射し，視細胞を刺激することによって認識される色であり，その物理特性は光源の分光分布（電磁波の波長ごとの強度分布）である．

最も身近な光源として太陽光がある．太陽光は，多くの場合白色光として認識されるが，これをスリットに通してプリズムで屈折させると，光の波長によって屈折角が異なるため，虹の7色が見える（図 18-33）．視感覚を生じさせる波長光のうち，最も短い波長（紫）から最も長い波長（赤）までのすべての光が太陽光中に含まれており，それらが加法混色（後述）され，白色光と認識されることを意味している．

近年，照明エネルギー削減策によって急速に普及しつつある LED（light emitting diode）照明も，太陽光と同様に白色光と認識されるが，図 18-34 に示す相対分光分布に示すように分布形状が大きく異なる．LED においては，おおむね青色光と黄色光の加法混色（後述）によって白色光と認識されると考えることができる．このように，光源の物理的特性が異なっていても同じ白色光として認識されるのは，色が知覚量でもあるからである．

物体色とは，光源から発せられた光が，対象とする物体から反射もしくは透過され，眼球に入射して，視細胞を刺激することによって認識される色である．

光を透過しない物体は，固有の分光反射率をもっている．分光反射率とは，物体表面における光の波長ごとの反射率であり，物体内部で吸収された光を除く拡散反射された光による．光を透過しない物体の物体色の特性は，環境光としての光源の分光分布と物体の分光反射率の積によって表わすことができる（図 18-35）．

光を透過する物体は，固有の分光透過率をもっている．分光透過率とは，物体に入射する光が透過する割合を波長ごとに示したものであり，物体により吸収された光と反射された光が除かれる．光を透過する物体の物体色は，光の反射率が高い物体においては，観察条件によって見え方が変化することがある．

図 18-36 に示すように，物体の向こうに光源があるような場面では，物体の透過光が優位に見えるため，物体色は分光透過率に依存するが，光源が手前にあり物体からの反射光が優位に見える場面では，物体色は分光反射率に依存する．物体色は，物体に備わった性質ではなく，光源によっても変化するものである．なお，着色レンズは，

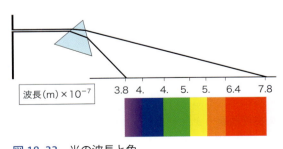

**図 18-33　光の波長と色**
光の波長分散により太陽光は虹の7色に分けられる．

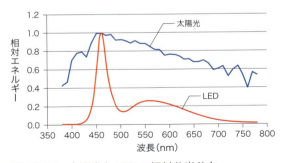

**図 18-34　太陽光と LED の相対分光分布**
同じ白色光でも，太陽光と LED 照明では分光分布の形状が大きく異なる．

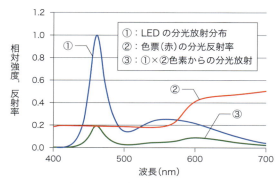

**図 18-35** 光を透過しない物体色の特性
光源の分光分布と物体の分光反射率の積で求められる.

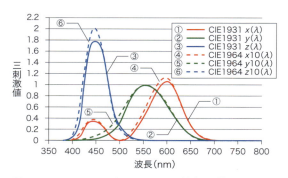

**図 18-37** CIE1931 と CIE1964 の等色関数
2°視野(CIE1931)では短波長光に対する感度が過小評価されている.

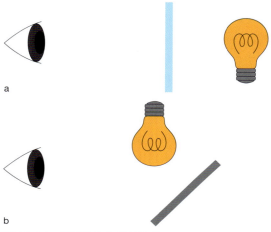

**図 18-36** 透過物体と反射物体
a においては，物体からの透過色が見えるが，b においては物体からの反射色が見える.

上記の光を透過する物体であるが，光の干渉を用いてレンズ表面で特定の光の波長を反射させるものと，染料による着色で，特定の光の波長を吸収させるものがある．ここでは，より一般的な後者を着色レンズとして扱う．

## 2 色の表示[1]

色を心理物理的特性によって表示する体系を一般に表色系とよび，代表的なものに XYZ 表色系がある．XYZ 表色系は，国際照明委員会(CIE)が 1931 年に採用した三色表色系で，$X$, $Y$, $Z$ の三刺激値によって色を量的に表わすことができる．次式は物体色の三刺激値を求める式である．

$$X = K \int_{380}^{780} S(\lambda) \cdot \overline{x}(\lambda) \cdot R(\lambda) d\lambda$$

$$Y = K \int_{380}^{780} S(\lambda) \cdot \overline{y}(\lambda) \cdot R(\lambda) d\lambda$$

$$Z = K \int_{380}^{780} S(\lambda) \cdot \overline{z}(\lambda) \cdot R(\lambda) d\lambda$$

$$K = 100 / \int_{380}^{780} S(\lambda) \cdot \overline{y}(\lambda) d\lambda$$

ここで，$S(\lambda)$ は標準光源の分光分布，$R(\lambda)$ は物体の分光反射率である．$\overline{x}(\lambda)$ $\overline{y}(\lambda)$ $\overline{z}(\lambda)$ は，等色関数とよばれる，等エネルギースペクトルに対する眼の感度曲線である．

$K$ は，照明光の強さにより三刺激値が変化しないための係数である．

CIE1931 での等色関数は，2°視野の観測条件による等色実験に基づいているが，CIE1964 では，10°視野の観測条件による等色関数も示されている．これは，網膜の中心窩，直径約 5°範囲に分布し，短波長光を吸収する黄斑色素と色素濃度の個人差を考慮し，視野を広げて再検討されたものである(図 18-37)．

さらに，JIS Z 8718 では，年齢別平均観測者の等色関数を求める計算式が示されており，20〜60 歳までの観測結果に基づく等色関数が求められる．水晶体の黄色化を含む，加齢に伴う眼の感度曲線の変化と考えられる(図 18-38)．

三刺激値 $X$, $Y$, $Z$ が求められたら，色度図にプロットするための色度座標 $x$, $y$, $z$ を次式に

IV 着色レンズ 235

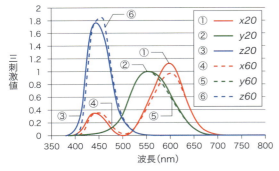

図18-38 JIS Z 8718により求めた20歳標準観測者と60歳標準観測者の等色関数

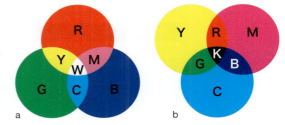

図18-40 加法混色(a)と減法混色(b)のイメージ

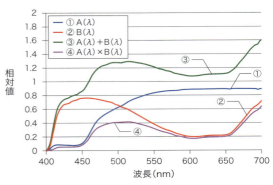

図18-41 分光分布グラフ上でのA(λ)とB(λ)の加法混色(③)と減法混色(④)

## 3 色の混合

2種類以上の色を混ぜ合わせることで，別の色を作り出すことができる．これを混色という．混色には，光源色の混合による加法混色と物体色の混合による減法混色がある（図18-40）．

加法混色において，2種類の色光を混色して白色光になったとき，この2つの色はお互いに補色の関係にあるという．図18-34（⇒233頁）のLED照明は，青色光とその補色である黄色光の混色によって白色光になっている．減法混色では，補色同士を混ぜ合わせると灰，黒になる．

図18-41 ① A(λ)，② B(λ)のような分光分布をもつ2つの光を混ぜ合わせたとする．このとき，混色された光の分光分布はA(λ)+B(λ)で求められる（図18-41 ③）．

一方，A(λ)，B(λ)のような分光透過率をもつ2つの着色レンズを重ね合わせたとする．このとき重ねられたレンズの分光透過率はA(λ)×B(λ)で求められる（図18-41 ④）．

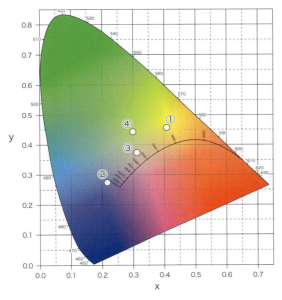

図18-39 XYZ表色系色度図

より求める．

$$x=\frac{X}{X+Y+Z} \quad y=\frac{Y}{X+Y+Z} \quad z=\frac{Z}{X+Y+Z}=1-x-y$$

$z=1-x-y$の関係があるので，$x$と$y$で色度図にプロットする．XYZ表色系における色度図はxy平面，馬蹄形の範囲であり，三刺激値により求められた座標はすべてのこの範囲内にプロットされる（図18-39）．外周の曲線上は単波長光の色相を示しており，外周に近づくほど，色の彩度が高い．$(x, y) = (0.33, 0.33)$付近は白色点とよばれ，無彩色（白，灰，黒）はこの付近にプロットされる．

表 18-5　使用用途に応じた代表的なサングラスカラー

| 用途 | 着色 | 期待される機能 |
|---|---|---|
| ゴルフ | グリーン，ブラウン | 芝目のコントラストを向上させる |
| 釣り | 偏光(後述) | 水面の光反射を抑え，数中の魚の視認性を高める |
| ドライブ | グレー | 信号，標識の色誤認を防ぐ＋防眩 |
| スキー | イエロー | 雪面の起伏のコントラストを向上させる |

これら①～④の分光分布から三刺激値を求め，色度図上にプロットすると，図18-39のようになる．

加法混色においては，混色された色の色度図上のxy座標は，元の2つの色のxy座標を結ぶ直線上に位置し，2色の配合比に応じて直線上の位置を変えるが，減法混色においてはそのような単純な関係にはならない．

## 4 眼鏡レンズへの着色

元来，眼鏡レンズの材料は，ガラスが主流であったが，1970年代頃から徐々にプラスチックの割合が増加し，現在では，眼鏡レンズに占めるガラスレンズの割合は10%未満といわれている．

1972年に米国のFDA(food and drug administration)が，ドロップボールテスト(後述)を規定したANSI (American Standards Association Institute)Z80.1-1972を屈折補正用眼鏡レンズに適用する法律を制定したことが，眼鏡レンズのプラスチック化を加速したと考えられる．

ガラスレンズに対するプラスチックレンズの有利な点は，浸染(染色液に浸して行う染色)が可能なことである．

ガラスレンズの着色レンズは，金属酸化物などの着色剤をガラス材料の溶融時に添加する方法，金属膜のコーティング，接着剤に染料を混ぜ，この接着剤を用いてガラスウェハー同士を貼り合わせる方法などで生産されている．初期の遮光レンズであるCPFなどは接着剤を用いた方法で生産されていた．

プラスチックレンズが主流になり，浸染が可能になったことで，屈折補正用レンズへの多種多様な着色が容易になった．浸染による着色では，染料はレンズの最表面にのみ均一に浸透するため，レンズ全面にわたって均一な濃度での着色が可能である．なお，プラスチックレンズへの着色には分散染料(水に溶解しない染料)を用いている．

## 5 着色の効果

レンズに着色することによって，レンズそのものの美しさや風合いのよさを向上させることができる．また，顔に装着するものであるから，ユーザーの美容面の向上も着色によって付加される価値の1つである．ファッション性に加え，自動車運転中の朝日による直射光や夏の太陽光など，強烈な光から眼を保護するという機能面での価値が付加されているのがサングラスレンズである．

サングラスを装着する場合，主に視対象となる物体やその状態も絞られてくる．それぞれの場面において，絞り込まれた視対象の特性と，レンズの透過率特性との兼ね合いから，主観的，もしくは定量的な尺度でレンズのカラーや濃度が決定されている(表18-5)．

## 6 着色レンズにかかわる規定

着色レンズにかかわる規定の多くは，「濃いサングラスを装着したときに懸念される事項」に対応したものである．レンズの分光透過率を測定し，レンズの視感透過率を求めるところからスタートする．

### a. 視感透過率

JIS T 7330(2000)に視感透過率($\tau_V$)の計算方法が記載されている．

表 18-6　視感透過率によるカラーレンズのカテゴリの分類（JIS T 7333）

| カテゴリ | 可視領域 | 紫外線領域 | |
|---|---|---|---|
| | 視感透過率 $\tau_V$ の範囲<br>（380 nm＜$\lambda$≦780 nm） | 太陽 UV-A 透過率の $\tau_{UVA}$ の最大値<br>（315 nm＜$\lambda$≦380 nm） | 太陽 UV-B 透過率の $\tau_{UVB}$ の最大値<br>（280 nm＜$\lambda$≦315 nm） |
| 0 | 80% 超え 100% まで | $\tau_V$ | 0.05 $\tau_V$ |
| 1 | 43% 超え 80% まで | | |
| 2 | 18% 超え 43% まで | 0.5 $\tau_V$ | 絶対値で 1.0% または<br>0.05 $\tau_V$ のうちの大きいほう |
| 3 | 8% 超え 18% まで | 0.5 $\tau_V$ | 絶対値で 1.0% |
| 4 | 3% 超え 8% まで | 絶対値で 1.0% または<br>0.25 $\tau_V$ のうちの大きいほう | |

$$\tau_V = 100 \times \frac{\int_{380}^{780} \tau(\lambda) \cdot V(\lambda) \cdot S_{D65}(\lambda) \cdot d\lambda}{\int_{380}^{780} V(\lambda) \cdot S_{D65}(\lambda) \cdot d\lambda} \%$$

$\tau(\lambda)$＝カラーレンズの分光透過率（測定ステップ≦10 nm）

$V(\lambda)$＝明所視の標準比視感度関数（ISO/CIE 10527）

$S_{D65}(\lambda)$＝CIE 標準光源 D65 の分光分布（ISO/CIE 10526）

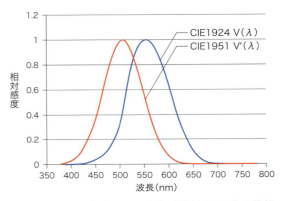

図 18-42　明所視（CIE1924）暗所視（CIE1951）の比視感度関数

## b. 標準比視感度関数とは

1924 年に CIE がまとめた標準比視感度 $V(\lambda)$（明所視）を用いる．これは，フリッカを用いた明るさマッチング法で求められた，明順応下での錐体細胞（2°視野）の波長別の視感効率であり，555 nm に最大値をもつ滑らかな関数である．

1951 年には CIE によって暗所視の標準比視感度 $V'(\lambda)$ がまとめられている（図 18-42）．これは，錐体細胞に代わって杆体細胞が働く暗所での波長別の視感効率であり，507 nm に最大値をもつ．これは暗所視では視感度曲線が短波長側にシフトし，短波長光である青系統の色がより明るく見えるようになることを示している．この現象は「プルキンエ（Purkinje）シフト」とよばれる．

## c. 製品への表示

JIS T 7333（2018）「屈折補正用眼鏡レンズの透過率の仕様及び試験方法」に，着色レンズは視感透過率と紫外線透過率の値に基づいて表 18-6 のカテゴリに分類して製品に表示することとされている．

## d. 一般的要求事項

「屈折補正用眼鏡レンズの基本的要求事項」において，レンズの視感透過率が，$\tau_V$ が，設計基準点において，3% 以下になってはならないとされている．

## e. 運転または路上使用するレンズに関する規定

自動車の運転に使用することを目的とするレンズにおいては，視界を暗くしすぎないための視感透過率に関する規定と，信号の色誤認を起こさせないため特定の波長における透過率が極度に低くならないよう定められた規定がある．以下 JIS T

7333(2018)による規定である．

### 1) 昼光での使用

視感透過率 $\tau_V$ が，設計基準点において，8%を超えていなければならない．

### 2) 分光透過率

分光透過率 475〜650 nm の波長域での分光透過率が $0.2\,\tau_V$ 以上でなければならない．

### 3) 夜間の使用

視感透過率 $\tau_V$ が，設計基準点において，75%以上とする．なお，夜間の使用を想定したレンズの視感透過率の算出においても，明所視の比視感度 $V(\lambda)$ を用いて計算している．

### 4) 信号光認知のための相対視感度減衰率

次の値以上の相対視感度減衰率をもたなければならない．

赤：Q 値 0.8 以上
黄：Q 値 0.6 以上
緑：Q 値 0.6 以上
青：Q 値 0.4 以上

相対視感度減衰率 Q 値の計算方法は，JIS T 7330(2000)「眼鏡レンズの用語」に記載されている．

$$Q = \frac{\tau_{SIGN}}{\tau_V}$$

$$T_{SIGN} = 100 \times \frac{\int_{380}^{780} \tau(\lambda) \cdot \tau_s(\lambda) \cdot V(\lambda) \cdot S_A(\lambda) \cdot d\lambda}{\int_{380}^{780} \tau_s(\lambda) \cdot V(\lambda) \cdot S_A(\lambda) \cdot d\lambda} \%$$

$\tau(\lambda)$：カラーレンズの分光透過率
$\tau_S(\lambda)$：交通信号レンズの分光透過率
$S_A(\lambda)$：CIE 標準光源 A(青信号においては 3,200 K 光源)の分光放射分布

標準光源の分光放射分布 $S_A(\lambda)$ と交通信号レンズの分光透過率 $\tau_S(\lambda)$ を掛け合わせると，実際に各色の信号から発せられる光の分光放射分布になる(図 18-43)．

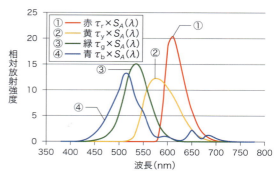

**図 18-43** 各色信号レンズ分光透過率×標準光源の分光分布

近年，急速に信号機の LED 化が促進され，各色の信号から放射される光の最大波長や，分光放射分布曲線の形状が変化してきていると推測される．規格の見直しが必要かもしれない．

## f. 屈折補正用ではないレンズ

家庭用品品質表示法の雑貨工業品のなかに「サングラス」についての規定がある．屈折力，およびプリズム屈折力の上限が記載されており，意図しない屈折力が加わらないよう規定されている．

品名(サングラス)，レンズの材質(プラスチックやガラス)，枠の材質，可視光線透過率(上記「視感透過率」標準光源 D65 の代わりに A 光源を用いる)，紫外線透過率(365 nm の透過率)，使用上の注意，表示者名(名称，住所，電話番号)の付記が義務づけられている．

▶文献

1) 近藤一夫(監)：染色 三訂版．電機大出版局，1987

# V 遮光眼鏡

## 1 遮光眼鏡とは

### a. 概要

遮光眼鏡は着色レンズの1つである。もともと米国のコーニング社が、CPFという名前で500 nm以下の短波長光を吸収するフィルターを、網膜色素変性の進行防止に有効な眼鏡レンズとして発売したのが遮光眼鏡の始まりであった。しかし、疾患の進行防止効果については科学的な根拠が得られず、羞明の軽減やコントラストの向上効果においては有効性が認められた。その後、羞明を訴える、様々な疾患や異なる進行度の患者の要望を受け、様々なカラー、濃度のレンズが追加され、現在のような多種多様な着色レンズ群となっている。いずれも500 nm以下の短波長光を吸収するというフィルター特性を大なり小なり踏襲している。これらは、ロービジョン者の保有視機能を有効活用するための視覚補助具、身体障害者福祉法で認められた補装具の1つになっている。

### b. 定義

日本ロービジョン学会ホームページのロービジョン関連用語ガイドラインにおいて、遮光眼鏡の定義が記載されている。学術的には「グレアの軽減、コントラストの改善、暗順応の補助等を目的として装用する光吸収フィルターを用いた眼鏡」であり、行政事務上は、「羞明の軽減を目的として、可視光のうちの一部の透過を抑制するものであって、分光透過率曲線が公表されているもの」とされている。後者の行政事務上の定義は、2010年3月31日に厚生労働省から出された「補装具費支給事務取扱指針の一部改正について」で、遮光眼鏡の支給要件が見直された際に、遮光眼鏡の定義として明文化されたものである。

ここで改正された支給要件では、支給対象は以下の(1)〜(4)で定義されている。

(1) 視覚障害により身体障害者手帳を取得していること。
(2) 羞明をきたしていること。
(3) 羞明の軽減に、遮光眼鏡の装用より優先される治療法がないこと。
(4) 補装具費支給事務取扱指針に定める眼科医による選定、処方であること。

また処方に際しては、下記の遮光眼鏡の装用効果を確認すること。

- まぶしさや白んだ感じが軽減する。
- 文字や物などが見やすくなる。
- 羞明によって生じる流涙など不快感が軽減する。
- 暗転時に遮光眼鏡を外すと暗順応が速くなる。

ここで、遮光眼鏡の定義を見ると「短波長光を吸収するフィルター」という言葉はどこにも書かれていない。しかし、遮光眼鏡の誕生から、直近での補装具としての取り扱いの法改正までの流れを考えると、多くの眼疾患をもつ患者の羞明に、短波長光吸収フィルターである遮光眼鏡が有効であることは、経験的には理解されている。患者の症状とその症状に最適な遮光眼鏡のカラー・濃度が多種多様に過ぎるため、フィルターの短波長カット率やカットする波長の閾値について、明確な定義ができないでいる、と解釈するのが正しいと思われる。

以降、遮光眼鏡=400〜500 nmの短波長光を吸収するフィルターとして扱い(図18-44)、羞明と短波長光との関係について考える。

## 2 羞明とは

以下は、日本ロービジョン学会ホームページにおける羞明の定義である。

光が強くて不快に感じたり見えにくい状態になったりする「まぶしさ」を、医学的に症状として表現する場合に、これを羞明という。羞明は正常

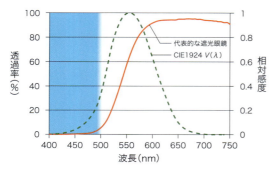

図 18-44　代表的な遮光眼鏡の分光透過率と比視感度関数

遮光眼鏡は，400〜500 nm の短波長光をカットしつつ，視感透過率を高く保つフィルターといえる．

者においても病的状態においても生じうるものであり，正常者においてはグレアが，病的状態においてはグレアおよびグレア以外の機序が，羞明の原因となる．
〈補足 1〉グレア以外の機序により羞明を生じうる病態として，眼球表面疾患，眼内の炎症性疾患，網膜・脈絡膜疾患，視神経疾患，緑内障，中枢性疾患，精神疾患などがある．
〈補足 2〉「狭義の羞明」として，「三叉神経第一枝の病的な知覚刺激によって反射性に虹彩の血管拡張を生じ，これに光刺激が加わることにより縮瞳に痛みを伴うもの」と定義するものもある．
〈補足 3〉羞明自体の英語として glare を用いることがあるため，ここでは，グレアを羞明の範中に含めた．

---

視野内の輝度が過剰な場合や，夜間の対向車のヘッドランプのように視野内の輝度差が過剰な場合など，正常者においても「まぶしさ」を感じる場面が多々あるため，病的な状態に特有の羞明の判別は困難である．

白内障のような中間透光体に混濁のあるものは，まぶしさを「ぎらぎら見える・光を強く感じる」と表現し，網膜や視神経に疾患のあるものは，まぶしさを「白っぽく見える」と表現する割合が高い傾向が報告されている[1]が，上記「縮瞳に伴う痛み」も含めて，まぶしさを他の言葉で表現してもらうことが，羞明の背景に潜む因子を突き止めるための最初の手段と考えられる．

## 3 不可視光と羞明

プラスチックレンズが眼鏡レンズの主流になり，着色されていない無色のレンズであっても紫外線がカットされるようになった．プラスチックの劣化防止，紫外線からの眼の保護を目的に，現在では 400 nm までの紫外線はほぼすべてのレンズにおいて UV 吸収剤によって吸収されている（図 18-45）．

光のエネルギーは波長に反比例して大きくなることから，短波長光と羞明の関係について論じられることがある．紫外線は可視光の短波長光よりさらにエネルギーの高い光である．しかし，無色のレンズは羞明の軽減に効果が低く，紫外線の関与は小さいと考えられる．

## 4 散乱

（詳細は第 3 章「散乱」項参照，⇒41 頁）

光は微粒子に当たると散乱する．散乱の仕方は粒子サイズによって異なり，大まかに以下の 3 つに分けられる．
(1) 粒子の大きさ＞光の波長：幾何学的散乱，反射，屈折
(2) 粒子の大きさ＝光の波長：Mie（ミー）散乱．白内障は Mie 散乱が多いと考えられている．
(3) 粒子の大きさ＜光の波長：Rayleigh（レイリー）散乱．波長依存が高い．

角膜や水晶体の混濁による光の散乱については，Mie 散乱と Rayleigh 散乱の影響が考えられるが，波長によって散乱強度が変化するのは Rayleigh 散乱である．散乱強度は波長の 4 乗に反比例する．つまり，波長が短いほど散乱強度は強くなる（図 18-46）．

散乱は健常者にも生じるグレアの原因である．病的なグレアとして主に問題とされるのは白内障による水晶体の混濁である．一方で，加齢に伴い，水晶体は黄色化する．高齢者の水晶体の分光透過率は，全体に透過率が低下し，短波長側では特に顕著である（図 18-47）が，これは前方散乱に

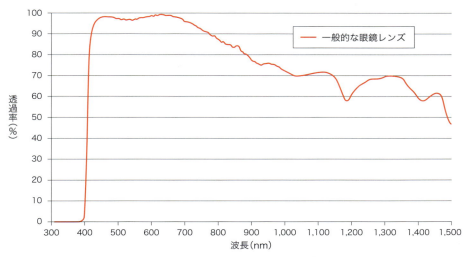

図 18-45　一般的な眼鏡レンズ（無着色）の紫外線，近赤外線も含めた分光透過率

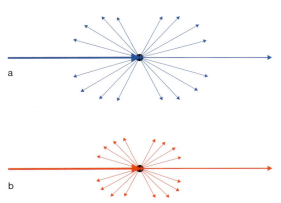

図 18-46　短波長光の散乱イメージ(a)と長波長光の散乱イメージ(b)

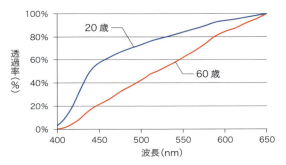

図 18-47　Pokornyのモデルによる20歳と60歳の水晶体の分光透過率シミュレーション
(Pokorny J, Smith VC, Lutze M：Aging of the human lens. Appl Opt 26：1437-1440, 1987 より)

よる光の損失と，黄色化した水晶体による短波長光の吸収によるものである．水晶体は加齢に伴い，グレア源にもなるがグレアを抑える効果ももつようになる．

## 5 色収差

　眼球は角膜と水晶体を屈折要素とする集光レンズであるが，光の波長による分散によって色収差を生じる．近軸領域であっても，波長によって焦点位置が異なることを軸上色収差とよぶ．

　眼鏡による屈折矯正を行う際，処方度数の最終調整として赤緑検査を行うのは，比視感度の最も高い 555 nm の波長光を網膜に結像させるためで

あるが，このとき，400〜500 nm の短波長光は $-2.0$〜$-0.5$ D 程度の近視性のデフォーカス状態にある[3]（図 18-48）．

　この色収差によるボケ像を除去するのに理想的なフィルターの理論値は，網膜中心窩にある黄斑色素の吸光スペクトルと類似しているといわれている[4]．

　この黄斑色素は遮光眼鏡と同様，短波長光カットフィルターである（図 18-49）．その密度は，個人差が大きく，加齢に伴い減少する傾向や，加齢黄斑変性症眼では健常眼より少ない傾向がみられる[5]．

　黄斑色素密度と短波長光の色収差の関係から，遮光眼鏡装用によるコントラスト感度や視力の向

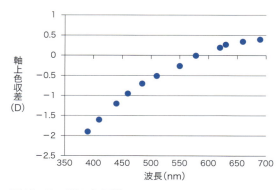

図 18-48　眼の色収差
〔魚里 博：光学特性．日本視覚学会（編）：視覚情報処理ハンドブック．p13，朝倉書店，2000 より一部改変〕

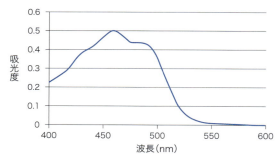

図 18-49　黄斑色素の吸光スペクトル

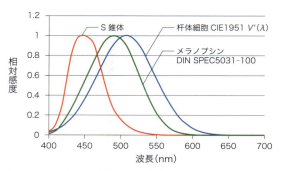

図 18-50　短波長域に最大感度を有する光受容器

上効果を十分理解できると思われる．黄斑色素密度の個人差が羞明原因の一部であるかもしれない．

一方で，短波長カットによる視力の向上は，正常者であっても起こりうる現象であることに留意する必要がある．

## 6 短波長光と光受容器

眼球には 400〜500 nm の短波長光付近に最大感度を有する光受容器が 3 つ特定されている（図 18-50）．杆体細胞と S 錐体細胞があり，もう 1 つは 2002 年に特定されたメラノプシンとよばれる視物質を含有する内因性光感受性網膜神経節細胞（ipRGC）である．

### a. S 錐体

S 錐体の感度分布は，L，M 錐体とは少し離れており，青色光を吸収するのはほぼ S 錐体のみである．S 錐体の割合は全錐体の 5％ 程度と推定

されており，非常に少ないうえ，S 錐体系の神経節細胞は他の神経節細胞より障害されやすいとされており，網膜色素変性や緑内障では後天性の青黄色覚異常がみられる[8]．

また，small bistratified 神経節細胞は S 錐体からの投射を受けていること，神経節細胞が過敏性を獲得して閾値が低下するという除神経性過敏という観点などから，羞明の起点が S 錐体の障害であるという仮説[9]が立てられ，妥当性が高いと思われる．

### b. メラノプシン

ipRGC は，ほかの光受容器とは異なり，瞳孔反応の制御などの非視覚応答を制御すると考えられてきた．しかし近年では，明るさ知覚や[10]，色覚[11]，さらには形態覚[12]にも寄与していることがわかってきている．また，片頭痛患者に特有の羞明やその他突発性の羞明にも，ipRGC 経路が大きく関与していることが報告されており[13,14]，短波長光と羞明の機序を解明するうえで重要な手掛かりになっている．

一方で，ipRGC による光受容はメラトニン分泌抑制により，概日リズムの調整を行っている．過度に短波長カットされた遮光眼鏡を常用することは，何らかの弊害を生じる可能性がある．400〜500 nm という幅広い短波長光帯域のなかで，どの波長をどの程度カットすべきかということも再度検討していく必要があると思われる．

## ▶文献

1) 山中幸宏，伊佐佳織，山崎美帆，他：疾患別羞明の表現に関する調査．日ロービジョン会誌 8：145-147，2008
2) Pokorny J, Smith VC, Lutze M: Aging of the human lens. Appl Opt 26: 1437-1440, 1987
3) 日本視覚学会（編）：視覚情報処理ハンドブック．朝倉書店，2000
4) Reading VM, Weale RA: Macular pigment and chromatic aberration. J Opt Soc Am 64: 231-234, 1974
5) 尾花 明：黄斑色素によるブルーライト障害の防御．あたらしい眼科 31：183-189，2014
6) 根木 昭，田野保雄，大橋裕一，他（編）：眼のサイエンス―視覚の不思議．文光堂，2010
7) 大塚 裕，池上洋子，石川 清：糖尿病患者の暗順応に関する研究（第1報）特に網膜血管床閉塞との関連について．日眼会誌 84：210-219，1980
8) 高橋現一郎：緑内障と色覚．根木 昭，樋田哲夫，大鹿哲郎（編）：眼科プラクティス〈11〉．緑内障診療の進めかた．p246，文光堂，2006
9) 堀口浩史：遮光眼鏡と羞明―分光分布から羞明を考える．あたらしい眼科 30：1093-1100，2013
10) Yamakawa M, Tsujimura SI: A quantitative analysis of the contribution of melanopsin to brightness perception. Sci Rep 9: 7568, 2019
11) Zele AJ, Feigl B, Adhikari P, et al: : Melanopsin photoreception contributes to human visual detection, temporal and colour processing. Sci Rep 8: 3842, 2018
12) Allen AE, Martial FP, Lucas RJ: Form vision from melanopsin in humans. Nat Commun 10: 2274, 2019
13) Harrison M, Eric AK Igdalova A, et al: Selective amplification of ipRGC signals accounts for interictal photophobia in migraine. Proc Natl Acad Sci USA 117: 17320-17329, 2020
14) Panorgias A, Lee D, Silva KE: Blue light activates pulvinar nuclei in longstanding idiopathic photophobia: A case report. Neuroimage Clin 24: 102096, 2019

# VI 偏光レンズ

## 1 偏光レンズの特性

偏光レンズは，一軸延伸されたシート状のポリビニルアルコールに2色性色素とよばれる特殊な色素を配向させた偏光フィルムをレンズ樹脂の中に挿入し，一体成型したものが一般的である．

偏光レンズの原理については，図 1-25, 27（⇒11，12頁）にあるとおりで，ユーザーから見て，前方の地面からのS偏光光がレンズに吸収されるよう，偏光軸は水平にして眼鏡フレームに枠入れされる．

JIS T 7333（2018）「屈折補正用眼鏡レンズの透過率の仕様及び試験方法」において，偏光レンズの透過率の測定方法が規定されている．検光子とよばれる偏光板を通した100％偏光光を入射光とし，偏光面に対して平行に透過させたときの透過光 $Tp(\lambda)$，垂直に透過させたときの透過光 $Ts(\lambda)$ を分光透過率として測定する（図 18-51）．$Tp(\lambda)$ により求めた視感透過率 $\tau p$ と $Ts(\lambda)$ により求めた視感透過率 $\tau s$ から，次式により偏光度 R が求められる．

$$R = 100\sqrt{\frac{\tau_p - \tau_s}{\tau_p + \tau_s}}\%$$

偏光レンズの視感透過率は，非偏光光を入射光として測定した分光透過率値，もしくは $Tp(\lambda)$ と $Ts(\lambda)$ の平均値をとる分光透過率値から算出する．

偏光レンズの着用時の注意として，液晶パネルのディスプレイの視認が挙げられる．液晶パネルは，光が液晶分子の配向に沿って進む現象と，電圧をかけると液晶分子が整列する現象を利用し，2枚の軸方向が直交する偏光板の間の液晶分子を操作して，画素ごとの光のON-OFFを切り替えている．

つまり液晶ディスプレイから放射される光は偏光光である．一般的に液晶ディスプレイの偏光板は軸方向が45°とされているが，偏光レンズの軸方向とディスプレイ偏光板の軸方向が直交するような位置関係にあると視認性が著しく低下する．

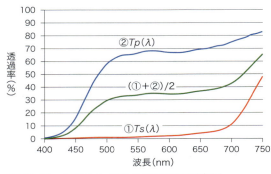

図 18-51 偏光レンズの分光透過率測定例

## 2 偏光の利用

プラスチックレンズのような薄く軟らかい素材は，力を加えると容易に歪みを生じる．このとき，応力の方向によって，光学的な性質が変化し，複屈折（透過する光の速度が，振動面によって変化する）が起こる．この一時的な複屈折現象は，1816年 Brewster によって発見され，光弾性効果とよばれている．応力方向は屈折率軸方向と一致しており，2次元的な応力のかかった状態では，入射光は2つの直線偏光に分かれる．

このような状態のレンズ片を，2枚の直交する偏光板の間に置き，一方から照射する光源によって観察すると，位相差を生じた部分で光の振動面が変化し，偏光の干渉縞として，応力の様子を明暗の模様として観察することができる．

眼鏡フレームにレンズを枠入れするとき，フ

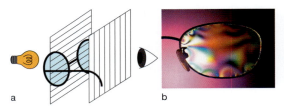

図 18-52　眼鏡レンズの歪みを観察するための偏光フィルターの配置(a)と実際に観察した歪みの大きい眼鏡レンズ(b)

レーム枠と切り出したレンズのサイズの不一致によって，レンズに対してフレーム枠からの締めつけ応力が掛かることがある．この締めつけ応力は，レンズの変形やレンズのコーティングのクラックなどにつながる．レンズへの応力の掛かり方を簡易に見たい場合，液晶ディスプレイの白い画面を背景に，偏光レンズを通して対象のレンズを観察するという方法がある（図 18-52）．

# VII レンズコーティング

## 1 反射防止コート

プラスチック材料の場合，屈折率が約1.5〜1.7程度であり，空気の屈折率（≒1）と異なるため，空気とレンズの境界面で光の反射が起こる（図 18-53）．なお，屈折率は1つひとつの材料において固有の値とはならない．光の波長によって屈折率が異なることは，第1章の「分散」の例（⇒6頁）でも示されているとおりである．ここで，眼鏡レンズの屈折率は標準空気を媒体とした水銀の発光スペクトルを使用し，基準波長 e 線 546.7 nm における値で表わすこととしている．

屈折率 $n_1$ の媒質から屈折率 $n_S$ の物質に光が入射するときの反射率 $R$ は，以下の式で求められる．

$$R = 100 \left( \frac{n_1 - n_S}{n_1 + n_S} \right)^2 \%$$

空気中（$n_1 ≒ 1.0$）の屈折率 1.5 のレンズ表面では，$100 \times \{(1-1.5)/(1+1.5)\}^2 = 4\%$ の光（波長 = 546.7 nm）が反射することになる．

眼鏡レンズにおいては，レンズ表面での光の反射率が高くなると，不具合が発生する．JIS Z 8120(2001)「光学用語」に記載されている，「ゴースト」「フレア」などが，主な不具合である（図 18-54）．前者は，眼鏡装用者の後部にある物

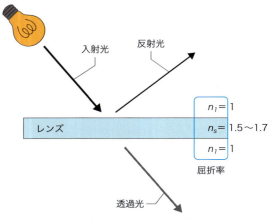

図 18-53　レンズ面での光の反射の模式図

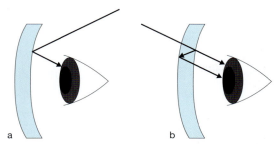

図 18-54　眼鏡レンズにおけるゴースト(a)とフレア(b)

a：ゴースト．レンズ裏面からの反射光が眼に入る→後方物体の映り込み

b：フレア．正面からの光がレンズ内で繰り返し反射され眼に入る→前方物体の二重像

体が，レンズ面で反射し，眼に入射することで起こる，いわゆる映り込みである．後者は，眼鏡装用者が見ようとしている物体からの光が，レンズ面で複数回反射したあと眼球に入射することで起こるもので，複視と同様の見え方になる．

　このような不具合を解消するために，レンズ表面での光の反射を低減するようなコートが眼鏡レンズ表面に施される．それが反射防止コートである．反射防止コートは，レンズとは異なる屈折率をもつ材料が，レンズの表面に光の波長レベルの薄さでコーティングされた薄膜である．この薄膜による反射を防止する仕組みは，図 1-9（⇒5 頁）のように光を波として捉えるとイメージが容易である．

　屈折率 $n_S$ のレンズに，屈折率 $n_f$ の膜を，光学膜厚 $\lambda/4$ で単層成膜した面の光の反射について考える．光学膜厚とは，$t$ を膜の物理膜厚（＝メジャーで測ったときの厚さ）としたとき，$n_f \times t$ で与えられる物体中の光の速度を考慮した厚さである．光がレンズに対して垂直に入射し，垂直に反射するとき，膜と空気の境界面から反射される光と，膜とレンズの境界面から反射される光では，光の波が $\lambda/4 \times 2 = \lambda/2$ だけずれる（光路差が $\lambda/2$ になるという）ことになる．このとき，波の合成（第 1 章「光の干渉」項参照，⇒6 頁）で打ち消し合う位置関係になり，反射光は弱められる（図 18-55）．

　単層膜のレンズ面における光の反射率は次式で

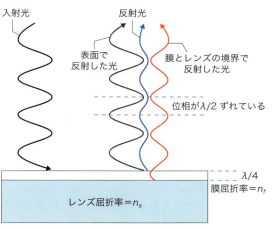

図 18-55　単層膜による反射防止のイメージ

求められる．

$$R = 100 \left( \frac{n_S - n_f^2}{n_S + n_f^2} \right)^2 \%$$

ここである波長の光の反射 $R=0$ になる条件は，

$n_f \times t = m \times \lambda/4 \, (m = 1, 3, 5 \cdots)$　かつ
$n_f = \sqrt{n_S}$

が満たされる場合であるが，実際にはコーティングに適した膜材料はある程度限定されており，十分な反射防止性能を得るには，屈折率の低い膜と高い膜を交互に積層した多層膜コートが施されることが多い．

　単層膜が施されたレンズに対して，光が斜めに入射する場合を考える．点 C から反射光 r1 に下した垂線の端を点 D とすると，膜と空気の境界面で反射される光 r1 とレンズと膜の境界面で反射される光 r2 の光路差を計算すると，ABC－AD＝$2n_f t \times \cos\theta$ になる（図 18-56）．上記垂直入射の例は，$\cos 0° = 1$ の条件によるものである．$2n_f t \times \cos\theta = \lambda/4$ として，$\theta$ が 0°以上になると $\cos\theta \leq 1$ であり，この特性を満たす光の波長 $\lambda$ は短くなる．これを入射光の角度による反射特性の角度依存性とよび，反射特性は一律に短波長側にシフトする（図 18-57）．眼鏡レンズ表面の反射光を斜めから見たときに，反射光の色調が変化して見える原因である．

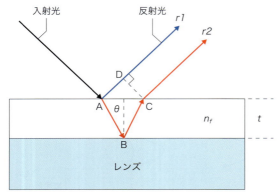

図 18-56　斜めに入射する光のレンズ-単層膜における反射

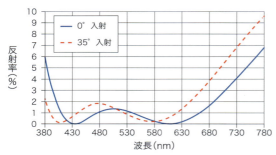

図 18-57　垂直入射した光と斜めに入射した光の分光反射率

## 2 ハードコート

　プラスチック製品の最大の短所は，硬度が低く，傷がつきやすいことである．傷のつきやすさを一般的に耐擦傷性とよぶ．プラスチックレンズの耐擦傷性を高めるための表面処理加工がハードコートである．眼鏡レンズにおいては，より耐擦傷性の高いシリコーン系のハードコートが主流である．

　コーティング方法として，ハード液に，一定の速度でレンズを浸漬するディッピング法や，一定量のハード液を滴下したレンズを高速回転させ，レンズ面に一様に液を行き渡らせるスピン法などがある．ハードコートの膜厚は，一般に数 $\mu m$ である．コートの硬さを追求することは，コート剤の構造をガラス質に近づけることであるが，一概に硬さだけを求めると，脆くなったり，レンズ

素材との物性の乖離から，剥がれやすくなったりしてしまうので，バランスも重要である．

**[プライマー]**

　ハードコート前のレンズ表面に，弾力性のある膜を数 $\mu m$ の厚さで施すことがある．これをプライマー（下塗り）層とよぶ．この層は，プラスチックレンズの耐衝撃性を向上させる効果と，ハードコートのレンズへの密着性を向上させる効果を兼ねている．先述したように，1972 年に米国の FDA がドロップボールテストを屈折補正用眼鏡レンズに適用したことから眼鏡レンズのプラスチック化が加速した．もともとプラスチックは耐衝撃性の高い材料である．FDA 規格によれば，「すべての眼鏡レンズは直径 5/8 インチ，0.56 オンスの鋼球を 50 インチの高さから自然落下させ，破壊しないこと（図 18-58）」としている．

　日本国内の規格においては，JIS T 7331 (2018)「屈折補正用眼鏡レンズの基本的要求事項」に，レンズの機械的強度がある．ここでは，直径 22 mm の鋼球を 100±2 N の力で押しつけたとき，レンズの破損や変形があってはならない，としている．一般に静荷重試験とよばれるものである（図 18-59）．プライマー層はこれらの試験をクリアするための衝撃吸収層である．

## 3 曇り止めコート

　気温の低い場所から高い場所に移動した際，また風邪，花粉の予防に眼鏡と合わせてマスクを着用した際など，レンズが曇ることがある．この曇りは，レンズ表面に結露した微細な水滴が反射面となり，光を乱反射した状態である（図 18-60）．

　この曇りを防止するには，いくつかの方法がある．

(1) 水の濡れ性向上：表面に界面活性剤を塗布し，付着した水の表面張力を低下させ，水滴を平坦にする（図 18-61）．
(2) 吸水性の付与：表面に水を吸収する膜をコートする．
(3) 撥水性の付与：表面の撥水力により，細かい水滴を大きくまとめ，滴り落ちやすくする．

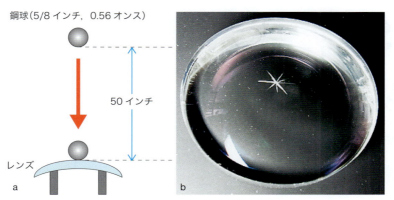

図 18-58　FDA ドロップボールテスト模式図(a)とドロップボールテストで破損したレンズ(b)
b：プライマー層なしのハードコートレンズ．中央にクラックが入っている．

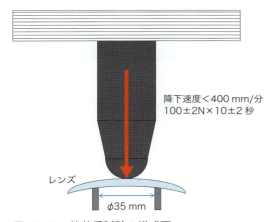

図 18-59　静荷重試験の模式図

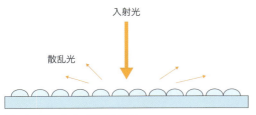

図 18-60　レンズ面の曇り

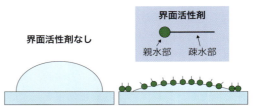

図 18-61　界面活性剤による曇り止めのイメージ

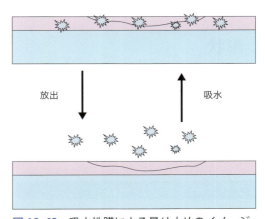

図 18-62　吸水性膜による曇り止めのイメージ

(4) 加熱による温度の調整：自動車などで利用される

このうち，眼鏡レンズで利用されているのは(1)と(2)の方法である．

(1)で塗布する界面活性剤は，様々な種類のものが市販されている．これらの界面活性剤が安定してレンズ面に保持されるよう，表面に特殊な下地層が設けられた専用のレンズもある．

(2)の吸水性膜は，実環境においては，水の吸水と放出を繰り返しており，吸水量が飽和すると曇り始める（図 18-62）．(1)と比較すると，定期的に界面活性剤を塗布するという手間は省けるが，一般に膜の耐擦傷性が弱く，反射防止コートをつけられない，という短所がある．

（鈴木栄二）

# 第19章
# 眼鏡フレーム

　眼鏡フレームは，屈折異常や調節異常を矯正するために必要なレンズを装用者の眼前の適切な位置に保持する大切な役割をもつ．眼鏡フレームの条件として，丈夫で掛け外しが容易なこと，眼鏡技術者が容易に調整フィッティングできること，長時間掛けても疲れず装用状態が変わらないことなどが挙げられる．そのためには，力学的，美的な条件を満たし，レンズによる矯正効果を光学的に十分な機能発揮ができるようにするものでなければならない．

## A. 形状

### 1 分類

　JIS B 7280「眼鏡光学-眼鏡フレーム-用語」[1]により，眼鏡フレームは，形状により以下のように分類される．

#### a. プラスチックフレーム

　フレームの主要部品がプラスチック材料で作られているフレーム．プラスチック素材には，アセテート，ナイロン系樹脂などがある．以前は，素材としてセルロイドが主流であったため，その名残で「セルフレーム」とよばれることもある（図19-1）．

#### b. 天然有機材料で作られたフレーム

　フロントの主要部品が天然有機材料で作られているフレームで，プラスチックフレームと同様，肌に接する部分が多く，リムなどが太いので，掛けたときの印象が変わりやすい．「べっ甲」「水牛の角」「木」「竹」などの素材で作られているものがある（図19-2）．

#### c. メタルフレーム

　フレームの主要部品が金属で作られているフレーム．金属の素材としては，チタンやチタン合金が主流で，そのほかには，金合金やニッケル合金などがある．鼻パッドやテンプルチップはプラスチックを使用しているものが多い（図19-3）．

#### d. コンビネーションフレーム

　金属とプラスチックなどが組み合わされたフレーム．フロントの主要部品のいくつかがプラスチック材料，または天然有機材料で作られ，他の主要部品が金属で作られている（図19-4）．

#### e. 縁なしフレーム，溝掘りフレーム

　レンズを支える縁のないフレームを「縁なしフレーム」という．レンズに穴をあけ，ねじなどで固定されている．レンズ1枚につき2つの穴で固定しているタイプが多く「ツーポイント」とよばれる（図19-5）．
　レンズに溝を掘り，ナイロン糸などで固定しているフレームを「溝掘りフレーム」という．「ナイロール」ともよばれる（図19-6）．

### 2 デザイン・玉型

　眼鏡フレームのレンズの型を示す名称がある

図 19-1　プラスチックフレーム

図 19-4　コンビネーションフレーム

図 19-2　天然素材〔総べっ甲〕フレーム

図 19-5　縁なしフレーム（ツーポイント）

図 19-3　メタルフレーム

図 19-6　溝掘りフレーム（ナイロール）

オート，なすなど　　パリ，パリジャン　　ラウンド　　レキシントン　　多角形（オクタゴン）

フォックス　　ウエリントン　　ボストン　　オーバル　　スクエア

図 19-7　代表的な玉型

（図 19-7）．ただし，JIS などで正式に定められたものではなく，時代とともによび方も変わり，新しい型を示す名称も出てきている．ここでは代表的な基本玉型を示す．

## 3　各部の名称

眼鏡フレーム各部の名称で主要な部分を図 19-8, 9 に示す．

## 4　サイズ表示

ISO（国際標準化機構：International Organization for Standardization）が採用した規格（ISO/FDIS5624）に基づき，英国（1960 年），米国（1962 年），ドイツ（1965 年）にならい，わが国でも 1990 年 2 月 1 日，ボクシング・システム（図 19-10）を寸法測定方式の規格とする JIS B

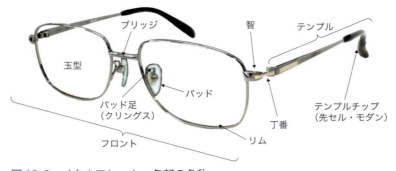

**図 19-8　メタルフレーム　各部の名称**
JIS B 7280 で定められている名称を示し，その他，一般的に用いられている名称を（　）内に示す．

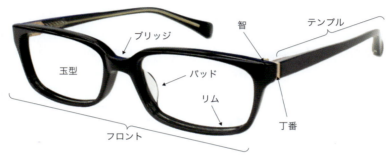

**図 19-9　プラスチックフレーム　各部の名称**
JIS B 7280 で定められている名称を示す．

**ボクシング・システム表示例**

JIS B 7281 によって測定したことを示す記号「ボックス」と読む．

$\underline{56}\ \square\ \underline{18}\ -\ \underline{135}$
　a　　　　d　　テンプルの長さ

a…玉型幅（アイサイズ）
b…玉型高さ
c…玉型中心間距離（c＝a＋d）
d…レンズ間距離

C…玉型中心

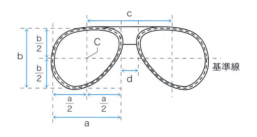

**図 19-10　眼鏡フレーム（フロント部）のサイズ表示（ボクシング・システム）**

7281[2)]が制定された．

したがって，日本では，眼鏡フレームのフロントサイズに関する規格は，ボクシング・システムに統一されている．適応範囲としては，視力補正用レンズを装着する眼鏡フレームおよびサングラス用フレームである．

測定は，レンズを眼鏡フレームに入れた状態でレンズを囲んでできる最小の長方形で，つまり玉型に外接する水平，垂直線で囲まれた四角形を想定して測定される．長方形の横の辺の長さを玉型幅（アイサイズ）といい，左右の長方形の間の距離をレンズ間距離という．

ボクシング・システムで測定されているフレームには，例えば 56□18 とテンプルまたはブリッ

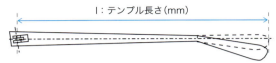

図 19-11 テンプル長さの表示

ジの内側などに刻印あるいは印刷されている．単位はミリメートル(mm)である．

## 5 テンプルの長さ

テンプルの長さ(図 19-11)は，丁番のねじ穴の中心からテンプルエンドまでの距離を測定した値を表示している．実際のテンプルの長さは，テンプル取り付け位置(智の位置)によっても異なるので注意が必要である．

## B. 素材

### 1 フレーム

眼鏡フレームの素材は，大きく分けて，「金属」「プラスチック」「天然素材」に分けられる．

#### a. 金属(メタル)フレーム

**1) チタン(合金)**

金属フレームの主流は，チタンもしくはチタン合金である．チタンは軽量(比重 4.54)でありながら，優れた強度をもち，金属アレルギーを起こしにくい素材である．純チタンの場合(Titan-PまたはTi-P)などの表示をしている．チタン合金のなかに形状記憶や優れた弾力性の性質を示すものがあり「NT 合金」や「ゴムメタル」とよばれる．また，近年多く使用されているものとして「β(ベータ)チタン」がある．これは，チタンに特別な処理をすることにより，非常に硬いにもかかわらず，曲げ強度(ばね性)，引っ張り強度をとても強くしているチタンである．

**2) ニッケル合金**

ニッケル(Ni)を主成分とし，クロム(Cr)や銅(Cu)などとの合金．耐食性，加工性に優れているため，以前は眼鏡フレームに多く使用されていた．近年，ニッケルによるアレルギーの問題と，チタンフレームの加工技術の進歩により需要は減少している．

**3) 銅合金**

銅(Cu)を主成分にニッケル(Ni)，亜鉛(Zn)などとの合金．安価で加工性がよいが，耐食性に問題があるものが多い．現在では，安価なサングラスや海外フレームにときどきみられる．

**4) 金合金**

金(Au)を主成分とし，銀(Ag)，銅(Cu)，パラジウム(Pd)との合金．金の割合により 18 金(K18；18/24)，14 金(K14)12 金(K12)などがある．貴金属なので高い価値と，耐食性に優れている．

**5) その他**

「プラチナ(白金)」「ステンレス」「アルミニウム」「マグネシウム」などが眼鏡フレームに使用されている．

#### b. プラスチックフレーム

**1) アセテート(CA)**

プラスチックフレームの主流の 1 つである．難燃性で維持・管理がしやすい．また，紫外線の影響も受けにくい．

**2) セルロイド(CN)**

20 世紀を代表するプラスチック素材であったが，素材が燃えやすいことから生産が減少，セルロイドフレームを好む一部の人に人気があり現在もわずかではあるが流通している．

**3) ポリカーボネイト(PC)**

熱可塑性樹脂でエンジニアリングプラスチックの一種．強靱で寸法安定性にも優れ，かつ透明で割れにくいので，スポーツ仕様のフレーム，ゴーグルなどに多く使用されている．アルコールなどの有機溶剤に弱い．

**4) ポリフェニルサルフォン(PPSU)**

超弾性特性をもち形状の復元性に優れている．生体適合性や耐熱性も高い．

### 5) グリルアミド(ナイロン系)

TR-90 など，優れた弾力性があり，しかも軽量な素材である．したがって装用感がよい．ただし，微妙な調整には向かないものが多い．

### 6) エポキシ樹脂(EP)

オーストリアのアンガー社が「オプチル」として眼鏡フレームに用いている．特徴としてはアセテート系フレームに比較して30%程度軽量．透明感のあるきれいな色合いが出せる．

## c. その他天然素材

### 1) べっ甲

べっ甲とは，ウミガメ「タイマイ」の甲羅である．光沢のある美しい斑紋で質感もよく日本の伝統工芸であるべっ甲細工の製品であり高級眼鏡フレームである．衝撃で破損することがあるので取り扱いに注意が必要だが，破損しても修理できるのが特徴である．

しかしタイマイの商業取引は，ワシントン条約(絶滅のおそれのある野生動物の種の国際取引に関する条約)により禁止されている．

### 2) その他

動物の骨(水牛の角，シープホーンなど)，木，皮，竹などを使った眼鏡フレームもある．

## 2 パッド

図19-12　パッド

パッド(図19-12)は，テンプルチップとともに直接肌に触れる部分である．近年は様々な形状や素材のものがあり，多くは交換が可能である．鼻の当たり具合が合わないときや，肌に合わないとき，また，古くなり変形や汚れがひどくなったときは交換する必要がある．

以下に主なパッドの素材とその特徴を示す．

### 1) プロピオネイト(CP)

難燃性で透明，着色もできる．紫外線による変色もほとんどない．素材自体が柔軟で，可塑剤の混入量は少ない．吸水性が低く，寸法安定性・耐汗性・耐候性に優れているので，多く用いられている．

### 2) ポリエステル(PEs)系樹脂

変形，変色がほとんどなく，透明度に優れた素材である．

### 3) アクリル

高い透明性と耐衝撃性に優れ，さらに劣化しにくい樹脂である．

### 4) アセテート(CA)

天然素材を原料とし，良好な透明性と耐衝撃性に優れている．

### 5) シリコーン

優れた吸着性と良好なフィット感で摩擦係数が高いため，ずり落ちを防ぐことができる．

### 6) ポリアミド(ナイロン系樹脂)

透明度が高く，摩擦係数が小さいため化粧品などがつきにくい．

### 7) ニュクレル

柔軟性に優れ，変形変色などの劣化にも優れた耐性をもっている(ソフトパッド)．

### 8) 形状記憶樹脂

体温(約36℃)に反応してパッドの形状が変わり，自然に顔の形にフィットする．眼鏡のずれ落ち防止効果があり，パッド痕もつきにくい．

## 3 テンプルチップ(先セル・モダン)

メタルフレームの多くは，直接肌に触れる耳の上部からその先の部分をプラスチックで覆っている．この部分をテンプルチップといい(図19-13)，最近はカラーも豊富で，様々な素材が使われている．フレームの形状にもよるが，交換が可能なタイプも多い．以下にテンプルチップの素材

図 19-13　テンプルチップ

とその特徴を示す．

### 1) プロピオネイト（CP）

綿花をプロピオン酸と反応させると CP 材ができる．天然繊維（綿花）を原料とした合成樹脂なので，柔軟な感触で肌に優しい特徴がある．一般にアセテートより変色しにくい．

### 2) アセテート（CA）

プロピオネイトと同様に綿花を原料とし，酢酸と反応させている．プロピオネイトより豊富なカラーが出せる．

### 3) シリコーン

すべりにくく，弾力性があり肌を傷つけにくい安全な素材として使用される．また，すべり止めや，肌の保護を目的に，シリコーン製のチューブを取りつけることができる．

## 4 アレルギーとの関係

眼鏡フレームを装用することにより，金属アレルギーを起こし，接触している皮膚が赤くなったり，痒くなったりすることがある．

眼鏡フレームに使われている金属のなかで，最も金属アレルギーを起こしやすいのは，「ニッケル」である．長い間，ニッケルは眼鏡フレームの素材として合金の形で，またメッキの下地材として用いられてきた．ニッケルは，他の金属と比べて溶け出しやすい性質をもっているので，身に着けている人が汗をかくと，汗に含まれる塩化物イオンの作用によりニッケルが溶け出し，金属アレルギーの原因となりやすい．最近ではアレルギー対策として，素材そのものにニッケルを含まない「ニッケルフリー」の商品が多く出回るようになってきている．また金属アレルギーの人のために，テンプルをビニール材で覆うカバーもある．アレルギーを起こしにくいとされる「チタンフレーム」でも，他の金属との合金であったり，表面処理にニッケルが使われていたり，パッドなどの部品に使われている金属が原因でアレルギーを起こすこともある．プラスチックフレームはアレルギーが起こりにくいといわれているが，テンプルの芯金にニッケルが使われていたり，プラスチックに含まれる添加物などが原因となってアレルギーを起こすことがある．

## 5 日常の取り扱い

眼鏡レンズの特徴として，

(1) ガラスレンズは，プラスチックレンズに比べて，衝撃を受けたときに割れやすい．

(2) プラスチックレンズは，ガラスレンズに比べて，傷がつきやすく，熱により表面のコーティングが傷みやすい

などの注意点がある．

### a. 眼鏡の掛け外し

両手でテンプルを持ち，軽く開いて，顔に沿わせながら正面から掛ける．外すときも，両手でテンプルを持ち，耳の掛を外してからまっすぐ前に外す．片方のテンプルだけを持ち無理に外すと，変形，破損，緩みの原因となることがある．

### b. 眼鏡の手入れ

眼鏡レンズの拭き方：拭く側のレンズの外枠を持ち，専用のメガネ拭きで，そっと拭く．反対側の枠を持ったり，拭く力を入れすぎたりすると，フレームやレンズに損傷を与える原因になることがある．

レンズに異物やほこりなどが付着しているときは，まず水洗いをして，ほこりなどを洗い流し，ティッシュペーパーで水分を拭きとり，最後にレンズ専用メガネ拭きで軽く拭く．フレームの水分もしっかり拭きとるようにする．さらに，汚れがひどいときは，中性洗剤を水で薄めた液で洗う．そのあと水洗いをする．石鹸やハンドソープなどアルカリ性や酸性の洗剤を使用したり，シンナーなどの溶剤を使用するとレンズやフレームを傷め

る原因となる．眼鏡が雨などで濡れたときは，すぐに水分を拭きとる．

#### c. 眼鏡の持ち運び，保管

眼鏡を置くときは，レンズの凸面を上に向けて置くようにする．凸面を下向きに置くと，レンズがテーブル面などに接触しその部分に傷が入る．持ち運びするときは，眼鏡拭きでくるんで眼鏡ケースに入れて運ぶことにより，型崩れを防止する．

眼鏡の保管は，防虫剤，洗剤，化粧品，整髪料，薬品などと一緒に保管すると，レンズやフレームの変質，変色，劣化の原因となるので避けるべきである．また，車の中など高温になるところに放置すると，レンズのコーティングにクラック（ひび割れ）が入ったり，フレームが変形したりする．

## C. 用途別フレーム

### 1 累進屈折力レンズの適応

累進屈折力レンズを入れる場合には，まず，フレームの玉型高さが確保されていることが重要である．それは，累進屈折力レンズの種類・用途・累進帯の長さ・加入度数・眼鏡フレームのリムの厚みなどによっても変わってくるので，一概に何 mm 以上とはいえないが，おおむねの目安を次に示す．

「遠近両用」の累進屈折力レンズの場合，累進帯の長さは，短いもので 8 mm から，長いもので 20 mm があるが，汎用的なタイプ 12 mm で考えてみると以下のようになる．

図 19-14 に示すように，累進帯より上に「遠用部」を 10 mm，下に「近用部」を 6 mm 確保するとすれば，最低でも累進帯長＋16 mm が必要となる．例えば，累進帯長 12 mm の遠近累進屈折力レンズの場合，合計 28 mm は必要となる．

「中近両用」および，「近近両用」の累進屈折力レンズの場合，レンズ上部をどの程度確保するかに

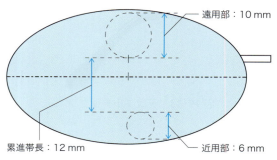

**図 19-14** 累進屈折力レンズに必要な玉型高さ（例）

よって，必要な玉型高さは変わるが，遠近累進に比べて累進帯長が長いので，より広い玉型高さを必要とする．

### 2 乳児・幼児～小児の適応

#### a. 子ども用（乳幼児～小児）眼鏡に求められる必要条件

乳幼児は，瞳孔間距離が狭い割には顔幅は広く，鼻根部が低く平らで耳が低く位置するという特徴がある．また，活発に動くこともあり，眼鏡にてレンズを常に正しい位置に安定して保つ装用が難しい．さらに，身体（顔）の成長も早く，身長が低いという特徴を考慮した，デザインや素材特性，サイズなどが必要な条件となる．以下に詳細を示す．

**1）サイズの適合**

乳児から幼児，小児へと成長とともに顔のサイズ（顔幅，瞳孔間距離，鼻の高さ，耳までのテンプルの長さなど）も変化する．そのときの顔幅に合ったサイズのフレームを選ぶ必要がある．サイズ選びの目安としては，正面から見て顔幅とフレームの横幅がほぼ等しく，テンプルが耳の後ろにきちんとかかっていることなどである．乳児の場合，玉形幅が 33～37 mm 程度の小さいサイズのフレームが必要となる．また，横幅とは別に適切な上下幅も必要で，上方視，下方視が十分確保でき，さらに，横になった姿勢でもレンズを通して見させるために，玉形のほぼ中央にアイポイントが来るフレームが望ましい．基本的にはラウン

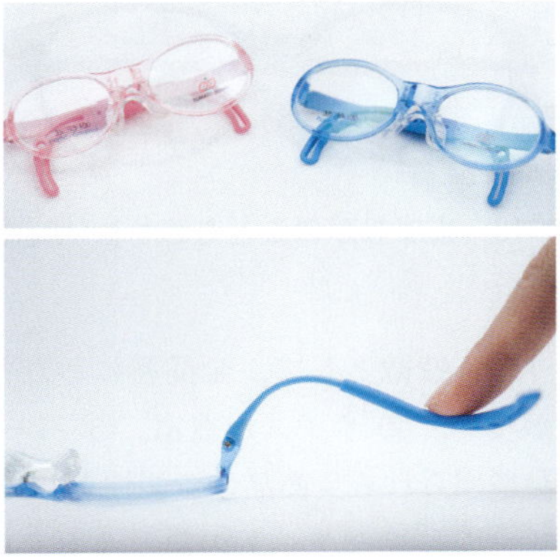

図 19-15　トマトグラッシーズ（ベビー A）（名古屋眼鏡）

図 19-16　アンファンベビー（オグラ眼鏡店）

ドに近いオーバル型がよい．

### 2）堅牢性

乳幼児では，眼鏡を掛けたままぶつけたり，自身が引っ張ったりすることが多くなる．したがって，フレームは，壊れにくく変形に強い特性をもったものが望ましい．小児になると，学校生活などで，ボールや人とぶつかるなど成人と比べて眼鏡に負担がかかることを想定して眼鏡は頑丈で壊れにくいものを選びたい．

### 3）軽量

長時間使用しても疲れにくく自然な装用感であるために，軽量であることと，鼻パッドやテンプルチップなど肌に接する部分がしっかりフィットしており肌触りもよいことも大切である．

### 4）ファッション性

小児自身が眼鏡を掛けるのを嫌がると常用が困難になる．本人が納得して選んだフレームであれば進んでかけてくれる．

### 5）アフターケア

眼鏡が破損や変形したときに，迅速に部品交換や適切な修理などの対応ができる．また，定期的に眼鏡のクリーニングやフィッティング状態の確認ができる眼鏡店で購入することも大切である．

## b．実際の乳幼児用フレームの例

### 1）トマトグラッシーズ（名古屋眼鏡）

トマトグラッシーズは，乳幼児から小児用眼鏡を中心に質の高い眼鏡フレームを多く提供している．図 19-15 は，乳幼児用（ベビー A）で，対象年齢は 0〜2 歳前後，玉形サイズは 35〜39 mm，重さ 6.3〜6.5 g で，フレーム素材は安全性が求められる医療機器に使用されているグリルアミド TR-90 を使用．この素材は，FDA でも承認されており安心安全で軽量，弾力性や復元性に富み変形に強く丈夫という特徴もある．

また，様々な乳幼児の顔の形状に合わせ，ずれずにフィットするようテンプルの長さ，鼻パッドの高さを細かく調節することができる．必要に応じて，3D 構造の専用メガネバンド（付属）を取り付けが可能である．

### 2）アンファンベビー（オグラ眼鏡店）

オグラ眼鏡店は医療機器としての観点を考慮し設計，デザインされた質の高いオリジナル眼鏡フレームを各年齢に合わせて提供している．その中で乳幼児用眼鏡フレーム「アンファンベビー」を紹介する（図 19-16）．

乳児（0 歳）から幼児に対応した眼鏡フレームで，玉形サイズは，30〜45 mm と豊富で超低出生体重児への対応も可能である．フロントはすべての角を取り除き安全に配慮している．テンプル

図 19-17　アイハピー（クリエイトスリー）

図 19-18　ますながのこどもめがね（増永眼鏡）

は柔軟で肌に優しいエラストマー製で，内側にシリコーン製の滑り止めパッドが付いている．ヘッドバンドがポリウレタン繊維で作製されており，活発な乳幼児の動きや寝返りにも対応できるデザインや素材の特性をもっている．

#### 3）アイハピー（クリエイトスリー）

視能訓練士協会が(株)クリエイトスリーと共同で開発した「アイハピー」(図 19-17)は，小児用に必要な要素において様々な工夫が施されている．サイズは 44，47 mm で，構造は，コンビネーション型フレームで両テンプルとフロント部がβチタン製の一体型．βチタンは弾力性があり，高硬度の特徴をもつ．フロント部そのものは，ナイロン系である．

特徴として，智の部分が外側に丸く膨らんだ構造で，テンプルを開く力が直接フロント部にかかることを防ぎ，智が広がらないように工夫されている．βチタンそのものの強度と，智の部分の力学的なデザイン，さらに両テンプルとフロントを結ぶ薄板状のβチタンの弾力性と，熱に強く型崩れの少ないナイロン系のフロント部の組み合わせで，智にかかる圧力を分散させ歪みにくい構造となっている．

鼻パッドは固定式に近くほとんど変形することがなく常に正しい頂点間距離が保てるが可動もするので頂点間距離の調整も可能である．

#### 4）増永眼鏡「ますながのこどもめがね」

歴史ある増永眼鏡は，小児用眼鏡では，「ますながのこどもめがね」として，蓄積してきた技術を成長期の小児に最適な構造として提供している（図 19-18）．特徴として，全品番にわたり① 継続品番が多い，② サイズが豊富，③ パーツ供給の充実が挙げられる．商品の機能性としては，メタルフレームにアセテートの鼻パッドを採用し，子どもにありがちなクリングスの変形によるずり落ちを防いでいる．鼻パッドにはオプションパッドも用意されているので調整が必要な子どもにも対応できる．また，フロントにアセテート，テンプルに形状記憶合金を採用した商品は，智部のメタル素材により調整ができるような構造になっている．全品番を通して採用している 2 段曲げ構造のテンプルチップは，細やかな調整を可能にしている．

## 3 非対称な顔貌への対応

人間の顔は基本的に左右非対称であるが，その程度が大きいと，フレームを大きく変形させてフィッティングする必要がある．特に智部で，左右の顔幅，耳の高さなどの調整ができることが重要である．小児用として，変形が起こりにくいプラスチックフレームが勧められることが多いが，顔が非対称である場合は，顔の形状に合わせて眼鏡フレームを柔軟に調整できるよう，パッド足があるものが容易である．さらに，テンプルの開き具合も左右別々に調整できるメタルフレームのほうが細部まで合わせることが容易である．

## 4 耳介形状異常への対応

小耳症など耳介の形状が異常である場合，通常の眼鏡フレームでは，固定が困難な場合がある．その場合，ヘアバンドやカチューシャに固定する方法があり，そのような固定パーツも販売されている（図 19-19，20）．

図 19-19 巻きつる

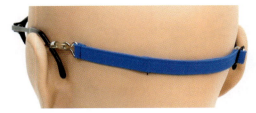

図 19-20 スポーツバンド

図 19-21 スポーツゴーグル
(画像提供：アジアロイドジャパン)

図 19-22 水泳用ゴーグル
(画像提供：山本光学)

## D. 特殊フレーム

### 1 スポーツゴーグル

サッカー，バレーボール，ハンドボールなどのスポーツをするときは，一般的なメタルフレームやプラスチックフレームでは，眼鏡が破損し，ケガの原因になることがある．そこで，スポーツ用に開発されたスポーツゴーグルが有効である(図 19-21)．これらは，全般的に広い視野が得られるように，レンズ部が広く設計されている．

また，安全性を向上させる素材としては，フレームが耐久性の高いポリカーボネイトなどでできていること，レンズも度入りポリカーボネイトを使って破損の危険性を少なくし，さらに特殊な加工をすることによりレンズを外れにくくしているなどの特長がある．

フレームの構造としては，鼻パッドが広く肌に接するようになっており，人やボールなどと衝突したときの衝撃が一点に集中しにくい構造となっている．また，激しい動きでもずれにくいように，別にバンド取りつけることにより固定できるようになっている．

### 2 水泳用ゴーグル

水泳用ゴーグル(図 19-22)は，水中の塩素から眼を保護する目的と，水中でも正常な視力を維持するために正視の人でも基本的に装用することが望ましい．

強い屈折異常がある場合は，水泳中(水中)でも屈折矯正を必要とする場合がある．屈折矯正を行う場合には，プールサイド(空気中)と水中で屈折率が違うので，矯正度数も変わってくる．どちらの見え方を重視するのか，また屈折異常が遠視系か近視系によっても調整が必要となるので，眼鏡店での相談を要する．

### 3 その他

#### a. アルバイトフレーム（跳ね上げフレーム）

眼鏡のフロント部を跳ね上げることができる構造になっており，遠見と近見を別の度数で見るために用いられる．単式タイプと複式タイプがある．

##### 1) 単式タイプ

図 19-23，24 のように，フロント部を跳ね上げると裸眼になる構造である．

図 19-23　単式．レンズなしで遠方視
a：裸眼（跳ね上げ状態）で遠方視
b：レンズに S+2.00 D を入れる．レンズを通して近方視

図 19-25　複式．レンズ1枚で遠方視
a：跳ね上げ状態で遠方視（S+2.00 D◯C-1.00 D Ax 90°）．
b：2枚のレンズを通して近方視（内側：S+2.00 D◯C-1.00 D Ax 90°）〔外側（add）：S+2.50 D〕

図 19-24　単式．レンズを通して遠方視
a：レンズに S-2.00 D を入れる．レンズを通して遠方視
b：裸眼（跳ね上げ状態）で近方視

図 19-26　複式．レンズ2枚で遠方視
a：跳ね上げ状態で近方視（S+4.50 D◯C-1.00 D Ax 90°）
b：2枚のレンズを通して遠方視（内側：S+4.50 D◯C-1.00 D Ax 90°）〔外側（add）：S-2.50 D〕

- 例1（図 19-23）：正視で 2.00 D の加入度数が必要な老視の場合

  S+2.00 D のレンズを入れ，フロントを跳ね上げて遠方視，眼鏡を装用して近方視をする．

- 例2（図 19-24）：S-2.00 D の矯正が必要な近視で，2.00 D の加入度数が必要な老視の場合．

  S-2.00 D のレンズを入れ，眼鏡を装用して，遠方視を行い，フロントを跳ね上げて近方視をする．

### 2）複式タイプ

図 19-25, 26 のように，左右眼それぞれレンズが2枚装用できる構造となっており，前側のレンズを跳ね上げても，内側のレンズを通して見ることになる．

以下2例は S+2.00 D◯C-1.00 D Ax 90° の矯正が必要な眼で，近見を見るのに 2.50 D の加入度数が必要な場合（左右同度数とする）．

- 例1（図 19-25）：外側のレンズに S+2.50 D を入れ，内側のレンズに S+2.00 D◯C-1.00 D Ax 90° を入れる．
- 例2（図 19-26）：外側のレンズに S-2.50 D を入れ，内側のレンズに S+4.50 D◯C-1.00 D Ax 90° を入れる．

複式タイプの場合，遠方視時と近方視時では，内側のレンズを視線が通過する位置が変わる．したがって，内外2枚のレンズを使って見るときは，内側のレンズで発生した光学的プリズムを外側のレンズで打ち消すプリズム効果が得られるように光学中心の位置を調整する必要がある．

複式タイプは，レンズが4枚入るので重くなるのが欠点である．

図 19-27　内掛けフレーム

### b. 内掛け

使用眼鏡と顔（眼）の間に差し込んで固定するタイプ（図 19-27）．一時的な近用眼鏡などとして使用する．

### c. 前掛け

使用眼鏡の外側に，クリップなどで挟んでフレームを固定するもの（図 19-28）．加入度数を装用することにより近用眼鏡にしたり，カラーレンズを装用してサングラスとして使用したりする．

図 19-28　前掛けフレーム

図 19-29　花粉症用眼鏡

### d. 花粉症用，防塵眼鏡

　花粉症やハウスダストなどによるアレルギーを防ぐには，できる限りアレルギーの原因となる物質への曝露を避けることである．花粉症用眼鏡（図 19-29）はフレームの周辺部が長くなり顔との隙間をなくし，花粉ができるだけ侵入しないように設計されている．裸眼で装用できるもの，度数を入れられるもの，使用眼鏡の上から装用できるゴーグルタイプのものまで，様々な形状のものがある．選定においては，実際に装用して装用者の顔の形状に合い，より隙間の少ないものを選ぶのがよい．また，ずれにくいことも重要である．マスクとともに使用することが多いので，レンズは曇りにくいものが望まれる．

▶文献
1) 日本工業標準調査会審議：JIS B 7280：2006（ISO 7998：2005）眼鏡光学-眼鏡フレーム-用語
2) 日本工業標準調査会審議：JIS B 7281：2003（ISO/FDIS 8624：2001）眼鏡光学-眼鏡フレーム-寸法測定方式及び用語

（秀野良児）

---

### Column
#### 眼鏡フレームの国内 90％ 以上の生産シェアをもつ鯖江市

　人生 100 年時代，人々の生活に眼鏡は欠かせない．なぜ「めがねのまちさばえ（福井県鯖江市）」のフレームが選ばれるのだろうか．

　「めがねのまちさばえ」は世界一の眼鏡フレーム作りの技術力を誇る．この眼鏡フレーム作りは，1905 年（明治 38 年），豪雪に見舞われる農閑期の現金収入を得るための副業として，増永五左衛門が私財を投じて眼鏡枠工場を創設したことが始まりである．この頃はまだ眼鏡が一般人には手の届かない，一定以上のステータスを示すものだったらしい．五左衛門は先見の明をもっていたことになる．

　日本に眼鏡が最初に伝えられたのは，16 世紀頃といわれているが，当時の眼鏡は紐で耳に掛けるタイプや鼻にレンズを引っ掛ける鼻眼鏡で，現在のフレーム型の眼鏡は 1850 年代に普及し始めた．市内の「めがねミュージアム」には多くの展示品がある．

　1981 年に世界で初めて金属アレルギーを起こしにくいチタン製眼鏡フレームの開発に成功し「めがねのまちさばえ」の名が脚光を浴びることになる．街全体が眼鏡工場といわれるほどに発展したが，1992 年をピークに生産量が落ち込む．中国メーカーの安価なフレームの流通や格安眼鏡店の増加がその原因である．職人技術をアピールするプロモーションとして「鯖江ブランド」を打ち出し，2008 年には東京南青山に産直ショップ「グラスギャラリー 291」を開設した．

　眼鏡のもつ光学的性能を最大限に引き出し，力学的にも快適な装用感を得るフレーム作りを追求する．眼鏡フレームの聖地は進化し続けている．

（石井雅子）

# 第20章
# 眼鏡の加工

　眼鏡の加工に求められることは，処方箋に基づいた正確な眼鏡作製である．すなわち，眼鏡作製にあたっては，装用者の生活環境，使用目的に応じて作製条件を考慮する必要があり，眼鏡処方に基づいて光学精度を高くし，最終的には的確にフィッティングすることで，決定度数に合わせた快適な眼鏡が装用できる．したがって，眼鏡の加工にあたっては，できるだけ誤差を少なくし，かつ効率性に努めなければならない．

## 1 加工工程

　図20-1に加工の流れを示す．それぞれの度数に合わせてレンズ発注をすると眼鏡完成までに4〜10日ほど日数を要する．在庫レンズで対応すると即日渡しも可能である．

## 2 フレームとレンズの選定

### a. フレームの選定

　フレームの選定においては，美的要素と機能的要素の両面から考える．
　美的要素では，フレームサイズが眼鏡を掛けたときの眼の位置バランスに影響する．顔幅に対するフレーム横幅は，顔幅よりもやや小さめ[1]（図20-2）で，この場合に，眼の位置はフレームの幾何学中心よりもやや内側に位置するようになり，人から自然に見られるようになる．また，強度数では小さめのフレームを選択すると，レンズの厚みが目立ちにくくなり，美観が高まる．
　機能的要素では，特に上下方向の視線の移動が必要な累進屈折力レンズでは，フレーム上下幅（天地幅）にも注意する．

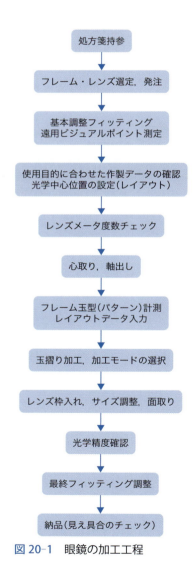

図20-1　眼鏡の加工工程

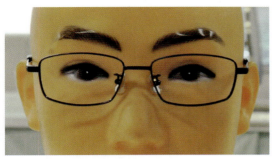

図 20-2　フレームの選定

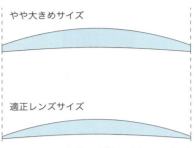

図 20-3　同度数で外径の違いによるレンズ厚さ

(1) 天地幅が 30 mm 以上あれば累進屈折力レンズの性能を発揮できる．また，遠用ビジュアルポイントの位置から上側リムまで 12 mm 以上，下側リムまで 20 mm 以上が望ましい．
(2) 前傾角，頂点間距離が正しく調整でき，また，遠用および近用視野および適正な下方回旋が十分に確保されているフレームを選定する．

### b. レンズの選定

フレームの種類を問わず作製ができるのが，プラスチックレンズであり，近年 95％ 以上の出庫比率になっている．また，ガラスレンズはフルリムおよびプラスチック枠のみ作製可能である．

#### 1) レンズオーダーの手順

選択した眼鏡フレームのフィッティング調整後，遠用ビジュアルポイントをとり，その位置を基準に，眼鏡のレイアウト設計に取り掛かる．レンズの中心位置を決定し，レンズ最小径の算出，あるいはレンズ光学中心の偏心，コバ厚（レンズ縁の厚み）の確認などを行う．

また，丸生地レンズには基準外径があり，凹レンズでは 75〜80 mm，凸レンズでは 60〜70 mm が多い．凸レンズはレンズ外径が厚みに影響する（図 20-3）．適したレンズ径を算出し，個別注文をするため日数がかかる．

## 3 眼鏡の光学的特性

眼鏡を作製する前に確認すべき項目として，作製前の基本フィッティング（販売後すぐにフレームを顔に合わせること）を行っていること，遠用ビジュアルポイントを確認しているかどうかが重要なポイントである．さらに加工によって影響が考えられる項目として，そり角，光学中心高，瞳孔間距離が挙げられる．

### a. 基本調整フィッティング

眼鏡フレームは，眼鏡レンズを光学的に最も適した位置に固定させることが重要であり，そのため選んだフレームにレンズを入れる前に，顔に合わせてフレームを調整し，フレームに対するレンズの相対位置や，顔に対するフレームの位置などを決定する必要がある[2]．これを販売後フィッティングといい，眼鏡調整上極めて重要な工程である．固定していないとこれ以降の調整がすべてずれてしまうおそれもある．

### b. 遠用ビジュアルポイントの設定

的確にフィッティングされている状態で遠用ビジュアルポイントの高さを記録することで，その人に合わせた眼鏡データとなる．遠用ビジュアルポイントとは，一定条件下で遠方視のために使われるレンズ上に想定される視線とレンズ後面との交点のことである．

### c. そり角

水平方向に動く視線とレンズ光軸を一致させたとき，光軸に直交する左右レンズ面の成す角度をそり角という．左右のフレームの成す角度とは相違する．輻湊したときにも，視線がレンズ面に直

表 20-1 装用時前傾角と偏位量の関係

| 前傾角(°) | 2 | 5 | 7 | 10 | 12 | 15 | 18 | 20 |
|---|---|---|---|---|---|---|---|---|
| 偏位量(mm) | 0.9 | 2.2 | 3.1 | 4.4 | 5.3 | 6.7 | 8.1 | 9.1 |

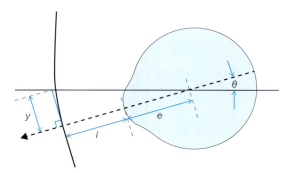

図 20-4 光学中心の偏位

表 20-2 眼鏡の用途に合わせた偏位量

| 用途 | 前傾角 | 瞳孔中心より下げ量 |
|---|---|---|
| 遠用 | 5° | 2.2 mm |
| 常用 | 5〜10° | 2.2〜4.4 mm |
| 近用 | 10〜15° | 4.4〜6.7 mm |

※二重焦点眼鏡(10〜15°).下眼瞼に小玉の端点
※累進屈折力眼鏡(5〜10°)フィッティング・ポイントを瞳孔中心高(赤丸)に合わせる(図 20-5)

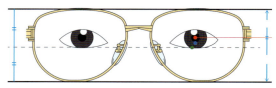

図 20-5 光学中心高の設定
赤丸：瞳孔中心高
青丸：単焦点で遠用または常用眼鏡の場合のレンズ光学中心
緑丸：単焦点で近用眼鏡の場合のレンズ光学中心

交することが望ましい．

遠用眼鏡のそり角は 180°であり，近用眼鏡では 170〜175°，常用眼鏡では 175〜180°である（詳細は第 21 章「眼鏡のフィッティング」項参照，⇒270 頁）．

### d. 光学中心高

眼鏡調整では視線とレンズ光学中心を一致させることが重要である．このため，眼鏡フレームにおける視線の通過位置にレンズの光学中心を置く．瞳孔中心を通る水平線を瞳孔水平線，視線を通る水平線を視水平線とする．レンズの光学中心を視線と一致させたときに視水平線は光学中心を通り，光学中心線となる．光学中心高の求め方は，フレームを装用させたのち，瞳孔位置（遠用ビジュアルポイント）より光学中心線を偏位させることにより求めることができる（図 20-4）．

瞳孔水平線からの偏位量 $y$ は近似的に次式で表わされる．

$$y=(l+e)\times \tan\theta$$

ここで，$y$：偏位量，$l$：頂点間距離 12 mm，$e$：回旋点間距離 13 mm，$\theta$：装用時前傾角とする．

例えば，前傾角を 10°とすると，偏位量は，

$$y=(12+13)\times \tan 10°$$
$$=25\times 0.176=4.4\, \text{mm} \quad となる．$$

前傾角と偏位量の関係（表 20-1）と，眼鏡の用途（前傾角）と偏位量の関係（表 20-2）を次に示す．

### e. 瞳孔間距離（pupillary distance：PD）

眼鏡用途に合った瞳孔間距離にレンズの光学中心間距離を一致させる．

## 4 眼鏡作製

販売時フィッティング（詳細は第 21 章「販売時フィッティング」項参照，⇒273 頁）ののち，顧客に合わせた形状データを記載し，事前のレイアウトを完成させる（図 20-6）．

### a. レイアウト

a) 加工データの作成
　1) 氏名，処方値，納期，連絡方法
　2) 使用目的・用途別の確認

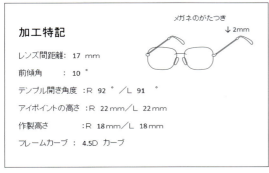

図 20-6　加工レイアウト記入例

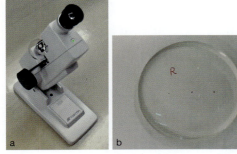

図 20-7　レンズメータ（トプコン）(a) とレンズの印点 (b)

3) 用途別心取り点の高さのレイアウト
4) 鼻側よりの偏心量の計算
b) フィッティングデータの確認
  1) テンプル開き角度
  2) 前傾角（装用時前傾角）
c) フレームカーブの測定
d) レンズ前面カーブの測定
e) 加工方法の決定
  ・カーブ加工（カーブ値の決定），オート加工，平加工の選択
  ・フレームカーブの修正

### b. レンズメータにてレンズ印点

　レンズ加工機にレンズを正しくセットするため，レンズの光学中心に印点をする（図 20-7）．このとき，乱視があれば，丸生地のレンズを回転させながら軸方向が正しくなるようセットする．ここでの精度ができあがった眼鏡の光学中心間距離や乱視軸に大きく影響する．

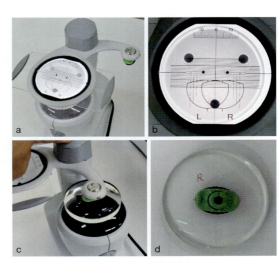

図 20-8　レンズの心取り，軸出し

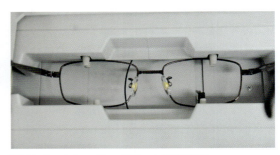

図 20-9　トレーサーを用いた形状測定

### c. 心取り，軸出し

　レンズ加工機にレンズを装着するためにレンズに吸盤（サクションカップ）をつける工程が軸出し（図 20-8）であり，これにより心取り点の設定が完了する．パターンレス加工機では軸出機の上部スケールに合わせてレンズをセットする．ここで水平度がずれると乱視軸に影響し，中心点がずれると完成眼鏡の光学中心間距離（OCD）や高さ（上下プリズム）に影響が出る．

### d. パターンレス玉摺り加工機のトレース

　フレームの形状データを，トレーサーにて形・サイズを読み取り，データを取得する（図 20-9）．

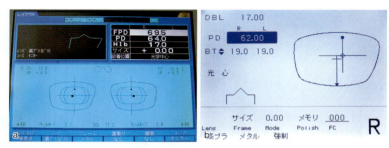

図 20-10　パターンレス玉摺り加工機
a：ALE-5100（トプコン）レイアウト　b：LE1000（ニデック）レイアウト

## 1）フレームトレース（フルリム）

トレーサーにフレームをセットし，両眼トレースを行い，リム内径の玉型データを取得する．

## 2）型板・デモレンズのトレース

リムレスフレームの場合，型板もしくはデモレンズの外周をトレースする．

## 3）パターンレス玉摺り加工機のレイアウト

トレーサーからデータを転送し，単焦点，累進など目的別に事前にレイアウト設計したデータ入力を行う（図 20-10）．玉型中心間距離（FPD），またはレンズ間距離（distance between lenses：DBL），心取り点間距離〔CD（PD）〕，作製高さ，仕上げサイズ，加工モード，レンズ素材，吸着方法などを入力して設定する．

### e. 玉摺り加工

眼鏡作製での枠入れにおいてのポイントとしては，正確な光学精度と美観・外観であり，フレームとレンズが完全に一致することである．
- 玉型デザイン，サイズが一致する
- フレームカーブとヤゲンカーブが一致する
- フレーム溝角とヤゲン頂角が一致する
- 美観に優れたヤゲン形状を有する

## 1）フレームカーブ

眼鏡フレームは球面形状でカーブ成型されている[3]．このため，フレーム正面からの玉型デザイン，真上から見たフレームのカーブといったように，3次元データを有する（図 20-11）．眼鏡加工において技術を要するのは，フレームのカーブにレンズカーブ（ヤゲンカーブ）を合わせることであ

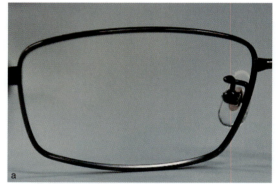

図 20-11　フレームの正面および上方からの確認
a：正面から．形状はわかるが，カーブはわからない．
b：真上から．カーブはわかるが，形状はわからない．

る．特に真上からフレームを確認するとわかりやすい．

## 2）レンズカーブ

眼鏡レンズにもカーブが存在する．正しい枠入れを行うためには，フレームカーブに合わせて，レンズにもカーブ設定をする必要がある．

## 3）ヤゲン

レンズをフレームに固定させるためには，レンズにヤゲン（図 20-12）をつける必要がある．

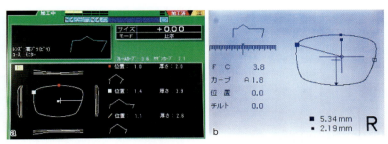

図20-13 オート加工

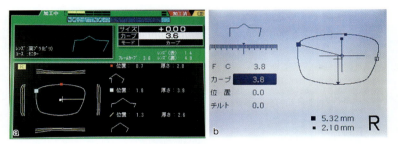

図20-14 カーブモード,ヤゲン強制加工

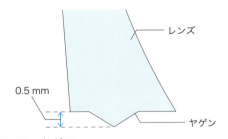

図20-12 ヤゲン
フレームの溝にレンズをはめる際に,レンズには角度120°,幅1.0mm,高さ0.5mmのヤゲンをつける.

ンズの厚みを考慮した比率加工によりヤゲンが自動でつけられる(図20-13).しかし,フレームの3次元カーブデータは反映されないので,必ずヤゲンシミュレーションを行い,カーブの不一致がないか,またヤゲンの位置バランスは適切かなどの確認を行うことが重要である.

### 2) カーブモード,ヤゲン強制加工

加工者が任意のヤゲンづけができる加工方法.フレームカーブと一致したヤゲンカーブやヤゲン位置の指定ができるほか,美観を考慮したヤゲン位置の調整が可能(図20-14).適した加工方法を選択し,フレームにもレンズにも負担のない加工が求められる.切削後のレンズ(図20-15)を外して枠入れする.

## f. 加工モードの選択

フレームカーブとレンズカーブ(ヤゲンカーブ)眼鏡加工において,枠入れ時にフレームカーブとレンズのヤゲンカーブの誤差が発生すると,レンズの脱落や横張りによるレンズのそりが発生するなど,正しい眼鏡ができない状態になる.枠入れにおいては,フレームカーブに対して1Dカーブ以内に設定することが望ましい.

### 1) オート加工

パターンレス玉摺り加工機のオート加工は,レ

## g. 溝掘り加工

ナイロールフレームに枠入れするため,レンズコバとフレームカーブに合った溝掘りをする(図20-16).

ナイロールフレームに必要なデータとして,フレームカーブ,溝掘り幅,溝掘り深さがある.

図 20-15　加工後のレンズ

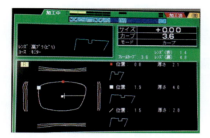

図 20-16　溝掘りシミュレーション

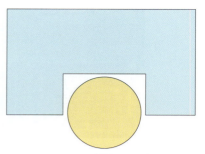

図 20-17　レンズ溝掘りと糸の断面

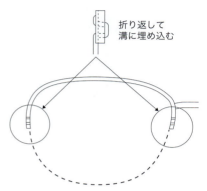

図 20-18　外糸（ナイロール糸）の交換

　溝の幅は，外糸（釣り糸 10 号で直径 0.5 mm 程）がはまるよう 0.6～0.7 mm に，溝の深さは，外糸が半分程度埋まる 0.3～0.4 mm 程度の深さ[1])に仕上げる（図 20-17）．また，最後に，外糸の張り具合を調整し，レンズを固定させる．外糸は劣化するため，交換の目安は約 1 年としている．交換の際は，糸を鼻側の穴に入れて折り返して固定し，耳側は仮止めを行った状態で糸の長さを調整する．外糸の張り具合は，引っ張り用糸でレンズと外糸の間に少しゆとり（1.5～2 mm）があれば適正である（図 20-18）．

## h. 縁なしフレームの加工

　通常，縁なしフレームは，レンズに直接穴をあけ，ねじとナットで固定する眼鏡である（図 20-19）．縁なしフレームは，最も軽量であるが，強度面では最も破損の可能性が高いといえる．

### 1）ツーポイントフレーム

　1 枚のレンズを 2 つのねじで固定するタイプの眼鏡．レンズを支えるレンズ止めの形状により，① 表金具タイプ，② 裏金具タイプに分けられる

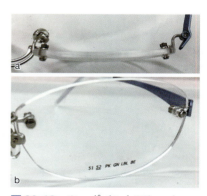

図 20-19　ツーポイントフレーム

（図 20-20）．

　通常フレームメーカー出荷時に入っているデモレンズは 4～5 D カーブの曲面を有し，レンズ止め金具もそれに合わせて調整されているため，加工するレンズのカーブがこれに近いカーブの場合（弱度レンズ）は，眼鏡の加工が比較的容易であるが，それ以外では，レンズカーブにより仕上がり眼鏡の光学条件が大きく変化する．そのため，

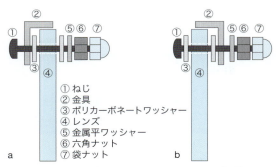

図 20-20　ツーポイントフレーム　タイプ別組み上げ順序
a：縁なしフレーム（表金具）　b：縁なしフレーム（裏金具）

① ねじ
② 金具
③ ポリカーボネートワッシャー
④ レンズ
⑤ 金属平ワッシャー
⑥ 六角ナット
⑦ 袋ナット

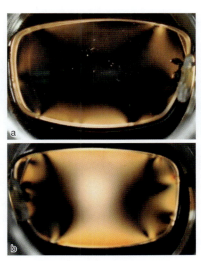

図 20-22　レンズの歪み

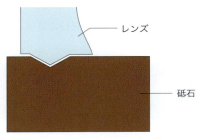

図 20-21　レンズのサイズ調整

個々のレンズカーブに合わせた調整が必要で技術力を要するフレームである．

### i. サイズ調整

玉摺り加工後，最適なサイズまで削っていく（図20-21）．レンズサイズの確認は，ねじを締めた状態でレンズが回転しない，隙間がないなどの条件をクリアし，レンズの歪みも参考にする．プラスチックレンズでは，全体に均一に適度な張りがあり，レンズ中央部には歪みがない状態（図20-22a）が理想で，もし色づいた張りや一部分に大きな歪み（図20-22b）があれば，カーブの修正もしくはレンズサイズの調整を行う．

### j. 面取り

枠入れの最終仕上げとして，レンズの各角（かど）の面取りをする．手摺り機の平部分にレンズの角を当てる（図20-23）．レンズの欠け防止，頬

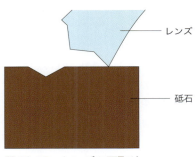

図 20-23　レンズの面取り

に触れた場合の当て傷の防止など安全性の確保と，レンズコバ厚の減少による美観の向上が目的である．

## 5 眼鏡の作製許容誤差

最終的に完成した眼鏡は，納品できるかどうかを商品としての品質と精度の両面から確認する．

### a. 外観検査

(1) レンズ表面の傷，コート剝げがないかの確認
(2) ヤゲンの位置・バランスの適正度
(3) レンズコバの処理，面取り仕上げ
(4) ヤゲンカーブとフレームカーブの一致度
(5) レンズの形の精度，隙間の有無，サイズ精度

表 20-3　単焦点レンズ（姿勢指定付き単焦点レンズを除く）および多焦点レンズのプリズムインバランス（左右のプリズム相対誤差）の許容差

単位：プリズムディオプトリ（Δ）

| 水平および垂直のより大きいほうのプリズム成分の値 | 許容差　心取り点光学中心位置でのプリズム量 | | | |
|---|---|---|---|---|
| | 水平成分のプリズム許容差 | | 垂直成分のプリズム許容差 | |
| | 屈折力が 0.00 以上 3.37 D 以下 | 屈折力が 3.37 D より大きい | 屈折力が 0.00 以上 5.00 D 以下 | 屈折力が 5.00 D より大きい |
| 0.00 以上 2.00 以下 | ±0.67 | ±(0.2×S) | ±0.50 | ±(0.1×S) |
| 2.00 を超え 10.00 以下 | ±1.00 | ±[0.33+(0.2×S)] | ±0.75 | ±[0.25+(0.1×S)] |
| 10.00 を超えるもの | ±1.25 | ±[0.58+(0.2×S)] | ±1.00 | ±[0.50+(0.1×S)] |

注記1　これらの許容差は，レンズのペアの絶対値で最大の主経線屈折力 S によって決まる．
注記2　(0.2×S)は 0.2 cm（2 mm）偏位のプリズム作用に相当し，(0.1×S)は 0.1 cm（1 mm）偏位のプリズム作用に相当する．

表 20-4　姿勢指定付き単焦点レンズおよび屈折力変化レンズのプリズムインバランス（左右のプリズム相対誤差）の許容差

単位：プリズムディオプトリ（Δ）

| 水平方向および垂直方向のプリズム屈折力の内の大きいほうの値 | レンズ | | |
|---|---|---|---|
| | 姿勢指定がない単焦点レンズ | 姿勢指定付き単焦点レンズおよび多焦点レンズ | |
| | | 水平方向 | 垂直方向 |
| 0.00 以上 2.00 以下 | ±[0.25+(0.1×S)] | ±[0.25+(0.1×S)] | ±[0.25+(0.05×S)] |
| 2.00 を超え 10.00 以下 | ±[0.37+(0.1×S)] | ±[0.37+(0.1×S)] | ±[0.37+(0.05×S)] |
| 10.00 を超えるもの | ±[0.50+(0.1×S)] | ±[0.50+(0.1×S)] | ±[0.50+(0.05×S)] |

注記1　Sは，主経線の屈折力の絶対値が大きいほうの焦点屈折力である．
注記2　(0.1×S)は，偏位 0.1 cm（1 mm）のプリズム作用に相当するのに対し，(0.05×S)は，偏位 0.05 cm（0.5 mm）のプリズム作用に相当する．

(6) フレームの傷，カラー剥げ・変色などの検査
(7) フロントのそり，テンプルの開き・たたみ，レンズ面のねじれがないことの確認
(8) 丁番のバタツキ，ねじ部の円滑さの点検
(9) 各部のねじの締まり具合，緩み防止，ねじ頭のつぶれがないことの確認
(10) ろう付け部分の強度の点検
(11) 歪みの発生の有無
(12) 全体的な調整，美観

### b.　光学検査

(1) 左右レンズ度数の確認（球面，円柱度数）
(2) 乱視軸の方向の確認
(3) 光学中心間距離と高さの上下ずれ
(4) プリズム度数と基底方向

### c.　プリズム許容誤差

　枠入れ作業に関しての指導書としては日本独自の規格がなかったが，2020年3月にISO21987をもととしたうえで，JIS T 7337が公示された．眼鏡装用による不必要な眼精疲労を生じさせないために，両眼の融像範囲を考慮して定められている．

1) 単焦点レンズ（姿勢指定付き単焦点レンズを除く）および多焦点レンズのプリズムインバランス（左右のプリズム相対誤差）の許容差を次に示す（表 20-3）．
2) 姿勢指定付き単焦点レンズおよび屈折力変化レンズのプリズムインバランス（左右のプリズム相対誤差）を次に示す（表 20-4）．

表 20-5 乱視軸の許容誤差

| 乱視度数の絶対値(D) | 乱視軸方向の表示値に対する許容差(°) |
|---|---|
| 0.12 未満 | なし |
| 0.12 以上 0.25 未満 | ±16 |
| 0.25 を超え 0.50 以下 | ±9 |
| 0.50 を超え 0.75 以下 | ±6 |
| 0.75 を超え 1.50 以下 | ±4 |
| 1.50 を超え 2.50 以下 | ±3 |
| 2.50 を超えるもの | ±2 |

### d. 乱視軸の許容誤差

乱視軸の許容誤差は表 20-5 のように定められている．

▶文献
1) 辻 一央：科学的な眼鏡調製 改訂版．眼鏡光学出版，2014
2) 日本眼鏡学会 眼鏡学ハンドブック編纂委員会(編)：眼鏡学ハンドブック．眼鏡光学出版，2011
3) 赤木五郎(編)：眼鏡医学(下)．メディカル葵出版，1996

〔西村　淳〕

# 第21章

# 眼鏡のフィッティング

## 1 フィッティングの目的

フィッティングとは，できあがった眼鏡を装用者の眼前に適切に掛けるための調整技術である．この調整技術は現在においても機械化が難しく，個々の技術者の知識や技術，経験なしでは対応できない分野である．

「快適な眼鏡」を提供するためには，装用者によって異なる快適さの条件を知るため，まず使用目的・環境や前眼鏡との比較などを知る必要がある．快適な眼鏡フィッティングの条件を表21-1に示す．

3つの条件を満たし，個々の顔形状や用途に合った調整を行うために大切なことは，フレームの選択である．装用者の要望が多岐にわたる場合には，要望に沿った調整が可能なフレーム枠を勧め，装用者の満足につなげることが求められる．

表21-1 快適な眼鏡フィッティングの条件

① よく見え，疲れない
　a）頂点間距離（眼とレンズの距離）
　b）装用時前傾角，そり角（レンズ光軸の方向）
　c）光学中心間距離，高さ（レンズ光学中心の位置）
② ずり落ちない，痛くならない
　a）適切なテンプル幅
　b）鼻とパッドのあたり
　c）耳とテンプルチップの曲がり
　d）頭部とテンプルチップの抱き込み
　e）パッドやテンプルチップの適度な圧迫
③ よく似合っている
　a）眼，鼻，眉と眼鏡のバランス
　b）顔の大きさと眼鏡のバランス
　c）目的，用途に合わせた掛け具合

## 2 頭部，顔部の解剖

人間の顔は各人それぞれ異なっており，特に鼻根部，耳部の特徴を知る必要がある．眼鏡の重量に対応できるかも重要であるが，パッドやテンプルによる直接の圧迫や摩擦によって，皮膚やその下の神経，血管，リンパ管などの働きに悪影響を及ぼす．

眼鏡を調整する場合には，顔幅や構造を観察し，皮膚や神経系を圧迫しないように，玉型幅や玉型中心間距離，テンプル長さ，テンプルの形状などに留意する．

### a. 骨格

頭部の骨格は，脳などの大切な中枢神経系や眼・鼻・耳などの主要感覚器官を外部からの侵害から保護している．眼鏡は，鼻（パッド）と耳介後部側頭部（テンプルチップ）で支えているため，頭部の骨格を知る必要がある．

#### 1）鼻骨

鼻の上半分には2枚の支柱（鼻骨）があり，下半分は大部分軟骨で，鼻翼もほとんど軟骨で形成されている（図21-1）．パッドが軟骨を圧迫すると，呼吸の妨げや声質の変化，軟骨の変形にもつながるため，パッドは2枚の鼻骨部で安定させる必要がある．フィッティングにおいては鼻幅とパッドの形状および大きさに影響を与える．

#### 2）側頭骨

側頭骨は外耳孔を覆うような形で，その面は軽く隆起し，下方に行くに従い少し内側に曲がって

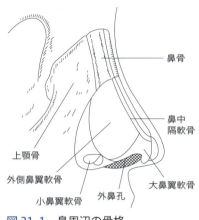

図 21-1　鼻周辺の骨格

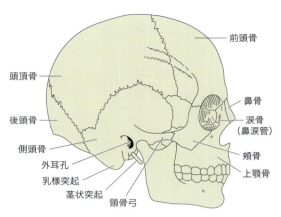

図 21-2　頭蓋の骨格

いる．外耳孔の後方下部には，乳様突起が下方に突起しており（図 21-2），テンプルチップはこの部分を圧迫しないようにし，なるべく側頭骨に沿わせるよう内側にカーブをつけて面で当てないといけない．

### b. 耳介

耳はすべて軟骨から成り耳介を形成しているが，耳たぶには軟骨はなく脂肪を伴った組織で形成される（図 21-3）．

耳介部へのフィッティングは，耳介部付け根にテンプルチップを沿わせるように曲げるが，付け根が食い込まないように注意する．

### c. 血管

顔や頭部の血管で特に圧迫を避けなければいけない代表的なものは以下である．

#### 1) 眼角動脈・静脈

鼻の側面に沿って，眼前動脈・静脈から分岐した眼角動脈と眼角静脈とが走っている．

#### 2) 浅側頭動脈・静脈

耳介前部のこめかみには，浅側頭動脈と浅側頭静脈が走っているため（図 21-4），テンプルでこめかみを圧迫するとこれらの動・静脈が圧迫され，圧迫がかかった地点だけにとどまらず側面から頭の上にかけて痛みが広がる．

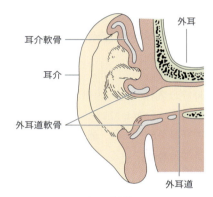

図 21-3　耳周辺の組織

#### 3) 後部耳介動脈・静脈

耳介後部には，浅側頭動脈・静脈から分岐した後部耳介動脈と静脈があるため，テンプルチップで側頭骨を過度に圧迫すると影響が出てくる．パッドやテンプル，テンプルチップでの血管への過度の圧力は，細胞組織への血液供給に悪影響を及ぼし，装用感の不快や頭痛・接触部分の痛みの原因となる．

### d. 神経

神経系は知覚運動，さらにはすべての精神作用の営みを行う系統である．

#### 1) 三叉神経

三叉神経は前頭部顔面に分布する知覚神経で，多少運動性の成分も含む．鼻部には，三叉神経から分枝した眼神経の終枝が鼻背に出て，その部位

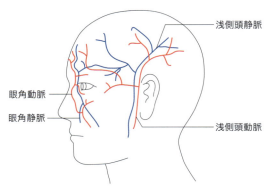

図 21-4 頭部の血管

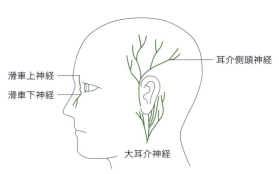

図 21-5 頭部の神経

の知覚を支配している．側頭部には，三叉神経から分枝した下顎神経が耳介側頭神経を分枝し，知覚を支配している．

### 2) 顔面神経
顔面神経は乳様突起の内側より顔面に現われ，顔面の表情筋に分布している．頭部の耳介前部で耳下腺神経叢を作った後，細かく枝分かれし，広く鼻部まで分布している．

### 3) 大耳介神経
前述 1), 2) の脳神経とは異なり，脊髄から分枝した大耳介神経は，皮枝(知覚枝)として耳介後部に分布している(図 21-5)．これらを圧迫すると，即座に痛みや不快感の原因となるが，時間の経過とともに広範囲に広がっていく場合がある．

## 3 各年齢層における特徴

### a. 乳幼児

乳幼児では鼻骨や側頭骨全体が未発達のため，安全でずり落ちない，軽くて掛け心地のよいフレーム素材，鼻の高さやテンプル長さの調整が可能な専用フレームが適している．

### b. 小児

一般的な眼鏡は屈折・調節・眼位異常補正のためにあるが，小児眼鏡は成人用と区別されるべき点がいくつかある．小児の視機能は，6歳頃までに正常かつ高度な視機能が形成される．そのため，小児眼鏡は，正常な視機能発達のために必要である．正常な視機能の発育が阻害されやすいという視覚の未熟性を補うためにも，フレームの正しい選択や正確なフィッティングが必要となる．また，小児期の鼻道は成人に比して狭い[1]．

#### 1) フレーム・レンズの選択
小児の顔は鼻根部が低く扁平で，瞳孔間距離が狭い割に顔幅が広い(図 21-6)．また，皮膚は弾力があり軟らかいなどの特徴がある．

#### a) フレーム玉型
なるべく瞳孔間距離に等しい玉型中心間距離のフレームを選択することで，眼鏡重量を軽くし，皮膚への負担を軽くする．玉型上下幅は，成人に比べ視点が低いため上方視も多く，上方への視野も確保された玉型を必要とする(図 21-7)．

#### b) パッド
小児の鼻根部形状の特徴を考慮し，下方に位置したもの，パッドの高さを変更できるタイプがよい．プラスチックフレームの場合は，パッド盛り・削り落としなどの整形によって高さ調整も考慮する．

#### c) ブリッジ・智・テンプル
小児の頭部形状は発育途中にあるので，成人と比して横幅より奥行きが短くなっている．ねじれや歪みの生じにくい素材がよく，テンプルの長さの調整ができるタイプが望ましい．

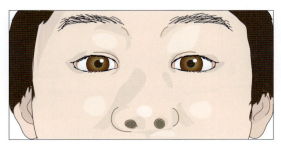

図 21-6　幼児の顔

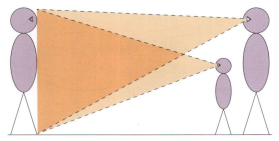

図 21-7　成人と小児の使用する視野の違い

### c. 成人

成人以降はさほど骨格も変わらないが，やはり加齢とともに調節力が衰え，眼鏡では多焦点レンズ（累進屈折力レンズ）が必要になってくる．初めての累進装用では，視野の確保（累進帯の長さにもよるが天地幅 30 mm 以上）と装用感の慣れなども考慮し，パッドの位置（高さ）を変更できるフレームなどが望ましい．

## 4 フィッティングの分類と基本項目

フィッティングでは時間の経過とともに合わせるポイントが異なる．眼鏡店では専用の工具を使用して眼鏡の各部に負担を掛けないよう留意し調整を行っている．ここではフィッティングを 3 つに分類し，メタルフレームにて説明する．

### a. 基本調整フィッティング

フレームを基本的な左右対称にする調整で，眼鏡店の店頭に並べるフレームに用いる．基本調整の確認項目は次のとおりである．
(1) ねじ類の緩み
(2) 左右玉型の傾き
(3) フロント部のねじれ
(4) フロント角
(5) テンプルの曲がり，幅
(6) テンプルの傾き
(7) パッドの向き，位置
(8) テンプルチップの曲げ

### b. 販売時フィッティング

フレーム選定後，装用者の使用目的に合わせたレンズ光学中心位置や遠用ビジュアルポイントを決め，個人の顔形状に沿わせる調整で次のような項目がある．
(1) 使用用途に合わせたそり角
(2) テンプル幅と左右の頂点間距離
(3) 正面から見たフレームの傾きとフロント部の高さ
(4) 側面から見た装用時前傾角と頂点間距離，パッドの当たり
(5) テンプルチップの曲げと側頭部への抱き込み
(6) 遠用ビジュアルポイントの測定と記録

### c. 納品時フィッティング（最終調整）

眼鏡納品時に，できあがった眼鏡を装用者に合わせる調整で，次のような項目がある．
(1) 用途に合わせた光学中心位置の確認
(2) レンズの重さ・厚さや，加工による販売時フィッティングからの掛け具合の変化を装用者の要望に合わせた調整

## 5 フィッティング各論

次に，それぞれの確認方法，調整方法を詳しく説明する．

### a. 基本調整フィッティング

#### 1) ねじ類の緩み

リムロックおよびパッド部においては，ねじの緩みがないかチェックし，丁番部はテンプル開閉

図 21-8　左右玉型の水平バランス確認

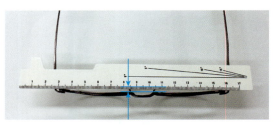

図 21-10　フロント部のレンズの成す角

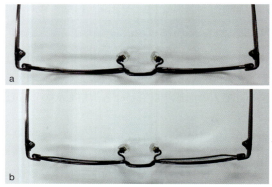

図 21-9　レンズ面ねじれなし(a),レンズ面ねじれあり(b)

図 21-11　テンプル側方からの形状

図 22-12　テンプル正面からの形状

がスムーズにできるかをチェックする．その際には，各ねじの大きさに合わせた適切なドライバーを使用する．

### 2) 左右玉型の傾き

ブリッジを基準として，左右の玉型が水平かどうか正面から確認する（図 21-8）．メジャーを水平に当て，左右の智の高さを目安に調整する．もし高さに違いがあれば，ずれている側の傾きを正しく修正する．

### 3) フロント部のねじれ

フロント部を上方から見て，左右のレンズ面がねじれていないかを確認する（図 21-9）．リム上部とリム下部を一直線に合わせたときの左右レンズ面の差を見る．

### 4) フロント角

リム上方から，フロント部の内側にメジャーを当て，ブリッジ部の隙間（2〜5 mm の左右均等な）が正しいか確認する（図 21-10）．基準よりも大きな隙間，また左右で隙間が異なる場合は修正する．

### 5) テンプルの曲がり，幅

テンプルは側方から確認すると，特殊な形状を除いては曲がらずにストレート（図 21-11）に，上方から確認するとストレートもしくはやや内曲がりになっている（図 21-12）．また，テンプルの幅は眼鏡を掛けやすいように，左右均等で平行よりやや広めに調整する．

### 6) テンプルの傾き

側方から左右のテンプルの平行確認と，丁番部の噛み合わせを確認する．フレームの傾斜角はテンプル水平を基準に 5〜7° くらいに合わせる（図 21-13）．また，傾きをつける場合に，丁番の噛み合わせがずれないように注意する（図 21-14）．

### 7) パッドの向き，位置

人の鼻の形状は三角形に例えられるが，形状に

図 21-13　フレーム傾斜角

図 21-14　丁番部嚙み合わせのズレ

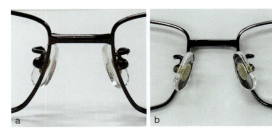

図 21-15　パッド調整
a：正面　b：裏面

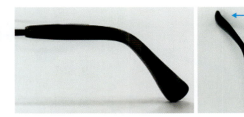

図 21-16　テンプルチップの曲げ

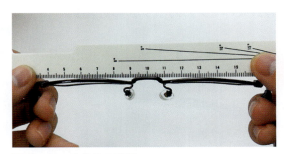

図 21-17　そり角の確認

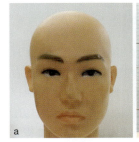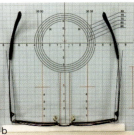

図 21-18　顔幅に合わせたテンプル幅

合うようパッドの上側よりも下側を広めに，上方，正面からパッドの開き角度と高さ・位置バランスを左右対称に調整する（図 21-15）．

### 8）テンプルチップの曲げ

左右のテンプルチップの曲げ位置，角度を合わせ，頭部を包み込むよう内側へ曲げておく（図 21-16）．

## b.　フィッティングの基本的な確認方法

眼鏡を顔に掛けた状態を確認するのが，販売時フィッティングである．人の頭部・顔部は左右の顔幅や眼の高さ，耳の高さ・奥行き，鼻形状など個体差があるため，基本調整された左右対称のフレームがきっちり合うことはまれである．ここでは装用者に合わせるフィッティングの基本的な見方を紹介する．合わせる手順としては前方から順に後方を合わせていくのが基本だが，最初にいくつかの確認すべき項目がある．

### 1）用途に合わせたそり角

レンズ性能を発揮するには視線とレンズ面が直交することが望ましい．直交させる方法として，フレーム前面にメジャーを当て，ブリッジの中央から瞳孔間距離の位置にデモレンズの接点があるかどうかを確認する（図 21-17）．瞳孔間距離に合わせたそり角に調整できれば，視線とレンズ面が直交することになる．また，遠用眼鏡と近用眼鏡とではそり角が異なる．その後，顔幅に合わせてフレームのテンプル幅を広げる，または狭くする（図 21-18）．耳介頂点幅よりも 5〜10 mm ほど

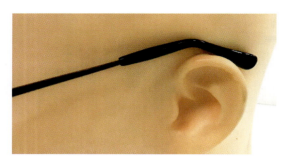

図 21-19　テンプルチップが浮いた状態

図 21-20　テンプルチップが耳に乗っている

図 21-21　左右の頂点間距離が等しい

図 21-22　左右の頂点間距離に差がある

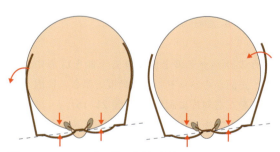

図 21-23　テンプル幅の調整方法

狭くすることで，内側への適度な圧力が生まれる．次に，しっかりと耳の頂点（耳介頂点）に左右テンプルが乗っているか（テンプルチップの曲げ位置が前方すぎて浮いていないか，図 21-19），長さが不足していないか確認する．必ず耳介後方に曲げ位置があることを確認する（図 21-20）．

### 2）上方および前方（左右の頂点間距離，正面からの傾きと高さ，パッド）

　基本フィッティングされたフレームを顔幅が左右で異なる装用者が掛けると調整が必要になる．一般的な確認方法は，正面斜め上方からフレームと眼の間隔を見て，左右の頂点間距離が等しくなるようにテンプル幅を調整する（図 21-21）．例えば右眼側が左眼側に対して広い場合（図 21-22），調整方法としては広い側の右テンプルを広げる，もしくは狭い側の左テンプルを狭くするとよい（図 21-23）．

　フレームの傾きとフロント部の高さは正面より確認する．美観に影響する大切な項目で，眼の高さや耳の高さ，眉の高さなどは個人差があるが，基本は左右の瞳孔中心を結んだ線とフレームの水平を合わせる（図 21-24）．

　もし傾きがあれば（図 21-25），テンプルの傾斜を調整することで修正できる．

　また正面からみた高さは玉型高さにかかわらず，玉型高さの3/5の位置に瞳孔中心が合う位置が一般的となる（図 21-24）．

　フロント部の高さの調整は，パッドの位置，幅を変えて調整する．フロント部を下げるには，

図 21-24　フレームの傾き（正面から水平）

図 21-25　フレームの傾き（左上がり）

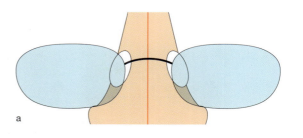

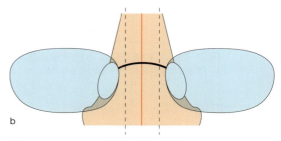

図 21-26　フロント部の高さ変更
a：パッド位置が高く，フロント部が下がる
b：パッド幅が広く，フロント部が下がる

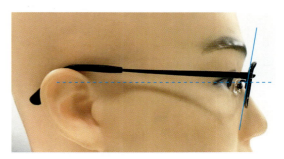

図 21-27　装用時前傾角の測定

パッドの位置を上げ，左右のパッド幅を広くする（図 21-26）．

### 3）側方〔頂点間距離，前傾角（傾斜角）〕

側方からは装用時前傾角と頂点間距離，パッドの当たりを確認する．装用時前傾角は必ず手前と奥のリムが真横から見て一致し，第一眼位の水平視線に対するレンズ光軸の傾きを測定する（図 21-27）．同じフレームを掛けても耳の高さによって個人差があるため（図 21-28），しっかりと真横から見ることが大切である．

頂点間距離は 12 mm を基準に，眼鏡店ではメジャーを使用して角膜前面からリム前面を実測する（本来であればレンズ後面までだが，レンズ後面を確認することはできないため，代替している）（図 21-29）．もし，頂点間距離が広い場合は，パッドの間隔を縮めることで眼鏡を近づける（図 21-30）．

### 4）側方後面

最後の調整は，最後方の耳付近のテンプルチップの曲げと抱き込みである．テンプルは耳介頂点より手前では頭に触れず（図 21-31），耳介頂点より後方で頭を包み込むように押さえると，押さえる力 $F$ の反作用 $F'$ が発生する．$F'$ を分解すると，テンプルを広げようとする力 $F_1$ と，眼鏡を後方に引っ張る（顔に押し付ける）力 $F_2$ とに分解でき，眼鏡はずり落ちにくくなる（図 21-32）．

テンプルチップの形状は様々だが，一般的な半掛タイプを耳介付け根の形状に合わせて下方に曲げる．決して耳介には触れず少し余裕をもって合わせる．もし，テンプルチップの曲げが前方すぎる，後方すぎる，曲げの角度がきつすぎる場合などは再調整が必要である（図 21-33）．

耳介付け根の横の側頭骨の形状は，耳介頂点から下に行くほど狭くなり，耳穴の辺りで少し膨らむ．テンプルチップは側頭骨にきれいに沿わせ，

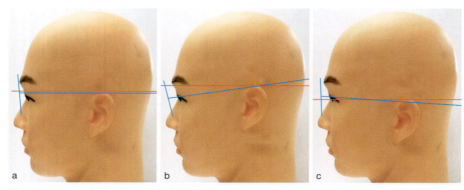

図 21-28　耳の高さによる前傾角の違い
a：標準的な耳の高さ　b：耳の位置が高い　c：耳の位置が低い

図 21-29　頂点間距離の実測方法

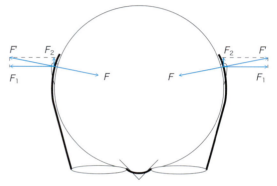

図 21-32　眼鏡フレームを押さえる力

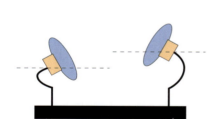

図 21-30　右パッドのみ縮めた様子

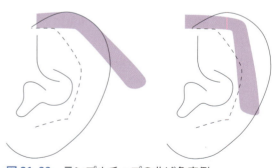

図 21-33　テンプルチップの曲げ角度例

全体で頭部を包むように押さえる（図 21-34）．この押さえる力が，テンプルチップを下方に押し出す力となり，眼鏡をずり落ちにくくする．

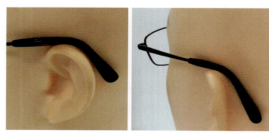

図 21-31　テンプルチップの曲げ位置

### c. 遠用ビジュアルポイントの測定と記録

掛け具合の調整が終われば，レンズの光学中心

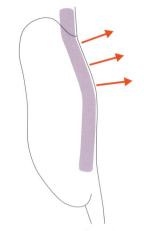

図 21-34 テンプルの抱き込み

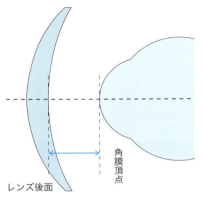

図 21-35 頂点間距離

表 21-2 頂点間距離と矯正効果の関係

|  | 頂点間距離（広い） | 頂点間距離（狭い） |
|---|---|---|
| 近視 | 弱くなる | 強くなる |
| 遠視 | 強くなる | 弱くなる |

位置を決めるため遠用ビジュアルポイントの測定を行う．近年主流となっている単焦点レンズ設計の非球面レンズ，累進屈折力レンズでは見え方に大きく影響する要素なので，正しく測定する必要がある．最も気をつけなければならないのは，正面から同じ眼の高さで測定することである．最後には販売時フィッティングで装用者に合わせたフレームの記録を行い，この後のレンズ加工，納品につなげる（図 20-6, ⇒263 頁）．

最終的な眼鏡の受け渡し時には，加工後のレンズ重量増による掛け具合の調整と装用感のチェックを行う．鼻や耳など部分的に当たるところはないか，眼鏡のずり落ちはないか，また，度数入りのレンズが入っているので，見え方の確認も行う．最後には，アフターフォローと眼鏡の取り扱いについて説明する．特に眼鏡の掛け外しについては片手ではなく，両手でしてもらうよう十分な説明が必要である．

## 6 フィッティングと光学的影響

屈折測定や眼鏡加工が適正であれば，見づらい原因はフィッティングによるものと考えられる．その場合の確認すべき項目は，頂点間距離，装用時前傾角，光学中心位置などである．ここでは，それぞれがもしずれた場合にどのような影響があるかを紹介する．

### a. 頂点間距離（vertex distance：VD）

角膜頂点とレンズ後面頂点との距離をいう．眼鏡枠のフロント部の平面に垂直な視軸に沿って測る（JIS T 7330 より）（図 21-35）．頂点間距離 12 mm を基準として，矯正効果にどのくらい影響があるのかをまとめる（表 21-2）．遠用眼鏡の頂点間距離が変化した場合の矯正効果（$D'$）を求めるには，次式で表わされる．

$$D' = \frac{1}{\frac{1}{D}+L}$$

$D$：レンズ度数[D]
$L$：頂点間距離の変化量[m]
　※基準の 12 mm －実際の眼鏡装用距離

例）S－5.00 D の眼鏡を頂点間距離 17 mm でフィッティングした場合

　$D' = 1/(1/-5) - 0.005 = -4.878$
　約 S－0.12 D 矯正効果が弱くなる

頂点間距離が広くなった場合の矯正効果の数値変

表21-3 頂点間距離が広くなった場合の矯正効果（凹レンズ）

| 凹レンズ | | |
|---|---|---|
| 度数(D) | 5 mm 広い | 10 mm 広い |
| S−4.00 D | −3.92 D | −3.84 D |
| S−8.00 D | −7.69 D | −7.41 D |

表21-4 頂点間距離が広くなった場合の矯正効果（凸レンズ）

| 凸レンズ | | |
|---|---|---|
| 度数(D) | 5 mm 広い | 10 mm 広い |
| S+4.00 D | +4.08 D | +4.17 D |
| S+8.00 D | +8.33 D | +8.70 D |

化を表21-3, 4に示す．レンズの度数が弱く，頂点間距離のずれが小さい場合には大きな問題ではないが，屈折度数が±4.00 Dを超えると無視できなくなるため，注意が必要である．

### b. 装用時前傾角

装用時前傾角(pantoscopic angle)とは，レンズの光軸と第一眼位にある眼の視軸（通常水平方向にある）との垂直面内の角度をいう(JIS T 7330より)．眼鏡装用者の視線を垂直方向の動きで検証すると，遠方視と近方視では異なる角度になる．このように使用環境に合わせて調整をできれば問題ないのだが，視線と光軸が一致しない場合には，光学的な問題が発生する．

注視線に対してレンズの光軸が角度 $\theta°$ 傾斜したときの度数はMartin（マーチン）の式から求めることができる．

$$D_1 = D \times \left(1 + \frac{\sin^2 \theta}{2n_1}\right)$$

$$D_2 = D \times \left(1 + \left(1 + \frac{1}{2n_1}\right)\sin^2 \theta\right)$$

乱視度数 $= D_2 - D_1 = D \times \sin^2 \theta$

$D_1$：180°方向の度数(D)
$D_2$：90°方向の度数(D)
$\theta$：傾き角
$n_1$：レンズの屈折率

例）S−6.00 Dの遠用眼鏡（装用時前傾角 5°）が前傾角 15°でフィッティングしてしまった場合（レンズの屈折率：$n_1$=1.50）

$D_1 = -6.00 \times (1 + \sin^2 10°/3)$
　　$= -6.0603\cdots$
$D_2 = -6.00 \times (1 + (1+1/3)\sin^2 10°)$
　　$= -6.2412\cdots$

この場合の度数効果は，S−6.06 D ⊂ C−0.18 D Ax180°となり，球面度数のみのレンズでも，傾斜により乱視が発生することになる．

### c. ビジュアルポイント

ビジュアルポイント(visual point)とは視線とレンズ後面との交点(JIS T 7330より)である．装用者の用途により視線の通過位置は変わる．その異なる角度の視線が通過するレンズ面上に光学中心を位置させるには，遠用ビジュアルポイントから装用時前傾角の角度に応じて偏位させる（図20-4，⇒262頁）．

レンズの光学中心位置がずれると，上下プリズムが発生する．一般に上下の融像幅は左右に比べて小さく，さらに眼鏡加工精度評価にもあるように，0.25〜0.5△が納品基準である．にもかかわらず，フィッティングにてずれてしまった場合の光学的な問題を考える．

例）右眼 S−5.00 D　左眼 S−3.00 D　遠用ビジュアルポイントからの偏位量 2 mm の遠用眼鏡を，5 mm 下方にてレンズ光学中心をフィッティングしてしまった場合

Prentice（プレンティス）の式 $P(\triangle) = D \times H$ (cm)より，
右眼：5.00×0.3＝1.5△BU
左眼：3.00×0.3＝0.9△BU
(BU：base up)
左右では上下プリズム 0.6△ が発生したことになるため，装用感に大きな影響が出ると予測される．

### d. そり角(lens optic axis)

水平方向に動く視線とレンズ光軸を一致させた

表 21-5 近用眼鏡のそり角（距離と PD）

| 注視距離 \ PD(mm) | 60 | 64 | 68 |
|---|---|---|---|
| 330 mm | 170 | 169.3 | 168.7 |
| 400 mm | 171.7 | 171.1 | 170.6 |
| 450 mm | 172.6 | 172.1 | 171.6 |

とき，光軸に直交する左右レンズ面の成す角度をそり角という．遠用眼鏡では左右の視線は平行であると考え，そり角 180°とする．近用眼鏡では，注視距離と瞳孔間距離（PD）によって変化する（表 21-5）．よって 170〜175°に合わせるのが一般的である．

そり角がずれると，レンズ光軸と視線が一致せず非点収差が発生する．前述の装用時前傾角と同様の計算方法で求めることができ，その場合の乱視方向は 90°方向となる．

## 7 フィッティング不良の原因

眼鏡を快適に掛けることが大前提であるが，日常生活において型崩れする場合もある．ここでは，フィッティング不良による訴えとその原因について，眼鏡店での対処と，眼科でのフィッティングチェック方法について紹介する．

### a. 痛み

例 1

**不良箇所** テンプル幅が狭く，こめかみ部が痛い．

**眼鏡店の対応** こめかみが締めつけられているため，テンプル幅を適正に広げ，接触を弱める．

**眼科でのチェック** こめかみへの当たりが強くないか，テンプルが外側へ大きくしなっていないか．

例 2

**不良箇所** 耳の後ろが痛い．

**眼鏡店の対応** テンプルチップの曲げ位置を変える，頂点間距離を左右均等にする，テンプルチップの曲げ角度を緩めるなど．

※テンプルチップの曲げ位置が耳介頂点より手前で曲がっているため，耳介の付け根をテンプルチップが押さえることにより痛みを感じてしまう．または逆に曲げ位置が後方すぎて曲げる角度がきつく，耳介の付け根の一部を押さえてしまい，痛みを感じてしまう．このような場合は，耳介を前に倒し耳介頂点の位置や付け根の角度を見極め，耳介の頂点から 1〜2 mm 後方で耳介の付け根に沿うように調整する．

**眼科でのチェック** テンプルチップの曲げ位置が前方すぎないか，頂点間距離に左右差があり，片方へ眼鏡が引っ張られていないか，テンプルチップの曲げ角度がきつすぎないか．確認はできてもフレームを修正することは難しいので眼鏡店に任せる．

例 3

**不良箇所** パッド部の当たりが強く，鼻が痛い．

**眼鏡店の対応** パッドが強く当たるまたは一部分だけが当たっていないか確認し，パッドの調整およびテンプル幅の調整を行う．

※パッドの一部分のみが当たる場合は，パッドが鼻に当たる面を調整するが，片方のみが強く当たっている場合は，パッドでなくテンプルの開き幅に問題があることが多い．

またはパッドの大きさを変える．

※パッドのサイズを大きくすることで鼻に対する接触面積を広くして力を分散させることで負担を軽くする．

**眼科でのチェック** 鼻の片側に痕がある，パッドの一部が浮いているか確認．確認はできてもフレームを修正することは難しいので眼鏡店に任せる．

### b. 偏り

偏りのあるフィッティングとしては，眼鏡を片手で外した場合に起こりやすい．

例 4

**不良箇所** 片方に眼鏡がずれる．

**眼鏡店の対応** ずれの原因がテンプル幅の広がりか，左右のテンプルチップの曲げ位置や角度に問題があるのかを確認し修正する．

**眼科でのチェック** フレームが変形していないか.

### c. 前方へのずれ

**例5**

**不良箇所** テンプル幅が広すぎる, 狭すぎる(図21-36).

**眼鏡店の対応** テンプル幅の修正.

※テンプル幅が左右の耳介頂点間距離よりも広すぎると, テンプルを頭に固定できずにずり落ちやすくなる. 逆にテンプル幅が狭すぎると, 耳介頂点から手前のこめかみあたりを圧迫するため, 反作用で眼鏡が前に飛び出そうとして, やはりずり落ちやすくなる. テンプル幅は, 左右の耳介頂点間距離より5 mmほど狭いくらいを基準とする.

**眼科でのチェック** テンプル幅が適正かどうか.

**例6**

**不良箇所** テンプルチップの曲げ位置が後方すぎていて, 抱き込み不足.

**眼鏡店の対応** 耳の後ろの当たりを確認し修正.

※図21-31のようにテンプルチップは耳介の付け根の形状に沿って曲げるが, 曲げ位置が前方すぎると耳介の付け根部分にテンプルチップが食い込むように当たり, 反作用でテンプルチップが持ち上がりずり落ちやすくなる. 逆に曲げ位置が後方すぎると耳介頂点の付け根に隙間が開きすぎ, やはりずり落ちやすくなる. いずれも耳介を前に倒して耳介頂点の位置を見極め, その位置で曲げ直さなければならない.

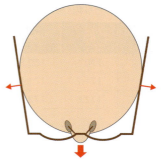

図21-36 テンプル幅が狭い

**眼科でのチェック** 耳の後ろが赤くなっていないか.

### d. 鼻パッドの浮き上がり

**1) 正面から見たときの確認**
- 鼻の下部が赤い(パッドの上側が浮いている).
- 鼻の上部が赤い(パッドの下部が浮いている).

**2) 上方から見たときの確認**
- 鼻の奥側が赤い(パッドの角度が立ちすぎ).
- 鼻の手前側が赤い(パッドの角度が寝かせすぎ).

以上, 様々な要因が重なってフィッティング不良が起こるので, 原因を見極めることが大切になる.

---

▶文献

1) 河野達夫:小児の画像診断:正常との比較を中心に 2.頭頸部. 臨床画像診断 27:928-936, 2011
2) 辻 一央:科学的な眼鏡調製. 眼鏡光学出版, 1996
3) 日本眼鏡学会 眼鏡学ハンドブック編纂委員会(編):眼鏡学ハンドブック. 眼鏡光学出版, 2011
4) 赤木五郎(編):眼鏡医学(下). メディカル葵出版, 1996

(西村 淳)

第4部

# 眼鏡処方検査

# 第22章
# 屈折矯正の概念

屈折矯正とは，近視，遠視，乱視といった屈折異常を矯正することである．屈折異常の矯正は，感覚器としての眼の機能を発揮させるためには必要不可欠である．屈折異常の矯正は眼鏡による矯正が一般的で最も古くから行われているが，20世紀からコンタクトレンズ，その後，角膜表面をメスによって切開する手術(RK)，最近はレーザーを用いて角膜を計画的に削り屈折力を変化させ屈折矯正を行う手術(PRK，LASIK)，有水晶体眼内レンズ(フェイキックIOL)が行われるようになった．また，白内障治療は眼内レンズ(IOL)が単焦点から乱視の矯正が可能なものや多焦点へと多様化し，術後の屈折度数や明視域の選択肢が増え，開眼手術だけではなく，近年は屈折矯正手術の側面をもつようになってきている．

## A. 明視域

無調節状態で明視できる遠方の距離を遠点，最大に調節して明視できる近方の距離を近点という．この遠点と近点の間を調節して明視できる範囲，すなわち明視域という．若く，調節力が十分にあるときには，遠方明視に合わせて矯正しても，自然に調節力を働かせストレスなく近方を見ることができる(図22-1)．しかし，加齢や手術などにより調節力が減弱した状態では，調節ができず近方に焦点が合わず対象はぼやける．このように調節力が減弱している場合は，眼鏡などにより，調節力の不足を補い明視域をコントロールすることが必要となる．

調節力の年齢による変化を図22-2に示す．正視の場合，調節力が弱くなっても遠点は変化しないが，近点が図22-3のように遠くなる．近点は最大に調節力を働かせて明視できる距離であるた

図22-1 明視域
若年者の場合は調節力があるため遠方明視に合わせた矯正においても，近点を明視することができる．

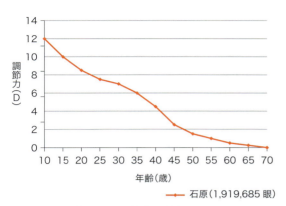

図 22-2　年齢による調節力の変化
（所　敬：屈折異常とその矯正 改訂第 4 版．金原出版，2004，p210 の表より作成）

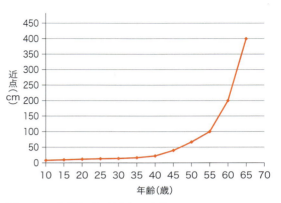

図 22-3　年齢による近点の変化
（所　敬：屈折異常とその矯正 改訂第 4 版．金原出版，2004，p210 の表より作成）

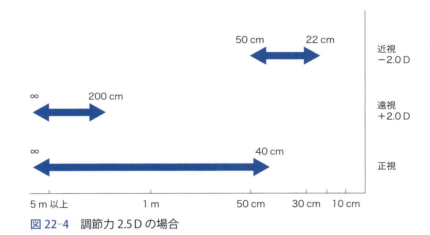

図 22-4　調節力 2.5 D の場合

め，長時間，焦点を合わせ続けることは困難である．

　例として，調節力が 2.5 D に減弱している場合の明視域を考えてみる（図 22-4）．

　　正視の場合　　　：遠点∞〜　　近点 40 cm
　　−2.0 D の近視：遠点 50 cm〜近点 22 cm
　　＋2.0 D の遠視：遠点∞〜近点 200 cm
　　となる．

　正視では，最大に調節して 40 cm と近点が遠くなっているため，それより近い距離では見えにくさを感じる．

　近視の裸眼での明視域の範囲は狭いが，自覚的には若い頃となんら変わらず見えるため，調節力の変化を自覚しないと思われる．

　遠視では，遠方は少ない調節力を使って明視が可能だが，2 m 以内のものには焦点が合わせきれず，裸眼では近方はぼやけている状態となる．

　このように，もともとの屈折異常の状態によって調節力の減弱による明視域は異なる．

## B. 眼鏡レンズによる屈折矯正の概念

　眼鏡は，屈折矯正を行うと同時に焦点の合う明視域を移動させるものである．眼鏡処方検査では，矯正に用いるレンズでの遠点，近点を把握し，年齢による調節力の変化を考慮し，本人の希望した距離が明視域内に入っているかどうかを常に意識する必要がある．

## 1 単焦点レンズ眼鏡による屈折矯正

単焦点レンズは，全面を1つの焦点に合わせるレンズである．明視域は本人の調節力に依存する．調節力が3〜4D以上と十分にある場合は単焦点の遠用眼鏡の装用で遠方から手元まで明視できるが，調節力が減じてくると遠方に焦点を合わせた状態では近方に焦点が合わず，別に近用の眼鏡が必要となる．

## 2 多焦点レンズの眼鏡（二焦点，三焦点）による屈折矯正

多焦点レンズは，焦点距離が異なる2つ，ないし3つのレンズを組み合わせ，境目がある状態で1枚にしてあるレンズである．EX（エグゼクティブ）型，小玉のあるアイディアル型がある（図22-5）．それぞれの部分ごとに度数指定ができ，その焦点の範囲内では像の歪みは生じない．ただし，度数が連続しないためにレンズの切り替わる境目で像のジャンプが起こることが欠点である．

a　　　　　　b 三焦点　　　　二焦点

図 22-5　境目のあるレンズ
a：EX型
b：アイディアル型

## 3 累進屈折力レンズの眼鏡による屈折矯正

累進屈折力レンズは，像をジャンプさせず屈折力を連続して変化させたレンズである．レンズの構造上，レンズの周辺部に像のゆれや歪みが生じる．遠近，中近，近近と明視可能な距離範囲により種類がある（第18章「累進屈折力レンズ」項参照⇒223頁）．

（石井祐子）

# 第23章 小児の眼鏡

## I 調節麻痺薬

### 1 調節麻痺薬とは

調節は，毛様体のMüller筋（輪状線維）が緊張し，Zinn小帯が緩み，水晶体が厚くなり，前面曲率半径が小さくなり起こる（図23-1）．Müller筋は動眼神経（副交感神経）支配である．近見反応として瞳孔括約筋の働きによる縮瞳が起こるが，これも動眼神経（副交感神経）支配である．

調節麻痺薬は，副交感神経遮断の作用により，毛様体筋および瞳孔括約筋のコリン作動性を抑制し，調節を麻痺させる．調節麻痺が起こると，遠いものは見えるが，近くは見えにくくなる．副交感神経麻痺により，瞳孔括約筋が弛緩し，縮瞳せず，散瞳する．

小児の屈折検査には，主にアトロピン硫酸塩，シクロペントラート塩酸塩が用いられている．ほかにトロピカミドがあるが，調節麻痺作用は弱いため，主として散瞳薬として眼底検査に用いる．また，交感神経興奮薬のフェニレフリン塩酸塩，アドレナリンがあるが，両者とも散瞳薬ではあるものの毛様体筋には作用しないため，調節麻痺は起こらない．これらは，小児の屈折検査には不適である．

#### a. アトロピン硫酸塩

##### 1）作用機序

ムスカリン受容体を選択的に拮抗（遮断）する薬物である．コリン作動性であるアセチルコリンの受容体は，ムスカリン性アセチルコリン受容体とニコチン性アセチルコリン受容体がある．ムスカリン受容体とアセチルコリンやコリン作動薬と競い合うことにより作動薬の効果を可逆的に遮断する競合拮抗薬で，副交感神経支配臓器の活性を抑制する[1]．

毛様体筋は，コリン作動性によると，収縮して近方視時に水晶体が膨らみ調節．アドレナリン作動性によると，弛緩して遠方視時に水晶体が膨らまず調節しない．コリン作動性を抑制するので毛様体筋が収縮せず，調節能が消失する．

瞳孔括約筋は，コリン作動性によると，収縮して縮瞳する．コリン作動性を抑制するので，弛緩して散瞳する．また，瞳孔散大筋はアドレナリン作動性により収縮し散瞳する．アドレナリン作動性が抑制されると弛緩し縮瞳する．

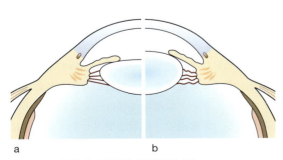

図23-1 調節休止時（a）と調節時（b）

### 2) 副作用

Schlemm管が狭くなり，房水の排出が減少し，眼圧が上昇する．大量投与では，眼の乾燥，異物感を生じる．全身的には，顔面紅潮，発熱，口渇，頻脈，中毒症状(興奮，幻覚，錯乱，痙攣)を生じる．局所的には，結膜充血などがある．

### 3) 点眼回数

施設により違うが，1日2回7日間，あるいは1日3回5～7日間の点眼を行う．年齢や体重などにより濃度を加減して処方する場合もある．

### 4) 持続時間

調節麻痺は1～2週間．散瞳は10日間．

## b. シクロペントラート塩酸塩

### 1) 作用機序

アトロピン硫酸塩と同様の機序で，作用は散瞳と調節麻痺である．臓器選択性が高く，副作用の少ない，合成アトロピン代用薬として開発された．効果が短時間で現われ，アトロピン硫酸塩に比べ残余調節量も大きいため，注意が必要である．

### 2) 副作用

眼圧上昇，一過性運動失調，精神障害，幻覚，情動散乱，一過性の結膜充血，点眼直後の熱感，頻脈，顔面紅潮などがある．pH 3.0～4.5なので眼にしみる．

### 3) 点眼回数

間隔を10分開けて2回．点眼開始より1時間後以降に検査する．

### 4) 持続時間

2回点眼後30～60分で調節麻痺効果が得られ，24時間持続する．

## 2 調節麻痺薬使用による光学的変化

水晶体の屈折力は極度に調節したときは33.06 D，調節休止時では19.11 Dと調節時に凸レンズの形状が変化する．水晶体前面の曲率半径の変化は大きく，休止時は10.0 mmであるものが，最大調節時には5.33 mmと小さくなる．全眼系の屈折力は調節時70.6 Dだが，休止時は59.7 Dである[2]．ほかに主点，入射瞳の位置も変化する．前房深度は調節麻痺で深くなる．焦点深度は散瞳のために浅くなりぼやけるが，視力には大きく影響しない[3]．

## 3 調節麻痺薬の必要性

屈折は眼軸長，角膜屈折力，水晶体屈折力を主な要素とする．角膜は1歳までに成人の大きさになり安定するが，眼軸長は，生直後は17 mm程度で，3歳までに5 mm程度著しく成長し，その後は20歳前後まで徐々に伸び続ける．これらの変化を補正するように水晶体屈折力は減少する[4]．これにより，屈折値は経年的に変化するので，経過観察中にレンズ交換が必要となる．特に視覚の感受性期間内であれば，調節麻痺下の屈折検査が必要となる．小児期は，成人と比べ調節力が強く，無自覚に過度な調節をしていることもあるため，正しい屈折値を知るためには調節麻痺薬の使用が必須である．小児期の視機能の発達において，最も気をつけなくてはならないのは「遠視」である．もちろん，そのほかの屈折異常も正確に把握する必要はある．しかし，ある程度以上の遠視を見逃すと視力の発達のみならず，明視しようと調節を過度に行うことによって生じる内斜視のため両眼視機能の発達を損なうこととなる．

## 4 薬剤選択

強度の遠視が疑われる場合や，調節内斜視や部分調節性内斜視のように調節が原因で起こっているものでは，調節麻痺作用がより強い，アトロピン硫酸塩を用いるほうがよい．シクロペントラート塩酸塩より+0.45 D遠視側に検出される[5]．いずれも調節を取り除くが，効果に差があるため疾患により使い分けることが望ましい[6]．また，初期にはアトロピン硫酸塩を使用していても，屈折検査が確実に可能になり，視力が確保されればシクロペントラート塩酸塩に移行してよいとする意見もある．学童期で，長期間まぶしくては生活に支障があるという場合もシクロペントラート塩酸塩を使用し，調節が残ることも考えて，雲霧した

うえで測定する．逆に，シクロペントラート塩酸塩を使用した検査後に，調節要素の残存のための眼位異常や視力不良が考えられる場合は，アトロピン硫酸塩を使用しての再検査が必要なときもある．

## 5 処方のための検査

調節麻痺下の他覚的屈折検査により，正確な屈折値を得たうえで視力検査を行う．他覚的屈折検査の結果がばらつく場合は，固視が安定しているものを選択する．得られた屈折値と現在の眼鏡度数を比較し，遠視度が強いほうの球面度数より＋1.5 D〜＋3.0 D 程度強い度数から検査を始める．これは調節麻痺薬を点眼しても取り切れない調節の残存を防ぐためである．円柱度数と軸は他覚的屈折検査の値でよいが，眼鏡より強く検出されたり，ばらついている場合は，少ないほうの値を選択する．患児には，初めはぼやけて見にくいが，徐々にレンズを変えて，よく見えるようになることを説明しておく．視力を測定し，レンズ交換時のレンズ選択は，視力が対数の尺度であることを考慮し，落とす度数を考える．小児は検査に対する集中時間も短いので，初めに他覚的屈折値よりかなり遠視度が強くなっている頃から 0.25 D 刻みでは飽きてしまうため，初めは少し大幅に遠視度を落とし(視力が出にくければ 0.5〜1.0 D)，視力が上がるにつれ，小さい刻みで(0.25 D)遠視度を落としていくようにする．円柱度数と軸は，自覚的回答の誤答に水平垂直方向の傾向がある場合，これを補正するようにレンズを交換する．低年齢で自覚的応答が不可能な場合や曖昧な場合は，調節麻痺薬を使用したうえで，他覚的屈折検査の値で眼位検査をして，処方することもある[7]．

瞳孔間距離の測定も，散瞳しているために，測定位置は注意が必要になる．

## 6 処方のタイミング

検査後，日をおかずにすぐに処方する．アトロピン硫酸塩ならば，効果の持続しているうちに装用を開始できれば，比較的スムーズに常用できる．

散瞳効果の影響で，眼位が不安定になることもあるため，プリズム合わせは慎重に，遠視度のみの矯正で正位が得られない場合は，組み込み分のみを処方しておき，後日調節麻痺効果が切れてから Fresnel 膜分を処方する．

## 7 生理的トーヌス

調節麻痺により生理的トーヌス分まで取り除いた状態になるので，処方時は生理的トーヌス分を減じた値で処方する．目安として，アトロピン硫酸塩ならば 0.75 D，シクロペントラート塩酸塩ならば 0.5 D を減じる．両眼とも等量を減じる．ただし，調節内斜視および部分調節性内斜視は，これを減じず，完全矯正で処方する．

## 8 点眼時の注意点と禁忌

アトロピン硫酸塩の副作用は強く，副作用の出現をできるだけ抑えるために，以下の注意を徹底すべきである．(1)点眼時にはまず片眼に必ず1滴のみ確実に点眼し，鼻根部を1分以上押さえ，飲み込んで体内に吸収されないようにする．その後もう片眼も同様に行う．泣いたり暴れたりし入ったかどうか不明となった場合でも追加で点眼しない．(2)顔面の紅潮や発熱がないか観察してもらう．(3)点眼終了後は点眼液を廃棄してもらう．

また既往を確認し，心臓疾患のある場合には，事前に小児科へコンサルトする．シクロペントラート塩酸塩の副作用については，点眼後から検査が始まるまで，幻覚，錯乱などないかを保護者に観察をしてもらい，症状が現われたら申し出てもらう[8]．一度副作用を起こしたものは，診療録に禁忌薬と記載する．

▶文献

1) 今井 正(監)：標準薬理学 第7版．pp234-235，医学書院，2015
2) 所 敬：屈折異常とその矯正 改訂第6版．pp16-26，金原出版，2016

3) 所 敬：屈折異常とその矯正．改訂第 6 版．pp215-237, 金原出版，2016
4) 丸尾敏夫：屈折異常の考え方．丸尾敏夫（編）：眼科診療プラクティス〈9〉．屈折異常の診察．pp2-7, 文光堂，1997
5) 久保田伸枝, 平野久仁子：小児の屈折検査における調節麻痺剤についてアトロピンとサイプレジンの比較．眼科 16：419-423, 1974
6) 富田 香：調節麻痺剤の使い方．坪田一男（編）：眼科プラクティス〈9〉．屈折矯正完全版．文光堂，2006
7) 保沢こずえ：弱視がない場合．所 敬（監）：理解を深めよう視力検査屈折検査．pp75-77, 金原出版，2009
8) 臼井千恵：調節麻痺薬．所 敬（監）：理解を深めよう視力検査屈折検査．pp70-74, 金原出版，2009

# II 光学的弱視視能矯正

## 1 光学的矯正のための眼鏡の適応

弱視の矯正は，網膜上に鮮明な像を結像させられる適切な屈折度数の眼鏡の常用が重要である．

## 2 病態別の適応

### a. 遠視

調節により網膜に結像させようとするため，軽度の遠視であれば眼精疲労に，中等度であれば内斜視に，高度であれば結像せずに弱視になる．片眼の遠視，または左右の屈折値に 2 D 以上の差があれば遠視性不同視弱視になる．調節麻痺下の他覚的屈折検査が必須となる．頂点間距離が離れすぎるとレンズ効果が強くなり，装用しにくく，上からのぞいてしまい，効果が薄れるので，正しいフィッティングが重要である．

### b. 近視

屈折値に左右差がなければ装用を急がないが，学童期は学校生活に支障をきたすような度数であれば，処方する．強度近視では弱視の可能性もある．近視の進行抑制についての研究では，累進屈折力レンズの使用が試みられている[1]．

### c. 乱視

度数によっては経線弱視になるので，矯正が必要である．乱視軸の方向により回転ドア感覚やスラント感覚などで装用が困難な場合もあるため，注意が必要である．

### d. 不同視

遠視性不同視弱視は最も多い弱視の原因で，矯正しないと屈折度の大きい眼が弱視になるが，眼鏡常用できれば視力向上が期待できる．眼鏡レンズの厚みも左右で違い，装用時にバランスが悪くなる可能性が大きいため，適切なフィッティングが重要である．

### e. 白内障

水晶体摘出手術後は，眼鏡およびコンタクトレンズ，場合によっては IOL で矯正される．両眼性では眼鏡の装用と視力の向上が比較的スムーズで，片眼性ではコンタクトレンズのほうが矯正しやすいものの，取り扱いの難しさもあるうえに，矯正しても視力の向上が困難な場合も多い．近視化する傾向もある[2]．水晶体摘出により，調節ができないため，近見加入が必要である．ごく低年齢では眼鏡を近方に合わせたものにしておくのがよいが，幼児期になると遠近両用の眼鏡が必要となる．加入を徐々に増やし，就学時までに 3 D の加入になるようにするとよい．

### f. 斜視弱視

まず調節麻痺下の屈折矯正を行う．そのうえで斜視を矯正するために，プリズムを使用する場合，非弱視眼に Fresnel 膜プリズムを貼る．度数によっては見にくさは軽度だが，度数が大きければ遮閉の効果もある．

### g. その他

#### 1）眼振

眼振の影響で，他覚的屈折検査時に乱視度が強めに測定されることがある．注意が必要だが，初めは弱めのレンズを選択して徐々に強くしていくか，答えが得られれば自覚的なレンズ交換をする．潜伏眼振がみられる場合は，両眼開放で検査を行う．

#### 2）遮光

網膜色素変性など，必要に応じて羞明感の改善する遮光眼鏡を処方する．詳細は第18章「遮光眼鏡」項参照（⇒239頁）．

## 3 処方のための検査

調節麻痺薬使用下で他覚的屈折検査を行い，自覚的屈折検査が可能であれば，自覚的屈折検査を行う．屈折矯正したうえで，眼位検査を行い，異常があれば，眼位と両眼視検査の結果も考慮して度数を決定する[3]．

### a. 近方重視

乳児期には，近方の矯正を重視する．行動範囲が広がったら，徐々に遠方に合わせる．

### b. 度数の限界

レンズの度数には製作範囲の限界があり，特に白内障による水晶体摘出術後の高度遠視，さらに近見加入，円柱レンズの製作範囲には限度があるため，処方時に注意が必要となる．レンズや軸方向によっても範囲が異なるため，確認を要する．

### c. 瞳孔間距離

小児では，成長とともに大きくなっていくので，変化に応じて合わせていく必要がある．レンズ中心がずれてしまうと，プリズム効果が出てしまう．Prentice（プレンティス）の式で計算されるが，レンズ度数が大きければ大きいほど，ずれによる影響が大きくなる．ごく年少児であっても，瞳孔間距離の測定は正確にすべきである．遠見が測定できない場合は，近見で測定して計算で求める．また，鼻を中心に左右の瞳孔中心までの距離は差がある場合のほうが多いため，左右別々に測定し記載する．

Prenticeの式[4]

$P = hD$

$P$：プリズム作用[Δ]，$h$：光学中心からずれた距離[cm]，$D$：レンズ度数[D]

例）+8.00 Dのレンズの光学中心から5 mmずれると生じるプリズム作用は

0.5 cm×8.00 D＝4Δ

### d. レンズによる像の拡大・縮小

頂点間距離があるために，拡大・縮小効果が起こる．凸レンズなら拡大，凹レンズなら縮小効果となる．

像拡大の式（レンズが薄い場合）[4]

$d$をmで表わすと

$SM(\%) ≒ dL$

$SM$：眼鏡による像の拡大, spectacle magnification $d$(m)：レンズ後頂点と前主点までの距離（12+1.3 mm＝0.0133 m），$L(D)$：レンズの後頂点屈折力

例）+2.00 Dの薄型レンズを眼前12 mmに装用したときの拡大率は

1.33×(+2.00 D) ≒ 2.66%

### e. 頂点間距離

頂点間距離が離れると凸レンズの効果は大きくなり，凹レンズでは効果が小さくなる．頂点間距離が近づくとこの逆の効果となる．特に遠視の凸レンズの場合，強度になるほど，レンズの重さも増すため，ずり落ちやすくなり注意が必要で，フィッティングが悪くレンズがずり落ちてしまうと，強い凸レンズを掛けることになり，見にくさを感じるため，上からのぞくようになってしまう．

## 4 眼鏡選択

小児の顔面頭部の形状は特徴的で，側頭部は丸いが大きく張っているか，未熟児に特徴的にみら

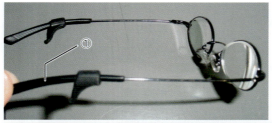

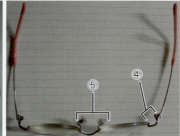

図 23-2　好ましくないフレームの状態
① テンプルエンドが直線的
② 左側のテンプルが上に持ち上がっている
③ 前傾角が大きくなりねじれている
④ 智から広がっている
⑤ 鼻パッドがつぶれている

れるように側頭部が平たい場合もある．顔は小さく，耳介の位置は低く，鼻根部は広く低く，瞳孔間距離は短い．成人用の眼鏡の小さいサイズでは，この形状に合わせることは難しい．激しい動きにも耐えられる保持力も必要である．また，光学的な安定性，耐久性があり，かつ転倒など破損した場合には，人体を傷つけない安全性の高いものが好ましい．矯正効果を第一に考えて，流行に左右されないで選択するようにしてもらう．眼鏡を選択する家族へ助言ができるとよい．

### a. フレーム形状

　小児の頭や顔の特徴をカバーするフレームの選択が必要である．顔の個人差に合わせて調整しやすいものがよい．耳介の位置が低いので，天地幅が広く，智の位置が上すぎないほうが上からのぞくことを防げる．テンプルエンドが直線的だと，レンズの重さに耐えられず，また側頭部の圧迫により，前に飛び出す力が加わる．丸い側頭部に沿って耳の後ろで抱え込む2段曲げのものか，平たい側頭部の場合は頭の後ろ方向への力で保持できるように巻きつる式のものがよい．乳児期には臥位になっていることが多いのでバンドで固定するものがよい（図23-2）．

### b. 枠サイズ

　サイズバリエーションが豊富であることが望ましい．

### c. レンズ

　レンズの材質や加工の方法により，できあがりの厚さが違ってくる．特に強度遠視の場合，可能ならば薄型加工のレンズが望ましい．

## 5 処方後の取り扱い

### a. 洗浄

　小児の場合，涙や食べ物で汚すことも多い．このため，汚れを水で流し，中性洗剤をつけて指で洗い，柔らかいタオルなどで押し拭きして水分を取り，眼鏡拭き専用のクロスで磨く．砂ぼこりなどの細かい粒子がついたままで擦り拭きをすると細かい傷がつくので注意する．

### b. 予備

　突然破損したり，紛失することもあるので，予備があるとよい．何度か交換している場合には，前の眼鏡を予備としてもよい．

表 23-1　装用状況の確認

| 観察する方向 | チェックポイント |
|---|---|
| 正面から  | ・フレームのフロント部が斜めに傾いていないか<br>・左右の鼻パッドが適切に当たり，フレームを支えているか<br>・視線がレンズの中心より下方 2〜4 mm を通っているか |
| 横から  | ・頂点間距離が 12 mm となっているか<br>・前傾角が 5〜7° となっているか<br>・耳までのテンプルの長さが適切か |
| 上から  | ・そり角が不適切に歪んでいないか<br>・前額面とフロント部が平行か<br>・フレームの幅と顔の幅のバランスは適切か |

### c. 凸レンズ

　レンズ中心部が突出しているため，どうしてもレンズ中心部に傷つきやすい．傷により見にくさも出るので，外して置くときはレンズの前面を下に向けない，装用したまま顔を衣服に擦りつけないなど注意が必要である．

## 6 再来時の装用状況のチェックポイント

　レンズに傷がないか，皮膚の発赤はないか，きつくないか，上からのぞいていないか観察する．鼻パッドが鼻にきちんと当たっているか，耳が圧迫されていないかなども観察する．表 23-1 に装用状況のチェックポイントを示す．そり角，前傾角などずれていると，非点収差が生まれ，見にくくなる．

## 7 眼鏡交換時期の目安

　レンズの傷，屈折値の変化，成長に伴う大きさの変化があるので，成長が止まるまでは，少なくとも年 1 回，あるいは必要に応じて交換する．

▶文献

1) 長谷部　聡：調節ラグと近視．あたらしい眼科 19：1151-1156，2002
2) 牧野伸二：眼内レンズ挿入術を施行した小児白内障の屈折変化．眼臨医報 97：32-36，2003
3) 関谷善文：屈折異常．樋田哲夫（編）：眼科プラクティス〈20〉小児眼科診療．pp82-87，文光堂，2008
4) 所　敬：屈折異常とその矯正，改訂 6 版，pp239-240，金原出版，2014

（保沢こずえ）

# III 調節性内斜視

調節性内斜視は，調節性輻湊によって生じる内斜視であり，眼鏡処方は，未矯正の遠視によって生じる調節を取り除くために完全矯正が原則である．完全矯正眼鏡の装用により，眼位が正位あるいは内斜位になるもの（図23-3）と，10Δ以内の内斜視（微小斜視）になるものに大別される．

眼鏡を装用してから眼位ずれが消失するまでの期間[1]は，86％が3か月以内であるが，なかには数か月経って斜位あるいは正位になる症例もあるので注意が必要である．常用とし，視機能の正常な発達を促す．

## 1 検査の手順

(1) 乳幼児の屈折値を正確に知るためには，調節麻痺下の屈折検査が必須である．内斜視がみられる場合には，効果の強いアトロピン硫酸塩を用いて行う．
(2) 他覚的屈折値の完全屈折矯正，または生理的トーヌス（0.5〜1.0 D）を引いた度数で処方する．
(3) 処方後は，約1か月後に再来院してもらい，眼鏡の装用状況，フィッティングをチェックし，視力，眼位，両眼視機能などの検査を行う．

## 2 注意事項

(1) 調節を完全に取り切れていない場合があるので，眼位が不安定なときはアトロピン硫酸塩を用いて屈折検査を再検する．
(2) 乳幼児の遠見・近見眼位を正確に知ることは容易ではないので，安易に正位・斜位と判断せず，両眼視機能検査の結果と併せて評価することが大切である．
(3) 眼鏡度数を変更する必要はなくても，瞳孔間距離（PD）が大きくなっていれば，基底内方のプリズム効果が生じるため注意が必要である．
(4) 視力，眼位や両眼視機能の経過をみながら，年に一度屈折検査を行い，度数を調整する．

## 3 症例

> **症例1**
> 2歳2か月　女児
> 2, 3週間前に右眼が内に寄ることに母親が気づく．特に近くのものを見ているときに目立つ．

**眼位（SC）**
looking orthophoria'〜R)ET'

**他覚的屈折検査**（アトロピン硫酸塩）
〈オートレフ値（Retinomax 使用）〉
R：S＋4.25 D ⌒ C－0.50 D Ax 52°
L：S＋4.50 D ⌒ C－0.25 D Ax 29°

**眼鏡処方度数**
R：S＋4.00 D
L：S＋4.50 D

**注意点**
- 視力検査ができるまで待つ必要はなく，生理的トーヌスを引かずに完全矯正で処方する．
- 調節麻痺作用は点眼中止後もしばらく（7〜12日間）持続する．できるだけ早く眼鏡を作製し，

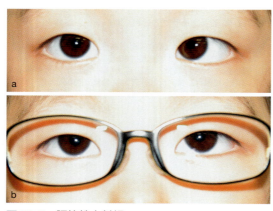

図23-3　調節性内斜視
a：眼鏡非装用時　b：眼鏡装用時

装用を開始するよう指導する．

### 症例 2
**3 歳 6 か月　女児**
3 歳になった頃より，ときどき左眼が内に寄ることに気づく．最近はいつも寄っているよう．

#### 眼位（SC）
L) ET′

#### 自覚的屈折検査
RV＝0.8　　NRV＝0.7 まで
LV＝0.2　　NLV＝0.3

#### 他覚的屈折検査
（非調節麻痺下）
〈オートレフ値〉
R：S＋0.50 D ⌒ C－0.75 D Ax 55°
L：S－0.50 D
（アトロピン硫酸塩）
〈オートレフ値〉
R：S＋5.00 D
L：S＋5.00 D
完全矯正下視力
RV＝(0.9×＋5.00 D)
LV＝(0.3×＋5.00 D)

#### 固視検査
R) 中心固視　安定
L) 中心窩付近で不安定

#### 眼鏡処方度数
R：S＋5.00 D
L：S＋5.00 D

#### 注意点
- 調節性内斜視と左眼の斜視弱視が疑われることから，完全矯正で処方する．
- 弱視視能訓練を行いながら，視力，眼位，両眼視機能の経過を慎重にみる必要がある．

### 症例 3
**10 歳 1 か月　男児**
4 歳から当院にて，調節性内斜視として眼鏡装用にて経過観察している．眼位は遠見・近見ともに正位，立体視機能は TNO stereo test にて 60″ で，運動面・感覚面ともに良好な状態が続いている．年に一度の屈折検査によって眼鏡を処方する．

#### 自覚的屈折検査
RV＝0.7（1.0×JB：S＋7.00 D ⌒ C－0.50 D Ax 140°）
　　　　（1.2×S＋6.50 D ⌒ C－0.50 D Ax 140°）
LV＝0.9（0.6×JB：S＋7.50 D ⌒ C－0.50 D Ax 15°）
　　　　（1.2×S＋6.50 D ⌒ C－0.50 D Ax 15°）

#### 他覚的屈折検査（シクロペントラート塩酸塩）
〈オートレフ値〉
R：S＋7.25 D ⌒ C－0.50 D Ax 143°
L：S＋6.25 D ⌒ C－1.25 D Ax 20°

#### 眼鏡処方度数
R：S＋6.75 D ⌒ C－0.50 D Ax 140°
L：S＋5.75 D ⌒ C－1.25 D Ax 20°

#### 注意点
- 長期間安定した状態が得られている場合，小学校高学年になればシクロペントラート塩酸塩を使用しての屈折検査でよい．必ず年に一度実施することが大切である．
- 視力，眼位や両眼視機能の経過から，運動面・感覚面ともによくコントロールされていれば，やや（0.25～1.00 D）低矯正で処方する．低矯正にすることによって正視化を促すという意見もあるが同意は得られていない[2]．
- スイミングやスポーツなど眼鏡を外さざるを得ない状況に対して，スイミング用やスポーツ用眼鏡の情報提供を行うことも大切である（第 19 章「特殊フレーム」項参照，⇒257 頁）．

# Ⅳ 非屈折性調節性内斜視

非屈折性調節性内斜視は，AC/A比が高いために生じる内斜視である．AC/A比とは，単位調節量に対する調節性輻湊量を示し，AC/A比が高いと，近見斜視角は遠見斜視角よりも10Δ以上増大する．近見時にプラスレンズを付加し，調節量を減少させることで内斜視を減少させ，両眼視を維持する（図23-4）．プラスレンズ付加により，近見眼位が正位あるいは内斜位になるものと，10Δ以内の内斜視（微小斜視）になるものに大別される．

眼鏡レンズは，3～4歳までは二重焦点レンズ，就学前の年齢になれば累進屈折力レンズを処方する．二重焦点レンズは，従来，瞳孔領中央で分けるEX型が推奨されていたが，製作範囲が狭く，外径指定ができないなどの欠点があり，重たく厚みがあった．それに対し小玉径が45 mmの二重焦点レンズは，製作範囲も広く，外径指定ができ，軽く薄い眼鏡に仕上がる．小児用のフレームに入れると，小玉が目立ちにくく，見た目にも受け入れやすい．累進屈折力レンズを処方する場合，乳幼児の眼鏡フレームの天地幅は短いため，累進帯長を10 mmに指定すると，近用部を有効に使用できる（図23-5）．〔第18章「単焦点レンズ（球面レンズ，非球面レンズ）」項参照，⇒215頁，「二重焦点レンズ」項参照，⇒222頁〕．どちらの場合もフィッティングが重要である．

## 1 検査の手順

(1) 調節麻痺薬（アトロピン硫酸塩）を用いて屈折検査を行う．
(2) 遠用度数は，他覚的屈折値の完全屈折矯正，または生理的トーヌス（0.5～1.0 D）を引いた度数で決定する．
(3) 近用加入度数は，AC/A比や年齢にもよるが，+1.00 D，+2.00 D，+3.00 Dと順次加入していき，そのときの眼位，APCT，両眼視機能検査の結果から，両眼視のできる最小の度数で決定する．

図23-4 非屈折性調節性内斜視
a：二重焦点レンズ（EX型）
b：二重焦点レンズ（小玉径45 mm）
c：累進屈折力レンズ

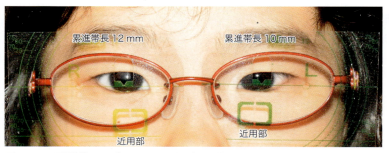

図23-5 累進帯長の違いによる近用部の位置

(4) 処方後は，約1か月後に再来院してもらい，フィッティングをチェックし，視力，眼位，両眼視機能などの検査を行う．

## 2 症例

### 症例1

**3歳6か月　男児**

半年前，初めての眼鏡を処方され常用できている．遠近とも斜視が残るため屈折検査を再検した(1か月前)．近見で内斜視が目立つため，二重焦点眼鏡に変更する．

**自覚的屈折検査**

RV＝(0.8×JB：S＋3.25 D)
LV＝(0.8×JB：S＋3.75 D)

**他覚的屈折検査** (アトロピン硫酸塩：1か月前)

〈オートレフ値〉
R：S＋3.50 D⌒C－0.50 D Ax 179°
L：S＋3.75 D⌒C－0.25 D Ax 54°

**遠用処方度数にて斜視検査**

APCT(×CC)
　5 m　　6～8ΔET
0.3 m　　35ΔET′
　B)add＋3.00 D　8～10ΔET′

B)add＋3.00 D にて
　Bagolini striated glasses test：unknown
　TNO stereo test：plate Ⅳで supp(－)

**眼鏡処方度数**

R：S＋3.50 D⌒C－0.50 D Ax 180°　add＋3.00 D
L：S＋3.75 D　　　　　　　　　　add＋3.00 D

**注意点**

- 視力差があれば，弱視治療を優先する．
- 集中力の限られる小児では，遠近の斜視角の差にもよるが，最初に＋3.00 D 加入で検査を行ってもよい．
- 近見付加によって両眼視ができたかどうか，TNO stereo test の plate Ⅳなどを使って確認する(この時点で，感覚面の検査が不可能であっても，10Δ以内に斜視角が減少すれば二重焦点レンズを処方し，注意深く経過を観察する)．
- 小玉径 45 mm の二重焦点レンズで作製するよう指定する．

### 症例2

**5歳3か月　女児**

調節性内斜視として眼鏡常用にて経過観察している．近見で内斜視が残るため，累進屈折力眼鏡を処方する．1か月前にアトロピン硫酸塩による屈折検査を行った．

**自覚的屈折検査**

RV＝1.0(1.2×JB：S＋3.00 D⌒C－0.50 D Ax 180°)
LV＝1.0(1.2×JB：S＋2.75 D⌒C－0.50 D Ax 180°)

**他覚的屈折検査** (アトロピン硫酸塩：1か月前)

〈オートレフ値〉
R：S＋3.75 D⌒C－0.25 D Ax 169°
L：S＋3.75 D⌒C－0.75 D Ax 5°

完全矯正下視力
RV＝(1.2×S＋3.75 D)
LV＝(1.2×S＋3.75 D⌒C－0.75 D Ax 5°)

**遠用処方度数にて斜視検査**

APCT(×CC)
　5 m　　4ΔE
0.3 m　　25ΔET′

Bagolini striated glasses test：
　5 m　　BSV(＋)
0.3 m　　uncrossed diplopia

APCT(×CC)
0.3 m　B)add＋1.00 D　16～18ΔET′
　　　　B)add＋2.00 D　8ΔE′
　　　　B)add＋3.00 D　2ΔE′

B)add＋2.00 D にて
　Bagolini striated glasses test：BSV(＋)
　TNO stereo test：60″

**眼鏡処方度数**

R：S＋3.00 D　　　　　　　　　　add＋2.00 D
L：S＋3.00 D⌒C－0.75 D Ax 5°　add＋2.00 D

### 注意点

- 過度な調節の弛緩を防ぐため，両眼視のできる最小の加入度数を選択する．
- 累進帯長の短い累進屈折力レンズで，遠用アイポイントが通常より 2〜3 mm 上にくるように作製する．処方箋の備考欄に記入するとよい．
- 装用時のフィッティングに細心の注意が必要である．

#### 症例 3

**6 歳 9 か月　男児**

非屈折性調節性内斜視として B)＋3.00 D 加入の二重焦点眼鏡装用にて経過観察している．1 か月前にアトロピン硫酸塩による屈折検査を行った．

##### 自覚的屈折検査

RV＝1.2(1.5×JB：S＋2.00 D)
LV＝1.2(1.2×JB：S＋2.50 D⊂C－0.50 D Ax 60°)
　　　　(1.5×＋2.25 D⊂C－0.50 D Ax 60°)

##### 他覚的屈折検査（アトロピン硫酸塩：1 か月前）

〈オートレフ値〉
R：S＋2.75 D⊂C－0.25 D Ax 149°
L：S＋3.00 D⊂C－0.50 D Ax 58°

##### 遠用処方度数にて斜視検査

APCT(×CC)
　5 m　　4ΔET
　0.3 m　6ΔET′(近用部：B add＋3.00 D)
Bagolini striated glasses test：
　5 m　　BSV(＋)
　0.3 m　BSV(＋)

---

APCT(CC)
　0.3 m　 B)add＋2.00 D　 10ΔET′
　　　　　B)add＋1.00 D　 16ΔET′
B)add＋2.00 D にて
　Bagolini striated glasses test：BSV(＋)

##### 眼鏡処方度数

R：＋2.00 D　　　　　　　　　　　add＋2.00 D
L：＋2.25 D⊂C－0.50 D Ax 60°　 add＋2.00 D

##### 注意点

- 加入度数を減らしても 10Δ 以内の偏位で両眼視ができているので，B)＋3.00 D 加入を B)＋2.00 D 加入に減じて処方する．累進屈折力レンズに変更した．
- 年に一度の屈折検査の時期に合わせて加入度数を減らすことができるかどうか検査を行う．

## V　間欠性外斜視

　中等度以上の近視は，未・低矯正にすると融像性輻湊が起きにくく，調節性輻湊も惹起されにくいため，安易に低矯正にすべきではない．完全矯正にすることで，外斜偏位をコントロールしやすくなり，眼精疲労を軽減させる．より安定した両眼視を得るために眼鏡を常用するよう指導する．

　遠視も完全矯正が原則である．低矯正にすると，明視するために調節が生じ，調節性輻湊を伴うため，完全矯正の場合に比べて外斜偏位は減少する．von Noorden は，2.00 D より軽度の遠視は矯正しないと述べている[3]．ただし，弱視がある場合(間欠性外斜視と微小斜視弱視あるいは不同視弱視の合併例)は完全矯正が望ましく，年長児になると眼精疲労の原因にもなるため，低矯正の量(度数)は，年齢，偏位量や AC/A 比などの検査結果から，個々の症例について慎重に決定する．

　乱視や不同視は，融像を阻害する要因となるので完全矯正で処方する．

　いずれの場合も，正確な屈折値を知るためには，調節麻痺薬(シクロペントラート塩酸塩)を用いて屈折検査を行う必要がある．

### 症例1

**4歳3か月　女児**

2歳頃から遠くを見るときに焦点が合っていないように感じる．最近テレビをしかめっ面で見ているときがある．

**眼位**

(遠見)X (T)　　XT＞X
(近見)X(T)′　　XT′＜X′

**自覚的屈折検査**

RV＝0.5(0.7×S＋1.00 D ○ C－3.00 D Ax 175°)
LV＝0.6(0.8×S＋1.00 D ○ C－2.00 D Ax 180°)

**他覚的屈折検査**

(非調節麻痺下)
〈オートレフ値〉
R：S＋1.00 D ○ C－3.00 D Ax 176°
L：S＋1.00 D ○ C－2.25 D Ax 8°
(シクロペントラート塩酸塩)
R：S＋1.00 D ○ C－3.00 D Ax 179°
L：S＋1.25 D ○ C－2.50 D Ax 4°

**眼鏡処方度数**

R：S＋0.50 D ○ C－3.00 D Ax 180°
L：S＋0.75 D ○ C－2.50 D Ax 5°

**注意点**

- 間欠性外斜視であっても，特に遠視，乱視を伴う場合は調節麻痺下の屈折検査が必須である．
- 調節麻痺下の屈折検査の値から，生理的トーヌスを引いて処方する[4]．

### 症例2

**10歳4か月　男児**

5歳より間欠性外斜視で当院にて経過観察中である．最近眼鏡が見にくくなってきたため眼鏡処方希望．

**自覚的屈折検査**

RV＝0.4(0.6×JB：S－1.25 D ○ C－0.75 D Ax 150°)
　　　(1.2×S－1.75 D ○ C－1.25 D Ax 150°)
　　　(1.5×S－2.00 D ○ C－1.25 D Ax 150°)
LV＝0.3(1.0×JB：S－2.50 D ○ C－1.25 D Ax 20°)
　　　(1.5×S－2.75 D ○ C－1.25 D Ax 10°)

**他覚的屈折検査**（非調節麻痺下）

〈オートレフ値〉
R：S－2.25 D ○ C－1.25 D Ax 149°
L：S－3.00 D ○ C－1.25 D Ax 9°

**眼鏡処方度数**

R：S－2.00 D ○ C－1.25 D Ax 150°
L：S－2.75 D ○ C－1.25 D Ax 10°

**注意点**

① 過矯正にならないように注意し，完全矯正で処方する．
② 眼鏡度数を変更する必要はなくても，瞳孔間距離(PD)が大きくなっていれば，基底外方のプリズム効果が生じるため注意が必要である．

### 症例3

**8歳1か月　女児**

2歳より間欠性外斜視で当院にて経過観察中である．不同視弱視の治療歴がある．現在，眼位・両眼視機能ともによくコントロールされており，眼鏡装用にて経過観察中である．年に一度の屈折検査のため受診した．

**斜視検査**（所持眼鏡）

APCT　　5 m　　20 Δ X(T)
　　　　0.3 m　16 Δ X(T)′
TNO stereo test　　60″

**自覚的屈折検査**

RV＝0.8(1.2×JB：S＋5.75 D ○ C－1.00 D Ax 120°)
LV＝1.2(0.8×JB：S＋4.50 D ○ C－0.50 D Ax 115°)
　　　(1.5×S＋3.50 D)

**他覚的屈折検査**（シクロペントラート塩酸塩）

〈オートレフ値〉
R：S＋6.00 D ○ C－1.25 D Ax 110°
L：S＋3.75 D ○ C－0.25 D Ax 95°

**眼鏡処方度数**

R：S＋5.50 D ○ C－1.25 D Ax 110°
L：S＋3.25 D

**注意点**

- 弱視の既往があるため，生理的トーヌス分を引いて完全矯正で処方する．

▶文献
1) 中川喬：調節性内斜視の治療と管理．眼科MOOK No. 10, pp187-192, 金原出版, 1987
2) Cho YA, Ryu WY: Changes in refractive error in patients with accommodative esotropia after being weaned from hyperopic correction. Br J Ophthalmol 99: 680-684, 2015
3) von Noorden GK: Exodeviations. Binocular vision and ocular motility. 4th ed. pp323-339, Mosby, 1990
4) 初川嘉一, 村井保一, 大鳥利文：両眼の調節と調節麻痺剤点眼後の屈折値との関係について．日眼紀 34：2051-2055, 1983

（長谷部佳世子）

# VI 調節障害

　調節とは，眼前有限距離にある物体からの光線を網膜上に焦点を結ばせるために水晶体の厚みを変化させる一連の仕組みである．小児では調節力が10D以上あるのが正常である．小児で調節障害を起こす原因は心因性のものが多いが，心因性と確定するには他の原因を除外する必要がある．発達障害児において，読み書き困難を訴える症例に調節不全を伴うものもあるので注意する．

## 1 調節痙攣

　調節痙攣は毛様体筋の不随意な持続的収縮により過剰な近視化を呈する．原因はストレスや心因性といった精神心理学的なものが多いが，器質的な異常の関与やウイルス感染の影響も考えられる．症状としては，縮瞳に加え間欠的輻湊痙攣の合併により内斜視となっているもの，矯正視力が出ないものと表現型は様々である[1]．

### a. 症例の特徴

　7〜8歳頃に視力低下を生じ眼科を受診することが多い．受診するたびに裸眼視力，矯正視力ともに不安定に変化する症例が多く，調節痙攣のために屈折値も10D程度不安定に変化する．調節に伴い瞳孔は著しく縮瞳し，輻湊による内斜視を呈することも多い．眼鏡は処方されていないか，過矯正の眼鏡を所持していることもある．しかし，眼鏡を装用しても視力が出ないことが多い．心因性と異なり，検査時以外も視力低下や複視で困っている様子がみられる．

### b. 検査・光学的対処

　初診時には他覚的屈折検査，自覚的屈折(視力)検査，近見視力検査，眼位検査，両眼視機能検査などの検査を行う．前眼部，後眼部に異常がないか診察を行い，さらに頭蓋内の異常がないか調べる．

　次に，必ず1％アトロピン硫酸塩の点眼を行って調節麻痺させて屈折検査を行う．その結果，調節麻痺前の状態よりも近視が大幅に減少し，調節痙攣と診断された場合は，光学的治療として遠見完全矯正度数と近見3D加入の累進屈折力レンズの眼鏡を常用するよう指示し，過剰な調節が解除される傾向があるか経過を観察する．眼鏡装用のみで症状の改善がなければ希釈アトロピン硫酸塩点眼治療を併せて行う．いったん調節痙攣の症状が落ち着いても，ストレスなどにより再発するケースもある．

#### 症例1

**12歳　女児**
7歳から視力低下を自覚．8歳から眼科へ通院していたが，視力検査のたびに度数が変化するため眼鏡処方ができないといわれている．原因は不明．2年前よりときどき内斜視となり複視を自覚するようになった．

**自覚的屈折検査**
RV=0.04(1.2×S−9.00D◠C−1.00D Ax 180°)
LV=0.04(1.2×S−12.50D◠C−2.00D Ax 170°)
眼位：LET20°　uncrossed diplopia＋

**他覚的屈折検査**（無散瞳状態）

R：S－11.25 D◯C－1.25 D Ax 2°
L：S－12.00 D◯C－2.25 D Ax 166°

#### 他覚的屈折検査（1％アトロピン硫酸塩）

R：S－0.75 D◯C－1.25 D Ax 178°
L：S－1.00 D◯C－2.50 D Ax 172°

- 0.5％アトロピン硫酸塩を1日1回点眼し，調節麻痺を継続させ，近見視を補助するため累進屈折力レンズ眼鏡を処方．

#### 眼鏡処方度数（遠近）

R：S－1.00 D◯C－0.75 D Ax 180° add＋3.00 D
L：S－1.00 D◯C－1.50 D Ax 180° add＋3.00 D

- 眼鏡装用＋アトロピン硫酸塩点眼にて経過観察．

処方眼鏡装用にて，遠見，近見ともに視力良好．眼位は正位を維持していることを確認しながらアトロピン硫酸塩の濃度，点眼回数などを変更していく．点眼を併用しなくても視力，眼位が保持できるようになるまで観察をしていく．近見への加入も，加入のあり，なしでの眼位を観察し漸減していく．

## 2 調節不全（麻痺）

　加齢により水晶体の弾性が減衰し，調節により明視できる距離範囲（明視域，調節域）が減る変化が老視であるが，小児期にも調節力が低下することがある．原因はストレスや心因性，水晶体の器質的異常の場合もある．遠視が潜在している可能性もあるため調節麻痺薬の点眼を用いた屈折状態の精査は必須である．調節不全に伴い近見眼位が不良となっている可能性もある．また，発達障害で読み書きが困難といわれている児に調節不全がみられることがある[2]．

#### 症例 2

**14歳　女児**

1年前から近方視力が低下し勉強に支障がある．頭蓋内に問題はない．眼科では原因不明，心因性のストレスではないかともいわれている．受験もあるので何とか近くが見えるようにしてほしい．

#### 自覚的屈折検査（遠見：5 m）

RV＝0.8（1.2×S－0.50 D）
LV＝0.9（1.2×S－0.25 D）

#### 自覚的屈折検査（近見：30 cm）

RV＝0.1（1.0×S＋2.50 D）
LV＝0.09（1.0×S＋2.75 D）

眼位：遠見，近見ともわずか外斜位．輻湊，眼球運動は問題ない

#### 他覚的屈折検査（無散瞳状態）

R：S－1.00 D◯C－0.25 D Ax 179°
L：S－0.75 D◯C－0.25 D Ax 177°

#### 他覚的屈折検査（1％アトロピン硫酸塩）

R：S－0.25 D◯C－0.25 D Ax 178°
L：S＋0.25 D◯C－0.50 D Ax 179°

「まぶしいが，近くの見えにくさは点眼前と変わらない」と本人．

#### 眼鏡処方度数（近用専用）

R：S＋2.50 D
L：S＋2.50 D

近見視を補助するために処方した．

#### 眼鏡処方度数（遠近）

R：S－0.25 D add＋2.50 D
L：S－0.00 D add＋2.50 D

黒板と交互に見るために累進屈折力レンズ眼鏡を処方した．

- 必要時に眼鏡装用して経過観察．

徐々に近見の裸眼視力が向上し，眼鏡なしで手元が見えるようになっていった．近方が見えにくいと感じることもときどきあるため，そういうときには眼鏡装用を指示．

### a. 症例の特徴

　近方の視力低下を訴えて眼科を受診することが多い．遠見視力は裸眼もしくは通常の矯正でスムーズに1.2まで出る場合と，心因性視力障害のような反応を示す場合がある．近方視力は不良で近見距離に合わせて加入すると視力値が向上する場合と加入に反応せず近見視力不良の場合があり，同一の症例で結果が変化（動揺）することもある．

## b. 検査・光学的対処

他覚的屈折検査，自覚的屈折（視力）検査，近見視力検査（片眼だけでなく両眼も），眼位検査，両眼視機能検査などを行い，前眼部，後眼部に異常がないか診察を行う．頭蓋内の異常がないか調べる．遠視が潜在していないか調節麻痺薬を用いた屈折検査も行う．

調節麻痺薬の効果が切れた後，遠見に完全矯正をしても近見の見えにくさを訴えている場合，見やすいと自覚する近用眼鏡を処方し，改善がみられるか定期的に経過観察を行う．

## c. 注意

- 両眼性の軽度先天白内障のため経過観察を行っている症例では，混濁による視力低下や羞明だけでなく，調節力が減少し近見視力不良を呈することもある．また，Zinn 小帯が弱く，水晶体偏位をきたしている症例も正常に調節ができないこともある．このように水晶体疾患がある場合には若年者でも近見視力を測定して，近用眼鏡，遠近累進屈折力レンズ眼鏡の処方が必要か検討する．
- 発達障害の1つで，読み障害（ディスレクシア）がないか，実際の読み材料を読んでもらい様子を観察する．視力，調節，両眼視機能に問題がない状態でも誤読，読み飛ばし，改行時の行飛ばしなどが頻繁に起こるようであれば，発達の評価と支援を行っている小児科に受診して相談するよう勧める[3]．

▶文献
1) 福山千代美，加藤栄子，加藤栄子，他：調節緊張を起こし視力低下をきたす遠視の症例について．日視能誌 26：145-151，1998
2) 松久充子，岩崎佳奈枝，吉田千尋，他：学習障害の早期発見・診断・教育連携に眼科学校医ができること．日ロービジョン会誌 15：63-69，2016
3) 川端秀仁：LD，ADHD，ASD，dyslexia について．OCULISTA 40：34-44，2016

（石井祐子）

---

## Column

### 照明光が変化しても同じ色に見える（色の恒常性）

私たちは昼間の光の下で見た赤いりんごを，夕方の薄暗い光の下で見ても同じ色と感じる．これは知覚の恒常性の一種，色の恒常性（color constancy）による．

図は，昼光の時間変化である．夕方になると光量は減少するが，スペクトル形状は変化せず，赤色領域が相対的に増加している．私たちの眼に入る光は，照明する光源から物体に届いた光の分光強度と，物体が吸収せずに反射した光の分光反射率の積となるため，光源の変化に依存して物体表面の色は刻々と変わっている．

近年，生後1年の間，単色光の下で飼育したサルは，照明光を変えると色を同定できなくなるため，色の恒常性を含めた色を知覚する機能は生後の視覚体験によって獲得されることが明らかとなり，臨界期の存在も示唆

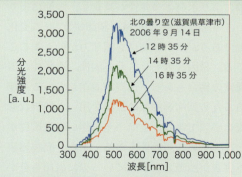

図　時間に依存した分光スペクトルの変化
（篠田博之，藤枝一郎：色彩工学入門．p148，森北出版，2007 より転載）

されている[1]．

▶文献
1) Sugita Y: Experience in early infancy is indispensable for color perception. Current biology 14 (14): 1267-1271, 2004

（石井祐子）

# 第24章
# 成人眼鏡調整の基本的検査

## I　眼鏡用途の聞き取り

　眼鏡の用途はまず距離的な要素と時間的な要素について，また眼鏡の装用経験，装用者の年齢や生活のスタイルについて聞き取る．

### 1 距離的用途・時間的用途

　成人の眼鏡は，日常生活の改善を目的とした眼鏡を装用する．

　距離的用途：どの距離で使用したいか，どの距離の物が見えずに困っているか，遠距離，中間距離，近距離の別を聞き取る．遠くでも自動車の運転や景色などの無限遠方なのか，黒板のような室内の遠く(5〜10 m)か，テレビを見る中間距離(具体的な距離)か，新聞(30〜50 cm)や本(25〜40 cm)，スマートフォン(20〜30 cm)など，あるいはパソコン〔デスクトップ型(40〜60 cm)かノート型(30〜50 cm)か〕をするなど，日常生活における用途を具体的に距離別に整理する．

　時間的用途：一定距離で行う作業がどのぐらいの時間持続するのか，また複数の距離に頻回に視線移動するのかを聞く．

　距離別の用途と時間別用途の組み合わせで明視に適したレンズの焦点別種類(単焦点，多焦点)，累進屈折力(遠近，中近，近近)が決まる(レンズの種類は第18章「眼鏡レンズ」項参照，⇒212頁)．

### 2 眼鏡装用経験

　初心者であれば眼鏡の必要度，どのような屈折異常か，いつから始まった屈折異常かによって装用のしやすさが違う．経験者の場合には，過去と現在の屈折異常を手持ちの眼鏡によって知ることができる．また現在装用している眼鏡の満足度を聞いておく．満足している眼鏡であれば，屈折異常を完全矯正しないほうがよい場合もある．

　眼鏡で屈折矯正を行う場合，眼鏡レンズによる像の収差(拡大縮小効果，累進屈折力レンズの側方における非点収差，眼鏡のそり角や前傾角の角度不良による非点収差，高屈折率レンズの色収差)を許容する必要がある．初めての眼鏡装用者より眼鏡装用経験があるほうが慣れやすく，また年齢が若いほうがより慣れやすい．

### 3 年齢と生活環境

　装用目的が明確な場合には，不同視や乱視，累進屈折力レンズのような歪みにも順応できるが，明確でない場合には，年齢が高いほど，また仕事や趣味などの活動に消極的な場合ほど新しい眼鏡度数のレンズへの適応は難しい．

## II 所持眼鏡の検査

所持眼鏡は屈折値の変化や眼鏡装用経験を知るために可能な限りチェックする．

### 1 所持眼鏡の視力

所持眼鏡の視力を測定し，自覚的に不自由を感じているかも確認する．

### 2 眼鏡度数

レンズメータで度数を測定する．累進屈折力レンズではレンズ面の複数箇所の度数を測定し，度数分布も調べる．この場合はオートレンズメータが便利で，累進屈折力レンズのタイプ，累進帯の長さ，遠用部や近用部の面積を確認できる．

### 3 視線位置での眼鏡度数

（第18章「眼鏡レンズ」項参照，⇒212頁）

装用者の視線位置でのレンズ度数を測定する（図24-1）．単焦点レンズでは光学中心と瞳孔中心の位置関係が正しくなければ，プリズム作用を発生する（第2章「プリズム」項参照，⇒19頁）．累進屈折力レンズでは装用者の屈折度数が眼鏡度数自体と合っていても見えるとは限らず，それはレンズ面のどこに視線位置があるかが重要だからである．レンズ表面に表記されている加入度数も必ずしも度数と一致するものではなく，眼鏡作製時にフレームの適切な位置に入り，視線位置になければ実際には明視できない．累進屈折力レンズの装用者では視線位置でレンズメータによる実

**図24-1 視線位置でのレンズ度数測定**
累進屈折力レンズでは，レンズ面の位置で度数が異なることから，視線位置での度数を測定することが必要である．
a：眼鏡を装用し，瞳孔位置にテープを貼る．遠用部なら遠方視，近用部なら近方視の位置で測定する．
b：テープの交点位置を測定

測が重要である．

フィッティングでは屈折矯正が正確にできるように眼前に正しくレンズを保持することが大事である．頂点間距離は12 mm，前傾角は遠用5〜10°，近用15°程度が適し，そり角は180°とされる（第21章「眼鏡のフィッティング」項参照，⇒270頁）．フィッティングが不良ではレンズ度数が視線位置にないので期待する矯正効果は得られない．

## III 屈折検査

他覚的屈折検査と自覚的屈折検査[1]によって完全矯正値を測定する．他覚的屈折検査を正確に行うには，睫毛や眼瞼の影響を開瞼によって少なくする．その際涙液層が十分に張っていることが必要で，適宜瞬目を促しモニターに映る角膜上のMayer像の乱れがないことを確認しながら頭位を正して測定する．

### 1 自覚的屈折検査

レンズ交換法で行い，乱視矯正には乱視表とク

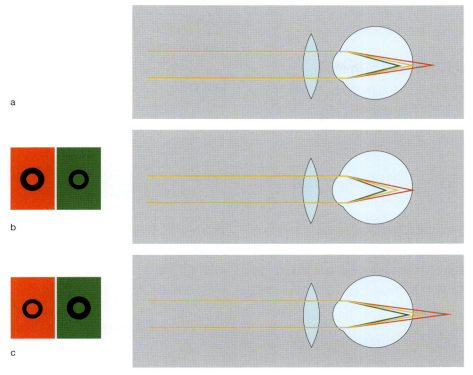

図 24-2 赤緑検査
a：網膜上には黄色，前方に緑色，後方に赤色が結像していることを利用し，屈折矯正の状態を評価する．
b：赤色が明瞭
c：緑色が明瞭

ロスシリンダーを用いる．調節の介入を防ぎ，乱視も完全矯正値を検査する．乱視の 2 方法の検査にはそれぞれ利点と欠点がある．乱視表は乱視の有無を検出することが行いやすく，偽陽性が生じにくいが，白内障や角膜疾患によって高次収差が発生した眼では患者が答えにくい．クロスシリンダーは屈折分布を強主経線と弱主経線に分けて矯正するため，高次収差も単純化して行いやすい．クロスシリンダーの度数は 3 種類（±0.25 D，±0.5 D，±1.0 D）あるため用途に合わせて使う．±1.0 D や ±0.5 D は乱視の有無から軸と度数調整ができ，±0.25 D は軸や度数の微調整に適している．一方欠点は"1 と 2 のどちらがよいか"という強制選択的な問い方をするため，誤った検査結果を導く場合があることである．自覚的応答が不明瞭な症例では矯正視力を確認しながら測定する．

## 2 赤緑検査

色収差[2]（縦色収差：色による屈折率の違いによって結像位置が軸上の前後にずれる収差）を利用したもので，赤色が前方に緑色が後方に結像し 0.25〜0.50 D 程度の差を生じることから微調整をする方法である．通常の自覚的屈折検査を行っているときには網膜上には黄色を中心とした結像がされ，その前方に赤色，後方に緑色が結像している．赤緑検査の赤色の中の視標が明瞭に見えれば結像は網膜より前方に，緑色の中の視標が明瞭に見えれば網膜より後方に結像していると評価し，眼鏡調整やコンタクトレンズ度数調整の 1 つの目安にできる（図 24-2）．

注意点として，若年者では赤緑検査でも調節の介入を防ぐことは同じであるため，より網膜前方の結像状態から後方側に移動させることが必要で

ある．また色収差は年齢[3]や視標の色の差で異なるため注意が必要である．

## 3 近見時の自覚的屈折検査

近見眼鏡を希望する場合には検査距離 30 cm における自覚的屈折検査も行い，30 cm を明視できる最小加入度数を求める．近見視力表はひらがな表や並列 Landolt 環，単独 Landolt 環など様々なものがある．並列視標には字づまりで混み合った配置の視力表があるが，読み分け困難の影響が強く視力値が低く測定される場合がある．並列視標は混み合いすぎない程度の配置がよく，単独視標のほうが測定しやすい場合も多い．

## IV　瞳孔間距離の測定

瞳孔間距離は検査距離 5 m と 30 cm については実測する．片眼だけを測定する場合，また顔面の非対称がある場合には鼻中心から計測する．斜視がある場合には遮閉試験を行いながら瞳孔間距離を測定する（図 24-3）．遠見が測定できて近見ができない場合や中間距離については計算で求めることもできる（図 24-4）．

## V　装用度数の調整

自覚的屈折検査での 5 m と 30 cm における屈折値から眼鏡装用者の希望する距離に調整する．

### 1 遠見矯正の微調整

遠用眼鏡は 5 m における屈折矯正値を希望する距離に換算する．例えば自動車運転用を希望する場合には必要とする距離は無限遠方とし，5 m の矯正値より無限遠方に明視域を移動させるため，0.25 D（無限遠方より＋0.20 D の距離に最も近い）をマイナス側に微調整する．3 m（＋0.33 D）の位置にあるテレビを見たい場合には，5 m 矯正値のままか少し近距離となる 0.25 D プラス側に微調整する．

### 2 近見矯正の微調整

近用眼鏡は 30 cm における屈折矯正値を基準に微調整する（図 24-5）．方法は近見時の屈折矯正値を基準に希望する距離に換算した度数を仮の度数として装用する．片眼ずつ明視域を確認し，明視域が希望する距離に位置すればその度数でよい．明視域が左右眼で一致しない場合には球面度数を片眼ずつ微調整（＋0.25 D あるいは－0.25 D）し，両眼の明視域が一致するように微調整する．最後に希望する明視域に一致しているか確認する．近用眼鏡の度数決定方法では，ある一定距離に視力表を置き視力を目安にしてレンズを加減し調整することがあるが，この方法は屈折値を決定するには合理的ではない（図 24-6）．明視距離を基準にした調整が容易で確実な屈折矯正値を得ることができる．

### 3 乱視度数の微調整

円柱レンズは軸と度数方向にレンズの拡大縮小効果の差があるため片眼や両眼性の歪みを認識する．例えば空間感覚の異常（distortion of spatial localization）[4]や回転ドア感覚やスラント感覚を生じることもある[5]．眼鏡の装用経験や眼鏡の必要度によって歪みを認識しても装用できるか否かは変わってくるが，度数を減らしたり，軸を垂直や水平方向に調整する必要が生じる．

乱視度数の調整方法は，患者の年齢，希望する眼鏡の視力，過去に装用した眼鏡の度数によって

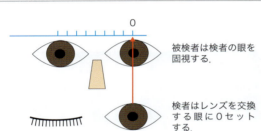

a：遠見
瞳孔中心は見えにくいので角膜縁間距離で代用する．ただし角膜径に左右差がある場合には行わない．

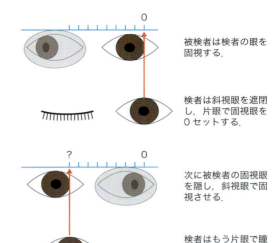

b：遠見，斜視がある場合

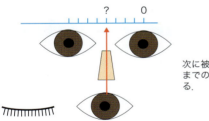

c：遠見，片眼のみ

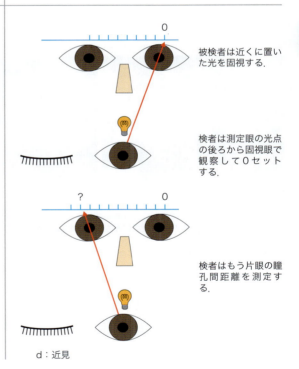

d：近見

図 24-3　瞳孔間距離の測定方法

行う(表 24-1)．

## 4 レンズタイプの選択

　眼鏡レンズは焦点別に単焦点，多焦点(二重焦点，三重焦点)，累進屈折力(遠近，中近，近近)があり(図 24-7)，使用目的別に示した(表 24-2)．遠近累進屈折力レンズのなかには遠用重視型，バランス型(遠近均等)，近用重視型があり，

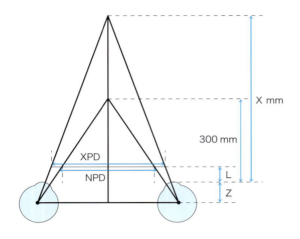

$XPD = NPD \times (X-L)/(X+Z) \times (300+Z)/(300-L)$

図 24-4　近見瞳孔間距離を基準にした計算
XPD：X mm での瞳孔間距離
NPD：近見瞳孔間距離（mm）
L：頂点間距離（12 mm）
Z：角膜頂点から回旋点（13 mm）
〔仲村永江：瞳孔間距離測定．松本富美子，大牟禮和代，仲村永江（編）：理解を深めよう視力検査屈折検査．pp44-46，金原出版，2009 より一部改変〕

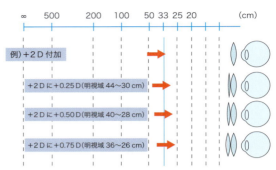

図 24-6　一定距離でレンズ度数を調整する方法の落とし穴

一定距離に視力表を置いて視力を目安にしてレンズを調整することがあるが，屈折値を決定するうえでは曖昧となる場合がある．例えば図のように 33 cm を明視できるレンズを検査するとき，＋2 D を装用しそのうえに弱い＋レンズで微調整をする場合があるが，球面度数を増加させることは明視域を近方に移動させるだけである．いずれのレンズも 33 cm は明視域に入っており，レンズの拡大効果による像の大小は変化するが，33 cm を明視できる最適度数を決定する目安にはなりにくいので不向きである．

  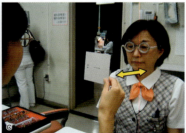

図 24-5　希望する明視距離と明視域の調整方法
近見屈折矯正度数を仮の度数として両眼に装用する．片眼ずつ明視域を確認する．明視域の確認は視標を前後させて自覚的に明視できる距離範囲を調べる．明視距離に左右差があれば希望する距離にレンズを入れて調整する．最後に両眼で希望する明視距離を確認する．
【測定例　明視希望距離は 40 cm の場合】
①右眼で明視域を確認（a）．近見矯正レンズを装用，右眼明視域：20～30 cm
②左眼で明視域を確認（b）．左眼明視域：30～45 cm
③右眼レンズ度数を－0.25 D 調整，右眼明視域を測定
④両眼ともに共通した明視域に調整（c）．右眼明視域：30～45 cm．左眼：30～45 cm．両眼：25～45 cm

それぞれレンズ面での同度数面積が目的別に広くなっている．また遠用重視型は累進帯が長く，近用重視型では短い（詳細は第 18 章「眼鏡レンズ」項参照，⇒212 頁）．選択基準は，聞き取りで確認した眼鏡の目的距離とその距離での作業時間である．用途の面積設定が広いレンズタイプを選択する．

### a.　単焦点レンズの用途

単焦点レンズはレンズ全面が同度数のため一定距離での視野が広く，同一距離で作業を長く行う場合に適している．レンズの歪みも最も小さく像の拡大縮小効果があるだけで，装用にはすぐに慣れることができる．

### 表 24-1 乱視度数の調整方法

①：円柱レンズは装用することによって装用感が悪くなる場合がある．完全矯正するかどうかは以下のような基準で行う．

**乱視を完全矯正できる場合**
1. 良好な矯正視力を希望する
2. 乱視の完全矯正眼鏡を装用していた
3. 小児，若年者

**乱視を完全矯正しないほうがよい場合**
1. 良好な矯正視力を希望しない
2. 乱視の完全矯正眼鏡を装用したことがない
3. 成人期で初めての眼鏡装用

②：度数の調整は以下のように減らし，軸は調整しすぎると矯正効果が減る[6]ので度数を減らし許容範囲にする．

**乱視度数の調整**
1. 良好な矯正視力を希望しない
   ⇒乱視度数を 1/2 に減らす
2. 乱視の完全矯正眼鏡を装用経験なし
   ⇒現眼鏡度数の 1.5 倍まで，あるいは乱視度数を 1/2 に減らす
3. 成人期に初めて眼鏡を装用
   ⇒乱視度数を 1/2 に減らす

**乱視軸の調整**
1. 90°あるいは 180°より ±10°まで
   ⇒90°あるいは 180°
2. 90°あるいは 180°より ±15°以上
   ⇒軸は変えず乱視度数を減らす

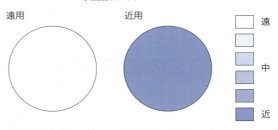

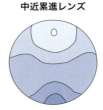
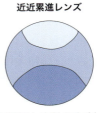

図 24-7　眼鏡レンズの種類と度数分布（右眼レンズ，すべてイメージ）

### 表 24-2 眼鏡レンズの使用目的

累進屈折力レンズは装用することによって装用感が悪くなる場合がある．完全矯正するかどうかは以下のような基準で行う．

| 眼鏡レンズのタイプ | | 使用目的 | 調節力 | 装用感 |
|---|---|---|---|---|
| 単焦点 | 遠用 | 戸外，歩行<br>自動車運転，スポーツ<br>遠くの景色　など | 影響しない | 問題なし<br>不同視や乱視で不快の可能性あり |
| | 近用 | 室内，近業<br>パソコン<br>読み書き，裁縫　など | 3.0 D 以下 | 問題なし<br>不同視や乱視で不快の可能性あり |
| 累進屈折力 | 遠近 | 遠距離から近距離 | 3.0 D 以下 | 累進帯側方の収差大<br>慣れが必要 |
| | 中近 | 中間距離から近距離 | 2.0 D 以下 | 累進帯側方の収差中<br>遠近に比べ慣れやすい |
| | 近近 | 近距離中心で中間距離へ | 1.0 D 以下 | 累進帯側方の収差小<br>中近よりも慣れやすい |

## b. 多焦点レンズの用途

二重焦点や三重焦点などの多焦点レンズは一定距離での視野は広く，かつ 2 距離あるいは 3 距離での設定ができる．近用部は小玉で別のカーブをもって付加される．小玉径が大小あり用途に応じて使い分け，近用をよく使う場合には小玉径が大きいものを選択する．多焦点レンズは視野が広

く機能的には良好である．遠用部から近用部への視線の切り替え時に，境界部で像のジャンプが起こる（図24-8）．

### c. 累進屈折力レンズの用途

累進屈折力レンズの用途は，複数の距離で同時に見る作業の場合である．使用したい距離に応じて遠近累進屈折力レンズ，中近累進屈折力レンズ，近近累進屈折力レンズを使い分ける．また遠近累進屈折力レンズでは遠用部や近用部のバランスが異なるタイプがあるため，作業を長く行う距離に対応した度数分布の面積が広いレンズを選択する．累進屈折力レンズは付加度数の強さに比例した歪みがある．歪みに慣れる必要があるが，広い距離設定で使用でき整容的にも良好である．

遠近累進屈折力レンズの加入度数は 0.5〜3.5 D 程度までであり，調節力の不足分の加入を行う．通常左右眼で同度数の加入度を付加するが，個々や疾患によって左右に差が生じる場合や片眼だけの場合にも使用できる．

中近累進屈折力レンズでは中間部が広く設計されているので，室内での作業全般に向いている．中間部から近用部への必要調節力である 2.0 D 以下に低下した場合に有効であるため，通常50歳以降から適応となる．

近近累進屈折力レンズでは近用部が広いが上方には中間距離が見える部分も設計されているので，近見作業中心だが少し離れた距離でも見えるほうがよい室内での作業，つまりパソコンなどの用途に適している．適応年齢では近用部前後の度数変化である 1.0 D 以下の調節力に低下した場合に有効であるため，60歳以降が適している．中近累進屈折力レンズとの使い分けは，作業が中間距離を主とするのであれば中近，近見が中心となるならば近近を選択するとよい．

### d. 複数所持の必要性

日常生活でどのような不便があるかによって複数の眼鏡を組み合わせて使用するほうがよい．例えば仕事は室内作業が中心であるが遠くの掲示物

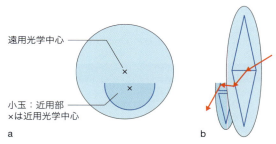

**図24-8 遠近二重焦点レンズの構造**
二重焦点レンズは2カーブをもつ構造をしている．前方に小玉で付加されたレンズ部分にも小玉境界部より下方に光学中心があるため，遠用光学中心から近用光学中心に視線を下げるとき，像のジャンプが起こる．
a：右眼用二重焦点レンズの正面．
　光学中心は輻湊する分，鼻側に位置．小玉上端より少し下方に近用光学中心．
b：二重焦点レンズの側面．小玉の光学中心は上端より少し下方にあるため，台玉とプリズムの基底方向が逆転しジャンプが起こる．

を見たり，パソコンや書類を見たりするなどで視線移動があると遠近累進屈折力眼鏡が必要である．しかし仕事以外の時間では，読書をする時間が長ければ，さらに近用単焦点か近近累進屈折力眼鏡が必要である．趣味でゴルフなど遠方を見るスポーツをよく行うのであれば遠用単焦点も必要となる．結果的に遠用単焦点，遠近累進屈折力眼鏡と近用単焦点あるいは近近累進眼鏡の合計3つを所有し使い分けるとよい．

### e. 装用テスト

具体症例でこれまでの流れとともに眼鏡処方検査を説明する（図24-9, 10）．

### f. 注意事項の説明

初めて眼鏡を作製する場合も，眼鏡経験がある場合も，像がぼやけた見え方に慣れていたようであれば，明視できるとともにレンズの縮小拡大効果も認識することを説明する（第18章「眼鏡レンズ」項参照，⇒212頁）．乱視の場合には前述のように軸方向への歪みやスラント感覚のような歪みが発生する場合があるので，十分な装用テストとともに説明する．累進屈折力レンズの場合が最も見え方の変化が激しく，側方視の歪みには慣れが必要である．遠方視と近方視の視線の使い方，側

### A 症例：55歳　男性

**用途**：自動車運転．運転時遠くが見えにくく，ナビゲーションも見えにくい．
　　　　仕事は事務職で会議ではパソコンでプレゼンテーションも行う．
　　　　書類やパソコンもよく見る．
**眼鏡既往**：近用眼鏡だけ所持しているが書類が見えにくく，掛け外しも不便．

▶使用したい距離と時間的な要素に分けて目的を聞き取る．
▶眼鏡既往を聞く．
▶遠見，近見での屈折検査および視力検査を実施する．
▶眼鏡の度数，その視力を測定する．

**自覚的屈折検査**
RV＝0.8（1.2×S＋1.00 D◯C－1.25 D Ax 100°）
LV＝0.7（1.2×S＋1.50 D◯C－1.00 D Ax 80°）

NRV＝（0.5×JB）（1.0×S＋3.50 D◯C－1.25 D Ax 100°）
NLV＝（0.4×JB）（1.0×S＋4.00 D◯C－1.00 D Ax 80°）

**所持眼鏡度数**（近用単焦点）
R：S＋2.00 D◯C－0.50 D Ax 90°
L：S＋2.50 D◯C－0.50 D Ax 90°

**装用度数の調整**
・自動車運転で遠方や車のナビゲーションが見えにくい．
・事務職で会議でも遠方近方視を頻繁に行う．
・近用単焦点眼鏡が弱くなり，かつ掛け外しが不便．

　⇒遠近累進屈折力レンズが適している．

▶聞き取りから距離と時間的な使用に関して情報を得て屈折値とレンズタイプの選択をする．

**装用テスト**（遠近累進屈折力レンズ）
R：S＋0.75 D◯C－1.25 D Ax 100°
　遠近累進テストレンズ
L：S＋1.25 D◯C－1.00 D Ax 80°
　近用付加度数：＋2.75 D
瞳孔間距離　遠見 64 mm，近見 60 mm

▶遠方度数は運転（無限遠方）に合わせ5 m矯正値より－0.25 D調整する．
▶乱視はJBで装用していることと，良好な視力を希望するため度数も軸も完全矯正とする．

**使用説明**（遠近累進屈折力レンズ　図 24-11）
・上側が遠方視用度数で顎を引いて遠方視する．
・下側が近方視用度数で顎を上げて近方視する．
・側方は歪みがある．下方視の足元はぼやける．

▶初めて累進屈折力レンズを装用する場合は使い方を詳細に説明する．
▶側方の歪みや下方視時の足元の見えにくさは実際に見て説明する．

図 24-9　具体症例①

## B 症例：65歳　男性

**用途**：自動車運転時は裸眼で運転しており標識が見えにくい．
テレビ（2m）が見えにくい．新聞，パソコンも眼鏡でも見えにくい．
**眼鏡既往**：近用眼鏡だけ所持しているが見えにくい．

### 自覚的屈折検査

RV＝0.8（1.0×S＋1.50 D ○ C－2.00 D Ax 100°）
LV＝0.6（1.0×S＋1.75 D ○ C－1.50 D Ax 80°）
NRV＝（0.2×JB）（1.0×S＋4.50 D ○ C－1.75 D Ax 100°）
NLV＝（0.3×JB）（1.0×S＋4.75 D ○ C－1.50 D Ax 80°）

### 所持眼鏡度数 （近用単焦点）

R：S＋2.00 D
L：S＋2.50 D

### 装用度数の調整要素

- 自動車運転で標識が見えにくい．
- テレビ，新聞，パソコンを同時に見る．
- 近用単焦点眼鏡が弱くなり見えない．

⇒遠用単焦点と中近累進屈折力レンズあるいは近用単焦点や近近累進屈折力レンズの複数所有が適している．

### 装用テスト （遠用単焦点レンズ）

R：S＋1.25 D ○ C－1.00 D Ax 90°
L：S＋1.50 D ○ C－0.75 D Ax 90°

### 装用テスト （中近累進屈折力レンズ）

R：S＋1.25 D ○ C－1.00 D Ax 90°
　　中近累進テストレンズ
L：S＋1.50 D ○ C－0.75 D Ax 90°
　　近用付加度数：＋3.25 D
瞳孔間距離　遠見 64 mm，近見 60 mm

### 使用説明（中近累進屈折力レンズ）

- 上側が中間視用度数で視線を上部に通して中間距離を見る．
- 下側が近方視用度数で視線を下部に通して近方視する．
- 側方は少し歪みがある．下方視の足元はぼやける．

---

▶使用したい距離と時間的な要素に分けて目的を聞き取る．
▶眼鏡既往を聞く．
▶遠見，近見での屈折検査および視力検査を実施する．
▶眼鏡の度数，その視力を測定する．
▶眼鏡には円柱度数が入っていない．

▶聞き取りから，以下のことがわかった．遠方と近方が見えにくく，しかし遠近を同時に使うことはない．テレビとパソコンや読書，中間と近方は同時に使うことがある．遠近累進で一挙に行うことも可能だが，累進レンズの経験がないため，装用開始が行いやすい中近を装用してみる．

▶遠方度数は運転（無限遠方）に合わせ 5 m 矯正値より－0.25 D 調整する．乱視は眼鏡にないので，度数は 1/2，軸は 90°に調整する．中近累進レンズは遠用レンズの上に中近累進テストレンズを重ねて装用．瞳孔位置には中間度数が設定される．

▶初めて累進屈折力レンズを装用する場合は中近でも使い方をよく説明する．レンズ上部に中間視，下部に近用度数がある．側方の歪みや下方視時の足元の見えにくさは遠近累進よりよいが，実際に装用して説明する．

図 24-10　具体症例②

方視の歪みのこと，足元が加入度数のためにぼやけてしまうことなどを説明する（図24-11）．

▶文献
1) 大牟禮和代：自覚的屈折検査．所 敬（監）松本富美子，大牟禮和代，仲村永江（編）：理解を深めよう視力検査 屈折検査．pp47-62，金原出版，2009
2) Rabbetts RB: Ocular aberrations. Clinical Visual Optics. pp275-298, Butterworth-Heinemann, 1998
3) 魚里 博：眼の収差．西信元嗣（編）：眼光学の基礎．pp130-134，金原出版，1990
4) Guyton DL: Prescribing cylinders. The problem of distortion. Surv Ophthalmol 22: 177-188, 1977
5) 長谷部 総：眼鏡レンズによる乱視矯正とスラント感―より優れた眼鏡視力を提供するために．あたらしい眼科 24：1145-1150，2007
6) Ma JJ, Tseng SS: Simple method for accurate alignment in toric phakic and aphakic intraocular lens implantation. J Cataract Refract Surg 34: 1631-1636, 2008

（松本富美子）

**図24-11　遠近累進屈折力眼鏡の装用指導**
a：遠近累進屈折力レンズの度数分布を示す．
b：遠用部は顎を引きレンズ上方に視線を通す．
c：近用部は顎を上げレンズ下方に視線を通す．

# VI　眼鏡処方箋の作成

　眼鏡処方箋とは，視力・屈折検査だけではなく，視機能に対する様々な検査結果を踏まえ，眼鏡の作製に欠かせない種々の数値や情報を記載した「処方箋」であり，診察を行ったうえで医師により発行される[1,2]．図24-12に一般的な処方箋を示す．

## 1　記載すべき情報

### a.　処方箋発行日

　医師が処方内容を決定指示した日付．医療費控除，療養費の申請などにもかかわるため正確に記載する必要がある．

### b.　患者氏名

　誰の眼鏡処方箋であるかを明らかにするために必要．生年月日，年齢などは個人情報であるため，どこまで載せるかは慎重に判断する．

### c.　レンズ度数の数値

　各眼の球面，円柱，軸，加入度，プリズム度，基底方向を記載する．近用度数については加入度数ではなく，度数を記載することもある．記入ミスがないよう注意する．できればダブルチェックを行うほうが望ましい．

### d.　瞳孔間距離（PD）

　遠方視時，近方視時で異なるので，処方する眼

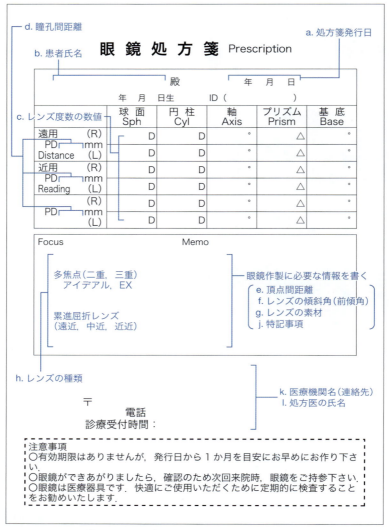

図24-12　一般的な眼鏡処方箋

鏡を作製するのに必要な数値を記入する．累進屈折力レンズの場合，設計が決まったレンズでは度数によって近用部のPDを優先して作製する場合もある．そのため遠用の値，近用の値それぞれを記入しておく．

### e. 頂点間距離

通常は12 mmだが，それ以外の距離を指定する場合は記入する．

### f. レンズの傾斜角（前傾角）

常用眼鏡は，通常は5〜7°前後に作製される．患者の使用目的により，あえて傾斜を変化させたいときには記入する．近用専用では，視線を下に向けるので15°前後とするとよい．

### g. レンズの素材

以前はガラス，プラスチックといった素材の指定を必要に応じて行っていたが，最近はほとんどがプラスチックレンズとなっているので，特殊な場合を除き，指定は必要ないと思われる．

### h. レンズの種類

単焦点レンズ，多焦点レンズ（二重，三重），累

進屈折力レンズがある．多焦点レンズの場合は，EXレンズ，アイディアレンズなど，累進屈折力レンズの場合は，遠近，中近，近近といったレンズの種類，形状，設計がわかるように記載する．指定するレンズのメーカーや，種類，名称がある場合は，具体的に記載する．

### i. 有効期限

通常は30日とすることが多いが，期限を明記しない処方箋もある．近視，老視のように少しずつ屈折度数が変化するものもあるため，早めに作製するよう勧める．期限を過ぎても無効とはならない．

### j. 特記事項

上記の内容のほかに，処方する医師や患者の希望する眼鏡を作製するうえで必要なことがある場合に記入する．

### k. 医療機関名（連絡先）

処方箋を発行した医療機関を明らかにする．処方箋の内容について，確認が必要な場合に連絡をとることができるようわかりやすく記載する．

### l. 処方医の氏名

眼鏡処方箋発行の責任医師の氏名を必ず記載する．

## 2 処方箋作成上の諸注意

- 眼鏡を使用する目的を達成するため，作製に必要な情報を正確に記載することが重要である．しかし，注意していても記載の間違いや記載漏れといった人的ミスを完全に防ぐことは難しい．対策として，患者に渡す前にカルテの記載と処方箋の記載が一致しているか第三者に確認してもらうことが望ましい．
- 医療用の遮光レンズの場合は，レンズのメーカーと色の記号を正確に記載する．

### 1）公的補助を受けて眼鏡を作製する場合

- 身体障害者手帳を利用して補装具として入手する場合には，まず本人が事前に市区町村の福祉担当者に相談して申請書類を入手するなど手続きが必要である．
- 生活保護受給者の場合も，まず本人から福祉担当者に相談してもらい公費の対象となるか事前に確認が必要．
- 小児の治療用眼鏡に該当する場合は，療養費の申請手続きについて説明する．
- 医療費控除の対象となる眼鏡の場合は作製に要した費用を確定申告の医療費に合算することができる（表24-3参照）．申告を行う患者には，厚労省の通知に基づき日本眼科医会が作成した処方箋（図24-13）を交付すること．これには治療目的とわかるように，個人情報ではあるが「疾患名」と「治療を必要とする症状」を記載する欄がある．表24-3の内容に沿って記載する．ただし，後者については，表のとおりの表現，または一部でもよい[3]．

# VII 作製された眼鏡の確認

- 眼鏡店で作製したのち，指示どおりにできあがっているかを眼科でも確認する必要がある．
- 確認するタイミングは，作ってからしばらく装用した後でよい．できあがってすぐに「見えない」と感じるならばすぐでもよいが，単に慣れていないだけという可能性もある．
- 問題がなく，よく見えているならば，2〜3か月後の次回来院時でもよい．
- 累進屈折力レンズでは，レンズメータで正確にレンズ度数の確認を行うことが困難な場合もある．方法として，レンズに印字されたマークからそのレンズのデザインがわかるシールを選

### 表 24-3　医療費控除の対象となるものの解説

**眼鏡，コンタクトレンズの医療費控除について**

対象疾患は指定されているが，眼科医による治療の一環として，装用する眼鏡，コンタクトレンズは医療費控除の対象となっている．

注意：
1. 眼科医の処方箋により眼鏡店で作ったものが対象で眼鏡店に直接行って作ったものは控除対象とならない．
2. 家族の全眼鏡代，全治療費（眼科だけでなく，他科のものを含めた合計），病院，診療所の通院にかかった交通費，付き添いの者の費用や交通費の合計額のうち 10 万円をこえた金額が医療費控除の対象となる．
   例：眼鏡を含む全治療費の合計額が 15 万円の場合
   （15 万円－10 万円＝）5 万円が医療費控除の対象となる．
3. 医療費控除を受けるには，治療した翌年の確定申告時に税務署に提出する．
4. 眼鏡で医療費控除を受けるには厚生省で指定した処方箋（眼科医が交付）と眼鏡店の領収書が必要．

**眼鏡の医療費控除対象疾患**

| 疾病名 | | 治療を必要とする症状 | 治療方法 |
|---|---|---|---|
| 弱視 | | 矯正視力が 0.3 未満の視機能の未発達なもの | 20 才以下で未発達の視力を向上させるため目の屈折にあった眼鏡を装用する． |
| 斜視 | | 顕性斜視．潜伏斜視，斜位があり，両眼合わせて 2 プリズムディオプトリー以上のプリズムが必要． | 眼位矯正又は術後の機能回復のため，眼鏡を装用する． |
| 白内障 | | 水晶体が白濁して視力が低下し，放置すれば失明するため手術を必要とする． | 術後の創口の保護と創口が治癒するまでの視機能回復のため 2 か月程度眼鏡を装用する．水晶体摘出後，水晶体の代わりに IOL（人工レンズ）を挿入する． |
| 緑内障 | | 原因不明または外傷により眼圧（目のかたさ）が高くなる病気で，放置すると失明するので手術を必要とする． | 術後，機能回復のため，1 か月程度眼鏡を装用する． |
| 調整異常 | | 調節力 2 ディオプトリー以下で調節痙攣，調節衰弱などによる自律神経失調症がある異常． | 30 才以下の者に対して薬物療法（ビタミン $B_1$ を中心とした治療）のほかに，6 か月程度治療のため，眼鏡を装用する． |
| 難治性疾患 | 不等像性眼精疲労 | 左右眼の眼底像の差による自律神経失調症がある異常． | 薬物療法（精神神経用剤及びビタミン $B_1$）と合わせて光学的に眼底の不等像を消すため，眼鏡を装用する． |
| | 変性近視 | 眼底に変性像があって－10 ディオプトリー以上の近視である． | 薬物療法（血管強化剤）と合わせて，網膜剥離，網膜出血等による失明防止のため眼鏡を装用する． |
| | 網膜色素変性症 | 視野狭窄・夜盲症と眼底に色素斑がある病気で進行すると失明する． | 薬物療法（血管拡張剤）を行うが，光刺激による症状が進行するので，その防止のため眼鏡を装用する． |
| | 視神経炎 | 視神経乳頭又は球後視神経に炎症がありまぶしさを訴える病気で進行すると失明する． | 薬物療法（消炎剤，ビタミン $B_1$）と合わせて，光刺激による症状の悪化を防止するため，2 か月程度眼鏡を装用する． |
| | 網脈絡膜炎 | 眼底の網脈絡膜に炎症があって放置すれば失明する． | 薬物療法（消炎剤）に合わせて，光刺激による症状の悪化を防止するため，1 か月程度眼鏡を装用する． |
| | 角膜炎 | 角膜乾燥症，水疱性角膜炎，びまん性表層角膜炎，角膜潰瘍などにより，放置すると角膜（黒目）が白く濁り，視力低下又は失明する． | 薬物療法（抗生物質，副腎皮質ホルモン，ビタミン $B_2$）に合わせて角膜の表面を保護し，治癒を促進するため，1 か月程度眼鏡を装用する． |
| | 角膜外傷 | 角膜破裂，角膜切創，角膜火（薬）傷がある． | 手術，薬物療法（抗生物質）と合わせて，角膜の創面を保護し，治癒を促進するため，1 か月程度眼鏡を装用する． |
| | 虹彩炎 | 虹彩（茶目）に極度の炎症があって，放置すると失明する． | 薬物療法（副腎皮質ホルモン）に合わせて虹彩を安静にするためアトロピン等の散瞳剤を使用すると共に，眼保護のため，1 か月程度眼鏡を装用する． |

平成元年 9 月 21 日国税局　所得税課

（日本眼科医会：医会だより．日本の眼科 75：197-201，2004 より）

## 処方箋（眼鏡）

氏名：　　　　　　　年令：　　　（男・女）
住所：

Ⅰ．種類（○で囲む）：ガラス，プラスチック，コンタクトレンズ（ソフト，ハード）
　　　　IOL，遮光眼鏡（　　　），多焦点の種類（　　　）
　　　　その他（　　　）

Ⅱ．度数及び用法
　1．眼鏡

|   | S (球面) | C (円柱) | A (軸) | P (プリズム) | B (基底) | PD (瞳孔距離) | 用　法 |
|---|---|---|---|---|---|---|---|
| 右 |   |   |   |   |   |   | 遠・近・中間 |
| 左 |   |   |   |   |   |   | 常用・必要時 |

　2．IOL，コンタクトレンズ

|   |   | 用法 |
|---|---|---|
| 右 |   |   |
| 左 |   |   |

Ⅲ．使用期間(本処方箋の有効期限を○で囲む)（　3日　　10日　　30日　）

Ⅳ．備考(眼鏡を必要とする理由)
　1．疾病名

　2．治療を必要とする症状

　　　　　　　　年　　月　　日

　　　　　　医師住所

　　　　　　医師氏名　　　　　　　　㊞

　　　　　　　　　　公益社団法人　日本眼科医会製

**図 24-13　日本眼科医会製眼鏡処方箋**
（日本眼科医会：医会だより．日本の眼科 75：197-201, 2004 より）

び貼りつけ，測定点のポイントの度数を測る．またはレンズ袋，品質を示すカードを見せてもらう．このようにして処方箋が指示したとおりのレンズであると確認ができても，患者が見えにくさを訴える場合には患者の視線が通る位置を水性ペンなどでマークして度数を確認する．フィッティングが合っていないために遠方度数あるいは近用度数部分のレンズがうまく使えていない状態であれば，フィッティングを調整し，正しく使える状態とすることで改善できる可能性もある．

▶文献
1) 所　敬：眼鏡処方箋作成の問題点．あたらしい眼科 9：5-10, 1992
2) 井上治郎：眼鏡処方と法律．眼診療プラクティス 49：84, 1999
3) 植田喜一：眼鏡の医療費控除について(含：小児弱視治療用眼鏡)．所　敬，梶田雅義(編)：すぐに役立つ臨床で学ぶ眼鏡処方の実際．pp129-134, 金原出版, 2010

（石井祐子）

# 第25章 成人の眼鏡

## I 単焦点レンズ （詳細は第18章「単焦点レンズ」項参照，⇒215頁）

単焦点レンズは1つの焦点をもつレンズである．調節力がある若年者では遠点を無限遠に矯正するだけで，近距離まで明視できる．調節力がない場合には1距離しか明視できないが，その距離において広い視野をもつ．

## II 累進屈折力レンズ （詳細は第18章「累進屈折力レンズ」項参照，⇒223頁）

累進屈折力レンズは明視できる距離範囲をもつため，老視や調節障害がある症例では活用できる便利なレンズである．ただ累進屈折力レンズは累進帯やその外側で収差があることから，装用に適した条件がある（表25-1）．

累進屈折力レンズは焦点を多く連続的にもつレンズである．レンズ上方から下方に向かって累進的に遠距離から近距離に焦点をもつ構造になっている．加齢，若年者の外傷や疾患のため調節障害を生じたり，白内障術後の症例，小児では非屈折性調節性内斜視などでは優れた効果があり好適応となる．ただ累進的にレンズ度数が変化するため歪みを生じ，特に側方での収差も感じるため適応症例でなければ装用が難しい．

累進屈折力レンズには距離範囲別に遠近，中近，近近の3種類がある．また遠近累進屈折力レンズは大きく3種類に分けられ，遠方視を重視した設計，近方視を重視した設計，両方のバランスをとった設計がある．単焦点レンズと累進屈折力レンズのそれぞれの適応は前述した（第24章「成人眼鏡調整の基本的検査」項参照，⇒303頁）．遠近累進屈折力レンズの具体症例は図25-1, 2に示した．中近累進屈折力レンズの具体症例は図25-3に示した．中近累進屈折力レンズの処方箋の度数は，遠用と近用度数を記入し，備考に中近累進屈折力レンズを処方することを書き添える．中近累進屈折力レンズは装用する眼の位置に総加入度数の20～30%程度(例：3D加入の場

表25-1 累進屈折力レンズの適応

| 基本的条件 | 異なる距離（遠見と近見，中間と近見，遠見と中間など）を連続して見たい場合 |
|---|---|
| 開始年齢 | 老視では加入度数による収差の慣れや許容の観点から50歳代までが理想的．若年者で偽水晶体眼では年齢にかかわらず適する |
| 必要度 | 仕事，趣味などに使用する場合は必要度が高いため慣れやすい |
| 性格 | 神経質な方は慣れにくい |
| 車の運転 | 側方視の歪みがあるため注意が必要 |
| その他 | 二重焦点レンズからの変更は歪みと視野の条件が悪くなり困難<br>下方に近用度数があるため足元で焦点が合わない |

> **A 症例：50歳　男性**
> 用途：事務職．今まで遠用眼鏡で仕事に支障がなかったが，最近はパソコンや書類が眼鏡のままで見えにくく，掛けたり外したりしないといけなくなった．

▶ 使用したい距離と目的を聞き取る．
▶ 眼鏡既往を聞き，何に困っているかを聞き取る．

**自覚的屈折検査**
RV＝0.2(1.0×JB)(1.2×S−2.50 D ◯ C−0.50 D Ax 90°)
LV＝0.3(0.8×JB)(1.2×S−2.25 D ◯ C−0.75 D Ax 90°)
NRV＝(0.5×JB)(1.0×S−0.75 D ◯ C−0.50 D Ax 90°)
NLV＝(0.5×JB)(1.0×S−0.75 D ◯ C−0.75 D Ax 90°)

**所持眼鏡度数**（遠用単焦点レンズ）
　　R：S−2.5 D
　　L：S−2.25 D

▶ 遠見，近見時の屈折検査および視力検査を実施する．
▶ 眼鏡の度数，視力を測定する．

装用度数の調整要素
・事務所内の遠方とパソコン，書類と同時に使用する距離範囲が広い．

⇒遠近累進屈折力レンズが適している

▶ 仕事上，事務所内の状態とパソコン，書類など頻繁に距離の変化する視目標となるため，遠近累進屈折力レンズが必要であると考えられた．

**装用テスト**（遠近二重焦点レンズ）
R：S−2.50 D ◯ C−0.50 D Ax 90°
L：S−2.25 D ◯ C−0.75 D Ax 90°
　近用付加度数：＋1.75 D
瞳孔間距離　遠見 66 mm，近見 61 mm

▶ 遠近累進屈折力レンズで装用テストを行った．

使用説明（遠近累進屈折力レンズ）
・累進屈折力レンズの構造を説明する．
・遠方から近方まで上から下へ視線の移動で焦点を合わせることができる．
・側方視時にレンズの歪みにより像の歪曲を感じる．
・階段を降りるときには下方に加入度数が入っているので遠用部に視線が入るように顎を下げてみる．

▶ 初めて累進屈折力レンズを装用する場合には，レンズの構造や視線の使い方，注意点など詳しい説明を行う．

図 25-1　遠近累進屈折力レンズ（バランス型）症例

## B 症例：65歳　男性

**用途**：事務職で管理職．仕事は事務所内だけであり，壁面の予定表や部下の仕事，パソコン，書類を見る必要がある．
近用単焦点を使用していたが，遠くを見るときに外すため不便である．

- ▶使用したい距離と目的を聞き取る．
- ▶眼鏡既往を聞き，何に困っているかを聞き取る．
- ▶遠見，近見時の屈折検査および視力検査を実施する．
- ▶眼鏡の度数，視力を測定する．

**自覚的屈折検査**
RV＝0.7（1.0×S＋1.75 D ○C－1.50 D Ax 90°）
LV＝0.9（1.2×S＋1.25 D ○C－1.75 D Ax 90°）
NRV＝（0.8×JB）（1.0×S＋4.75 D ○C－1.50 D Ax 90°）
NLV＝（0.8×JB）（1.0×S＋4.25 D ○C－1.75 D Ax 90°）

**所持眼鏡度数**（眼鏡度数：近用単焦点レンズ）
R：S＋4.00 D ○C－1.00 D Ax 90°
L：S＋4.00 D ○C－1.00 D Ax 90°

**装用度数の調整要素**
・事務所，パソコン，書類と距離範囲は広いが近業が多い．

⇒遠近累進屈折力レンズの近用重視型が適している

**装用テスト** 1回目（遠近累進屈折力レンズ，近用重視型）
R：S＋1.75 D ○C－1.50 D Ax 90°
L：S＋1.25 D ○C－1.75 D Ax 90°
近用付加度数：＋2.50 D

**装用テスト** 2回目（遠近累進屈折力レンズ，近用重視型）
R：S＋1.50 D ○C－1.00 D Ax 90°
L：S＋1.00 D ○C－1.00 D Ax 90°
近用付加度数：＋2.50 D

瞳孔間距離　遠見66 mm，近見62 mm

- ▶事務所内の状態とパソコン，書類など頻回に距離の変化する視目標となり，またパソコンと書類の仕事が多いため，遠近累進屈折力レンズの，なかでも近用部が広いタイプが適していると考えられた．
- ▶遠近累進屈折力レンズで装用テストを行った．
1回目の装用テストでよく見えるが遠くでも歪みを感じたため，2回目には現眼鏡度数と同じ乱視度数とし，等価球面度数に調整し装用テストを行った．

**使用説明（遠近累進屈折力レンズ）**
・累進屈折力レンズの構造を説明する．
・遠方から近方まで上から下へ視線の移動で焦点を合わせることができる．
・側方視時にレンズの歪みにより像の歪曲を感じる．
・階段を降りるときには下方に加入度数が入っているので遠用部に視線が入るように顎を下げてみる．

- ▶初めて累進屈折力レンズを装用する場合には，レンズの構造や視線の使い方，注意点など詳しい説明を行う．
また，座った状態で装用すると慣れやすいことを説明した．

図25-2　遠近累進屈折力レンズ（近用重視型）症例

### C 症例：62歳　女性

**用途**：内科医．近用眼鏡を持っており，カルテは見えるが，外して患者の顔(1 m)がよく見えない．遠くは裸眼でよく見える．

▶使用したい距離と目的を聞き取る．
▶眼鏡既往を聞き，何に困っているかを聞き取る．
▶遠見，近見時の屈折検査および視力検査を実施する．
▶眼鏡の度数，視力を測定する．

**自覚的屈折検査**
RV＝0.8(1.0×S＋0.50 D◯C－0.75 D Ax 100°)
LV＝0.8(1.0×S＋0.75 D◯C－1.00 D Ax 80°)
NRV＝(0.8×JB)(1.0×S＋3.50 D◯C－0.75 D Ax 100°)
NLV＝(0.8×JB)(1.0×S＋3.75 D◯C－1.00 D Ax 80°)

**所持眼鏡度数**（近用単焦点レンズ）
R：S＋3.00 D
L：S＋3.00 D

装用度数の調整要素
・中間から近見時を同時に見えるように明視域を設定する．

⇒中近累進屈折力レンズ

▶カルテと患者の顔を見ることに適するレンズタイプは，中近累進屈折力レンズであると考えられた．

**装用テスト**（中近累進屈折力レンズ）
R：S＋0.50 D◯C－0.75 D Ax 100°　中近累進設計
L：S＋0.75 D◯C－1.00 D Ax 80°
近用付加度数：＋3.00 D
瞳孔間距離　遠見 62 mm，近見 58 mm

▶中近累進屈折力レンズのテストレンズで装用テストを行った．レンズの設計は第18章「眼鏡レンズ」，⇒212頁および図25-4を参照

使用説明（中近累進屈折力レンズ）
・中間距離からと近方に焦点を合わせることができる．
・側方視時には歪みが起こる．

▶中近累進屈折力レンズでは，遠近累進屈折力レンズに比べて付加度数が小さいため側方視のゆれや歪みは小さいが，初めて装用する場合には説明しておく．

図 25-3　中近累進屈折力レンズ症例

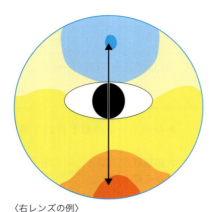

〈右レンズの例〉
瞳孔：20%付加位置
例）3D付加では 0.6D

**図 25-4　中近累進屈折力レンズ度数分布**
中近累進屈折力レンズの処方箋記入は通常の遠近累進屈折力レンズと同様に遠用度数と近見付加度数，瞳孔間距離も遠用と近用を記入し，レンズのタイプを「中近累進屈折力レンズ」と記入しておく．中近累進屈折力レンズでは，瞳孔位置には全付加度数のうちの 20%程度がくるような構造になっている．

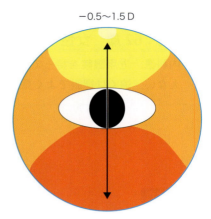

−0.5〜1.5D

最大付加度数

**図 25-6　近近累進屈折力レンズ度数分布**
近近累進屈折力レンズの処方箋記入は通常の近用単焦点レンズと同様に近見度数，近用瞳孔間距離を記入し，レンズのタイプを「近近累進屈折力レンズ」と記入しておく．近近累進屈折力レンズではレンズ下方より上方に向かってマイナス付加される構造になっている．

合には 0.75〜1.00D 程度，各社の設計により少し異なる），瞳孔間距離も中間距離値となるように設計されている（図 25-4）．近近累進屈折力レンズの具体症例は図 25-5 に示した．近近累進屈折力レンズは近用単焦点レンズに遠方（上方）方向にマイナス度数が加入されている設計である．処方箋には近用部の度数と瞳孔間距離を記入し，備考に近近累進屈折力レンズと書き添える（図 25-6）．

## Ⅲ　二重焦点レンズ （詳細は第 18 章「二重焦点レンズ」項参照，⇒222 頁）

　二重焦点レンズは 2 つの焦点をもつレンズである．2 距離において広い視野をもつことができる．遠用部と近用部の境界では像のジャンプが起こる（第 24 章「多焦点レンズの用途」項参照，⇒309 頁）が，整容的な問題がある以外は機能的には視野が広く便利なレンズである．

## Ⅳ　不同視への対応

　不同視とは通常左右の屈折度の差が 2D 以上あるものをいう．このような場合に左右の屈折度を完全矯正すると両眼視が妨げられる結果，問題が発生することがあり[1]，以下のような因子を考慮する必要がある．ただ要素が複数重なっても装用可否は個人差であるため，下記の要素から許容できる範囲と考えられる度数で装用テストを行う．

### 1　不同視の原因

　屈折度は角膜や水晶体の屈折力（屈折性）と眼軸長（軸性）により決定される．屈折異常が起こる時期は乳幼児期の眼軸成長期や後天的疾患，例えば左右で進行度の異なる白内障や白内障術後，また

## D 症例：70歳　男性

用途：デスクトップパソコンでインターネットをよく行う．
　　　近用眼鏡では近づかないと見えない．

▶ 使用したい距離と目的を聞き取る．
▶ 眼鏡既往を聞き，何に困っているかを聞き取る．
▶ 遠見，近見時の屈折検査および視力検査を実施する．
▶ 眼鏡の度数，視力を測定する．

**自覚的屈折検査**
RV＝0.1(1.0×S－5.00 D ○ C－1.50 D Ax 90°)
LV＝0.2(1.0×S－4.00 D ○ C－1.00 D Ax 90°)
NRV＝(0.5×JB)(1.0×S－2.00 D ○ C－1.50 D Ax 90°)
NLV＝(0.5×JB)(1.0×S－1.00 D ○ C－1.00 D Ax 80°)

**所持眼鏡度数**（近用単焦点レンズ）
R：S－2.00 D
L：S－1.00 D

▶ 近用単焦点レンズでは乱視矯正をしていない分矯正視力は悪いがほぼ眼鏡度数は合っている．
▶ デスクトップパソコンでは視距離が60 cm程度に離れるため，近用単焦点ではよく見えない．見えるようにするためには画面に近づいて不自然な姿勢で見ることになる．

装用度数の調整要素
・中間から近見時を同時に見えるように距離範囲を設定．

　　⇒近近累進屈折力レンズ

▶ デスクトップパソコンの画面を見るには単焦点では遠い目の近用レンズに設定するか，近近累進屈折力レンズを装用すると自然な姿勢で使用できると考えられた．

**装用テスト**（近近累進屈折力レンズ）
R：S－2.00 D ○ C－1.50 D Ax 90°
L：S－1.00 D ○ C－1.00 D Ax 80°
　近近累進設計近用付加度数：－1.00 D
　瞳孔間距離　近見 60 mm

▶ 近近累進屈折力レンズのテストレンズで装用テストを行った．レンズの設計は第18章「眼鏡レンズ」，⇒212頁および図25-6を参照．

使用説明（近近累進屈折力レンズ）
・近方から少し視線を上げても画面まで焦点を合わせることができる．

▶ 近近累進屈折力レンズでは付加度数が小さいため側方視のゆれや歪みはほとんど感じないが，初めて装用する場合には説明しておく．

図25-5　近近累進屈折力レンズ症例

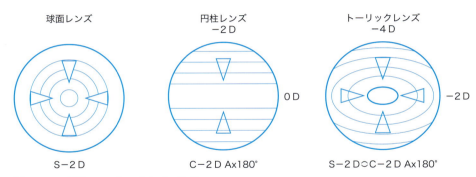

**図 25-7　眼鏡レンズのプリズム作用**
レンズは光学中心からずれたとき，度数の強さに伴ったプリズム作用が起こる．球面レンズではどの方向にずれても等距離で同じプリズム数が働くが，円柱レンズやトーリックレンズでは軸方向と直交する方向ではプリズム作用に差がある．
　　Prentice の公式　　$P(\Delta)=D \cdot h$
　　$D$：レンズ度数　　$h$：光学中心からの距離 cm

屈折矯正手術後に起こる場合が多い．屈折要素は前眼部屈折力についてはレフケラトメータや角膜形状解析検査，波面センサーによって，眼軸長は眼軸長測定装置によって測定できる．

## 2 不等像視

不同視を眼鏡レンズによって矯正すると，網膜像の大きさが拡大縮小される．拡大縮小率はspectacle magnification（SM）によって計算できる（第 8 章「眼鏡レンズの拡大縮小効果」項参照，⇒78 頁）．結果的に不等像を感じるかどうかは，① 矯正レンズによる網膜像の拡大縮小，② 不同視の原因（軸性，屈折性），③ Knapp の法則，④ 網膜細胞密度の眼軸長や屈折異常による違い[2,3]，⑤ 不同視眼鏡の経験や装用開始年齢　など複数の要素が影響する．結果的に不等像視の検査を行って起こる不等像は把握できる．過去の報告では実験的不同視差の立体視検査や複視を指標とした研究での許容範囲は 4～9％ とされる[4-6]．ただ実際の症例では様々な原因があるため装用テストによって検討することが必要である．

## 3 プリズム作用

眼鏡レンズは光学中心からずれるとプリズム作用をもつ（第 2 章「プリズム」項参照，⇒19 頁）．眼鏡レンズ度数によって円柱レンズやトーリック

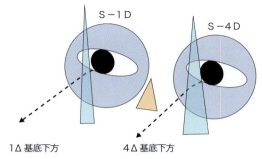

**図 25-8　眼球運動時の眼鏡レンズのプリズム作用**
眼鏡レンズを装用して眼球運動を行った場合，不同視では下記のように左右レンズで異なったプリズム作用が起こる．1 cm 下方を見ると右レンズでは1Δ基底下方，左レンズでは4Δ基底下方のプリズム作用が起こり，その左右差は3Δ基底下方となる．

レンズではずれた方向の度数で異なるプリズム作用が起こることにも注意する（図 25-7）．さらに不同視眼鏡を装用すると左右差のあるプリズム作用が起こり，問題となるのは特に下方視を行うときで，日常によく行う近業時に該当する（図 25-8）．垂直方向や基底外方にプリズム作用が起こる場合には，融像幅の限界に近いと眼精疲労を感じ，限界を超えると複視を起こす可能性がある．

具体症例を図 25-9 に示す．

▶文献

1) 長谷部　総：眼鏡と眼の疲れ．あたらしい眼科 27：317-

## E 症例：62歳　女性（白内障術後の不同視例）

**用途**：白内障の術後（1年前），右眼はよく見えるが，左眼がよく見えない．
買い物などで自動車の運転を行うので運転用眼鏡希望．
新聞を読むには困らないが違和感がある．

### 術前自覚的屈折検査
RV＝(0.5×JB)(0.6×S＋1.50 D○C－2.50 D Ax 100°)
LV＝(0.4×JB)(0.5×S＋2.25 D○C－3.00 D Ax 80°)

### 所持眼鏡度数
R：S＋1.00 D○C－1.50 D Ax 90°
L：S＋1.50 D○C－2.00 D Ax 90°

### 術後自覚的屈折検査
RV＝(0.9×IOL)(1.2×IOL S＋1.00 D○C－0.50 D Ax 100°)
LV＝(0.4×IOL)(1.2×IOL S－1.50 D○C－0.50 D Ax 80°)

### New Aniseikonia tests
左　不等像視　－3％（×矯正レンズ）

---
**装用度数の調整要素**
・不等像は 3％．両眼視時に違和感がない調整を行う．利き目は右眼．

---
⇒遠用単焦点で不同視の違和感が出ない範囲を設定

### 装用テスト
1回目
R：S＋0.75 D○C－0.50 D Ax 100°
L：S－1.75 D○C－0.50 D Ax 80°
　⇒複視はないが，違和感がある．
2回目
R：S＋0.75 D○C－0.50 D Ax 100°
L：S－1.25 D○C－0.50 D Ax 80°
　⇒違和感は解消された．
瞳孔間距離　遠見 63 mm

---
**使用説明**
・左眼の見え方は右眼に比べ少し見えにくいが，完全矯正で違和感があるため 2 回目の度数で様子をみてもらう．

---

▶使用目的を聞き取る．
▶眼鏡既往を聞き，何に困っているかを聞き取る．
▶遠見時の屈折検査および視力検査を実施する．
▶眼鏡の度数，視力を測定する．
▶術前には屈折値は不同視なく，白内障術後に不同視が起こっている．
▶矯正レンズで New Aniseikonia tests を行う．

▶術後に起こった不同視のため，主訴の違和感は両眼視が，術後不同視による明視域の違いにより破綻している可能性がある．不等像，プリズム作用を含めた違和感を確認，調整する．調整時に利き目を基準に行うため，ホールインカードなどで確認しておく．

▶1 回目は両眼ともに自動車運転を設定した完全矯正の設定を行った．プリズム作用は右方視 1 cm 時には右レンズおよそ 0.25Δ base in，左レンズ 2.25Δ base out が働き，その差は 2.0Δ base out である．装用テストで複視はないが，両眼での違和感で装用できなかった．2 回目は両眼視時の違和感を緩和するため利き目ではない左眼を 0.5 D の低矯正とし，違和感はなくなった．

▶裸眼での近業時にも違和感はあるが，まず遠見単焦点眼鏡で慣れた後に必要あれば近用眼鏡あるいは遠近累進屈折力レンズを装用するか考えてもらうこととなった．

図 25-9　不同視症例

321, 2010
2) Kitaguchi Y, Bessho K, Yamaguchi T, et al: In vivo measurements of cone photoreceptor spacing in myopic eyes from images obtained by an adaptive optics fundus camera. Jpn J Ophthalmol 51: 456-461, 2007
3) Chui TY, Song H, Burns SA: Individual variations in human cone photoreceptor packing density: variations with refractive error. Invest Ophthalmol Vis Sci 49: 4679-4687, 2008
4) 磯村悠宇子，粟屋 忍：Aniseikonia と両眼融像に関する研究．日眼会誌 34：1619-1628, 1980
5) Crone RA, Leuridan OM: Tolerance for Aniseikonia. I. Diplopia thresholds in the vertical and horizontal meridians of the visual field. Albrecht Von Graefes Arch Klin Exp Ophthalmol 188: 1-16, 1973
6) 山下牧子，佐藤百合子，島村純子，他：不同視弱視における眼軸長と不等像視．日視会誌 13：80-86, 1985

（松本富美子）

## V  乱視への対応

「乱視は，装用テストの結果をもとに，控えめに処方する」という治療方針は1つのフォークロア（古くから伝えられてきた民間伝承）である．視力的に余力のある健常者では有用であり，誰もが患者のクレームを恐れず実践できる．しかし眼科を訪れる患者には，潜在的視力が不良の症例や強度の乱視を示す症例が少なくない．こうした患者に最良の眼鏡矯正を提供するには，円柱レンズによる経線不等像視（meridional aniseikonia）の問題を理解し，光学理論に基づいて処方上の対策を施す必要がある．

なお本項で述べる対策は成人に関するものであり，小児では感覚的な順応力が強いため，乱視は完全矯正できることが多い．また成人であっても，長期間を経てすでに感覚的な順応が成立している場合は，この限りでない．

### 1 経線不等像視と空間感覚の異常

眼鏡レンズは角膜頂点から約12 mm前方に置かれるため，円柱レンズでは像は軸と直角方向に拡大（凸レンズ）または縮小（凹レンズ）される．このような倍率効果は1Dに対して約1.25%と小さいが，円柱レンズの度数や軸が左右眼で異なるとき，経線不等像視による両眼（剪断性）視差が生じ，空間感覚に異常をきたす．その結果，眼鏡装用感は低下する．

空間感覚の異常には2種類あり，両者はしばしば混在してみられる[1]．第一は水平方向の経線不等像視（図 25-10）によるもので，図形が両眼視されると像の右半分と左半分で逆方向に視差が生じ，図形は全体として，固視点を通る垂直線を軸として奥行き方向に傾斜して知覚される（回転ドア感覚）．感覚異常の程度は，円柱レンズの度数と視距離に応じて変化する．

第二は，斜め方向の経線不等像視によるもので，軸が斜めにあり左右眼で交差する場合にみられる（図 25-11）．両眼視すると像の上半分と下半分で逆方向に視差が生ずるため，像は固視点を通る水平線を軸として奥行き方向に傾斜して知覚される（スラント感覚）．感覚異常の程度は，円柱レンズの度数や視距離に応じて変化する．

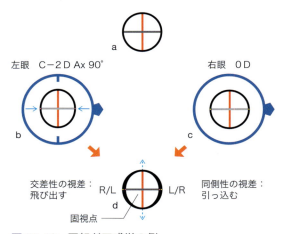

図 25-10  回転ドア感覚の例
前額平面に置かれた図形(a)は，それぞれのレンズを通して見ることにより水平方向に不等像視をきたし(b, c)，両眼視によって生じた視差(d)により，固視点を通る垂直線(破線)を軸として奥行き方向に傾斜して見える．図形(b, c)はステレオグラムになっている．

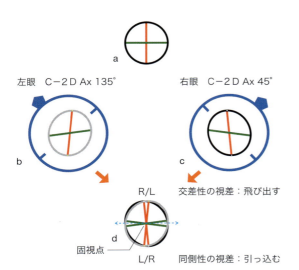

図25-11 スラント感覚の例
前額平面に置かれた図形(a)は，それぞれのレンズを通して見ることにより斜め方向に傾斜し(b, c)，両眼視によって生じた視差(d)により，固視点を通る水平線(破線)を軸として奥行き方向に傾斜して見える．

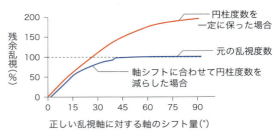
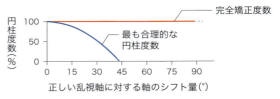

図25-12 円柱レンズの軸シフト量と残余乱視の関係
15°の軸シフトで残余乱視は50％まで，30°の軸シフトでは元の乱視度数まで増大する(赤線)．軸シフトに合わせて円柱度数を減らすと，残余乱視の増大を若干緩和できる(青線)．

## 2 空間感覚の異常に対する感覚的順応

「回転ドア感覚」には，感覚的順応が働くことが実験的に証明されており[2]，完全矯正できることが多い．ただし順応には約1週間を要するため，処方時の説明が欠かせない(数十分間の装用テストでは，順応を評価するには短すぎる)．またパートタイムの装用では順応が遅れるため，なるべく眼鏡を常用することを勧めるべきであろう．

最も注意すべきは「スラント感覚」つまり乱視の軸が斜めにあり左右眼で交差する場合である．このタイプの空間感覚の異常には感覚的順応があまり期待できず，眼精疲労が持続することが多い．次に示す処方上の対策[1]を考慮する．ただし強い乱視であっても経線不等像視が生じない場合(例：R：C-3.00 D Ax 30°，L：C-3.00 D Ax 30°や片眼失明など)，乱視は完全矯正できる．

## 3 装用感を改善させる対策

(1) 円柱レンズの度数を下げる．倍率効果は軽減し，空間感覚の異常は改善する．下げた円柱度数の50％を球面度数に加え，等価球面度数を一定に保つとよい．

(2) 円柱レンズの軸を180°または90°方向(近い方向に)にシフトさせる．水平方向の視差は軽減し，空間感覚の異常は改善する．

※対策(1)(2)とも残余乱視が増加するため，眼鏡視力が犠牲になる．装用感と眼鏡視力のトレードオフ関係を念頭に置き(患者に説明しながら)，症例ごとに加減する必要がある．対策(2)では，軸シフトに伴って残余乱視が急増することに注意する(図25-12)．軸シフトは15°以内に止め，なお装用感に問題が残るときは対策(1)を考慮すべきである．

(3) 頂点間距離が，睫毛がレンズに接触しない程度に，短くなるよう，眼鏡店にフレーム調整を依頼する．頂点間距離が短いほど，倍率効果は軽減し，空間感覚の異常が改善する．究極はコンタクトレンズ矯正である．

▶文献
1) Guyton DL: Prescribing cylinders: the problem of distortion. Surv Ophthalmol 22: 177-188, 1977
2) Adams WJ, Banks MS, van Ee R: Adaptation to three-dimensional distortions in human vision. Nat Neurosci 4: 1063-1064, 2001

(長谷部　聡)

# 第26章
# プリズム眼鏡

　プリズムの断面を図26-1に示す．プリズムの断面は三角形であり，尖っている部分を頂角，底辺を基底とよぶ．プリズムは入射してくる光を基底方向に屈折させる．プリズムの度数は，プリズムジオプター，PD，Δで表わす．1 PDは1 m離れた物体を1 cm偏位させる（第2章「プリズム」項参照，⇒19頁）．

　屈折矯正を行う眼鏡レンズとプリズムレンズを組み合わせることで，眼に対する入射光の方向をコントロールし，光学的に複視や眼精疲労などの眼症状を改善するものがプリズム眼鏡である．しかし，プリズムは光を屈折させると同時に，色収差と歪みを生じさせ装用感を低下させる．どの程度のプリズム度数まで違和感を生じないかは個人差が大きい．

　プリズム眼鏡の検査では，屈折異常を矯正する最適な眼鏡処方検査を行うことが前提となる．さらに眼位，頭位，眼振，両眼視機能などの状態について，様々な検査で評価し，症状の改善に必要となるプリズム量について検査と試用（装用）を繰り返し，装用可能なプリズム眼鏡処方度数の決定を慎重に行う．

## A. 適応

　大多数の人がある程度の斜位を有しているが，この潜伏している眼位ずれに対して，必ずプリズムを入れる必要があるわけではない．プリズムを通して見ることはデメリットも多いため，眼鏡にプリズムを入れる適応についてよく考える必要がある．

　複視や眼精疲労などの自覚症状を訴える場合でも，その症例が正常の両眼視機能，正常の網膜対応をもっていなければプリズムを入れることは禁忌である．両眼視機能に異常がある症例（ARC，微小斜視，大まかな両眼視機能など）にプリズムを組み込むとbuild up（eat up）が生じる可能性が高い．プリズムを眼鏡に入れる前に両眼視機能の異常を除外する必要がある．

### 1 複視（急性斜視，麻痺性斜視，開散麻痺，輻湊不全など）
diplopia（acute strabismus, paralytic strabismus, divergence palsy, convergence insufficiency）

　後天的な眼球運動障害の発症，もしくは元来両眼視機能が良好であった者が加齢などにより，潜在している眼位ずれが増え，融像が破綻し眼位ずれが顕性化して複視を生じている場合には，プリズムによって眼位ずれの程度を小さくして融像可能に持ち込み，複視を軽減できるようにする[1]．

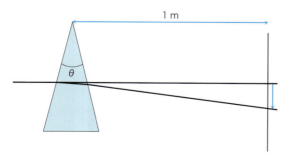

図26-1　プリズムの断面
頂角と基底，1 m先での偏位を表す

### a. 麻痺性斜視

見る方向や距離により眼位ずれの程度が異なるため, すべての視方向の複視を消失させることはできない. 通常は優先すべき距離における正面からやや下方視の複視を軽減するプリズムを選択する. 複視を消失させるために頭位異常が生じている場合, 斜視の角度をプリズムで中和することで頭位異常を軽減する. 特定の視方向のみに複視が生じる場合はその方向を見たときのみに複視が出現しないよう, 一眼の眼鏡レンズの限局したエリアに膜プリズムを貼付することもできる. 融像させることが困難な場合は, 遮閉膜を貼り, 複視, 混乱視を消失させることも検討する.

### b. 斜視角が大きい場合

膜プリズムを用いる. 膜プリズムは眼鏡レンズに貼付するため, 斜視角が変動したときに眼鏡は変えず, プリズムのみを変更できる利点がある. 収差によって視力が低下するため許容できる範囲に個人差がある(本章「視力への影響」項参照, ⇒334頁).

### c. 上下斜視

上下偏位をプリズムで中和することは可能である. 上下斜視は回旋偏位を伴うことが多いが, プリズムでは回旋は矯正できない.

## 2 眼精疲労(斜位, 間欠性斜視)
asthenopia (heterophoria, intermittent strabismus)

眼精疲労を訴えている場合, ほかの光学的, 病的な原因が除外されてからでなければ"斜位"のためとしてはならない. 光学的に適正な眼鏡処方のみで解決することも少なくない. 眼位ずれを潜伏化させ良好な眼位を維持し続けるために眼精疲労を生じている場合, 斜位の角度の一部をプリズムで中和して減少させ疲労を軽減することもあるが, プリズムによる違和感を敏感に感じる症例ではわずかなプリズム度数でも違和感を生じること

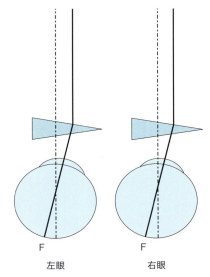

図 26-2 頭位異常に対するバージョンプリズム

もあるため装用検査は時間をかけて慎重に行う.

## 3 眼振
nystagmus

プリズムを用いて眼振を抑制する方法. 強いプリズム度数が必要な場合は Fresnel 膜プリズムを用いることになるが, 強度になるに従ってプリズムを通した視力やコントラスト感度を低下させ, 収差も大きくなり, 実際には処方が難しいこともある[2].

### a. 眼振の静止位を正面にもってくる バージョンプリズム(図 26-2)

例えば, 左方視で眼振が静止するため, 顔を右に face turn している場合, 両眼のプリズムの基底を, 頭の回転している方向である右方向, すなわち 180° 方向に揃え, プリズム度数を変化させて頭位が正面付近にくるものを装用させる.

### b. 輻湊を誘発させる バージェンスプリズム(図 26-3)

輻湊により眼振が抑制できる場合, プリズムを基底外方に装用させ, 輻湊を誘発し, 眼振を減少させる最小のプリズムを求めて装用させる.

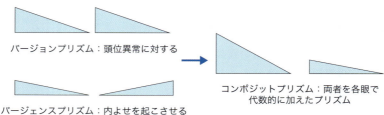

図 26-4　コンポジットプリズム

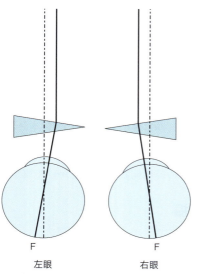

図 26-3　輻湊を起こさせるバージェンスプリズム

### c. 頭位を改善させるコンポジットプリズム

バージョンプリズムを装用しても眼振や頭位異常が残るもので，さらに輻湊を負荷させるほうが頭位，眼振ともに改善できる場合，バージョンプリズムとバージェンスプリズムを組み合わせたコンポジットプリズム（図26-4）を装用させる[3]．

## 4 部分調節性内斜視，斜視手術の術後の残余角の中和

partially accommodative esotropia

アトロピン硫酸塩点眼による屈折検査の後，完全矯正眼鏡を装用しても残余する斜視角がある場合に，プリズムで中和して両眼視機能の改善を図る（第23章「調節性内斜視」項参照，⇒294頁）．

また，大角度の斜視に対して手術加療を行ったあと，残余角を中和し，融像可能とするために装用させることもある．経過に伴い残余角が変化する場合，プリズム量も変化させる．

## 5 その他

部分的に膜プリズムを貼ることで，同名半盲などの視野欠損部分の視認を助ける効果がある（第27章「視野異常」項参照，⇒363頁）．

## B. 検査

プリズム眼鏡処方検査の目標は，複視，眼精疲労，眼振などの症状を改善すること．希望する眼位（第一眼位，下方視など）で両眼単一視を可能とすることである．様々な検査結果から，目標を達成できる最小のプリズム量を探る．その度数を目安として眼鏡度数にプリズムを重ねて装用感を確認していく．

これらの一連の検査を実施していく前提として，臨床で眼位検査（定量）に用いるプラスチック製のプリズムは，最小偏位角がプリズム量として表記されていることと，プリズム装用検査に用いる検眼レンズのガラス製のプリズムレンズは，プレンティスポジションでのプリズム量となっていることを了解しておくことが重要である（図26-5）．小さい角度では影響はそれほどないが，両者が同じ値ではないことは理解しておく．また，プリズムは，入射光の角度により偏位する角度が大きく変化するものである．すなわち，被検者の眼前に置くプリズムの角度の変化で結果も影響を受け，眼位を過大評価，過小評価する可能性があ

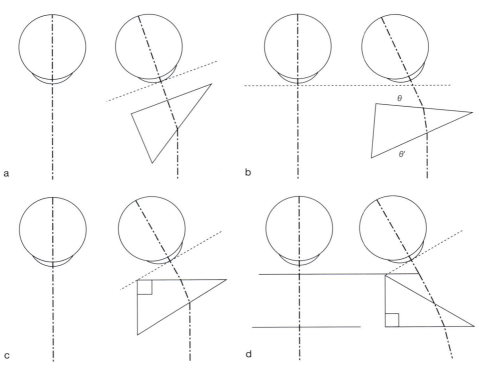

**図 26-6 眼前にプリズムを置く角度**
プリズム計測のための位置
a：Prentice 位置（プレンティスポジション）　b：最小偏位置，$\theta = \theta'$　c：前頭面位置　d：プリズムの前面が前頭面位置
斜視角の測定に用いるプラスチック製のプリズムは b の最小偏位角で ΔD が表記されている．
b と c との差は最小限で大きな誤差は生じないとされている．
a と d は表示プリズムと誤差が大きくなる．
〔Suzanne Véronneau-Troutman（著），不二門 尚，斎藤純子（訳）：プリズムの光学的原理．プリズムと斜視．p3，文光堂，1998，図 1-5 より改変〕

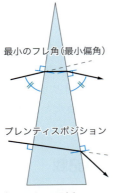

**図 26-5 プリズムによる屈折**
入射角によって射出角も変化する．
表記されているプリズム度数は固定値ではない．

ることを常に意識して定量を行う（図 26-6）．

## 1 眼鏡検査

　目的の距離を明視できる眼鏡とする．単焦点レンズの眼鏡でも累進屈折力レンズ眼鏡でもよいが，遠用部と近用部でプリズム度数を変えられないため，遠方と近方で必要となるプリズム度数が異なる場合は，遠方用と近方用を別々の眼鏡とする必要がある．プリズム眼鏡の装用が初めての場合は違和感を生じにくいため単焦点眼鏡のほうがよい．

## 2 眼位検査（遠方，近方）

　遠方と近方に合わせて矯正し，以下の検査を行う（必要な場合は任意の距離にても行う）．

表 26-1 融像の正常範囲

| 水平 | 開散 4〜6° 輻湊 20〜25° |
|---|---|
| 上下 | 1〜2° |
| 回旋 | 6〜10° |

〔岡 真由美：大型弱視鏡検査．小口芳久，澤 充，大月 洋，他（編）：眼科検査法ハンドブック 第4版．p111，医学書院，2005 より〕

(1) 定性：眼位，眼球運動，頭位，眼振の評価，静止位の確認など．
(2) 定量：同時プリズム遮閉試験(SPCT)，交代プリズム遮閉試験(APCT)，Hess 赤緑検査，大型弱視鏡，ロータリープリズムなど．すべてを行う必要はない．
(3) 複視の確認：視方向による違い，眼位と一致するか，背理性ではないか．

　眼位検査を行っているときに，両眼視機能の異常を疑わせる所見がみられる場合は，正常な両眼視機能で正常な融像力が存在するかの確認を行う．

## 3 プリズム装用検査

(1) プリズムの光学特性の歪みや色収差を小さくするために，共同性の眼位ずれの場合，視力や屈折度数に左右差がないときは，必要なプリズム量を二眼に等しく振り分ける．
(2) 非共同性斜視の場合，視力に左右差がある場合は，非優位眼のみのプリズム組み込みや，左右のバランスを違えた振り分けを検討する．
(3) プリズムで中和できるのは，水平方向，上下方向の複視のみである．回旋性の複視が強い場合は残存することもあるが，融像幅は，表 26-1 のように広いため，水平・上下を合わせて装用するうちに複視が消失する可能性もある．
(4) 表 26-1 からわかるように，上下方向において一番融像幅が少なく，わずかな眼位ずれで複視を生じやすい．そのため，上下偏位がある場合はプリズム矯正が効果的なことがある．
(5) 水平と上下の複合した偏位の場合は斜めのプリズムを用いて1枚に合成して装用する．（本章「プリズムの合成と分解」項参照，⇒ 335 頁）
(6) 検査での定量では，頭位異常に気をつける必要があるが，プリズム装用検査ではごくわずかな chin up や down のような頭位の調整により，少ないプリズム量で単一視が可能となることもあるので，頭位の微調整を試みてもらう．単一視するための頭位異常が大きく必要な場合はプリズムを増やす．
(7) 片眼の弱視を伴い，健眼遮閉訓練を行う必要がある小児に膜プリズムを処方する場合は，健眼にプリズムを多く配分すると遮閉を助ける効果もある．10Δ 前後から視力を低下させる効果があるとされるが，弱視眼よりも低下しているか確認をする．

## C. レンズへの組み込み

　プリズムを眼鏡レンズに組み込める上限は通常片眼で 4〜5Δ である．眼鏡の度数にもよるが，特注すると 10Δ 程度まで組み込みが可能なこともある．しかしながら，基底方向がかなり厚くなり，鼻側に基底がくる場合はレンズのエッジが顔に当たり危険なこともある．またレンズの重量が増し装用に伴う負担が大きくなる．できあがったプリズム眼鏡を装用した際に，瞼裂自体の位置が頂角の方向にずれて他人から見えるため，顔貌に影響が出ることもデメリットである．片眼 4〜5Δ を超える矯正が必要なときには Fresnel 膜プリズムを用いることになる．

### 1 処方箋への記載

　眼鏡にプリズムを組み込む場合は，プリズム度数と基底方向を処方箋に記載する．基底方向は，水平であれば base in(BI)，base out(BO)，上下であれば base up(BU)，base down(BD)と表わすこともできるが(図 26-7)，360°での基底方向の向きを併記するほうが望ましい．斜め方向の場

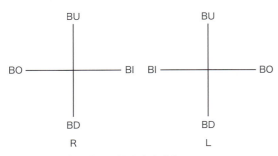

図 26-7　プリズムの基底方向(1)

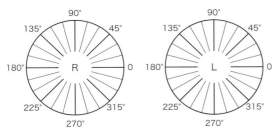

図 26-8　プリズムの基底方向(2)

合は 360°で基底が何度になるのか数値で記載する（図 26-8）．

## 2 Prentice の式

　眼鏡レンズが単焦点レンズでレンズの設計が「球面レンズ」の場合，Prentice の式を用いて任意のプリズム作用を偏心によって作ることができる[4]．

　眼鏡レンズが強度であればわずかな偏心でプリズム効果が得られるが，弱い度数では偏心によるプリズム効果はほとんど期待できない．

　眼鏡レンズの偏心を行うとプリズムを組み込むのと同様に基底となる方向に厚みを生じるため，フレームに収まらずできあがりの見た目を損なうこともある．鼻側や下方に厚みが出る基底の場合，レンズの尖ったエッジを加工しないと顔を傷つけることもあるので注意する．

　また，近年，レンズの周辺の歪みを軽減したり，厚みを薄くするために非球面設計の単焦点眼鏡レンズが増えているが，この設計のレンズでは偏心により計算通りの効果を得ることはできないことも注意する．

## 3 累進屈折力レンズへの組み込み

　累進屈折力レンズは，遠用と近用に別々のプリズム度数を組み込むことはできない．

　累進屈折力レンズは，遠近，中近，近近と明視できる視距離がデザインにより異なり，また，レンズの周囲に度数を変化させるため歪みを生じる．歪み（非点収差）は加入度により広さも強さも異なり，視線の使い方に慣れないと距離に合わせた明視が難しく，レンズ周辺の違和感に慣れることも困難な場合がある．初めて累進屈折力レンズを装用する症例に，プリズムの組み込みを行い，できあがった眼鏡に違和感を訴えた場合，違和感の原因がわかりにくく対応に苦慮することとなる．何年も累進屈折力レンズ眼鏡を装用しており，加入度の変化がない場合は，プリズムの組み込みを行っても差し支えないことがあるが，加入度を強くする場合，フレームごと全く新しく作製する場合には慎重に行う．

　累進屈折力レンズは様々なデザイン（レイアウト）となっており，プリズム測定位置もレンズにより異なる．プリズム測定位置は度数測定位置やアイポイントと一致しないことが多い．

　累進屈折力レンズは，レンズの厚みを薄くするために両眼同方向にプリズムを付加するプリズムシニング（prism thinning）がされている．付加されるプリズム量はメーカーやレンズの種類，遠用度数の大小により異なる．プラス度数では全体に base down 効果，マイナス度数では全体に base up 効果が発生する（図 26-9）．このため，累進屈折力レンズの上下プリズムは，プリズム測定位置における左右の差をとる．

## D. Fresnel 膜プリズム

　素材は軟質で透明なポリ塩化ビニル（polyvinyl chloride：PVC）である．プリズム度数は，1〜10, 12, 15, 20, 25, 30, 40Δ がある．最も強いものでも，厚みは 2 mm 以下である．小さな均一の高さのプリズムを並置することで，厚み

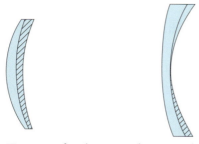

図 26-9　プリズムシニングのイメージ
厚みを減らすために斜線部分をカットしている．

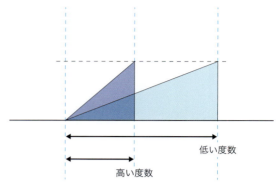

低い度数
高い度数

図 26-10　Fresnel膜プリズムの度数のつけ方

のあるプリズムと同じ偏位度数をもつことができる．プリズム度数を変化させるために幅を変えており，そのためプリズムが強くなるに従い溝の幅が狭くなる（図 26-10）．

眼鏡レンズに組み込めない強いプリズム度数も眼鏡レンズに貼りつけて使用できる．また，斜視角の変化や動揺が予想される症例，レンズに組み込む前の試用にも用いることができる．

## 1 素材の劣化

眼鏡レンズに貼って使用していると，紫外線により，PVC の分子から塩素が外れ，構造が壊れて透明性が損なわれ黄色く変化（黄変）してくる．この着色により視力を減退させるため，6 か月〜1 年ごとに膜を新しく取り替える必要がある[5]．

## 2 視力への影響

素材の劣化だけでなく，新品でも 12Δ より強いプリズムになると分散による光量の減少（収差の増加），視力の低下を生じる．そのため，複視が矯正されても，収差の増加による視力の低下のため膜プリズムの使用に耐えられないこともある．

膜プリズムの素材の PVC の屈折率は 1.525 である．近似した屈折率の眼鏡レンズに貼りつけると内部反射や色収差はそれほど変化しないが，高屈折率の眼鏡レンズ（1.6〜1.7）につけた場合は，色収差が大きくなる．

プリズムによる偏位量は，水平に入射した光線を基準としているが，実際にプリズムに入ってくる光線の方向は様々である．またカーブした眼鏡レンズの裏面に貼るため，膜プリズムを通過した光は収差が増加する．眼鏡レンズのカーブもフレームのデザインで様々あるが，プリズムを貼る眼鏡レンズは，周辺のカーブの小さいものを選ぶほうが収差を小さくできる．

## 3 取り扱い

Fresnel 膜プリズムは，直径約 6.5 cm の円形の製品を患者の眼鏡レンズの形に切り，レンズの裏面に貼って用いる．レンズの形をトレースして切って貼ることもできなくはないが，わずかでも基底方向がずれてしまうと，予定していないプリズム効果が生じてしまう．そのため，眼鏡処方箋にプリズムのパワーと基底を記入し，Fresnel 膜プリズムであることを備考欄に記載して，加工に慣れている眼鏡店に貼付を依頼するほうがよい．

- 貼り方：眼鏡レンズに接する平らな面を少量の水で濡らして空気を完全に押し出すように眼鏡レンズに押しつけると，挟まれた水が PVC に吸収され，しっかりとレンズに吸着する．糊でつけているわけではないので，端を持ち上げると膜は容易に剝がれるが，普通の取り扱いでは剝がれない．
- 洗い方（洗浄の仕方）：ガラスやアクリルよりも PVC は汚れやほこりがつきやすい．PVC はアルコールやアセトンを含む洗剤により損なわれるおそれがあるので，洗浄は少量の中性洗剤を溶かしたぬるま湯の中でこすらずすすぐよう

表 26-2　1〜30Δのプリズムを組み合わせたときの度数[°]の換算表

| | 水平プリズム値（Δ） | | | | | | | | | | | | | | | | | | | | | | | | | | | | | |
|---|---|---|---|---|---|---|---|---|---|---|---|---|---|---|---|---|---|---|---|---|---|---|---|---|---|---|---|---|---|---|
| 垂直プリズム値（Δ） | 1 | 2 | 3 | 4 | 5 | 6 | 7 | 8 | 9 | 10 | 11 | 12 | 13 | 14 | 15 | 16 | 17 | 18 | 19 | 20 | 21 | 22 | 23 | 24 | 25 | 26 | 27 | 28 | 29 | 30 |
| 1 | 1 | 2 | 3 | 4 | 5 | 6 | 7 | 8 | 9 | 10 | 11 | 12 | 13 | 14 | 15 | 16 | 17 | 18 | 19 | 20 | 21 | 22 | 23 | 24 | 25 | 26 | 27 | 28 | 29 | 30 |
| 2 | 2 | 3 | 4 | 4 | 5 | 6 | 7 | 8 | 9 | 10 | 11 | 12 | 13 | 14 | 15 | 16 | 17 | 18 | 19 | 20 | 21 | 22 | 23 | 24 | 25 | 26 | 27 | 28 | 29 | 30 |
| 3 | 3 | 4 | 4 | 5 | 6 | 7 | 8 | 9 | 9 | 10 | 11 | 12 | 13 | 14 | 15 | 16 | 17 | 18 | 19 | 20 | 21 | 22 | 23 | 24 | 25 | 26 | 27 | 28 | 29 | 30 |
| 4 | 4 | 4 | 5 | 6 | 6 | 7 | 8 | 9 | 10 | 11 | 12 | 13 | 14 | 14 | 15 | 16 | 17 | 18 | 19 | 20 | 21 | 22 | 23 | 24 | 25 | 26 | 27 | 28 | 29 | 30 |
| 5 | 5 | 5 | 6 | 6 | 7 | 8 | 9 | 9 | 10 | 11 | 12 | 13 | 14 | 15 | 16 | 17 | 18 | 19 | 20 | 21 | 22 | 23 | 24 | 25 | 25 | 26 | 27 | 28 | 29 | 30 |
| 6 | 6 | 6 | 7 | 7 | 8 | 8 | 9 | 10 | 11 | 12 | 13 | 14 | 14 | 15 | 16 | 17 | 18 | 19 | 20 | 21 | 22 | 23 | 24 | 25 | 26 | 26 | 27 | 28 | 29 | 30 | 31 |

Note: Due to the dense numerical data, the full table continues with rows 7–30 following the same pattern as shown in the source image.

(Moore S, Stockbridge L: Fresnel prisms in the management of combined horizontal and vertical strabismus. Am Orthop J 22: 14-21, 1972 より)

に洗い，その後乾燥させる．

## E. プリズムの合成と分解

プリズムは数学で学んだベクトルと同じく向きと大きさがある．力の大きさは x 軸（水平）と y 軸（上下），向きは角度によって表わす．プリズム遮閉試験を行って水平の眼位ずれと，垂直のずれを測定した場合は，換算表（表 26-2，3）を参照して 1 つの角度をもったプリズムに合成することができる（図 26-11）．角度 $\theta$ は三角関数の計算で求めることも可能であるが，表 26-3 を参照する

## 表 26-3　1〜30Δのプリズムを組み合わせたときの**角度**[°]の換算表

| 垂直プリズム値(Δ) \ 水平プリズム値(Δ) | 1 | 2 | 3 | 4 | 5 | 6 | 7 | 8 | 9 | 10 | 11 | 12 | 13 | 14 | 15 | 16 | 17 | 18 | 19 | 20 | 21 | 22 | 23 | 24 | 25 | 26 | 27 | 28 | 29 | 30 |
|---|---|---|---|---|---|---|---|---|---|---|---|---|---|---|---|---|---|---|---|---|---|---|---|---|---|---|---|---|---|---|
| 1 | 45 | 27 | 18 | 14 | 11 | 9 | 8 | 7 | 6 | 6 | 5 | 5 | 4 | 4 | 4 | 4 | 3 | 3 | 3 | 3 | 3 | 2 | 2 | 2 | 2 | 2 | 2 | 2 | 2 | 2 |
| 2 | 63 | 45 | 34 | 27 | 22 | 18 | 16 | 14 | 13 | 11 | 10 | 9 | 9 | 8 | 8 | 7 | 7 | 6 | 6 | 6 | 5 | 5 | 5 | 5 | 5 | 4 | 4 | 4 | 4 | 4 |
| 3 | 72 | 56 | 45 | 37 | 31 | 27 | 23 | 21 | 18 | 17 | 15 | 14 | 13 | 12 | 11 | 11 | 10 | 9 | 9 | 9 | 8 | 8 | 7 | 7 | 7 | 6 | 6 | 6 | 6 | 6 |
| 4 | 76 | 63 | 53 | 45 | 29 | 34 | 30 | 27 | 24 | 22 | 20 | 18 | 17 | 16 | 15 | 14 | 13 | 13 | 12 | 11 | 11 | 10 | 10 | 9 | 9 | 9 | 8 | 8 | 8 | 8 |
| 5 | 79 | 68 | 59 | 51 | 45 | 40 | 36 | 32 | 29 | 27 | 24 | 23 | 21 | 20 | 18 | 17 | 16 | 15 | 14 | 13 | 13 | 12 | 12 | 11 | 11 | 10 | 10 | 10 | 10 | 9 |
| 6 | 81 | 72 | 63 | 56 | 50 | 45 | 41 | 37 | 34 | 31 | 29 | 27 | 25 | 23 | 22 | 21 | 19 | 18 | 17 | 16 | 15 | 15 | 14 | 13 | 13 | 13 | 12 | 12 | 11 |
| 7 | 82 | 74 | 67 | 60 | 54 | 49 | 45 | 41 | 38 | 35 | 32 | 30 | 28 | 27 | 25 | 24 | 22 | 21 | 20 | 19 | 18 | 18 | 17 | 16 | 16 | 15 | 15 | 14 | 14 | 13 |
| 8 | 83 | 76 | 69 | 63 | 58 | 53 | 49 | 45 | 42 | 39 | 36 | 34 | 32 | 30 | 28 | 27 | 25 | 24 | 23 | 22 | 21 | 20 | 19 | 18 | 18 | 17 | 17 | 16 | 15 | 15 |
| 9 | 84 | 77 | 72 | 66 | 61 | 56 | 52 | 48 | 45 | 42 | 39 | 37 | 35 | 33 | 31 | 29 | 28 | 27 | 25 | 24 | 23 | 22 | 21 | 21 | 20 | 19 | 18 | 18 | 17 | 17 |
| 10 | 84 | 29 | 73 | 68 | 63 | 59 | 55 | 51 | 48 | 45 | 42 | 40 | 38 | 36 | 34 | 32 | 30 | 29 | 28 | 27 | 25 | 24 | 24 | 23 | 22 | 21 | 20 | 20 | 19 | 18 |
| 11 | 85 | 80 | 75 | 70 | 66 | 61 | 58 | 54 | 51 | 48 | 45 | 43 | 40 | 38 | 36 | 35 | 33 | 31 | 30 | 29 | 28 | 27 | 26 | 25 | 24 | 23 | 22 | 21 | 21 | 20 |
| 12 | 85 | 81 | 76 | 72 | 67 | 63 | 60 | 56 | 53 | 50 | 47 | 45 | 43 | 41 | 39 | 37 | 35 | 34 | 32 | 31 | 30 | 29 | 28 | 27 | 26 | 25 | 24 | 23 | 22 | 22 |
| 13 | 86 | 81 | 77 | 73 | 69 | 65 | 62 | 58 | 55 | 52 | 50 | 47 | 45 | 43 | 41 | 39 | 37 | 36 | 34 | 33 | 32 | 31 | 29 | 28 | 27 | 27 | 26 | 25 | 24 | 23 |
| 14 | 86 | 82 | 78 | 74 | 70 | 67 | 63 | 60 | 57 | 54 | 52 | 49 | 47 | 45 | 43 | 41 | 39 | 38 | 36 | 35 | 34 | 32 | 31 | 30 | 29 | 28 | 27 | 26 | 25 |
| 15 | 86 | 82 | 79 | 75 | 72 | 68 | 65 | 62 | 59 | 56 | 54 | 51 | 49 | 47 | 45 | 43 | 41 | 40 | 38 | 37 | 36 | 34 | 33 | 32 | 31 | 30 | 29 | 28 | 27 | 27 |
| 16 | 86 | 83 | 79 | 76 | 73 | 69 | 66 | 63 | 61 | 58 | 55 | 53 | 51 | 49 | 47 | 45 | 43 | 42 | 40 | 39 | 38 | 36 | 35 | 34 | 33 | 32 | 31 | 30 | 29 | 28 |
| 17 | 87 | 83 | 80 | 77 | 74 | 71 | 68 | 65 | 62 | 60 | 57 | 55 | 53 | 51 | 49 | 47 | 45 | 43 | 42 | 40 | 39 | 38 | 36 | 35 | 34 | 33 | 32 | 31 | 30 | 30 |
| 18 | 87 | 84 | 81 | 77 | 74 | 72 | 69 | 66 | 63 | 61 | 59 | 56 | 54 | 52 | 50 | 48 | 47 | 45 | 43 | 42 | 41 | 39 | 38 | 37 | 36 | 35 | 34 | 33 | 32 | 31 |
| 19 | 87 | 84 | 81 | 78 | 75 | 72 | 70 | 67 | 65 | 62 | 60 | 58 | 56 | 54 | 52 | 50 | 48 | 47 | 45 | 44 | 42 | 41 | 40 | 38 | 37 | 36 | 35 | 34 | 33 | 32 |
| 20 | 87 | 84 | 31 | 79 | 76 | 73 | 71 | 68 | 66 | 63 | 61 | 59 | 57 | 55 | 53 | 51 | 50 | 48 | 46 | 45 | 44 | 42 | 41 | 40 | 39 | 38 | 37 | 36 | 36 | 34 |
| 21 | 87 | 85 | 82 | 79 | 77 | 74 | 72 | 69 | 67 | 65 | 62 | 60 | 58 | 56 | 54 | 53 | 51 | 49 | 48 | 46 | 45 | 44 | 42 | 41 | 40 | 39 | 38 | 37 | 36 | 35 |
| 22 | 87 | 85 | 82 | 80 | 77 | 75 | 72 | 70 | 68 | 66 | 63 | 61 | 59 | 58 | 56 | 54 | 52 | 51 | 49 | 48 | 46 | 45 | 44 | 43 | 41 | 40 | 39 | 38 | 37 | 36 |
| 23 | 88 | 85 | 83 | 80 | 78 | 75 | 73 | 71 | 69 | 67 | 64 | 62 | 61 | 59 | 57 | 55 | 54 | 52 | 50 | 49 | 48 | 46 | 45 | 44 | 43 | 41 | 40 | 39 | 38 | 37 |
| 24 | 88 | 85 | 83 | 81 | 78 | 76 | 74 | 72 | 69 | 67 | 65 | 63 | 62 | 60 | 58 | 56 | 55 | 53 | 52 | 50 | 49 | 47 | 46 | 45 | 44 | 43 | 42 | 41 | 50 | 39 |
| 25 | 88 | 85 | 83 | 81 | 79 | 77 | 74 | 72 | 70 | 68 | 66 | 64 | 63 | 61 | 59 | 57 | 56 | 54 | 53 | 51 | 50 | 49 | 47 | 46 | 45 | 44 | 43 | 42 | 41 | 40 |
| 26 | 88 | 86 | 83 | 81 | 79 | 77 | 75 | 73 | 71 | 69 | 67 | 65 | 63 | 62 | 60 | 58 | 57 | 55 | 54 | 52 | 51 | 50 | 49 | 47 | 46 | 45 | 44 | 43 | 42 | 41 |
| 27 | 88 | 86 | 84 | 82 | 80 | 77 | 75 | 74 | 72 | 70 | 68 | 66 | 64 | 63 | 61 | 59 | 58 | 56 | 55 | 53 | 52 | 51 | 50 | 48 | 47 | 46 | 45 | 44 | 43 | 42 |
| 28 | 88 | 86 | 84 | 82 | 80 | 78 | 76 | 74 | 72 | 70 | 69 | 67 | 65 | 63 | 62 | 60 | 59 | 57 | 56 | 54 | 53 | 52 | 51 | 49 | 48 | 47 | 46 | 45 | 44 | 43 |
| 29 | 88 | 86 | 84 | 82 | 80 | 78 | 76 | 75 | 73 | 71 | 69 | 68 | 66 | 64 | 63 | 61 | 60 | 58 | 57 | 55 | 54 | 53 | 52 | 50 | 49 | 48 | 47 | 46 | 45 | 44 |
| 30 | 88 | 86 | 84 | 82 | 81 | 79 | 77 | 75 | 73 | 72 | 70 | 68 | 67 | 65 | 63 | 62 | 60 | 59 | 58 | 56 | 55 | 54 | 53 | 51 | 50 | 49 | 48 | 47 | 46 | 45 |

(Moore S, Stockbridge L: Fresnel prisms in the management of combined horizontal and vertical strabismus. Am Orthop J 22: 14-21, 1972 より)

ほうが簡便である．

　レンズメータを行い，基底が斜め方向となるプリズムが組み込まれていることがわかったときは，図26-12を見て，水平成分と垂直成分に分解することも可能である．その値に垂直成分のみを足したり，水平方向だけを増やした場合のプリズムの強さや角度を知ることもできる．

　プリズムを換算する表にはいくつかの種類があるので，特徴を理解し，使いやすいものを用いるとよい．

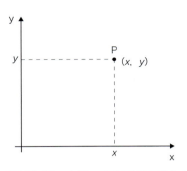
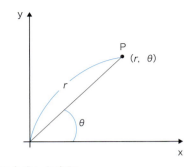

図 26-11　水平, 垂直での表記と1枚に合成した表記

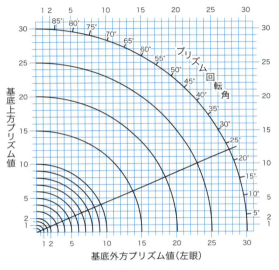

図 26-12　プリズムを換算するための図

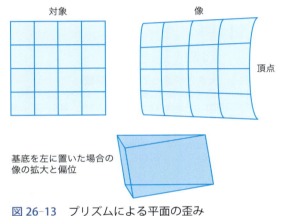

図 26-13　プリズムによる平面の歪み
頂点に向かって円形に伸長された形で像は広がっていく．
〔Suzanne Véronneau-Troutman (著), 不二門 尚, 斎藤純子 (訳)：プリズムの光学的原理. プリズムと斜視. p22, 文光堂, 1998 より改変〕

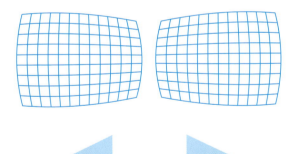

図 26-14　両眼に base in に入れて融像した場合

## F. 融像野両眼単一視

眼鏡レンズにプリズムを組み込み, 両眼でプリズムの入ったレンズを通した視像を融像してみると, 膨らむように歪んで見えたり, 大きさが違って見えたりする違和感が生じることがある.

### 1 歪んで見える原理

単眼でプリズムレンズを通して見ると図 26-13 のように基底側で収束し, 頂角側で開散するように像の歪みが生じる. この歪みの程度は入射する角度(プリズムの眼前での置き方, 眼の動き), プリズムの強さ, 眼からの距離により変化する. さらに両眼でこの歪んだ像を融像することによって空間が歪んで脳に認識される. 図 26-14 に両眼に基底内方の処方をした場合のイメージを示す. 眼精疲労を訴える外斜位症例に対して基底内方のプリズム処方を行った場合, パソコンの画面などが膨らんだように見えるのはこのためである.

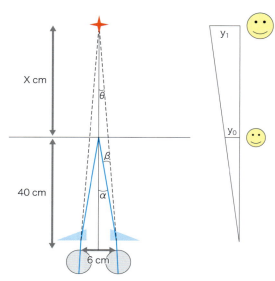

**図 26-15　大きさが違って見える原理**
PD＝60mmの正視の被検者に装用した場合の中枢の拡大効果
（大きさの恒常性：網膜像の大きさが同じでも，遠くにある像は大きく見える）
プリズム効果　1.5 △ base in
（上記は遠見時の値なので，近見時には本来補正がいるが，プリズム値が小さいので，この値を採用しても大きな違いはない．）
$\tan\theta = 3/(x+40)$
$\tan\alpha = 3/40 = 0.075$
$\alpha = \arctan(0.075) = 4.30°$
$\beta = 1.5\,\Delta = 0.86°$
$\theta = \alpha - \beta = 3.44°$
$\tan\theta = 0.060$
$x = (3/\tan\theta) - 40$ より，$x = 10$ cm
$y_1/y_0 = (40+x)/40 = 50/40 = 1.25$
中枢の拡大率 25%
（原図，計算式：不二門 尚先生）

## 2 大きさが違って見える原理（大きさの恒常性）

　base in プリズムを装用すると，視線は装用する前より開散する．これにより，脳は見ている対象物が遠方にあると認識する．しかし，網膜に映る像のサイズには変化がない．この「遠方にあるのに，像の大きさが変わらない」ということから脳は「対象が大きい」と感じる（図 26-15）．この反対に，プリズムを base out に装用したときには両眼に寄せが生じ，対象が近方にあると認識するため「小さく見える」と感じる．プリズム装用によりこの感覚が生じるかどうか，また拡大縮小の程度にも個人差があると考えられる．

　プリズムを組み込むことにより空間の歪みや拡大や縮小が生じるかどうか訊ね，生じる場合には，そのように見える原理を説明したうえで装用検査を長く行い，違和感として強く感じる場合はプリズムを弱める．

---

▶文献

1) Suzanne Véronneau-Troutman（著），不二門 尚，斎藤純子（訳）：非共同性の偏位．プリズムと斜視．pp131-148，文光堂，1998
2) Suzanne Véronneau-Troutman（著），不二門 尚，斎藤純子（訳）：眼振．プリズムと斜視．pp119-127，文光堂，1998
3) 広瀬勝子，藤山由紀子，若倉雅登，他：先天眼振（Jerky型）のプリズム治療─EOGによる分析─．眼臨 73：1162-1169, 1979
4) 四宮加容：プリズム眼鏡の処方．あたらしい眼科 32，72-74，2015
5) 松田種光：ポリ塩化ビニルおよびポリエチレンの劣化．高分子 11，455-459，1962

（石井祐子）

# 第27章

# 眼疾患の眼鏡処方検査

## I 角膜疾患

**Point**
- 不正乱視（高次収差）に注意が必要．眼鏡で矯正が可能なのは球面と正乱視（低次収差）のみである．
- オートレフラクトメータ（以下，オートレフ）やケラトメータで正確な他覚的屈折値や角膜乱視が得られない場合，波面収差解析装置や角膜形状解析装置を用いると眼鏡処方に有用な情報を得ることができる．角膜形状解析装置を用いると角膜前後面の屈折力がわかる．波面収差解析装置を用いると眼球全体の屈折の定性・定量解析ができる．
- 角膜屈折力の Fourier 解析によって，眼鏡で矯正可能な正乱視成分と眼鏡で矯正不能な不正乱視成分を分離して定量的に評価ができる．正乱視成分の数値に基づき乱視度数と軸を決定することで，合理的かつ効率的な乱視矯正が可能となる[1]．
- 眼鏡度数の決定において，屈折値の変動や，屈折性不同視による不等像視，視空間の歪みにも配慮する．

### A. 角膜疾患

角膜疾患では，視力低下の原因として，角膜不正乱視（収差）と角膜混濁（散乱）のどちらか，あるいは両方が関与している．そこで，ピンホール板やスリット板を使用すると収差がどれくらい視力に影響しているか推測することができる[1]．

角膜疾患があると，不正乱視を生じやすい．不正乱視は眼鏡では矯正不可能であり，自覚的屈折検査において球面度数や円柱度数，軸の決定を難しくする．高次収差が強い場合の自覚的屈折検査は，乱視表を使う方法よりもクロスシリンダーを用いるほうが簡便で有用である．高次収差が強い場合，乱視表を見ると複数の線が複雑にぼやけて見えるため患者は答えにくいが，クロスシリンダー法は最小錯乱円の大きさを比較する2択であるため答えやすい．

オートレフやケラトメータで他覚的屈折値や角膜乱視が正確に測定できない場合，波面収差解析装置や角膜形状解析装置が有用である．角膜形状解析装置を用いると角膜前後面の屈折力が，波面収差解析装置を用いると眼球全体の屈折の定性・定量解析が可能であり，眼鏡処方に有用な情報を得ることができる[2]．

角膜上皮障害などで屈折値の変動が予想される場合，変化を踏まえつつ患者の納得が得られる度数にする．屈折値や乱視軸の左右差が大きい症例が多いが，屈折性不同視による不等像視や，視空

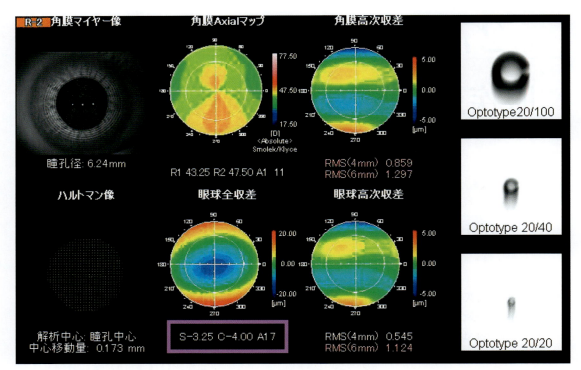

図 27-1　症例 1　右眼の波面収差解析：multi map〔KR-1W（トプコン）〕
左下の眼球全収差のマップに，眼球全体の屈折値を反映した値が示されている．

間の歪みに留意した調整を行う（第 25 章「成人の眼鏡」項参照，⇒318 頁）．

**症例 1**

38 歳　男性，カメラマン，円錐角膜
コンタクトレンズを外したときに使う眼鏡で，遠くがしっかり見える眼鏡を希望．

**オートレフによる屈折値**

両眼とも測定不能

**ケラトメータによる角膜曲率半径**

|  | mm | D | Ax |  | mm | D | Ax |
|---|---|---|---|---|---|---|---|
| R: R1 | 8.05 | 42.00 | 5 | L: R1 | 7.99 | 42.25 | 5 |
| R2 | 7.29 | 46.25 | 95 | R2 | 7.70 | 43.75 | 95 |
| Av | 7.67 | 44.00 |  | Av | 7.85 | 43.00 |  |
| Cyl |  | −4.25 | 5 | Cyl |  | −1.50 | 5 |

**波面収差解析検査による屈折値**（図 27-1）

R：S−3.25 D ○ C−4.00 D Ax 17°
L：S−3.00 D ○ C−1.75 D Ax 3°

**自覚的屈折検査**

RV＝（1.2×S−3.25 D ○ C−3.50 D Ax 10°）
　　＝（1.2×S−2.25 D ○ C−3.00 D Ax 180°）
LV＝（1.5×S−3.00 D ○ C−2.00 D Ax 180°）

**優位眼**　左眼

**処方眼鏡度数**

RV＝（1.2×S−2.25 D ○ C−3.00 D Ax 180°）
LV＝（1.5×S−3.00 D ○ C−2.00 D Ax 180°）

**注意点**

　この症例では，職業上しっかり見える眼鏡を希望されたため完全矯正での処方を行った．円錐角膜では，この症例の右眼のように高次収差の影響により最高視力が得られる屈折値にある程度の幅がある場合が多く，プラス寄りの度数を選択した．

《解説》

　オートレフやケラトメータでの他覚的屈折値が得られなかったため，波面収差解析装置の結果に基づいて矯正を行った症例である．

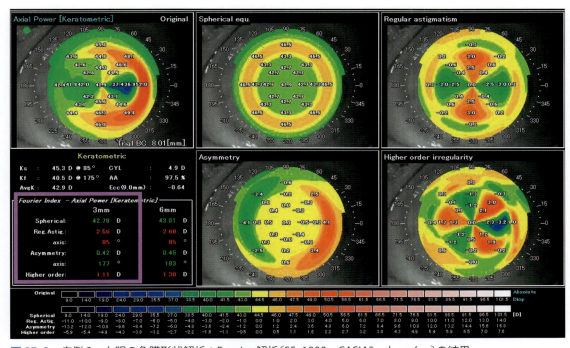

**図 27-2** 症例2 右眼の角膜形状解析:Fourier 解析〔SS-1000　CASIA®　トーメー〕の結果
Fourier 解析によって正乱視成分を分離すると,眼鏡で矯正できる乱視量がわかる.Fourier Index の3 mm の数値を最初の円柱度数と軸として使う.Reg Astig が正乱視成分である.左上の original map では強主経線が「く」の字型に曲線化し不正乱視が含まれていることを示しているが,Regular astigmatism Map は強主経線が直線で,円柱レンズで矯正できる成分のみが表示されている.

ケラトメータは,角膜前面の乱視を測定するため,角膜後面の乱視が強い場合,測定が可能でも乱視の量と軸は正確でない可能性があることを理解しておく必要がある.

Placido 型角膜形状解析検査装置や波面収差解析装置は,涙液層での反射で生じる Meyer 像から角膜前面の角膜曲率半径を測定しているため,涙液層を保ちながら測定するよう留意する[3].

## B. 角膜移植後

角膜移植後は,一般的に不同視や乱視が存在し,様々な要因により角膜不正乱視(高次収差)もある程度伴っている.角膜形状解析装置や波面収差解析装置を用いて Fourier 解析を行うと,眼鏡で矯正可能な正乱視成分と眼鏡で矯正不可能な不正乱視成分を分離して定量的に評価することができる[1,4].自覚的屈折矯正検査において,この正乱視成分の結果を最初に用いることで効率的な乱視度と軸の選択が可能となる.

### 症例2

77歳　男性,両円錐角膜,左全層角膜移植後

**他覚的屈折検査**〈オートレフ値〉
R:S−0.50 D○C−1.25 D Ax 155°
L:S−1.75 D○C−5.50 D Ax 5°

**自覚的屈折検査**

① オートレフ値,ケラトメータの値を参考に施行
RV=(0.5×S−1.50 D○C−2.00 D Ax 160°)
LV=(0.6×S−0.50 D○C−6.00 D Ax 175°)

② 角膜形状解析検査の結果(図27-2)を参考に施行
(施行前)
LV=(0.7×S−0.5 D○C−5.50 D Ax 175°)

Fourier 解析画面の瞳孔径3 mm の数値 Reg Astig の数値「2.56 D」を2倍した数値の近似値を円柱レンズ度数とする.axis の数値「85°」に 90

加えた数値が軸度となる．球面値は自覚的応答により決定する．

（施行後）
LV＝(0.9×S－0.50 D◠C－5.00 D Ax 175°)

クロスシリンダーを使って円柱レンズ軸と度を決定し，球面値を微調整する．

### 処方眼鏡度数
RV＝(0.5×S－1.50 D◠C－2.00 D Ax 160°)
LV＝(0.6×S－1.50 D◠C－3.00 D Ax 175°)
BV＝(0.7 p)

### 注意点
角膜疾患により正乱視と不正乱視が混在する場合，Fourier解析により乱視の成分を定性化・定量化することで眼鏡処方に有用な情報を得ることができる．眼鏡で矯正可能な正乱視成分を抽出することにより，合理的な乱視矯正が可能となり，眼鏡による矯正の限界を知ることができる．症例2では，Fourier解析による乱視度をもとに慎重に矯正した結果，当初の自覚的屈折検査値よりも少ない乱視度数で最高視力が得られた．また，左眼の乱視度数を等価球面値で換算しバランスのよい処方をすることができた．

《解説》
Fourier解析は，各種角膜形状解析装置や波面収差解析装置に搭載されている[5]．視力が低い場合や乱視が強い場合，クロスシリンダーは±1.0も使う．

## C. 屈折矯正手術後

屈折矯正手術後に屈折異常で受診する症例の屈折検査は，不正乱視を伴っていることが多く，正確に検査することが困難である．また，術後の眼鏡装用は，初めから術後の眼鏡装用を想定している場合を除き，低矯正や過矯正による屈折値の補正が要るとき，老視や調節痙攣など調節の問題や眼位異常の顕性化による眼精疲労があるとき，角膜の高次収差や合併症で生じた角膜混濁の散乱によるグレアやハロが強いときなど，想定外の事情による．したがって，これまでの状況を踏まえて患者が納得して掛けられる眼鏡処方を行わなくてはならない．

### 症例 3
**53歳　男性，LASIK術後**
昼間は問題ないが，薄暮時から夜間，見えにくい．

### 他覚的屈折検査
R：S－2.00 D◠C－0.50 D Ax 126°
L：S－1.50 D◠C－0.75 D Ax 138°

### 自覚的屈折検査
RV＝1.2(1.5×S－0.25 D)
LV＝1.0(1.5×S－0.50 D◠C－0.50 D Ax 115°)

### 波面収差解析検査測定 (図27-3)
高次収差(RMS値)瞳孔径 4 mm：0.411，6 mm：1.602

### 優位眼　右眼

### 処方眼鏡度数
R：S－0.25 D
L：S－0.75 D
BV＝(1.5)　　RV≒LV

### 注意点
LASIK後では角膜の屈折力が均一でないため瞳孔領の屈折が散瞳により近視化する．そのため，屈折矯正手術後に視力が良好であるにもかかわらず，見え方の質の低下を訴える場合，合併症がなければ，高次収差が関係していることを疑い，波面収差解析と瞳孔径の測定を行うとよい．

### 症例 4
**32歳　女性，LASIK術後4か月**
術前屈折値は両眼とも－6.00 Dで眼鏡度数は両眼 S－4.50 Dだった．術後パソコン作業をすると眼精疲労が起こる．

### 他覚的屈折検査
R：S－0.50 D◠C－0.75 D Ax 170°
L：S－0.25 D◠C－0.50 D Ax 20°

### 自覚的屈折検査
RV＝1.2(1.5×S＋0.50 D◠C－0.75 D Ax 180°)
LV＝1.2(1.5×S＋0.50 D◠C－0.50 D Ax 30°)

| 角膜疾患 | 343

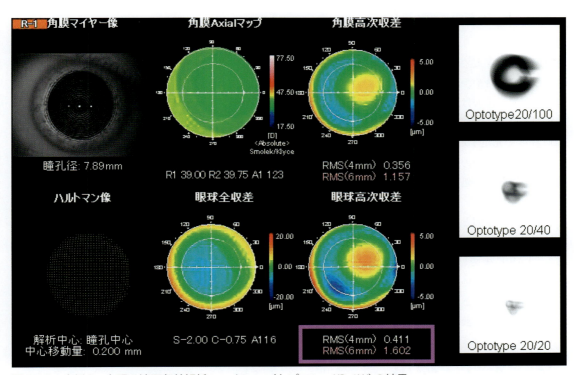

図 27-3 症例 3 右眼の波面収差解析：multi map（トプコン KR-1W）の結果
4 mm 瞳孔径での高次収差（RMS 値）は白文字で正常範囲であるが，6 mm 瞳孔径では赤文字で異常であることがわかる．

NRV＝（0.9×S＋0.50 D ◯ C－0.75 D Ax 180°）
NLV＝（0.9×S＋0.50 D ◯ C－0.50 D Ax 30°）

**眼位**
遠・近ともにわずかに外斜位

**輻湊**
輻湊近点　8 cm

**優位眼** 左眼

**Schirmer テスト**
R：18 mm，L：19 mm

**自覚的調節検査**
R：5.0 D，L：5.0 D

**処方眼鏡度数**
R：S＋1.00 D ◯ C－0.50 D Ax 170°
L：S＋1.00 D ◯ C－0.50 D Ax 20°
NBV＝(1.2)　RV＝LV

**注意点**
　屈折矯正手術後のオートレフによる屈折値は，器械の測定原理上実際より近視側に測定される場合が多い．そのため，自覚的屈折検査を慎重に行うことが大切である．

　症例 3 は，従来型 LASIK 術後によくある夜間近視である．昼の裸眼視力が良好でも夜間は散瞳することによって中央より屈折力が高い部位を光線が通過するため，昼間より近視側の度数で眼鏡処方が必要なことがある．また波面収差解析結果より 4 mm 瞳孔径での高次収差は正常範囲内であるが，6 mm 瞳孔径では収差が増大していることがわかる．このことは，夜間に瞳孔が散大すると周辺部の屈折力が不均一であるためハロやグレアが生じてしまうことを示している．この症例では，夜間の近視化に伴う運転や暗所での見え方の改善を目的として遠用眼鏡を処方した．

　症例 4 のように，術前の眼鏡が低矯正であったこと，また近視を眼鏡で矯正した場合には実際の調節力よりも小さな調節力で明視できることから，術前には調節力をあまり使わずに近方視をしていたと考えられる．しかし，術後に近視が矯正されると近見時に距離相当の調節が必要となり，

若年者であっても眼精疲労を訴えることがある．過矯正で遠視となり，眼精疲労の訴えがあれば遠用眼鏡を処方する．遠用眼鏡を用いても近見視が改善しない場合や，正視や軽度近視で近見視の眼精疲労がある場合は近用眼鏡が必要となることもある．若年者の場合，近用加入度数は＋0.50～1.00程度で充足するという報告がある[6]．この症例は，若干の調節力低下がみられたためパソコン用に作業用眼鏡を処方した．

《解説》

眼精疲労の原因として，過矯正，調節異常，眼位異常，ドライアイ，角膜不正乱視などが挙げられる．LASIK後では三叉神経の切断により涙液分泌が低下しやすいので，ドライアイによる眼精疲労を鑑別することが重要である．器質的な異常がみられなければ機能異常の精査を行う．

▶文献

1) 阿曽沼早苗，前田直之：眼疾患のある症例で注意すべき視力・屈折検査の進め方 1．角膜疾患．所 敬（監），松本富美子，大牟禮和代，仲村永江（編）：理解を深めよう視力検査 屈折検査．pp84-89，金原出版，2009
2) 阿曽沼早苗，髙 静花，前田直之，他：円錐角膜眼における波面センサーによる屈折値測定の有用性の検討．臨眼 72：1729-1736，2018
3) 東浦律子：1 前眼部測定装置の原理と結果の読みかた プラチド角膜形状解析装置．前田直之（編）：眼科診療クオリファイ24 前眼部の画像診断．pp73-77，中山書店，2014
4) 田中仁菜，岡井佳恵，関本紀子，他：角膜不正乱視におけるフーリエ解析を利用した矯正効果の検討．日視会誌 32：181-187，2003
5) 前田直之，大鹿哲郎，不二門 尚（編）：前眼部画像診断 A to Z OCT・角膜形状・波面収差の読み方．メジカルビュー，2016
6) 梶田雅義：屈折矯正術後の眼鏡処方．前田直之，天野史郎（編）：眼科臨床エキスパート 知っておきたい屈折矯正手術．pp293-302，医学書院，2014

（阿曽沼早苗）

# II 水晶体疾患

### Point
- 水晶体は，直径約9mm，厚み約4mmでレンズ豆の形状をしており，光の屈折，調節，有害光の制御などを担っている．
- 解剖学的には水晶体嚢，水晶体上皮細胞，水晶体線維細胞，水晶体皮質，水晶体核で構成される（図27-4に水晶体の全体図を示す）．水晶体嚢と毛様体の間全周に存在するZinn小帯によって支えられる形では眼内で宙吊りになっており，毛様体筋の弛緩と収縮がZinn小帯を通して伝わり，水晶体の厚さを変化させ調節が行われる．
- 水晶体は，水晶体線維細胞がきれいに並ぶことで透明な組織を維持しているが，加齢や外傷など様々な要因により細胞の配列が乱れると透明性を維持できず白内障を生じたり，屈折異常や高次収差を生じたりする[1]．

## A. 白内障
cataract

加齢による白内障は外来で最も多く遭遇する疾患であるが，混濁部位や程度により視力低下だけでなく，羞明や屈折の変化など様々な症状を呈する．進行した白内障に対する治療は手術であるが，混濁が軽度のうちは眼鏡によって対処することも多い．

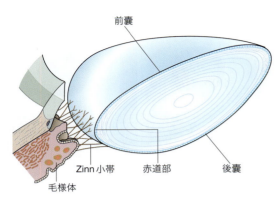

図 27-4 水晶体の全体図

### 症例 1

**68歳 男性**

5年前に運転用に作った眼鏡が合わない．遠方の標識が見えにくい．天気がよいとまぶしくて見えにくく眼が疲れる．夜間の運転時は対向車のライトが以前よりギラギラしてまぶしく感じる．

**前眼部所見**

両眼の水晶体とも軽度の白内障．角膜，前房，硝子体に異常は認めない．

**眼底所見**

正常

**所持眼鏡度数**

R：S－2.00 D ◎ C－1.00 D Ax 90°
L：S－2.50 D ◎ C－1.00 D Ax 90°

**他覚的屈折検査** 無散瞳でのオートレフ値

R：S－0.50 D ◎ C－1.50 D Ax 87°
L：S－1.25 D ◎ C－1.75 D Ax 93°

**自覚的屈折検査**

RV＝0.5（0.7×S－0.50 D ◎ C－1.50 D Ax 90°）
LV＝0.3（0.8×S－1.00 D ◎ C－1.50 D Ax 90°）

**処方眼鏡度数**

R：S－0.50 D ◎ C－1.50 D Ax 90°
L：S－1.00 D ◎ C－1.50 D Ax 90°

**遮光レンズ選定**

夜間運転時に使用することを考慮し，適合の有無を確認して薄い色を比較．
CCP400（東海光学）の TS，NA，RS，AC，SA，SC，SP を見てもらったところ，「薄い茶色系の NA が自然に見えてよい」ということで，上記の処方眼鏡のレンズに色をつける．

**注意点**

- 近視が減り，乱視度数が強くなっている．今まで過矯正の眼鏡を使用していた場合，通常の眼鏡のように弱めに処方すると夜間運転のときに瞳孔径が大きくなり ① 焦点深度が浅くなる効果と ② 角膜や水晶体の周辺部の収差が加わることとが相まって見えにくさを感じる（夜間近視），ほぼ完全矯正に合わせ，うす暗いところでも装用テストを行い，見え方が低下しないか確認する．少し強めがよいという場合には，夜間の運転用として処方する．

**《解説》**

**運転時使用する遮光眼鏡の処方**

- 運転する人に遮光レンズを勧める場合，「運転適合」と「夜間運転適合」に注意する．夜間運転適合となっているレンズは，薄い色のため昼間の太陽光の明るさにはあまり効果は期待できない．薄い色でまぶしさがとれないようであれば，光の散乱を生じさせている白内障の治療などを検討する．昼間のまぶしさへの対策として濃い色を選ぶようであれば，夜間の運転には危険なため使用しないよう注意する．

- 明所では着色，暗所では退色する調光レンズもあるが，以下の点に注意が必要である．① 退色に時間がかかり，暗い場所（トンネル，建物の影など）に入ってもしばらくは暗いままであるなど，レンズの色の変化が道路環境の明るさの変化に追いつかない．② 着色退色を繰り返しているうちに退色に時間が長くかかるようになり，退色しにくくなる．③ 紫外線に反応するタイプの調光レンズの場合，紫外線カットのガラス越しの光では着色しない．

## B. 高次収差
higher-order aberration

水晶体は，角膜とともに外界からの光を屈折さ

せて網膜上に結像させるレンズであるが、部分的な混濁などによって結像が乱れ、眼鏡レンズで補正できない高次収差を発生させることがある。

> **症例 2**
> **48 歳　女性**
> 文字や数字を見たときに、二重三重になって見える(軽度白内障の高次収差によると思われる変化)。大きいものを見ているときには気づかないが、小さい文字をよく見ようとすると二重三重になって判読できない。特に周囲が暗くなるとよく見えない。眼鏡を掛けたことはない。

**前眼部所見**

両眼の水晶体とも中心部(核)に軽度の混濁、右眼は周辺にくさび状の混濁も認める。その他の所見は特にない。

**眼底所見**

正常。加齢による後部硝子体剥離がわずかにみられるが、特記すべき所見はない。

**他覚的屈折検査**（無散瞳でのオートレフ値）

R：S−3.50 D○C−1.75 D Ax 120°
　　角膜乱視−0.75 D Ax 91°
L：S−0.75 D○C−1.50 D Ax 85°
　　角膜乱視−0.75 D Ax 95°

**高次収差計測**

図 27-5 に示すように右眼に高次の収差がみられた。

**自覚的屈折検査**

RV=0.3(0.7×S−1.50 D○C−1.50 D Ax 120°)
LV=0.4(1.0×S−1.75 D○C−1.75 D Ax 90°)

**処方眼鏡度数**

(遠用)R：S−1.25 D○C−1.25 D Ax 110°
　　　L：S−1.50 D○C−1.50 D Ax 90°
(近用)R：S+1.25 D○C−1.25 D Ax 110°
　　　L：S+1.00 D○C−1.50 D Ax 90°

**注意点**

眼鏡では、2 次(球面・乱視)までの収差の矯正しかできない。それ以上の高次の収差に由来する二重視、三重視やかすみ、滲みなどを解消することは困難である。しかし、実際の見え方は、低次収差と高次収差が混在しているため、眼鏡で低次収差を矯正して減らすことで視像が改善し、ある程度良好な視力を得られることもある。

《解説》

眼鏡レンズにより矯正を行っても満足できない場合には、収差の原因となっている疾患(この症例では白内障)の治療などを検討していくこととなる。

この症例も、眼鏡にて見え方が若干改善したため眼鏡を作製したが、視力が低下したため、1 年後に白内障手術を受け、IOL 挿入をした。その後は水晶体由来の高次収差はなくなり安定した良好な視力となっている。調節力が残っている年代の症例に IOL 手術を行う場合は、術後に調節力がなくなること、また術後に大きな不同視とならないよう、反対眼の屈折異常とのバランスを考える。

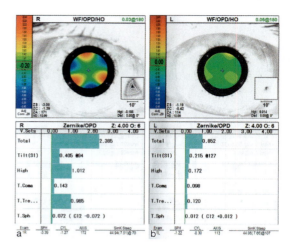

**図 27-5　右眼高次収差**
右眼(a)のほうが左眼(b)より収差が大きい

## C. 水晶体偏位
lens dislocation

水晶体偏位とは Zinn 小帯の脆弱性により、水晶体の位置がずれている状態である。原因は外傷性、遺伝性、特発性(原因不明)などがある。症状は偏位の程度に応じて様々であり、無症状から

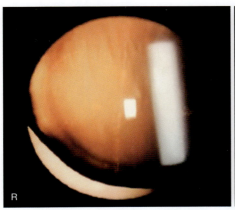 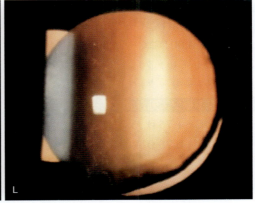

図 27-6　Marfan 症候群の水晶体偏位

矯正視力不良，単眼複視を生じる場合もある．Marfan 症候群などの遺伝性疾患で水晶体偏位が低年齢から生じる場合は，弱視に注意する必要がある[2]．

> **症例 3**
>
> 14 歳 1 か月　男児，Marfan 症候群
> （水晶体偏位による強度乱視）
>
> 姉が Marfan 症候群と診断されていたため 2 歳 10 か月に眼科初診．最初は水晶体偏位を認めず，屈折異常もなかったが，5 歳頃から近視のため見えにくさを訴えるようになり眼鏡装用を開始した．徐々に近視が進行し，乱視も強くなってきている．2 年前に作った眼鏡が見えにくくなったためよく見える眼鏡にしたい．

**前眼部所見**

両眼の水晶体とも内上方に偏位し，眼球運動に伴う水晶体振盪がみられる（図 27-6）．前房は深く，無散瞳ではレンズの偏位は判別できない．

**眼底所見**

正常．近視様の変化がわずかにみられるが，特記すべき症状はない．

**他覚的屈折検査**（無散瞳でのオートレフケラト値）

R：S−7.50 D C−5.00 D Ax 167°
　角膜乱視−1.00 D Ax 16°
L：S−9.75 D C−2.00 D Ax 3°
　角膜乱視−0.50 D Ax 137°

**自覚的屈折検査**

RV＝0.04（1.2×S−6.50 D C−2.00 D Ax 180°）
LV＝0.03（1.0×S−9.00 D C−1.25 D Ax 180°）

**処方眼鏡度数**

R：S−5.50 D C−2.00 D Ax 180°
L：S−7.50 D C−1.50 D Ax 180°

**注意点**

オートレフケラトで測定した全乱視と角膜乱視の値や軸が乖離することが多い．自覚的な屈折検査の結果をもとに眼鏡処方度数を検討する．乱視を強く合わせるほうが良好な視力を得る場合もあるため，いろいろな組み合わせを試してみる．

《解説》

水晶体の偏位の程度により，矯正視力が 1.0 まで出ないことも多い．低年齢の場合には弱視に注意し，視力が不良の場合には水晶体摘出術も検討する．本症例は，近視が強くなってきたため 16 歳から 2 週間交換タイプのソフトコンタクトレンズ（乱視用）を使用した．眼鏡より，像の縮小がなく，矯正視力良好．水晶体の偏位もほとんど変化がなく，経過観察を継続している．

**他覚的屈折検査**

R：S−8.75 D C−5.75 D Ax 163°
　角膜乱視−1.25 D Ax 140°
L：S−10.75 D C−3.50 D Ax 10°
　角膜乱視−1.00 D Ax 140°

**自覚的屈折検査**

RV=0.4(1.2×S−6.50 D○C−2.00 D Ax 180°)
LV=0.3(1.0×S−9.00 D○C−1.25 D Ax 180°)
RV=1.2×SCL(トーリック)
LV=1.2×SCL(トーリック)

**ソフトコンタクトレンズ処方度数**

R:S−7.00 D○C−1.75 D Ax 180°
L:S−8.50 D○C−0.75 D Ax 180°

## D. 水晶体の形状異常

約20Dの屈折力をもつ水晶体が，先天的な疾患や前眼部の形成異常などにより形状異常をきたすと強い屈折異常を生じるため，小児では弱視とならないよう眼鏡や，片眼性の場合などはコンタクトレンズで矯正することが重要である．

**症例4**

2歳9か月　男児　球状水晶体による強度近視
普段から見えにくそうな様子で，絵本に顔が触れるくらい近くで見る．視力が悪いのか．小児科から手足が長く漏斗胸もあるためMarfan症候群ではないかと指摘された．診断は未確定．

**前眼部所見**

水晶体の前面カーブがかなり丸く球状化している(図27-7)．レンズ，虹彩ともに振盪(+)．水晶体が虹彩を後方から圧しているため前房が浅く，レンズが角膜内皮に当たらないか心配．レンズの偏位はほとんどない．

**眼底所見**

正常．強度近視様の変化なし．

**自覚的屈折検査**

(遠見)RV=0.1/1 m(0.1/1.5 m×S−15.50 D
　　　　○C−1.50 D Ax 60°)
　　　LV=0.2/1.0 m(0.2/1.5 m×S−16.50 D
　　　　○C−1.50 D Ax 160°)

**他覚的屈折検査**（トロピカミド点眼）

R:S−14.75 D○C−1.00 D Ax 60°
L:S−15.25 D○C−1.75 D Ax 160°

図27-7　球状水晶体

**処方眼鏡度数**

R:S−12.00 D
L:S−12.00 D

**注意点**

散瞳薬に反応しにくく，あまり散瞳しないが，直径の小さな水晶体が前房に脱臼して緑内障発作を起こす可能性もあるため，何日も散瞳が継続するアトロピン硫酸塩やシクロペントラート塩酸塩での屈折検査は行わないほうが望ましい．

《経過》

- 5歳時に光学式眼内寸法測定装置にて眼軸長測定．右)22.84 mm，左)23.46 mm．
  RV=(0.7×S−17.00 D○C−1.50 D Ax 25°)
  LV=(0.6×S−15.75 D○C−1.50 D Ax 170°)
  視力は日常生活で困らない程度はあるが，水晶体の前房脱臼による緑内障発作が心配であった[3]．
- 6歳時に両眼水晶体全摘出術施行．

**術後屈折値**

RV=(1.0×S+15.50 D○C−0.75 D Ax 180°)
LV=(1.0×S+14.00 D○C−0.75 D Ax 160°)

**処方眼鏡度数**

R:S+18.00 D
L:S+17.00 D

術直後は，術前の強度近視の屈折状態から調節力のない強度遠視に変化するため，年長者ほど違和感を覚え，慣れるために時間を要する傾向がある．低年齢の小児の場合は，手元や近くを見る頻度が多いため，近方に合わせた眼鏡を装用してもらい，様子をみながら遠方に合わせた眼鏡を処方

する（頂点間距離の微調整で遠方もある程度見えて不自由のない場合もある）．

年長者で，プラスレンズの拡大した網膜像に慣れることが困難な場合，コンタクトレンズを装用して，その上から遠近の累進屈折力レンズの眼鏡を装用することもある．

Marfan症候群の場合，術後合併症の網膜剝離を生じやすいので，定期的な眼科受診が望ましい[4]．

《解説》

先天的な水晶体の形状異常には，球状水晶体のほかに，後部円錐水晶体，まれに前部円錐水晶体，膜白内障などもある．オートレフケラトの全乱視と，角膜乱視の値が大きく乖離する場合，水晶体の混濁（軽度，部分的）の有無，レンズの位置の偏位，前面・後面のカーブ，水晶体厚を注意して観察する．また眼軸長，高次収差を測定するなどして原因を考察する．

▶文献
1) 佐々木 洋：混濁と視機能．IOL&RS 26：23-26, 2012
2) 脇田まり子：マルファン症候群の眼科的検討104例208眼の統計的観察．日眼会誌93：682-690, 1989
3) 佐藤和義，白井由佳子，南野麻美：球状水晶体による続発緑内障の1例．あたらしい眼科 9：1379-1383, 1992
4) 松田秀穂，桂 弘，熊谷謙次郎：Marfan症候群における網膜剝離の検討．あたらしい眼科 15：873-875, 1998

# III 眼内レンズ挿入後の眼鏡処方検査

**Point**
- 白内障手術の前後では屈折値が変化する．
- 左右眼の屈折値によって眼鏡の組み合わせやバランスを慎重に熟慮する．
- 小児・若年者では術後に調節力がなくなるので，遠近両用（累進，二重焦点）あるいは近用眼鏡を装用する．
- 小児では弱視治療も並行する．
- 小児（特に乳幼児）では眼軸伸長による屈折値の変化を考慮する．

## A. 単焦点IOL

術前に患者の希望を確認してIOL術後の目標屈折値（焦点距離）を決めている．焦点距離以外の見え方を補うために眼鏡が必要となる．どのような状況で眼鏡を使用したいのかよく聞き，ニーズに合った度数を検討する．

**症例1**

75歳　女性，主婦

術前は強度近視．術後の目標屈折値は裸眼で手元が見える程度の近視とした．眼鏡装用には抵抗がない．術後の状態に合った遠近両用眼鏡（累進屈折力レンズ）を作りたい．術前は弱めの単焦点眼鏡を使用していた．

**自覚的屈折検査**

（遠見）$RV = (0.1 \times IOL)$
$(0.9 \times S - 2.75\,D \subset C - 0.75\,D\ Ax\ 175°)$

$LV = (0.1 \times IOL)$
$(1.0 \times S - 2.50\,D \subset C - 1.00\,D\ Ax\ 180°)$

（近見）$NRV = (0.8 \times IOL)(0.9 \times C - 0.75\,D\ Ax\ 175°)$

$NLV = (0.9 \times IOL)$

(1.0×S+0.25 D◯C−1.00 D Ax 180°)

術前の屈折値は両眼ともS−9.50 D前後．使用眼鏡は−7.00 Dの単焦点眼鏡であった．

> 処方眼鏡度数

R：S−2.50 D◯C−0.50 D Ax 180°
　　add+2.50 D

L：S−2.50 D◯C−0.50 D Ax 180°
　　add+2.50 D

> 注意点

遠方をもう少し弱めに合わせる場合もあるが，遠方を明視したい希望が強かったため上記の度数となった．眼鏡を掛けたままで外さずに近方も見たいという要望から累進屈折力レンズ処方となった．加入度数は，買い物のときに手にした商品の値段を見るなどの用途で40 cmを希望したため+2.50 D加入とした．新聞などの広い範囲を見るときは裸眼で見るので近用眼鏡は必要ない．

> 症例2

**37歳　男性，会社員（事務）**
右眼のみ外傷性白内障となり手術．目標屈折値を遠方に合わせ術後混合乱視となっている．左眼はわずかな近視．手元を見るときに両眼のバランスが悪く疲れる．仕事で書類を読んだりパソコン作業をするとき，スマホやタブレットを見るときなどに疲れない眼鏡を作りたい．

> 自覚的屈折検査

（遠見）RV＝(0.7×IOL)
　　　　(1.2×S+0.50 D◯C−1.25 D Ax 165°)
　　　　LV＝0.9(1.2×S−0.50 D)
（近見）NRV＝(0.2×IOL)
　　　　(1.0×S+3.50 D◯C−1.25 D Ax 165°)
　　　　NLV＝1.0

術前屈折値は，両眼とも屈折異常はほとんどなかった．眼鏡も使用せず．

> 処方眼鏡度数

R：S+3.00 D◯C−0.75 D Ax 165°
L：S±0.00 D

> 注意点

白内障IOL手術の術式の小切開創化により術後の角膜乱視の変動は小さくなったが，外傷後早期の場合，治癒につれて乱視度数や軸方向などが変化する可能性もある．仕事で必要な場合，術後早めに眼鏡処方をすることもあるが，作り直しが必要となるかもしれないことを事前に説明しておくとよい．

《解説》

白内障の術前と術後ではIOL度数の選択によって屈折値が変化する．術前に近視だった人が術後には裸眼で遠方が見えるように合わせることもできるが，そうした場合，術前には裸眼で見えていた手元の距離が，術後にはプラス加入した眼鏡を装用しないと見えないなど，術前からの見え方の変化に慣れるまでに苦労すること，なかには慣れることができず入れ替えを検討することもありうる．単焦点IOLの手術を行う前には，目標屈折値によって術後にはどういった眼鏡の使い方になるかをあらかじめ説明しておくことが重要となる．症例1は，そのような説明を通して術後目標屈折値を術前の日常からあまり変化のない近視とした．

症例2は，若年で調節力が残っている年齢での外傷性白内障へのIOL手術だが，術後に眼鏡を合わせるときには，視力の程度や屈折値の左右差を考える．眼鏡度数のバランスを慎重に熟慮し，何度も試し掛けをして，快適に見ることができる組み合わせを決めることが重要である．

## B. 多焦点IOL

多焦点IOLは，当初は二焦点が主流だったが，現在は中間距離を補う三焦点，連続焦点，深度拡張，さらにトーリックの矯正ができるものなどがある．挿入後は眼鏡に依存せず裸眼で生活できることがメリットとされるが，焦点をうまく使えず不満を訴えることもある．また，焦点を分ける段階で光エネルギーの配分が減少してしまうことや，光の散乱などにより，暗所で光が滲んで広がって見えるなど，単焦点IOLと比べてすっきりとした見え方にならないため，眼鏡を要するこ

とがある[1].

### 症例 3
**55歳　男性, 会社経営**
トーリックの多焦点レンズを入れたが, 乱視矯正が完全にできず. 術前から乱視が残るとは聞いていたし, 裸眼のままで日常のほとんどのことは問題ないが, 眼鏡をかけることでさらにすっきり見えるなら, 必要なときに装用するために作りたい.

#### 自覚的屈折検査
(遠見) RV＝(0.8×IOL)
　　　　　(1.2×S＋0.50 D ○ C－1.25 D Ax 90°)
　　　 LV＝(0.8×IOL)
　　　　　(1.2×S＋0.50 D ○ C－1.50 D Ax 95°)
(近見) NRV＝(0.6×IOL)
　　　　　(1.0×S＋0.50 D ○ C－1.25 D Ax 90°)
　　　 NLV＝(0.7×IOL)
　　　　　(1.0×S＋0.50 D ○ C－1.50 D Ax 95°)

#### 処方眼鏡度数
R：S＋0.25 D ○ C－1.00 D Ax 90°
L：S＋0.25 D ○ C－1.25 D Ax 95°

#### 注意点
本症例は残余乱視について事前の了解もあり眼鏡で対応した. 残余度数の程度にもよるが, 実施可能な施設ではLASIKによるタッチアップや完全に度数を指定して作製できるIOLを選択する方法もある. トーリックタイプは術後しばらくは軸の変動もあるので, 眼鏡処方はしばらく経過後に行う.

### 症例 4
**76歳　女性, 無職**
裸眼で遠方の視力は上がってきたが, 近方焦点がうまく使えず文字を読むと疲れる. 読書をしても疲れないような眼鏡はないか.

#### 自覚的屈折検査
(遠見) RV＝(1.2×IOL)
　　　　　(1.5×S＋0.25 D ○ C－0.25 D Ax 110°)
　　　 LV＝(1.2×IOL)(1.5×C－0.50 D Ax 95°)
(近見) NRV＝(0.4×IOL)
　　　　　(1.0×S＋3.00 D)
　　　 NLV＝(0.5×IOL)
　　　　　(1.0×S＋3.00 D ○ C－0.25 D Ax 90°)

#### 処方眼鏡度数
R：S＋3.00 D
L：S＋3.00 D ○ C－0.25 D Ax 90°

#### 注意点
多焦点IOLの見え方に対する本人の順応の問題だけでなく, 多焦点IOLのレンズ設計によるところもあるが, 術後視力の向上に日数を要する症例もある. また, 遠方は見えても, 近方に焦点を合わせられず「よく見えない」と訴えることもある. 遠方を完全矯正しても近方焦点がうまく使えないときは, 遠方の焦点を近用眼鏡で近方にもってくると「すっきり見える」と実感することも多い. 本来は遠近に分かれている焦点を使えるようになってほしいが, 術後数か月しても近方の見え方が不安定なときは近用眼鏡を使用することも検討してよい.

《 解説 》
多焦点IOLを選択する症例では, 眼鏡の装用を好まないことが多いが, 多焦点IOLを挿入しても, 術後に眼鏡矯正を必要とすることもあると事前に説明しておくとよい. 残余度数はわずかなことが多いが, 弱度の単焦点眼鏡による追加矯正によって多焦点IOLの見え方を最大限にクリアにすることができる. また, 残余度数はグレア, ハロを増強するため, 眼鏡装用によって夜間のグレアなどの軽減も期待できる[1].

## C. 小児 IOL

先天・発達白内障の治療のため, 光学的に最も有利な矯正法であるIOLを小児に挿入する事例が増えてきている. 特に片眼性の症例では無水晶体眼に強度の遠視のコンタクトレンズを常時装用させるという患者家族の負担を減らし, 弱視治療に専念できるメリットもある. IOLを挿入しても残余屈折の矯正のため, また調節力を補うために

眼鏡による矯正が原則必要となる[2]．低年齢児は眼軸伸長による屈折変化に注意して経過観察を行う[3,4]．

> **症例 5**
> 4歳2か月　男児，片眼性白内障（発達白内障疑い）
> 3歳児健診で右眼視力不良を指摘され眼科受診．後嚢下の中央部分に混濁がみられたが強くはなかったため眼鏡矯正と遮閉訓練を行い経過観察したが，1年近く視力向上がみられなかったため IOL 手術を行った．眼位異常は認めない．

**自覚的屈折検査**

(遠見) RV＝(0.2×IOL)
　　　　　　(0.4×S＋0.25 D ◎ C－1.75 D Ax 180°)
　　　　LV＝1.2(1.2×S＋1.50 D ◎ C－0.50 D Ax 180°)
(近見) NRV＝(0.4×IOL)
　　　　　　(0.5×S＋3.25 D ◎ C－1.75 D Ax 180°)
　　　　NLV＝1.0(1.0×S＋1.50 D ◎ C－0.50 D Ax 180°)

**処方眼鏡度数**

Step 1 近用単焦点
　R：S＋3.00 D ◎ C－1.50 D Ax 180°
　L：S＋1.00 D
Step 2 累進屈折力レンズ
　R：S＋0.25 D ◎ C－1.50 D Ax 180°
　　　add＋2.50 D
　L：S＋1.00 D

**注意点**

本症例の白内障治療は弱視訓練を前提としている．術後は Step 1 として，主に近見で行う弱視訓練のために合わせた近用単焦点眼鏡を装用する．遠方はかえって見えにくくなるが遮閉訓練をしないときも近方に焦点が合うことは不都合ではないので基本的に常用する．術後3か月～半年程度の弱視訓練で視力の向上がみられてきたら，遠見の両眼視も考慮し Step 2 の累進屈折力レンズを処方し，弱視訓練を継続する．小児では成長による屈折変化（近視化），後発白内障の発症（視軸にかかる透光体の混濁）にも注意して経過をみる．

> **症例 6**
> 7歳6か月　男児，両眼性白内障
> （遺伝性，おそらく先天性だが徐々に混濁が進行）
> 2歳頃からまぶしがり目を細めていることが多くなったため眼科受診．ブリザード様の混濁があったが左右差を認めなかったため矯正眼鏡の装用のみで経過観察していた．視力は左右差なく5歳2か月では0.7だったが，6歳9か月頃に0.4に低下．本人も見えにくさを訴えたため IOL 手術を施行した．術後，視力は向上し，裸眼で日常生活は不自由ないが，小学校で黒板も教科書もはっきり見える眼鏡を作りたい．術前は中等度の近視であったことから，術後は裸眼で近くが見えにくいという不満がある．

**自覚的屈折検査**

(遠見) RV＝(0.6×IOL)
　　　　　　(1.2×S＋0.25 D ◎ C－2.50 D Ax 180°)
　　　　LV＝(0.7×IOL)
　　　　　　(1.2×S＋0.25 D ◎ C－2.25 D Ax 180°)
(近見) NRV＝(0.6×IOL)
　　　　　　(1.0×S＋3.25 D ◎ C－2.50 D Ax 180°)
　　　　NLV＝(0.6×IOL)
　　　　　　(1.0×S＋3.25 D ◎ C－2.50 D Ax 180°)

**処方眼鏡度数**

R：C－2.25 D Ax 180°　add＋2.50 D
L：C－2.00 D Ax 180°　add＋2.50 D

**注意点**

両眼性で術後早期から視力が出ている場合は，屈折値が落ち着いた段階で早めに累進屈折力レンズを処方する．小児は累進屈折力レンズへの順応は一般的に早い．また小児では，弱い加入度数でも十分に近見が見える「偽調節」の症例が散見される．そのため，視距離に合わせた加入度数だけではなく，弱めの加入度数でも近見視力を測定して検討する．

《解説》

- 小児期の白内障の視機能予後は，白内障のタイプ，発症年齢，治療年齢，片眼性，両眼性，

- 術後の屈折管理，訓練実施のコンプライアンスなど，様々な要素に影響される．
- 屈折異常が原因の弱視と異なり，白内障によるものは形態覚遮断弱視であるため，視力向上が困難なことも多く，眼鏡(コンタクトレンズ)での矯正と弱視訓練の指導が重要である．
- 年少者ほど眼球成長に伴う度数変化が起こるが，生来の眼に生じる屈折変化と異なるため，眼鏡度数の見直しなどは短期間で行う．
- 術直後，視力が低いうちは弱視訓練を効果的に行うために，眼鏡度数を近見に合わせるが，視力が向上してきてからは両眼視機能の発達を考慮して遠近の累進屈折力レンズの使用も検討する．
- ロービジョンケアが必要な小児には早めに対処する．

▶文献
1) ビッセン宮島弘子，吉野真未，大木伸一，他：回折型多焦点眼内レンズ挿入後不満例の検討．あたらしい眼科 30：1629-1632，2013
2) 野田英一郎，仁科幸子：小児白内障術後の屈折矯正法．前田直之，田野保雄(編)：眼科診療プラクティス〈95〉．屈折矯正法の正しい選択．pp118-122，文光堂，2003
3) 牧野伸二，清水由花，山上 聡，他：眼内レンズ挿入術を施行した小児白内障の屈折変化．眼臨 97：32-36，2003
4) 石井祐子，永野雅子，徳田芳浩，他：片眼性小児白内障IOL眼の屈折変化．眼臨紀 4：360-363，2011

(石井祐子)

# IV 調節障害

## Point
- 近用眼鏡のパワーは，原則的に，屈折異常の度数に年齢に応じた近見加入度数を加えることで定まる．
- 近用眼鏡の処方の秘訣は，焦点深度(DOF)を考慮することにある．
- 動的検影法を用いれば，調節障害の程度や近用眼鏡の効果を他覚的に評価できる．
- 調節緊張では，適切な屈折矯正に加え，症状の程度に合わせて調節麻痺薬を処方する．

## 1 生理的な調節障害―老視

老視(presbyopia)は多くの場合，中年以降に調節障害-近見時の視力障害が現われる．しかし原因となる調節力の低下はすでに小児期から始まっている(図27-8)．このため，個々の屈折異常に応じて，症状の発症時期が異なる．例えば，遠視では早期から症状が現われ，軽度近視では高齢者でも眼鏡なしで近くがよく見える．

加齢による調節力低下は個人差が小さいことから，屈折度数(遠見での完全矯正度数)が与えられれば，近用眼鏡の度数は，ほぼ一義的に決めることができる(図27-9)．

図27-9 は米国眼科学会(https://www.aao.org/bcscsnippetdetail.aspx?id=9bad008c-c23f-4243-bb20-f7bfabaf04bd/)の資料をもとに，後述の眼球の焦点深度(depth of focus：DOF)±0.5 D を考慮したうえで，近見(33 cm)明視が可能になる加入度数を示したグラフである．正視眼

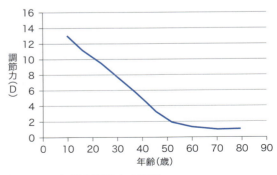

図27-8 年齢と調節力の関係

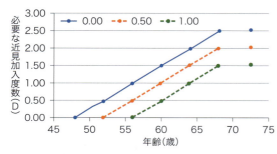

**図27-9　年齢と標準的な近見加入度数の関係**
屈折度数を完全矯正とした場合(青).累進屈折力眼鏡で遠用部を0.50 D低矯正にした場合(橙の破線)と近視1.00 D低矯正にした場合(緑の破線).DOF(±0.5 D)を加味している.

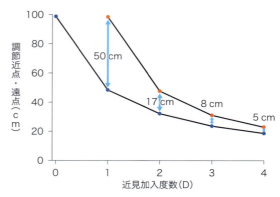

**図27-10　近見加入度数と調節遠点・近点および明視域の関係**
調節力1Dの患者に対し加入度数+1～+4Dで近用眼鏡を処方するとき,予想される明視域(矢印).加入度数を増やすと,明視域は狭くなる.

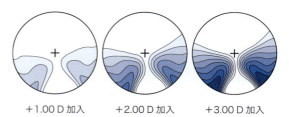

**図27-11　PALの加入度数と非点収差の関係(模式図)**
近見加入度数の増加に比例して,遠用部と近用部を結ぶ累進帯の両側で非点収差が増大する.

であれば,50歳で+0.50 D,55歳で+1.00 D,60歳で+1.50 D,65歳で+2.25 D,70歳以上では+2.50 Dの近用眼鏡が必要になる.屈折異常があれば,屈折度数に加入度数を加えて近用眼鏡の度数を決める.

《参考例》
(1) −7.00 D ◯ C−0.50 D Ax 55°の近視眼で年齢が60歳であれば,図27-9より必要な加入度数は+1.50 Dであり,近用眼鏡の度数は−5.50 D ◯ C−0.50 D Ax 55°となる.
(2) IOL挿入眼で屈折度数が−0.25 D ◯ C−0.75 D Ax 110°であれば,図27-9より必要な加入度数は+2.50 Dであり,近用眼鏡の度数は+2.25 D ◯ C−0.75 D Ax 110°となる.

実際には,この基準値をもとに,患者の要望,日常生活,屈折度数,矯正視力,不同視などを考慮し,度数を微調整すべきであろう.例えば,至近距離から細かいものを見る作業が多ければ,+3 D以上の加入度数を処方可能である.しかし加入度数を強めるにしたがって,明視域は狭くなり(図27-10),また累進屈折力眼鏡(progressive addition lens:PAL)では非点収差が増えるため(図27-11),装用感は低下する.

## 2 屈折異常と調節障害

老視の初期では,わずかに近視矯正眼鏡を低矯正(または遠視矯正眼鏡を過矯正)で矯正眼鏡を処方することで,近見障害を緩和できる.図27-9(破線)によれば,近視眼鏡を0.5 Dまたは1 D低矯正で処方すれば,症状の発生を,それぞれ52歳または56歳まで遅らせることになる.PALを処方する場合も,これにより,加入度数の軽減が可能である(図27-11).

不同視(anisometropia)の強い症例では,眼鏡装用に伴う不等像視(aniseikonia)の問題がある.近視の強い眼を低矯正,弱い眼を完全矯正とするモノビジョン眼鏡を処方することで,(有効性には個人差があるが)不等像視と調節障害を同時に解決できる.

## 3 調節障害とDOF

近年「extended DOF」という用語をしばしば耳にする.この概念は,近用眼鏡の処方においても

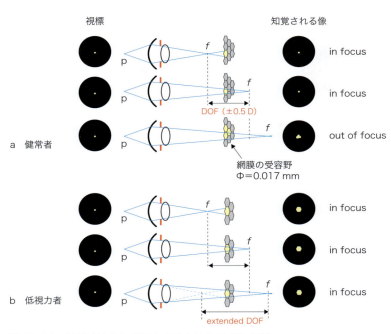

図 27-12　健常者(a)と低視力者(b)の DOF（模式図）

重要である．

外界の点光源は角膜と水晶体の屈折力により網膜上に結像する．しかし焦点（f）が網膜の前方にあっても後方にあっても一定の範囲内ならば，ただ 1 つの網膜受容野を刺激するため，点光源は点として知覚される（図 27-12a）．この焦点範囲を DOF とよび，健常者では±0.3〜0.5 D とされる．

DOF は，表 27-1 に示すように，様々なファクターの影響を受けている[1]．瞳孔径はその代表であろう．軽度の屈折異常ならば，明所では縮瞳によって視力は良好である．しかし暗所では，散瞳により光線入射角（convergence）が拡大し，焦点ずれが DOF 内にあっても，複数の網膜受容野が刺激される，つまり像がぼける．

眼鏡処方で興味深いファクターは矯正視力である．網膜解像力は小数視力に比例して低下する．これは網膜受容野のサイズが大きくなることと同等であるので，DOF の範囲が広がる（図 27-12b）．単純計算では，矯正視力 0.5 では DOF±1 D，矯正視力 0.2 では DOF±2.5 D である．すなわち，ロービジョン患者は，低視力と引き換え

表 27-1　DOF の幅に影響するファクター

| | |
|---|---|
| 内部ファクター | 瞳孔径↓ |
| | 眼軸長↑ |
| | 収差（乱視）↑ |
| | 視力↓ |
| | 年齢↑ |
| 外部ファクター | 輝度↓ |
| | 波長↑ |
| | 空間周波数↓ |

に大きな DOF を備えていることになる．ロービジョンの患者で調節障害が問題となる場合，extended DOF を利用して，近視矯正はより低矯正，遠視矯正はより過矯正で矯正眼鏡を処方する．この調整により，明視域は広がり，近用眼鏡や PAL が不要になることがある．

注目すべき第 2 のファクターは乱視である．近用眼鏡において，軽度（0.75 D 以下）の乱視を意図的に残すことで，DOF の範囲を広げることができる．乱視の光束は Sturm のコノイド内で形状は変化するものの，面積は変わらず，ボケを自覚しないほど小さなコノイドを作ることで，

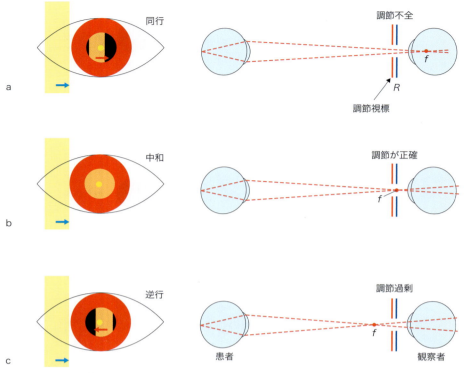

**図 27-13** 動的検影法の原理と結果の解釈
*f*：患者の網膜共役点（フォーカス），*R*：レチノスコープ．

DOF を拡張することができる．この調整により，単焦点の近用眼鏡なら明視域を広げ，PAL なら加入度数を軽減できる．

## 4 動的検影法と近用眼鏡処方

調節障害の定量には，近見視力検査や石原式近点計（アコモドメータ）が用いられる．しかし自覚的検査は，患者の主観的判断に基づくため，正確とはいいきれない．

他覚的調節検査としては動的検影法（dynamic retinoscopy）がある．調節運動を可視化[2,3]できることから，乳幼児の調節反応を調べる際にも有用である．原理は屈折度数を調べる静的検影法と変わらない．被検者のフォーカス（*f*）がレチノスコープ（*R*）より遠方にあれば，眼底反射光は同行する（図 27-13a，開散光の場合）．レチノスコープの距離にあれば中和（図 27-13b），レチノスコープより近方にあれば逆行する（図 27-13c）．

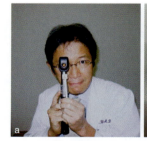

**図 27-14** 動的検影法（a）と調節視標（b）の例

動的検影法では前置レンズは使用しない．代わりに調節視標をレチノスコープの直前に，なるべく同軸上に置き，被検者には視標をはっきり見るよう促しながら検査する（図 27-14a）．調節反応を十分引き出すには，高解像度で高コントラストの視標が必要である．筆者は 8 ポイントの数字を印字，レチノスコープの枠に貼り付け，被検者に読ませている（図 27-14b）．対象が乳幼児なら，小さな絵や玩具を視標とする．レチノスコープの

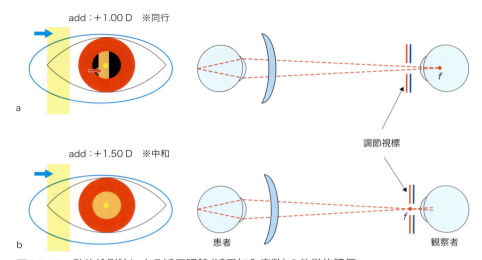

**図 27-15　動的検影法による近用眼鏡（近用加入度数）の他覚的評価**
光束を右へ振ったときの眼底反射光を示す．加入度数＋1.00 D では不足（a），＋1.50 D（b）なら不足はない．

光源自体は，高空間周波数成分を含まず，調節視標として不適当である．

眼底反射光が同行すれば，フォーカスは調節視標より遠方にあり，調節不全がある（図 27-13a）．中和すれば，調節視標の距離にあり，調節は正確である（図 27-13b）．逆行すれば，調節視標より近方にあり，調節過剰（または矯正されていない中等度以上の近視）である（図 27-13c）．

調節近点を求めるには，完全矯正眼鏡を装用させ，観察者はレチノスコープごと被検者に近づく．眼底反射光が中和から逆光に変わる距離が調節近点，逆数が調節力である．DOF により，一般に他覚的近点は自覚的近点よりやや遠い．

動的検影法は近用眼鏡の度数を確かめる場合にも役に立つ．眼底反射光が同行すれば，フォーカスは視標より遠方にあり，調節不全が完全に矯正されていない（図 27-15a）．中和がみられれば，フォーカスは調節視標に一致しており，加入度数に不足はない（図 27-15b）．

注意したいのは，健常者であっても近見時には，わずかな調節不全・調節ラグ（lag of accommodation）がみられることである．調節不全は Nott 動的検影法で定量できる．眼底反射光の同行がみられたら（図 27-16a），調節視標の位置を変えないで，レチノスコープごと観察者は遠ざかる（図 27-16b）．初めて中和が得られた位置と調節視標の距離の差が調節不全の量に相当する．例えば，眼前 33 cm（3.0 D）に調節視標を置き，40 cm（2.5 D）の距離で中和がみられたら，調節不全の大きさは 0.5 D である．

## 5 病的な調節障害

病的調節障害として，調節痙攣（accommodative spasm），調節緊張症（accommodation excess），調節不全（accommodative insufficiency），調節麻痺（accommodation paralysis），斜視近視（pseudo-myopia with exodeviation），テクノストレス（IT）眼症などが挙げられる．一般的に調節障害は両眼にみられるが，Adie 症候群（瞳孔緊張症）など片眼性の場合もある．

このうち調節痙攣では，近視化による遠見視力障害とともに調節レベルが不安定になるため，頭痛，肩こり，嘔気，眼精疲労がみられる．オートレフラクトメータの測定値は大きくばらつき，瞳孔径の変動や縮瞳を伴う．調節麻痺薬点眼後に再検査すると，測定値は遠視側にシフト（近視が軽減）し，安定化する．診断は容易である．さらに赤外線オプトメーター AA-2000（ニデック）や調節機能ソフトウェアがあれば，調節微動を計測することで，重症度や治療効果を定量することもで

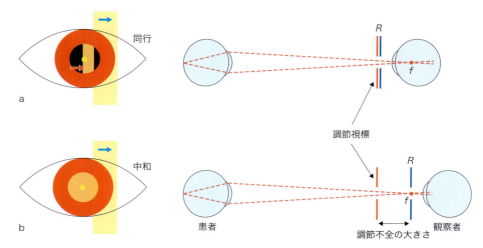

**図 27-16　Nott 動的検影法による調節不全の測定**
開散光で光束を右へ振ったときの眼底反射光を示す．同行なら調節不全がある（a）．視標を残し，観察者はレチノスコープごと遠ざかる．初めて中和がみられた観察距離と視標距離の差が調節不全の大きさである．

きる[4]．

　調節痙攣に加えて，間欠的な輻湊痙攣による内斜視を示す症例がある．これは近見反応痙攣とよばれ，多くは心因性の機能障害（心因性視力障害，ヒステリーやうつ病）が原因である．しかしまれに中枢神経系の器質的疾患が原因になる場合もあるため，MRIによる頭部画像診断を行うべきである．頭頸部外傷症候群（むちうち症，頸椎症）では，器質的疾患がないにもかかわらず頑固な視力症状を訴え，調節痙攣が原因となっていることが少なくない．

　病的な調節障害であっても，治療としてまず考慮すべきは適切な屈折矯正であろう．調節の制御系は，調節性のボケと屈折性のボケの区別ができなくなると，屈折性のボケを克服しようとして過剰反応を起こすためである．症状の程度に応じて，調節麻痺薬が処方される．

《参考例（症状の軽い順）》

(1) ミドリン M® 点眼液　就寝前　両眼 1 回点眼
(2) 低濃度*サイプレジン® 点眼液　就寝前　両眼 1 回点眼
(3) 低濃度*アトロピン点眼液　就寝前　両眼 1 回点眼

＊：市販製剤は 1% であるが，人工涙液または生理的食塩水で 10〜40 倍に希釈する．ただし保存期間に注意[5]．散瞳による羞明や調節麻痺による近見障害が問題になる場合は，調光レンズ眼鏡や累進屈折力（二重焦点）眼鏡を処方する場合もある．

　調節不全・麻痺では，その原因を検索するとともに，老視と同様，調節力の低下に応じて近用眼鏡を処方する．

▶文献

1) Wang B, Ciuffreda KJ: Depth-of-focus of the human eye: theory and clinical implications. Surv Ophthalmol 51: 75-85, 2006
2) Hunter DG: Dynamic retinoscopy: the missing data. Surv Ophthalmol 46: 269-274, 2001
3) 長谷部　聡：検影法による調節検査―動的検影法（Dynamic retinoscopy）．あたらしい眼科 31: 651-657, 2014
4) 梶田雅義：調節応答と微動．眼科 40: 169-177, 1998
5) 近江源次郎，木下　茂：VDT 作業による眼精疲労とその自律神経作動薬による治療．あたらしい眼科 8: 175-179, 1991

（長谷部　聡）

# V 網膜疾患

## Point

- 加齢黄斑変性(age related macular degeneration：AMD)や網膜上膜(epiretinal membrane：ERM)などの網膜疾患による視機能障害では，視力低下や歪みなどの変視を訴え，眼鏡による解決を望まれる場合がある．
- 罹患により著しく片眼が視力不良になった場合は，両眼視機能に影響が出る．
- 罹患により著しく両眼が視力不良になった場合は，ロービジョンケアが必要である．
- 両眼用の至近距離眼鏡を選定した場合，両眼視時に生じる複視や眼精疲労を軽減させるためプリズムを基底内方(base in)に加入する．
- 拡大鏡を併用する場合，屈折異常に対して眼鏡矯正が必要である．
- AMDの場合，拡大鏡の倍率は視力値から予測される倍率と乖離する．

## A. 片眼が視力不良の場合

### 1 片眼のみに軽度の視力不良がある場合

**症例 1**

72歳　女性，主婦
右眼ERMと白内障による視力不良を訴え来院．右眼硝子体手術と両眼IOL挿入術を施行．術後，裸眼視力に左右差があり，近方も見えにくいので眼鏡処方を希望された．

**自覚的屈折検査**

(遠見) RV＝(0.3×IOL)
　　　　　(0.5×S＋0.75 D ◯ C－2.00 D Ax 90°)
　　　LV＝(0.8×IOL)
　　　　　(1.2×S＋0.25 D ◯ C－1.00 D Ax 90°)
(近見) NRV＝(0.5×S＋3.75 D ◯ C－2.00 D Ax 90°)
　　　NLV＝(1.0×S＋3.25 D ◯ C－1.00 D Ax 90°)

術前は両眼とも中等度の遠視性乱視により遠近累進屈折力レンズを使用していた．

**所持眼鏡度数**

R：S＋2.75 D ◯ C－1.50 D Ax 90° add＋2.50 D
L：S＋2.50 D ◯ C－0.50 D Ax 90° add＋2.50 D

**眼鏡選定度数** (遠近累進屈折力レンズ)

R：C－0.50 D Ax 90° add＋2.50 D
L：C－0.50 D Ax 90° add＋2.50 D

硝子体手術を施行したが，左右の見え方の差を訴えたため，右眼の歪みが気にならなくなるところまで右眼の度数を低矯正とし，左眼に合わせた度数を選定した．近用付加度数は手術前から慣れている度数とした．

**注意点**

患眼の見え方が他眼の見え方の妨げとならないようにする．

《解説》

患眼が優位眼の場合，僚眼の見え方が感覚的に優位になりにくい場合も少なくない．その場合は遮閉膜を処方する場合もある．

## 2 片眼のみに高度の視力不良がある場合

**症例 2**

**81 歳　男性，元会社役員**

左眼 AMD による視力低下．「硝子体注射などの治療は受けているが，両眼で見たときに左眼の歪みが気になるので改善してほしい」と眼鏡処方を希望された．

**自覚的屈折検査**

(遠見) RV = (0.3 × IOL)
　　　　　(1.5 × S − 1.50 D ○ C − 1.00 D Ax 80°)
　　　LV = (0.1 × IOL)
　　　　　(0.15 × S + 0.75 D ○ C − 1.50 D Ax 90°)
(近見) NRV = (1.0 × S + 1.50 D ○ C − 1.00 D Ax 80°)
　　　NLV = (0.15 × S + 3.75 D ○ C − 1.50 D Ax 90°)

**所持眼鏡度数**

R：S − 1.50 D ○ C − 0.50 D Ax 80° add + 2.50 D
L：S + 0.75 D ○ C − 1.50 D Ax 90° add + 2.50 D

**対応**

左眼レンズに0.3の弱視治療用眼鏡箔(以下遮閉膜)〔Bangerter occlusion foils (Ryser)〕を貼付するよう処方した．

今回の訴えは左眼のAMDにより，両眼で見たときの左眼の歪みの改善である．所持眼鏡の度数には問題がない．左眼の歪みへの対応として遮閉膜を紹介した．

遮閉膜とは視力を故意に低下させるシール式の膜であり，1.2の視力を，0.0, 0.1>, 0.1, 0.2, 0.3, 0.4, 0.6, 0.8, 1.0 に解像力を低下させるものがある(図27-17)．今回は，0.1, 0.2, 0.3, 0.4 の遮閉膜を実際に所持眼鏡の左眼レンズに貼付し装用感を聞いたところ，0.1, 0.2の遮閉膜では全体的に不鮮明となり違和感が生じた．0.4の遮閉膜では歪みが気になるとのことだった．0.3の遮閉膜では0.2の遮閉膜より周辺はやや鮮明になり，遠近ともにAMDによる歪みも気にならなくなるとのことで今回の対応となった．

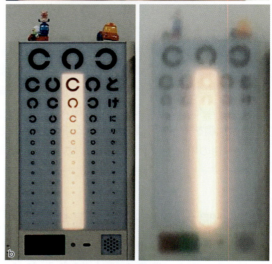

図 27-17　0.1 の遮閉膜を貼付

**注意点**

必要以上に遮閉膜を濃くすると患眼の周辺の正常網膜に投影される像が不鮮明となるため融像の妨げとなる．

また見かけを気にする人もいるので注意が必要である．片眼を眼鏡レンズで遮閉する方法の1つとしてオクルア®(東海光学)がある．旧来のオクルーダーレンズでは白いすりガラスで外見が非常に悪かったのに対して，オクルア®は遮閉効果が十分にありながら外見に配慮されているのが特徴である．

《解説》

患眼に高度の像の歪みなどがあると，両眼視での融像を妨げる．このような場合に遮閉膜を使用する．

## B. 両眼とも視力不良の場合

### 1 片眼に網膜疾患があり，他眼も視力不良の場合

> **症例 3**
> 63 歳　男性，自営業
> 右眼は AMD による中等度の視力不良．左眼は幼少時の外傷による視力不良．「今までの眼鏡で新聞が読めなくなった．新聞が読みたい」とのことで眼鏡処方を希望された．

**自覚的屈折検査**
(遠見) RV＝(0.1×IOL)
　　　　　(0.4×S＋1.50 D ○ C－0.75 D Ax 180°)
　　　LV＝0.01
　　　　　(0.03×S＋2.00 D ○ C－4.50 D Ax 125°)
(近見) NRV＝(0.3×S＋4.50 D ○ C－0.75 D Ax 180°)
　　　NLV＝(0.03×S＋5.00 D ○ C－4.50 D Ax 125°)

**所持眼鏡度数**
R：S＋1.25 D ○ C－0.50 D Ax 180° add＋2.50 D
L：plane

**眼鏡選定度数**（至近距離眼鏡）
R：S＋7.50 D
L：S＋7.50 D

　一般的に新聞を読むために必要な視力は 0.4〜0.5 とされている．この症例では右眼の近見視力が 0.3 となり，新聞を読むことが困難となっている．そこで，視距離を短くすることにより網膜像を拡大する至近距離眼鏡を選定した．上記選定度数で視距離を 15 cm にすることで，網膜像が 2 倍の大きさになるようにし，拡大効果を図った．

**注意点**
　網膜像を拡大することのみを考えて視距離を近づけすぎると，十分な室内照明が紙面に当たらず，手暗がりとなり見えにくくなる．

《解説》
　一般的に至近距離眼鏡での視距離は 10〜15 cm 程度とする．他眼がさらに視力不良のため，重さ・見た目のバランスを考えて度数を選定する．至近距離眼鏡での網膜像の拡大で対応が不可能な場合は，拡大鏡などの光学的視覚補助具を選定する．

### 2 両眼とも網膜疾患による中等度の視力不良の場合

> **症例 4**
> 60 歳　男性，会社員
> 両眼 AMD による視力低下．「書類が見えない」との訴えにより，眼鏡処方を希望された．

**自覚的屈折検査**
(遠見) RV＝0.2(0.3×S＋0.50 D ○ C－0.75 D Ax 80°)
　　　LV＝0.2(0.3×S＋0.50 D ○ C－0.50 D Ax 10°)
(近見) NRV＝(0.3×S＋3.50 D ○ C－0.75 D Ax 80°)
　　　NLV＝(0.3×S＋3.50 D ○ C－0.50 D Ax 10°)

**所持眼鏡度数**
R：S＋3.00 D
L：S＋3.00 D

**眼鏡選定度数**（至近距離眼鏡）
R：S＋7.00 D 3Δbase in
L：S＋7.00 D 3Δbase in

　症例 3 と同様に，視距離を 15 cm にすることで網膜像を 2 倍にする至近距離眼鏡で対応した．しかし症例 3 とは異なり，この場合は視力に左右差がなく両眼で見ることになる．両眼の中等度の視力不良で，両眼視をすることができる場合は，視距離が短くなることで過度に輻湊を強いることになり，眼精疲労や複視が生じる．そのため輻湊を補助するプリズムの加入が必要となる．両眼に各 4Δbase in では違和感を訴えたため，両眼各 3Δbase in を加入した．

**注意点**
　視距離を短くすると，単眼視の場合では問題とならないが，両眼視の場合では輻湊の負荷が生じる．そのため輻湊を補助するためのプリズムレンズを基底内方(base in)に加入する（表 27-2）．
　光学中心と瞳孔中心がずれるとレンズの偏心が

表 27-2　至近距離眼鏡と付加するプリズム度数

| 視距離 | レンズ度数 | 両眼合計 | 基底 |
|---|---|---|---|
| 15.0 cm | +6.00 D | 8 Δ | base in |
| 12.5 cm | +8.00 D | 10 Δ | base in |
| 10.0 cm | +10.00 D | 12 Δ | base in |
| 約 8.0 cm | +12.00 D | 14 Δ | base in |

〔永井春彦：残存視覚の有効利用と患者のケア．新井三樹（編）：わたしにもできるロービジョンケアハンドブック．pp52-54, メジカルビュー, 2000 より〕

起こる．このとき基底外方（base out）効果が起こらないように瞳孔間距離（光学中心間距離）に気を付ける必要がある．

## 3　両眼とも網膜疾患による高度の視力不良の場合

> **症例 5**
> 82 歳　男性，無職
> 両眼 AMD による両眼視力低下．「少しでも見えるようにしてほしい」とのことで眼鏡処方を希望された．

**自覚的屈折検査**
(遠見) RV = (0.02 × IOL)
　　　　　(0.04 × S+2.50 D ○ C−1.00 D Ax 90°)
　　　　LV = (0.06 × IOL)
　　　　　(0.08 × S+1.50 D ○ C−2.50 D Ax 110°)
(近見) NRV = (0.04 × S+5.50 D ○ C−1.00 D Ax 90°)
　　　　NLV = (0.08 × S+4.50 D ○ C−2.50 D Ax 110°)

**所持眼鏡**
なし

**眼鏡選定度数**
(遠用眼鏡)
R：S+2.25 D ○ C−0.50 D Ax 90°
L：S+1.25 D ○ C−2.00 D Ax 110°
(近用眼鏡)
R：S+5.25 D ○ C−0.50 D Ax 90°
L：S+4.25 D ○ C−2.00 D Ax 110°
これに加えて +16.00 D の手持ち式拡大鏡の併

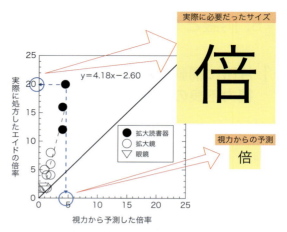

図 27-18　中心暗点がある患者の必要倍率
(中村仁美，小田浩一，藤田京子，他：MNREAD-J を用いた加齢黄斑変性患者に対するロービジョンエイドの処方．日視能訓練士会誌 28：253-261, 2000 より)

用を勧めた．

　至近距離眼鏡で視距離を短くすることによる網膜像の拡大には限界があり，高度の視力不良の場合は，至近距離眼鏡では満足のいく拡大効果が得られない．その場合は拡大鏡などによる光学的視覚補助具と眼鏡を併用することが必要となる．卓上式拡大鏡を使用する場合は近用眼鏡が必要になる．この症例のように著しい視力不良の場合でも屈折異常に対しての矯正は必要であり，正しい眼鏡選定をしておかなければならない．

**注意点**
　拡大鏡のなかでも卓上式拡大鏡を希望された場合は，軽度の近視以外は必ず近用矯正の眼鏡が必要となる．拡大鏡を使用する場合，近用眼鏡を併用しているかを確認し，所持していないようであれば処方する必要がある．

《解説》
　AMD の場合は視力値から拡大鏡（ロービジョンエイド）の倍率を計算すると倍率が低く算出されるため，他の疾患よりも必要倍率に到達するまでに検査時間がかかる（図 27-18）．
　本来，光学的視覚補助具を選定するときは，読書速度から臨界文字サイズを測定し客観的，理論的に倍率を選定することが望ましい．

▶文献
1) 永井春彦：残存視覚の有効利用と患者のケア．新井三樹（編）：わたしにもできるロービジョンケアハンドブック．pp52-54，メジカルビュー，2000

2) 中村仁美，小田浩一，藤田京子，他：MNREAD-J を用いた加齢黄斑変性患者に対するロービジョンエイドの処方．日視能訓練士会誌 28：253-261，2000

（仲村永江）

# VI 視野異常

## Point
- 視野異常がある場合，保有している視野を用いて，その患者が日常生活においてどのように物を見ているかを考慮したうえで眼鏡検査を行う．
- 軽度〜中等度の求心視野狭窄があっても視線を上下にうまく動かすことができていれば累進屈折力眼鏡を装用することは可能である．
- 同名半盲に対し，眼鏡レンズの一部に Fresnel 膜プリズムを貼付することで半盲側にある物などを認知しやすくできる可能性がある．

## A. 網膜色素変性症（求心性視野異常）
pigmentary retinal dystrophy

網膜色素変性症で求心性視野異常がある場合，患者の希望を聞き取ることはもちろん，どの程度視野が残存しているのか，また保有している視野を用い日常行動において，どのように視線を動かして見ているかを把握したうえでレンズの種類を検討する．

**症例 1**
50歳　男性，会社員，網膜色素変性症
求心性視野障害，左右眼ともに約20°（図27-19）．パソコン画面と2〜3m先のホワイトボードに書かれた文字や表などを見たい．

**自覚的屈折検査**
(遠見) RV=0.2
　　　　　(0.8×S−0.75 D ◯ C−0.50 D Ax 180°)
　　　　　LV=0.1
　　　　　(0.7×S−1.00 D ◯ C−0.50 D Ax 10°)

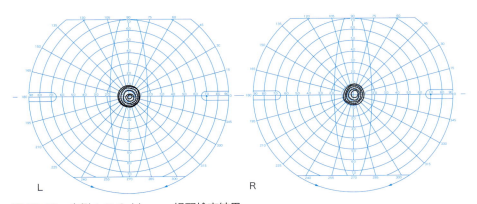

図 27-19　症例1のGoldmann視野検査結果

(近見) NRV＝(0.8×S＋1.75 D ◯ C－0.50 D Ax 180°)
　　　 NLV＝(0.8×S＋1.50 D ◯ C－0.75 D Ax 180°)

### 所持眼鏡度数
(遠用単焦点眼鏡)
R：－1.00 D
L：－1.00 D
(近用単焦点眼鏡)
R：＋1.00 D
L：＋1.00 D

### 処方眼鏡度数
遠近累進屈折力レンズ
R：S－0.75 D　add＋1.50 D
L：S－0.75 D　add＋1.50 D

### 注意点
患者の希望は「仕事で2〜3 m先のホワイトボードも見たい」「眼鏡を外さずにパソコン画面などの近くも見たい」「見た目に境目のないレンズがいい」というものであった．約20°の求心性視野異常はあるが，日常生活では視線をうまく上下に動かしスキャニングして物を捉え見ることができており，遠近両用眼鏡(累進屈折力レンズ)の＋1.50 D加入試用レンズの装用感も問題はなく，処方となった．

《解説》
屈折値，視力，求心視野異常の程度や患者の希望に合わせて累進屈折力レンズか単焦点レンズなどが適しているのか検討する．本症例は左右眼ともに20°の求心性視野障害はあるが，累進屈折力レンズの使用方法を十分理解し，視線を上下にスキャニングさせ，アイポイントの位置をうまく合わせることができ，装用可能であった．ただし高度な求心性視野異常の場合には特別の注意が必要とされ，累進屈折力レンズは不適当な症例となる．

## B. 緑内障
glaucoma

緑内障は多岐にわたる視野障害の特徴を示し，その障害の程度も様々である．

病態初期の場合には，比較暗点であったり，一眼の視野障害を他眼が補うことにより自覚的な見えにくさを訴えることは少ないが，視野欠損や感度低下が進行し特に中心視野近くが障害されると読み書きに影響を及ぼす．

> **症例 2**
> 48歳　男性，会社員，強度近視と緑内障
> 視野は右眼の鼻側欠損，下半視野に弓状欠損がみられ，左眼は耳側の周辺と中心5°に残存しているのみである(図27-20)．最近，手元が見にくくなり，かつ書類を読む際に文字を飛ばしたりする．仕事は近業が主体であり，累進屈折力レンズの遠近両用眼鏡を希望とした．

### 自覚的屈折検査
(遠見) RV＝0.03
　　　 (0.8×S－6.75 D ◯ C－1.50 D Ax 180°)
　　　 LV＝0.02
　　　 (0.4×S－8.00 D ◯ C－0.50 D Ax 10°)
(近見) NRV＝(0.8×S－5.00 D ◯ C－1.50 D Ax 180°)
　　　 NLV＝(0.4×S－6.25 D ◯ C－0.50 D Ax 180°)

### 所持眼鏡度数 (遠用単焦点眼鏡)
R：S－6.50 D ◯ C－1.50 D Ax 180°
L：S－7.50 D ◯ C－0.50 D Ax 180°

### 処方眼鏡度数 (近用単焦点眼鏡)
R：S－5.00 D ◯ C－1.50 D Ax 180°
L：S－6.25 D ◯ C－0.50 D Ax 180°

### 注意点
遠用眼鏡度数と近用眼鏡度数で患者の希望した累進屈折力レンズを試すが，上下にうまく視線を動かしアイポイントで見ることができず，累進屈折力レンズの使用は不適応であった．近見作業を行う40 cmの視距離で近用単焦点レンズを試したところ，累進屈折力レンズより見やすいとのことで処方となった．本症例は右眼の近見視力は

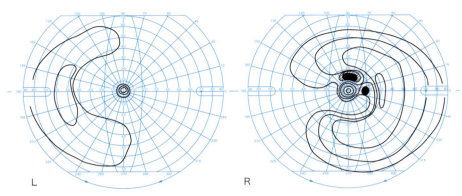

図 27-20 症例 2 の Goldmann 視野検査結果

0.8 と比較的良好であったが，中心近く，特に下半視野に欠損がみられ，文字を読む際，特に縦書きの文字を下に向かって読むことに苦労するとの訴えがあった．眼鏡だけでは解決しないこともあるため，この症例のように縦文字の見えにくさを訴える場合には読字の補助として罫プレートを紹介するとよい．

《解説》

特に下半分の視野が障害されると上半分の視野障害に比べて不自由さを感じることが多い．本症例のように，中心部の下方の視野欠損が起こると近方視において縦書きの文章を読み進むことに困難を感じることが多い[1]．視野障害があっても眼鏡検査においては，患者の使用目的を聞き取り，自覚的に満足の得られる度数を選択することはいうまでもないが，眼鏡だけでは解決しないこともある．読み書きの文字列を他の行から分離することで，一行を見やすくするため，罫プレートを使用すると有効な場合がある．また緑内障患者ではまぶしさを訴えることも多く，遮光眼鏡を試すと見えにくさが改善することもある．

## C. 半盲
hemianopia

同名半盲に対する盲側の視野を補う目的で眼鏡に膜プリズムを貼付する方法が知られている．この方法は視野を回復させる方法ではなく，プリズムを眼鏡に貼付することにより周辺の像を少しでも早く認知することが目的である．

> **症例 3**
> 
> **61 歳男性，自営業**
> 
> 脳梗塞後に右同名半盲（図 27-21）となった．「右側が見えないため歩行時に人や物にぶつかってしまうため，どうにかできないか．何か少しでもよい方法はないか」という強い要望があり，Fresnel 膜プリズム装用による視野の拡大方法を試すことになった．

**自覚的屈折検査**

RV＝0.02
　　（1.2×S－6.00 D ⊃ C－0.50 D Ax 180°）
LV＝0.01
　　（1.2×S－7.00 D ⊃ C－0.50 D Ax 10°）
使用遠用眼鏡は－6.00 D の単焦点眼鏡

**処方眼鏡度数**

R：S－6.00 D
　所持遠用眼鏡の右レンズ耳側に 15Δ 基底外方に膜プリズムを貼付（図 27-22）
L：S－6.00 D

**注意点**

本症例は欠損する右側の視野にある物に気づかず，日常生活や行動に不便さを感じており，何かよい方法はないかという強い希望があった．この方法を試す前には，これから行うプリズム装着は，盲側の視野を回復させることではなく，プリ

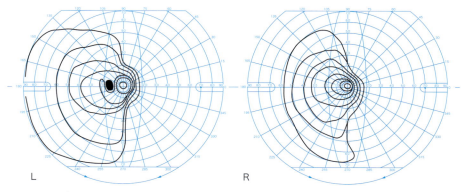

図 27-21　症例 3 の Goldmann 視野検査結果

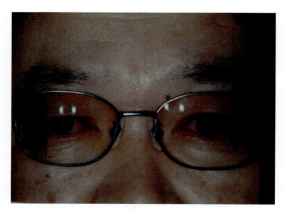

図 27-22　右レンズ（耳側）に 15△ 膜プリズムを貼付

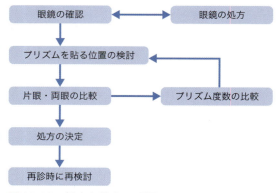

図 27-23　処方と検査の手順

ズムという光学的な道具を使って視野を部分的に補う方法であることを説明し，患者自身に十分に理解してもらうことが重要となる．検査しながら左側の残存視野や右側の欠損視野の部位を意識し視線を動かして確認することで，盲側の見えにくさを確認するための眼球運動の必要性を理解してもらう．以下，実際の検査手順を示す[2]．

### 実際の検査手順（図 27-23）

膜プリズムを試す前に片麻痺や体の動作などの日常行動についても把握し，視野欠損により自覚的にどの程度困っているか十分に聞き取る．また現在，使用している眼鏡が膜プリズム装着可能かどうかを確認する．眼鏡がない場合や遠方眼鏡の度数が不適正な場合には，眼鏡の検査から行い作製してもらう．次に眼鏡を装用させた状態で片眼を遮閉し，遠方を固視させたまま，カードを盲側から中心に向かって動かし，カードに気づいた時点で合図してもらい，眼鏡レンズに水性ペンでマーキングする．この作業を他眼でも繰り返し，膜プリズムを貼る位置の目安とする．次に欠損している耳側視野側にマーキングしたところから 3〜5 mm 耳側に 15△ の膜プリズムを基底外方に仮貼りする．鼻側が欠損している視野側も同様にマーキングから鼻側にずらし，15△ を基底内方に貼る．こうして両眼に仮貼りした状態で，普段どおりに目線を動かしたり，歩いたりして，プリズムによって視野を補う効果が感じられるか，また片眼のみにした場合とどちらがよいか比較する．その後，パワーを 20，25，30△ と変えて比較し使いやすい位置を再度微調整し処方とする．装用テストには時間をかけて，移動時の安全性と適応の状態を十分に観察し確認する．この症例の

場合には，両眼に貼付し試したところ，違和感を生じたため右眼レンズ（耳側）のみに15Δを貼付することになった．

《解説》

本症例はまず両眼に膜プリズムを貼付し試したが，膜プリズムが視野にかかり邪魔に感じるため，右眼レンズのみに貼ることになった．両眼に貼るか片眼のみに貼るかは，患者自身にどちらが自覚的によいかを比較してもらい決める．膜プリズムを仮貼りする位置を微調整後，しばらくは日常生活で使用してもらい，装用感などを聴取し検討を繰り返すことが望ましい．この方法は視野を拡大するのではなく，プリズムにより周辺の物への気づきが若干早くなる程度であり，また視野狭窄患者全例に適応するわけではない．むしろ，像の混乱が生じ[3]，不適応例も多い．しかし，たとえ不適応であっても，この検査を行うことにより自身の視野欠損の状態や眼の動かし方を自覚してもらうことはできる．同名半盲の視野狭窄患者に対する不自由さに対する改善策の1つの手段として試みてもよい方法である[4]．

▶文献

1) 片山麻貴，永井春彦：緑内障．山本修一（編）：専門医のための眼科診療クオリファイ⟨26⟩．ロービジョンケアの実際．pp189-196，中山書店，2015
2) 石井祐子，小川憲一，久保若奈，他：同名半盲に対するフレネル膜プリズムを用いた視野拡大の試み．眼臨医報 100：50-53，2004
3) Suzanne Véronneau-Troutman（著）：視野狭窄のためのプリズム．不二門 尚，斉藤純子（訳）：プリズムと斜視．pp44-47，文光堂，1998
4) 山縣祥隆：視野狭窄を有する患者のロービジョンケア．築島謙次，石田みさ子（編）：ロービジョンケアマニュアル．pp165-175，南江堂，2004

（南雲 幹）

# VII 遮光レンズ

## Point

- 羞明を感じる状況（用途や時間帯など）を聴取する．
- 使う現場でトライアルを行う．自覚的な症状の改善を確認して効果を判定する．
- 選定は，視感透過率，分光透過率曲線を参照する．
- 運転に適するレンズと適さないレンズがある．
- 身体障害者手帳（視覚障害）があれば補装具として申請できる．

遮光眼鏡は，日本ロービジョン学会のガイドラインによれば「グレアの軽減，コントラストの改善，暗順応の補助等を目的として装用する光吸収フィルタを用いた眼鏡」と定義される．多くの眼疾患だけでなく頭蓋内疾患や精神疾患などでもグレアや羞明をきたすことが知られており，その原因は同一ではなく複雑なメカニズムが働くがいまだ解明されていない[1]．様々な疾患で有用との報告があるが[2-7]，その機序は不明不詳である[8]．最適なレンズについて，疾患による特異性は明らかにされておらず，同じ疾患であっても個人差が大きい[9]．

選定に際しては，可能な限り実際に使う状況下でトライアルテストを行うのが望ましい．確立した選定方法はなく，分光透過率曲線や視感透過率を参考にして助言し，自覚的にまぶしさが改善するか，文字や物の輪郭のくっきり感が増すか，暗くならないかの観点からレンズを決定する．まぶしさの改善と暗さについては，順光下だけでなく逆光下や日陰など異なる条件下でも試し，効果が一定でないことを理解してもらうことも大切である．くっきり感の改善については，コントラスト比が低いものを視対象にするとわかりやすい．コントラストの改善は，常に得られるとは限らず，

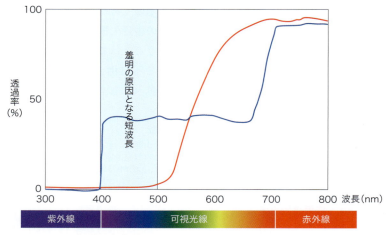

**図 27-24 分光透過率曲線**
どの波長をどの程度透過させているかを表わしたもの．赤線は CCP® RO（東海光学）であり，紫外線と羞明の原因とされる 500 nm 以下の青色光の透過率はほぼ 0% で，錐体の感度が高い 555 nm 付近の透過率が約 50% である．青線はグレーのサングラス（一例）であり，可視光域の透過率は一律に約 40% である．

フィルターの波長透過特性と視対象の色によって異なる[10]ことも説明する必要がある．

カラーレンズの場合，その補色が吸収され，視界はレンズのカラーに色づいて見える．色の変化が不都合な場合，可視光域の透過率が一定したグレー系のレンズを選ぶ．

運転を想定する場合は，運転に適合するレンズ（昼間用：視感透過率が 8% 以上，夜間用：視感透過率が 75% 以上）であることを確認する．

## A. 羞明を訴える場合

はっきりと羞明を訴える場合もあるが，視界が白っぽい，ちかちかするなどまぶしさによる見えにくさは様々に表現される．

> **症例 1**
> **67 歳　男性，無職，顆粒状角膜変性症**
> 屋外に出ると視界が白っぽくかすむ．ゴルフのときが最も困る．

**自覚的屈折検査**
RV = (0.8 × S − 3.00 D ◯ C − 0.75 D Ax 90°)
LV = (0.7 × S − 2.25 D ◯ C − 1.00 D Ax 90°)

**トライアルテスト**
分光透過率曲線を参照して，短波長のカット効果が高いレンズ〔CCP®（東海光学），レチネックス®（HOYA）〕を中心に屋外でトライアルをする．

**処方眼鏡**
上記の屈折度で CCP® YG を処方．

**注意点**
屋外で使う眼鏡は屋外で選定を行う．屋内で，あるいはパンフレットだけで選定すると，目的を果たせない選択となりやすい．

《解説》

まずは，いつ，どこで何をしているときに羞明があるのか，聞き取りをすることが大切である．

本症例のように角膜や水晶体，硝子体の混濁などにより入射光が散乱されて羞明が起こる場合，散乱のエネルギーが大きい 500 nm 以下の短波長域の透過率が低いレンズを選ぶのが羞明の改善に効果的と考えられている．波長ごとの透過率は分光透過率曲線を参照する（図 27-24）．錐体の感度が高い 555 nm 付近の透過率が高いと明るく感じやすく，杆体の感度が高い 507 nm 付近の透過率が低いと暗順応の時間を短縮できる．

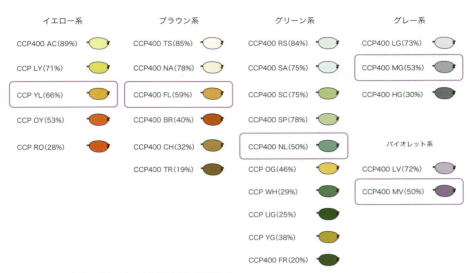

**図 27-25 遮光眼鏡の色別分類と視感透過率**
色別にレンズを分類し，STG フルトライアルキットによる視感透過率を示す．視感透過率を参考に選定する場合，羞明が軽度であれば視感透過率が高いレンズから，それ以外は中程度のもの（□で囲んだレンズ）から提示すると効率的に選定できる．

### 症例 2

**42 歳　女性，無職，網膜色素変性**
洗濯物を干すときや買い物に出かけるときに特にまぶしい．眼鏡店で購入した濃いグレーのサングラスでは暗く感じることが多い．

**自覚的屈折検査**
RV＝(0.3×S－6.0 D)
LV＝(0.4×S－5.5 D)

**トライアルテスト**
　暗さが気になる場合，視感透過率を目安にして選定するとよい．視感透過率が高いレンズから順に試し，暗くならず羞明が改善するレンズを選ぶ．

**処方眼鏡**
R：S－5.0 D,
L：S－4.5 D　CCP®400 FL で処方

**注意点**
　本症例では濃いグレーのサングラスを着用しているが，グレーのサングラスは可視光域の透過率が一律であり，短波長のカット効果が高いということは中波長のカット効果も高いため，暗く感じてしまいやすい（図 27-24）．視感透過率は，数値が高いほど眼は明るく感じる．羞明が軽度なら視感透過率が高いレンズから，それ以外は，視感透過率が中程度のものから提示する．色の好みがある場合，レンズを色別に分けて提示していくのも効率的である（図 27-25）．カラーレンズの場合，補色の透過がカットされるため視界がレンズカラーに色づいて見えることを伝えておく．

《解説》
　院内でのシミュレーションが難しい状況下で使う場合，貸し出して試してもらうのが望ましい．

### 症例 3

**55 歳　男性，会社員，緑内障**
　運転時の羞明に最も困っている．屋内でパソコン作業や読書をするときもまぶしい．累進多焦点眼鏡を常用したい．

**自覚的屈折検査**
RV＝(0.8×S＋1.75 D◯C－0.75 D Ax 175° add ＋2.00 D)
RV＝(0.8×JB)
LV＝(1.0×S＋2.50 D◯C－0.750 Ax 180° add ＋2.00 D)
LV＝(0.9×JB)

**図 27-26** オーバーグラス型(a〜c),クリップオン型遮光眼鏡(d)
a〜c:眼鏡の上から掛けられる.
a:ビューナル(東海光学),b:ウェルネスプロテクト(エッシェンバッハ),c:ビューナルキッズ(東海光学),d:レチネックス®(HOYA).前掛け.眼鏡の上からクリップで取りつける.

### トライアルテスト

最も困っている状況下での改善を優先して屋外用を先に選定し,屋内用としても兼用できるか試してみる.兼用が難しければ2つの色の使い分けが必要となる.

### 処方眼鏡

(屋内用)
RV = (0.8 × S + 1.75 D ◯ C − 0.50 D Ax 175° add + 2.25 D)
LV = (1.0 × S + 2.50 D ◯ C − 0.50 D Ax 180° add + 2.25 D)
CCP®400 TS で処方.

(屋外用)
オーバーグラス〔ビューナル(東海光学)〕を CCP®400 NL で処方.
昼間の運転用として,現在の色なし眼鏡の上から装用する.

### 注意点

本症例は,屋内用と屋外用の2つの使い分けが必要な例である.ほとんどの場合,1つのレンズですべての状況には対応できない.使い分けの方法として,2つを別々に作る,屋内用の眼鏡の上に屋外用レンズをクリップオンで装着する,オーバーグラスを重ねる,調光レンズで作製するなどの選択肢がある(図27-26).

### 《解説》

運転用の遮光レンズは,視感透過率や屈折率,コーティングにより適さないレンズがあるので,眼鏡メーカーのパンフレットを確認して選定し,処方箋には運転を想定していることを記載する.パソコンや読書用の遮光眼鏡を考える前に,パソコンの設定(色や明るさなど)や部屋の照明,タイポスコープの併用などの工夫で羞明が改善しないか検討することも大切である.

## B. 小児の場合

自覚的な返答を得るのが困難な場合は,装用による目つきや行動の変化を観察することで効果を判定する.

> **症例 4**
> 3歳 女児,保育園児,白子症
> 屋外に出るとまぶしくて開瞼できず,眼をしかめたり下を向いたりしてしまう.

### 自覚的屈折検査

RV = 0.2(n.c.)
LV = 0.1(n.c.)

### トライアルテスト

屋外で,遮光眼鏡の装用により細めていた眼が開くか,顔を上げることができるか,明るい場所

にも出ようとするかなどを保護者とともに注意深く観察する．

> [!NOTE] 処方
> 度なしでCCP® YGを屋外用として，CCP®400 NAを屋内用として処方．フレームはビューナルキッズ（東海光学）とした．

> [!NOTE] 注意点
> 可能な限り貸し出しをして，家庭や生活のいろいろな場面で試してもらい評価する．

《解説》

小児の場合，目つきや行動を観察することで効果を判定する．色の決定に迷うときは保護者の意向を取り入れてもよいと思われる．横からの光も遮ることができる小児専用の遮光眼鏡フレームがある（図27-26c）．

## C. 公的補助が受けられる場合

羞明があり遮光眼鏡の装用以外に治療方法がない場合，身体障害者手帳を取得していれば補装具として申請できる．

> [!NOTE] 症例5
> 70歳　男性，無職，AMD
> 羞明があり視界が白んでいる．人の顔が見えにくい．身体障害者手帳視力障害4級を所持している．

> [!NOTE] 自覚的屈折検査
> $RV = (0.1 \times S + 1.75\,D \subset C - 0.75\,D\ Ax\ 175°)$
> $LV = (0.1 \times S + 2.50\,D \subset C - 0.75\,D\ Ax\ 180°)$

> [!NOTE] トライアルテスト
> AMDでは黄斑部の網膜感度低下のため視界が暗く見える．一方で照明の明るさが不快な羞明となる場合もあるが，色が濃いとかえって視界が暗くなる場合がある[11]．羞明の軽減が得られ，かつ，暗くなりすぎないレンズを選ぶ．

> [!NOTE] 注意点
> 補装具としての遮光眼鏡は，可視光短波長の透過を抑制するもので，分光透過率曲線が公表されているものに限定される（図27-26）．

表27-3　補装具「遮光眼鏡」の支給要件

・対象者は，以下の要件を満たす者
1) 視覚障害により身体障害者手帳を取得していること
2) 羞明を来たしていること
3) 羞明の軽減に，遮光眼鏡の装用より優先される治療法がないこと
4) 補装具費支給事務取扱指針に定める眼科医による選定，処方であること
※この際，下記項目を参照の上，遮光眼鏡の装用効果を確認すること
（意思表示できない場合，表情，行動の変化等から総合的に判断すること）
・まぶしさや白んだ感じが軽減する
・文字や物などが見やすくなる
・暗転時に遮光眼鏡をはずすと暗順応が早くなる

《解説》

視覚障害で身体障害者手帳を取得していれば，疾患にかかわらず遮光眼鏡を補装具として申請可能である．原則，交付基準額（上限があり，眼鏡式：30,000円，前掛け式：21,500円，乱視がある場合は各＋4,200円）の9割が支給される．基準額を超えた分は通常自己負担となる．耐用年数は4年である（表27-3）．

難病（指定難病も含む）認定を受けている場合も同様である．ただし，支給可否の決定は，各自治体で行われる．

▶文献
1) 堀口浩史：羞明のメカニズム．神経眼科 26：382-395，2009
2) 川瀬和秀，浅野紀美江：疾患別ロービジョンケア"緑内障"．眼紀 57：261-266，2006
3) 阿曽沼早苗，長行司純子，前田江麻，他：加齢性黄斑変性症における遮光眼鏡の有効性．眼紀 85：479-486，2007
4) 仙田翠，江口万由子，杉谷邦子，他：糖尿病網膜症患者への遮光眼鏡処方状況．眼臨紀 7：923-927，2014
5) 守本典子：網膜色素変性のロービジョンケア（視覚活用について）．日本の眼科 77：1397-1400，2006
6) 南稔浩，中村桂子，澤ふみ子，他：大阪医科大学における遮光眼鏡の検討．日視会誌 36：133-139，2007
7) 石井雅子，張替涼子，阿部春樹：新潟大学におけるロービジョン者に対する遮光眼鏡処方の状況．日ロービジョン会誌 8：159-165，2008
8) 堀口浩史：遮光眼鏡と羞明 分光分布から羞明を考える．あたらしい眼科 30：1093-1100，2013
9) 阿曽沼早苗，不二門尚：遮光眼鏡．あたらしい眼科 28（臨増）：59-61，2012
10) 田中恵津子，小田浩一：光吸収フィルタ（遮光眼鏡）によるコントラスト変化．視覚リハ研 1：86-93，2012
11) 藤田京子：疾患別ロービジョンケア 加齢黄斑変性．山本修一（編）：専門医のための眼科診療クオリファイ〈26〉．ロービジョンケアの実際．pp176-181，中山書店，2015

（阿曽沼早苗）

# Ⅷ LEDと着色レンズ，睡眠

**Point**
- LEDには青色波長成分（ブルーライト）が多いので，特にメラトニン分泌に影響する．
- ブルーライトを夜浴びると睡眠障害を起こしやすい．
- LEDは日常生活下での網膜，角膜への急性毒性はないが，慢性毒性は不明．
- ブルーライトはドライアイ，眼精疲労の症状を悪化させ，近視進行と関係がある．
- 小児のブルーライトカット眼鏡の使用は慎重に検討する．
- 着色IOLと非着色IOLにはまだ明らかな差が報告されていない．

LED（light emitting diode，発光ダイオード）があらゆる照明機器に使用されるようになり，携帯端末やコンピューター，近年は街中の広告もすべてLEDになりつつある．その技術革新と普及は爆発的で，1年後の状態が想像できないほどである．LEDが発する光は太陽光，白熱電灯，蛍光灯とは性質が異なり，生体への影響についてもいくつか注意を要する点がある．しかし，LEDの発達普及が速いのに比べ，医学生物学的研究はまだまだ十分とはいえない．本項では眼科従事者が知っておくべき現代の光環境と眼について概説する．

## 1 LEDの成分

LEDの特質はブルーライト成分にある．電灯の光は一見どれも無色透明で白色光と表現されるが，発光機序によって成分が異なる（図27-27）．太陽光は7色が混ざってできているが，LED照明は青色と黄色から白色を作っている製品が多く，昔ながらの白熱電灯や蛍光灯よりもブルーライト成分（可視光線の波長400〜500 nmの青色領域）が多いため眼や全身に及ぼす影響が異なってくる．

## 2 ブルーライトの眼内への入射と全身作用

ブルーライトが眼内に入射すると，この波長に特異的に反応する内因性光感受性網膜神経節細胞が受容し，脳に信号を送り，松果体や全身の体内時計に現在の光環境を伝達する．すなわち，ブルーライトが眼に入るのは昼間，入らないのは日没後，という人類創生以来のメカニズムが実行されるのである．

紫外線は角膜と水晶体で大部分吸収され眼底までは到達しないが，ブルーライトは可視光線に含まれるので眼底まで到達する．透過量は瞳孔径と水晶体混濁で決まり，乳幼児が最も多く高齢者の3倍以上[1]，核白内障では減弱する．緑内障や網膜変性では網膜機能低下のためにブルーライトが眼底に到達しても生体作用は減弱する．

ブルーライトの全身的・精神神経的作用を大別すると，①体内時計のリセット・メラトニン調節[2]，②覚醒，③頭痛・眼痛の3つがある（表27-4）．これらのなかで体内時計とメラトニンへの影響は健康や寿命を左右する重大な問題であり，ブルーライトを環境因子として捉え，避けるべきときと，受容すべきタイミングを知る必要がある．睡眠覚醒に関しては朝や昼間はブルーライトが必要で，これには就寝時のメラトニン分泌量を増加させる作用もある．就寝前のブルーライト曝露は避けるべきで，漫然と明るい照明下で過ごしたり眼前でスマホを操作し続けるとメラトニン分泌が抑制され睡眠障害が起こる[3]．

## 3 LEDと睡眠

LEDは照明機器のみならずテレビ，パソコン，

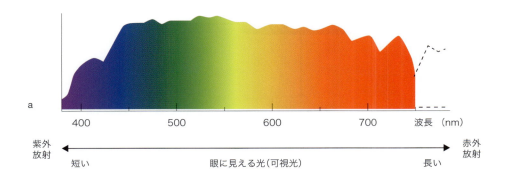
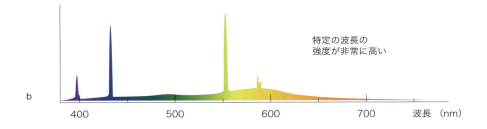
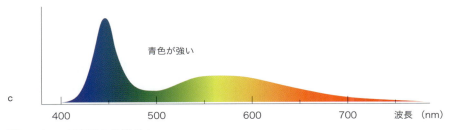

図 27-27　各光源の分光分布
太陽光(a)や白熱電灯には虹でみられる7色が均等に含まれている．蛍光灯(b)には青色と黄色にピークがあるが，幅が狭く問題にならない．LED(c)は青色と黄色で白色を作っている製品が多く，ブルーライトの発光割合が大きい．

表 27-4　ブルーライトの全身的・精神神経的作用

1）体内時計のリセット・メラトニン調節
2）覚醒
3）頭痛・眼痛

携帯端末の背景照明に使用されている．夜間の照明光が睡眠障害をきたし，メラトニン分泌を抑制することがわかってきたのが1980年代で，当時から蛍光灯や白熱電灯での実験が行われていた．その後パソコンや携帯端末の爆発的な普及に伴い，これらの光源も睡眠に影響することを示した研究がここ数年出てきたばかりである．小さな携帯端末からの光が全身に影響する理由は，使用距離と使用時間帯である．すなわち，携帯端末は平均値で眼前20 cm で使用され光を直視するために，入射光のエネルギーが照明機器の数倍以上ある．夜間の使用によって，メラトニン分泌が増加し就寝に向かうべき時間帯にそれが抑制される．その結果，就寝時刻になっても寝つきが悪くなり，就寝中のメラトニン分泌量も下がり，しかも起床時にメラトニン値が十分下がらなくなり，目覚めが悪い，日中眠いなどの不眠症状をきたす．

## 4 ブルーライトの眼毒性

光は網膜に毒性があり，古来日食網膜症として知られていたが，近年ではAMDとブルーライト

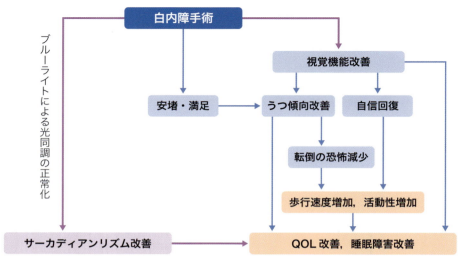

図 27-28　白内障手術による QOL 改善の仮説

の関連が懸念されている．培養角膜細胞でも光毒性が検出され，急性毒性はあるが，慢性毒性については不明である．皮膚がんや白内障のように紫外線や近紫外線のブルーライトには慢性的影響がありうるので十分に配慮するべきであろう．

## 5 ブルーライトによる睡眠障害と眼疾患

ブルーライトの受容が低下する代表的眼疾患は白内障であり，白内障患者ではメラトニン調節や夜間分泌量増加が減弱し，睡眠障害が起こる．この症状は白内障を除去することで改善することが知られている[4]．緑内障患者ではブルーライトに対する瞳孔反応が減弱し，睡眠障害が起こっていることが示されている．緑内障は網膜神経節細胞が障害される疾患なのでそのサブタイプである内因性光感受性網膜神経節細胞が障害されていることが関連していると推測されている．

## 6 白内障手術の睡眠への効果と着色眼内レンズの効用

白内障手術後睡眠が改善し，その原因の1つとして眼内への入射光の増加による光受容改善がいわれている．昼間のブルーライト入射が増加すると夜間のメラトニン分泌が増加し，これが睡眠改善につながっていることが脳波や内分泌検査で示されている（図 27-28）．黄色の着色眼内レンズ（IOL）にはブルーライトを減らす機能があるが，健康への影響はまだ研究途上にある．

## 7 ブルーライトと眼疾患の関連

ブルーライトは散乱が多いのでちらつきなどの眼精疲労を起こしやすく，もともと眼表面の散乱が多いドライアイ患者ではさらに症状が悪化する．このブルーライトによる眼精疲労，像質の低下はブルーライトカット眼鏡の装用やブルーライト軽減ソフトウェア搭載ディスプレイによって軽減される可能性がある．

政府のギガスクール構想もあって，小児でも授業や日常生活でパソコンやタブレット端末を使用する機会が増えてきた．それに伴い，デジタル機器の LED 画面から出るブルーライトの影響が懸念されるようになった．LED 照明やデジタル機器に起因する羞明，眼痛，頭痛をきたす小児は一定割合存在し[5]，これらの小児にはブルーライトを減弱する方策はよい適応になる．しかし，昼間のブルーライト曝露を減らすと，本来太陽光のブルーライトで体内時計を調整している生理機能が影響を受け，体内時計の乱れによる健康障害などにつながるおそれがあるため，昼間のブルーライ

トカット眼鏡の使用は慎重に検討すべきである[6]．

▶文献
1) Higuchi S, Lee SI, Kozaki T, et al: Late circadian phase in adults and children is correlated with use of high color or temperature light at home at night. Chronobiol Int 33: 448-452, 2016
2) Lewy AJ, Wehr TA, Goodwin FK, et al: Light suppresses melatonin secretion in humans. Science 210: 1267-1269, 1980
3) Ayaki M, Hattori A, Maruyama Y, et al: The large-scale integration built in tablet screen for blue light reduction under optimized color and contrast; the effects on sleep and ocular parameters. Cogent Biology 3: 1294550, 2017
4) 綾木雅彦：白内障手術の睡眠，歩行改善効果について．日本内障会誌 28：27-30, 2016
5) Lee S-I, Hida A, Tsujimura S, et al: Association between melanopsin gene polymorphism (I394T) and pupillary light reflex is dependent on light wavelength. J Physiol Anthropol 32: 16, 2013
6) 日本視能訓練士協会，日本斜視弱視学会，日本眼科学会，他：小児のブルーライトカット眼鏡装用に対する慎重意見（https://www.jasa-web.jp/wp/wp-content/uploads/210414_bluelight.pdf）210414_bluelight. pdf (jasa-web.jp)

（綾木雅彦）

# IX 片眼疾患の眼鏡調整

**Point**
- 使用場面によって，装用可能な眼鏡度数や片眼遮閉の必要性は異なるので，患者のニーズを丁寧に聞き取ることが重要である．
- 両眼視が困難な患者に対して，単眼視眼鏡や遮閉材を紹介することは有意義である．
- 矯正視力以外にも優位眼や視野，読書速度にも注意を払う．

## A. オクルア® を使用した例

矯正視力だけではなく，歪視や視野内の暗点の位置によって読書が困難となる場合がある．Amsler Charts や M-CHARTS™，MNREAD-J™ での歪視や読書の評価も行ったほうがよい．

**症例 1**
68 歳 女性，主婦，両眼加齢黄斑変性
週刊誌をよく読む．最近文字が読みにくい．右眼は歪みが強く，見えないところがある．左眼はぼやけているが，見える範囲は広い．読書用眼鏡処方希望．

**所持眼鏡度数**
R：S＋3.0 D
L：S＋3.0 D

**自覚的屈折検査**
（遠見）RV＝(0.6×S＋1.50 D ○ C－0.50 D Ax 180°)
LV＝(0.5×S＋1.50 D ○ C－0.50 D Ax 180°)
（近見）RV＝(0.6×S＋4.50 D ○ C－0.50 D Ax 180°)
LV＝(0.5×S＋4.50 D ○ C－0.50 D Ax 180°)

**近用装用検査経過**（1 回目）
R：S＋4.50 D ○ －0.50 D Ax 180°
L：S＋4.50 D ○ －0.50 D Ax 180°
右眼の歪みが気になり，左眼のみで見たほうが見やすい．

**Amsler Charts**
右眼中心の 1° 上方に約 10° の範囲で暗点があり，中心部分は線が歪んでいる．

**読書速度検査** MNREAD-J™（臨界文字サイズ）
右眼：0.7 logMAR
左眼：0.5 logMAR

**処方眼鏡度数**
R：S±0.00 D　オクルア®（クリア色）
L：S±4.50 D ○ －0.50 D Ax 180°
右眼の歪みが気にならなくなった．週刊誌の文字も読める．

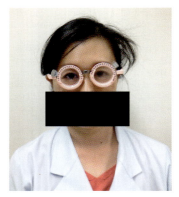

図 27-29　左眼オクルア®（クリア色）装用例

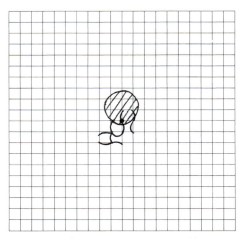

図 27-30　症例 2 の Amsler Charts 結果

#### 注意点

新聞などの文章を読むことができる視力は 0.4〜0.5 といわれているが，視力値から読書課題の成否を推定することが難しい場合がある[1,2]．MNREAD-J™ による読書速度検査において，臨界文字サイズは最大の読書速度で読むことができる文字サイズの指標である．読書速度検査から，この症例では視力がよい右眼より左眼のほうがより小さい文字まで速い速度で読むことができるとわかった．

左右眼どちらかに重きをおいて眼鏡度数を決めなければならない場面では，視力がよいほうの眼に度を合わせるのが成功の唯一の方法ではない．視力値だけではなく歪視や読書速度にも注意を払いたい．

遮閉材の遮閉効果が高いほど，整容的な問題が生じる．オクルーダーレンズのオクルア® は周囲から見た左右眼の見え方が比較的自然である（図 27-29）．度数は入れずに製作されるが，左右レンズの厚みは合わせることができる．

### B. 遮閉膜（Bangerter occlusion foil）を使用した症例

両眼で見ることに対し困難や不満があるのが限定的な場面であれば，取り外しのできる遮閉材が有効なこともある．

#### 症例 2

**65 歳　女性，主婦，左眼黄斑円孔術後**
左眼に変視症と小視症がある．眼鏡で歪みが治せないかと眼鏡処方を希望した．洋裁が趣味であるが，左眼の歪みが気になり細かい作業がやりにくい．

##### 所持眼鏡度数

遠近両用（累進屈折力レンズ）
R：S＋0.75 D⊃C－0.50 D Ax 180° add＋2.50 D
L：S＋0.75 D⊃C－0.50 D Ax 180° add＋2.50 D

##### 自覚的屈折検査

（遠見）RV＝(1.0×S＋1.00 D⊃C－0.50 D Ax 180°)
　　　　LV＝(0.6×S＋1.00 D⊃C－0.50 D Ax 180°)
（近見）RV＝(1.0×S＋4.00 D⊃C－0.50 D Ax 180°)
　　　　LV＝(0.5×S＋4.00 D⊃C－0.50 D Ax 180°)

##### New Aniseikonia tests

左眼－3％

##### M-CHARTS™

右眼　縦 0.0°　横 0.0°
左眼　縦 1.5°　横 1.2°

##### Amsler Charts

中心を含む上方に 3° の比較暗点があり，その下方 2° 内は歪視がある（図 27-30）．

##### 近用装用検査経過

眼鏡調整によって変視症は軽減しないと説明し，近用専用眼鏡を勧めた．

- 1回目
  - R：S＋3.50 D
  - L：S＋3.50 D

  左眼の歪んだ感じが邪魔になる．片眼をつぶりたくなる．

- 2回目
  - R：S＋3.50 D
  - L：S＋3.50 D　遮閉膜 0.3　少し歪みが気になる．
  - 　　　　　　　遮閉膜 0.1　これだと歪みが気にならない．
  - 　　　　　　　遮閉膜 0.2　これでも歪みが気にならない．

**処方眼鏡度数**

R：S＋3.50 D
L：S＋3.50 D　遮閉膜 0.2　（中心部分のみに直径 1 cm 程度貼付）

切り抜いた遮閉膜を近業時に視線が通る中心部分のみに貼付した．全体がぼやけなくて見やすいとのことであった．

**注意点**

歪視が中心部の狭い範囲に限られるのであれば遮閉膜を中心のみに貼付することを検討してもよい．

遮閉膜は本来弱視治療に用いられるが、両眼視が困難な患者にも有効である．遮閉膜の利点は、遮閉の強さにバリエーションがあり安価であること、取り外しや部分的に貼付が可能なことである．

## C. 乱視を矯正せず等価球面値で対応した例

装用時間の長短や使用目的によって、求める装用感が快適な見え方か、はっきり見ることで異なることがある．

---

**症例 3**

75 歳　女性，無職，両眼近視性黄斑症

両眼に変視症と中心暗点がある．左眼の中心暗点は大きく，中心窩を含むため，視力不良である．白内障術後，裸眼で歩行しても不自由はなかったが，外出時に眼鏡を掛けたほうがよいか試したい．術前は両眼－14.0 D 程度の近視であった．

**所持眼鏡度数**（術前のもの）

R：S－10.0 D ⌒ C－2.00 D Ax 180°
L：S－10.0 D ⌒ C－3.00 D Ax 180°

近用眼鏡は使用していなかった．

**自覚的屈折検査**

(遠見) RV＝(0.5×S－4.00 D ⌒ C－3.00 D Ax 180°)
　　　 LV＝(0.1×S－4.00 D ⌒ C－4.00 D Ax 180°)
(近見) RV＝(0.5×S－1.00 D ⌒ C－3.00 D Ax 180°)
　　　 LV＝(0.1×S－1.00 D ⌒ C－4.00 D Ax 180°)

**遠用装用検査経過**

- 1回目
  - R：S－4.00 D ⌒ C－3.00 D Ax 180°
  - L：S－4.00 D ⌒ C－4.00 D Ax 180°

  強い感じがする．左眼ではタイルの目地が歪んで見え，酔ったようになり歩きにくい．

- 2回目
  - R：S－4.50 D ⌒ C－2.00 D Ax 180°(0.5 p)
  - L：S－5.00 D ⌒ C－2.00 D Ax 180°(0.1 p)

  1回目よりましだが，まだ左眼の歪みが気になる．

**処方眼鏡度数**

(遠用) R：S－4.50 D ⌒ C－2.00 D Ax 180°(0.5 p)
　　　 L：S－6.00 D　(0.09)

左眼の歪みが気にならなく最もよい．等価球面値の－6.00 D と円柱度数をなくした－4.00 D との比較では，等価球面値のほうがよいとのことであった．

(近用) R：S－1.00 D ⌒ C－3.00 D Ax 180°
　　　 L：S－3.00 D

読み書きは長時間でないので，はっきり見たい．左眼円柱度数は入れないほうが歪みが気にな

らない．

**注意点**

　遠用眼鏡は歪みの症状を和らげるために，左眼は円柱度数なしの等価球面値とした．近見では視力がよいほうの右眼も(0.5)と読書に困難が生じる懸念があったため，右眼は最良度数とした．

　視力値や変視症の程度によって，装用可能度数や片眼遮閉の必要性を決めることはできない．なぜなら，常用するのか，限定的目的での短時間使用かで装用できる度数が違うからである．したがって，リラックスするときに装用するものや，観劇用など使用場面により複数の眼鏡が必要になる場合がある．

## D. 術後不同視への対応

　片眼の手術後に不同視となり，違和感を訴えるケースがある．装用可能な度数の左右差は個人差が大きいので，よく吟味するべきである．

> **症例 4**
> **53 歳　男性，会社員，左眼網膜剝離術後**
> 網膜剝離手術に伴う IOL 挿入を行った．術前は R：−9.00 D，L：−8.00 D 程度の近視であった．非術眼も将来白内障手術を行うことを考慮して期待屈折値は −4.00 D としたため，不同視となった．遠近両用眼鏡を希望．

**所持眼鏡度数**

R：−7.00 D
L：−6.00 D
　近用眼鏡は使用していなかった．

**自覚的屈折検査**

(遠見) RV＝(1.0×S−9.00 D ◯ C−0.50 D Ax 180°)
　　　 LV＝(1.0×S−4.00 D ◯ C−0.50 D Ax 180°)
(近見) RV＝(1.0×S−6.50 D ◯ C−0.50 D Ax 180°)
　　　 LV＝(1.0×S−1.00 D ◯ C−0.50 D Ax 180°)

**優位眼**

　ホールインカード法で左眼

**遠用装用検査経過**

- 1 回目

R：S−6.00 D
L：S−4.00 D
右眼が見えにくい．

- 2 回目

R：S−7.00 D
L：S−4.00 D
1 回目よりはバランスがよい．

- 3 回目

R：S−7.50 D
L：S−4.00 D
ややきつい感じ．

**New Aniseikonia tests** (2 回目の度数にて)

右眼 −2%

**累進屈折力レンズ装用検査経過**

R：S−6.50 D
L：S−4.00 D add＋3.00 D
　累進屈折力検眼レンズで左眼加入度は＋2.50 D より＋3.00 D がよい．

**処方眼鏡度数**

R：S−7.00 D add＋1.00 D
L：S−4.00 D add＋3.00 D
　右眼にも累進屈折力レンズを入れたほうがよい．

**注意点**

　両眼融像できる不等像視量の限界は 5% とされ，成人の眼鏡度数の左右差は 2 D 程度が推奨されている[3]．しかし，1 D 当たりに生じる不等像視量は個人差が大きく[4]，許容される不等像視量も見ている対象の大小によって異なる[5]．装用可能度数の左右差は個人差が大きいので，何通りか試して決定すべきである．

《 解説 》

　両眼視が困難な患者の半数が片眼つぶりのみや，対処なしでいるといわれている[6]．そのような患者に遮閉材を紹介することは有意義である．遮閉材を用いる場合には，色調の変化，立体視など両眼視機能の低下，視野狭窄などが起こることを説明するべきである．また，周囲から見たときの左右眼の見え方に差が生じるので，整容的な面

表27-5 遮閉法による利点と難点

| 遮閉材 | 利点 | 難点 |
|---|---|---|
| オクルア® | ・左右眼がバランスよく見え，見た目がよい<br>・カラーバリエーションが豊富 | ・高価<br>・取り外しができない |
| 遮閉膜 | ・遮閉の強さが選べる<br>・取り外しが簡単である<br>・眼鏡の一部分に貼付可能<br>・安価 | ・見た目がよくない<br>・長持ちしない |
| 等価球面値などのレンズ | ・眼鏡レンズのみで対応可能 | ・度数によっては適応しない |
| 眼帯 | ・最も手軽<br>・眼鏡を使用していなくても行える | ・見た目が悪い |

も鏡を見て確認してもらうとよい．いくつかある遮閉方法の利点と難点を示し，装用検査の過程を丁寧に行うことで，満足度を高めることができる．

検査の経過や片眼遮閉の利点難点を説明したことをカルテに残すことはトラブル回避のためにも重要である．転倒には十分に注意を促し，書面での注意喚起も必要である．

低視力眼では自覚的屈折検査時にレンズの優劣がわかりにくい．特に中心暗点がある患者では見え方が安定していないと，レンズの優劣を比べるのは困難である．そのような場合には，患者がどのように見えているかを確認しながら，レンズ提示時間を長めにするなどの工夫が必要である[7]．また，レンズを±1.0と大きいステップで提示し，その後細かい部分を調整するなど，患者の応答に合わせた対応が必要である．

遮閉法の利点と難点を表27-5に表わした．

▶文献
1) 中村仁美，小田浩一，藤田京子，他：MNREAD-Jを用いた加齢黄斑変性患者に対するロービジョンエイドの処方．日視会誌 28：253-261，2000
2) 氏間和仁：ロービジョンの読みに適した文字サイズの選択について．特殊教育学研究 48：323-331，2010
3) Duke-Elder S: The practice of refraction. 8th ed. pp102-106, J & A Churchill, 1969
4) 山口恵，早津宏夫，横山利幸，他：シングルディスクハプロスコープを用いた不同視における不等像の検討．日視会誌 25：101-106，1997
5) 磯村悠宇子，粟屋忍：Aniseikoniaと両眼融像に関する研究．日眼会誌 84：1619-1628，1980
6) 山崎幸加，麓智比呂，松森礼子，他：両眼開放で日常視を行う事が困難な患者に対する単眼視眼鏡の選定．日視会誌 42：89-96，2013
7) 可児一孝：視力検査の流れ．所敬(監)，松本富美子，大牟禮和代，仲村永江(編)：理解を深めよう視力検査 屈折検査．pp30-35，金原出版，2009

（菊池由夏子）

第 5 部

# コンタクトレンズ

# 第28章

# コンタクトレンズ

## I コンタクトレンズの種類と変遷

### 1 コンタクトレンズのはじまり

Leonardo da Vinci と哲学者 René Descartes がコンタクトレンズ(contact lens：CL)の始祖として知られている．da Vinci はガラス球の中に顔を浸けたスケッチを残していることから，これが角膜屈折を中和する CL の原理に相当するといわれている．一方 Descartes の，角膜の上に水を満たした筒を置いた図が，CL の角膜中和の原理であるとされている．しかし，水谷[1]は，前者は反射屈折の概念を示し，後者は望遠鏡の原理を示すもので，そこからヒントを得て CL を考えたという記録もなく，彼らが CL の発明者とするのは無理があると解説している．

後に，生理学者の Adolf Gaston Eugen Fick は，家兎眼から石膏で型を作り，この型から吹きガラスでシェルを作製して家兎に装用させ，さらに死体眼からも同様にしてレンズを作製した．これを「Kontaktbrille」と名づけ，「コンタクトレンズ」という言葉が誕生した[2]．

### 2 レンズの種類と変遷

#### a. ハードコンタクトレンズ

#### 1) 素材

ハードコンタクトレンズ(HCL)は，先に述べたようにガラスから始まる．1930 年代に，アクリル樹脂であるポリメタクリル酸メチル樹脂(poly methyl methacrylate：PMMA)素材の酸素の通らない HCL が開発された．生体適合性に優れ，眼内レンズの素材としても使用されるようになった．最初は強角膜レンズであったが，1940 年代に今の角膜レンズへと移行した．しかし，酸素非透過性素材のため，1970 年代には，酸素不足による眼障害が問題となり，siloxanyl methacrylate を主成分とするシリコン〔Si(ケイ素)〕系と fluoro methacrylate を主成分とするフッ素系のレンズが開発され，酸素透過性 HCL(rigid gas permeable contact lens：RGPCL)が登場した．やがて，より透過性の高い素材を開発しようと各メーカーが競い合った Dk 戦争といわれる時代となる．酸素透過係数 Dk 値とは，D(酸素拡散係数)と k(酸素溶解係数)の積で表わされ，素材の間を酸素が透過する程度を示す指標となる．この値をレンズの厚み(L)で除したものが，酸素透過率(Dk/L 値)である．しかし，この戦いも落ち着き，今では，酸素非透過性 HCL は販売されなくなり，HCL といえば，RGPCL を指すようになっている．

#### 2) 使用形態

基本的に HCL は，日中装用で，朝装着し，夜外すということを繰り返し，寿命(使用状況によって違いはあるが，2 年ほどで傷などが目立ってくる場合が多い．研磨できるレンズは，研磨な

どによって 5 年以上使用する例もある）がくるまで使用するが，連続装用（extended wear, continuous wear）可能なレンズもある．HCL は，主にレースカット（切削研磨）製法で作られているため価格も高価で，寿命がくるまで使用する．多くの規格を必要とし，非常に高い寸法精度が求められるために大量生産ができなかった．しかし，昨今，モールド製法による製作が実現したことに伴い，量産化とコストダウンによって，3 か月で新品レンズに交換することが可能となり[3]，臨床現場で使用できるようになった．

さらに特殊な HCL として，オルソケラトロジーレンズがある．本レンズは，通常の HCL のように日中に使用するのではなく，就寝前に装着し，朝起きてレンズを外すということを繰り返す．

### 3）使用目的（球面 HCL による通常の屈折矯正を除く）

#### a）乱視用（トーリック HCL）

トーリック面が前面にあるか後面かあるいは両面かによって分類される．前者は球面 HCL で残余乱視が 1.25 D 以上の場合，後者 2 つは主に中等度以上の乱視眼に適応する．

#### b）遠近両用

近用光学部を下方に配置したセグメントタイプのレンズもあるが，現在は同心円タイプがほとんどである（詳細は，III「多焦点コンタクトレンズのパワー分布」項に譲る⇒389 頁）．

#### c）不正乱視用

円錐角膜，ペルーシド角膜変性，角膜外傷後，角膜移植術後などの不正乱視に対して，球面 HCL で矯正可能な場合も多いが，特殊な形状をした多段階カーブ HCL やリバースジオメトリーHCL を用いることがある．現在わが国では厚生労働省の承認は得られていないが，スクレラルレンズやミニスクレラルレンズが使用される場合もある．海外では，スクレラルレンズは，不正乱視だけではなく，オキュラーサーフェス疾患に対しても使用されている．

#### d）Stevens–Johnson 症候群などの眼後遺症の治療用

Stevens-Johnson 症候群および中毒性表皮壊死症の眼後遺症に対して，輪部支持型 HCL を用いた治療が試みられている．レンズ下の涙液によって角膜表面の凹凸不整が緩和され視力補正が可能になり，さらにはレンズが涙液の蒸発を抑制し，ドライアイに伴う症状を軽減するとされている．サイズは 13.0〜14.0 mm で，輪部支持型角膜形状異常用 CL（CS-100®）として，2016 年 2 月に厚生労働省の承認が得られている．

#### e）近視（治療）矯正用

先に少し触れたが，オルソケラトロジーとは，就寝時に特殊な形状をしたリバースジオメトリーHCL を装着して角膜形状を変化させ，日中に良好な裸眼視力が得られるというものである．−4.0 D までの近視が適応とされ，毎夜装着し，多くの例が 2 週間ほどで裸眼視力 1.0 以上に安定してくる．中止すると元に戻る[4]ので，屈折矯正手術と違って可逆性である．また，レンズデザインが複雑で就寝時に使用することもあり，注意深いケアとともに通常の HCL よりも慎重な定期検査が必要である．

## b．ソフトコンタクトレンズ

### 1）素材

1960 年頃，親水性樹脂であるメタクリル酸 2-ヒドロキシエチル（2-hydroxyethyl methacrylate：2-HEMA）を素材とするレンズが開発されたのがソフトコンタクトレンズ（SCL）の始まりである．含水率は低く，Dk 値でいうと，5〜10×$10^{-11}$（$cm^2$/sec）・（$mLO_2$/mL×mmHg）程度しかなく，シリコーンハイドロゲルコンタクトレンズ（SHCL）の Dk 値（100 を超えるものが多い）と比較するとかなり低い．この HEMA 素材の SCL は，含水率が高いとそれだけ水分を多く含み，その中の自由水によって酸素が供給されるので，高含水レンズのほうが，酸素透過性が高くなる．やがてジメチルアクリルアミド（DMA），メタクリル酸（MAA），$N$-ビニルピロリドン（NVP），ポリビニ

ルアルコール(PVA)などとの共重合を行うことによって含水率の高いSCLが開発された．さらに含水率に依存せず酸素透過性を向上させようとシリコーンを素材とした今のSHCLとは異なるSCLが開発された時期があった．しかし疎水性が強く，レンズの固着が問題となり消滅してしまった．さらに非含水性SCLも開発されたが，わが国で初めてアカントアメーバ角膜炎が発生し，今は製造されていない．従来の含水性SCLでは，含水率を高めても，水のDk値 $80 \times 10^{-11}$ $(cm^2/sec) \cdot (mLO_2/mL \times mmHg)$ を超えることは理論上不可能なため，従来のSCLの素材ではそれ以上のDk値を得ることができない．そこで今の非常にDk値の高い，SHCLが開発された．

### 2）使用形態

SCLの使用形態には，日中装用(朝装着し，日中に装用し，夜レンズを外す)するものとして，従来型〔CLの寿命(おおよそ1〜2年くらいといわれている)がくるまで使用する〕，頻回交換型(最長2週間で交換する)，定期交換型(主に最長1あるいは3か月で交換する)および使い捨て(一度使用したら捨てる)レンズがある．連続装用(屈折異常に対してあるいは治療用として使用)するものには最長1か月装用可能なレンズもある．連続装用の特殊なものとして，日本では認可されていないが，コラーゲンシールド(図28-1)がある．ブタあるいはウシの強膜から抽出されたコラーゲンを材料としてCLの形状に形成したシールドで，上皮障害のある角膜に装着すると，時間とともに溶解する．過去には，薬剤を浸漬し角膜上皮欠損や白内障術後，角膜移植術後などに応用されていた[5]．

### 3）使用目的(球面SCLによる通常の屈折矯正を除く)

#### a）乱視用(トーリックSCL)

大きく分類して，回転を防ぐために上下を薄くしたダブルスラブオフタイプと下方に厚みを設けたプリズムバラストタイプがあるが，両者の合わさったハイブリッド型レンズなどもある．レンズの回転を判断するガイドマークは，メーカーに

図28-1　コラーゲンシールド

よって位置と数が異なる．不正乱視に対しての第一選択はHCLであるが，近年は，従来型トーリックSCLを用いて良好な成績が報告されている[6,7]．

#### b）遠近両用

詳細は，本章III「多焦点コンタクトレンズのパワー分布」項に譲るが，以前に比べ，加入度数も種類も増えている．一方，乱視軸は90°と180°のみで加入度数も+1.0Dのみではあるが，乱視眼の方が老視になった場合に有用な遠近両用トーリックSCLがある．近年は，近見作業が増加しているため，+0.25Dあるいは+0.5Dの加入度数の入った低加入度SCLが使用されることが多くなっている．

#### c）整容用

・虹彩付SCL

現在処方可能な虹彩付SCLは，株式会社シードのレンズのみである．図28-2に示すようなデザインが選択可能で，ベースカーブのほか，レンズサイズ，瞳孔径などを指定し，虹彩色は茶色(3段階)と黒がある．視力向上が得られる場合は，度数を入れて視力補正することが可能である．さらに整容という意味だけではなく，遮光目的で使用することもある．

・カラーCL

レンズ自体に問題がある[8]ことに加え，インターネットや雑貨店で気軽に購入可能であるため，本人に合っているのか不明なまま，おしゃれ感覚で使用され，眼障害が発生している．眼科で

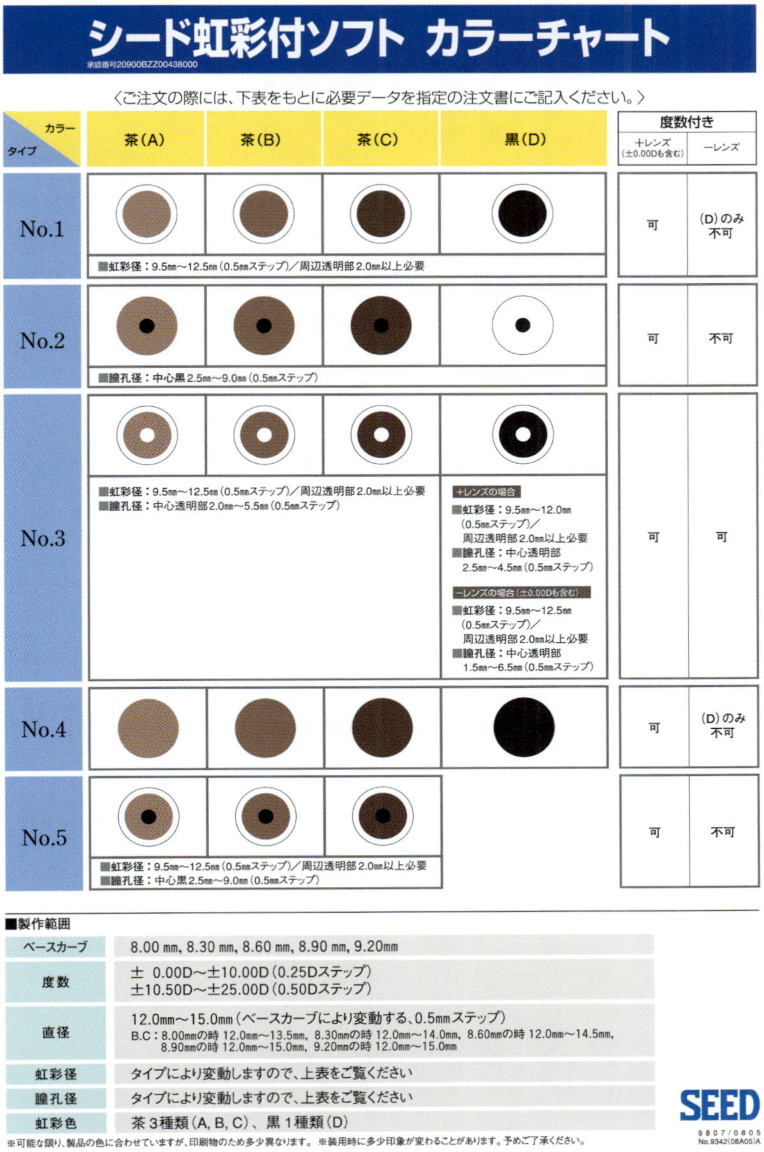
シード虹彩付ソフト　カラーチャート
承認番号20900BZZ00438000
〈ご注文の際には、下表をもとに必要データを指定の注文書にご記入ください。〉
カラー
タイプ
茶(A)
茶(B)
茶(C)
黒(D)
度数付き
+レンズ (±0.00Dも含む)
−レンズ
No.1
■虹彩径：9.5mm〜12.5mm(0.5mmステップ)／周辺透明部2.0mm以上必要
可
(D)のみ不可
No.2
■瞳孔径：中心黒2.5mm〜9.0mm(0.5mmステップ)
可
不可
No.3
■虹彩径：9.5mm〜12.5mm(0.5mmステップ)／周辺透明部2.0mm以上必要
■瞳孔径：中心透明部2.0mm〜5.5mm(0.5mmステップ)
+レンズの場合
■虹彩径：9.5mm〜12.0mm(0.5mmステップ)／周辺透明部2.0mm以上必要
■瞳孔径：中心透明部2.5mm〜4.5mm(0.5mmステップ)
−レンズの場合(±0.00Dも含む)
■虹彩径：9.5mm〜12.5mm(0.5mmステップ)／周辺透明部2.0mm以上必要
■瞳孔径：中心透明部1.5mm〜6.5mm(0.5mmステップ)
可
可
No.4
可
(D)のみ不可
No.5
■虹彩径：9.5mm〜12.5mm(0.5mmステップ)／周辺透明部2.0mm以上必要
■瞳孔径：中心黒2.5mm〜9.0mm(0.5mmステップ)
可
不可
■製作範囲
ベースカーブ　8.00 mm, 8.30 mm, 8.60 mm, 8.90 mm, 9.20mm
度数　± 0.00D〜±10.00D(0.25Dステップ)　±10.50D〜±25.00D(0.50Dステップ)
直径　12.0mm〜15.0mm(ベースカーブにより変動する、0.5mmステップ)
B.C：8.00mmの時 12.0mm〜13.5mm, 8.30mmの時 12.0mm〜14.0mm, 8.60mmの時 12.0mm〜14.5mm, 8.90mmの時 12.0mm〜15.0mm, 9.20mmの時 12.0mm〜15.0mm
虹彩径　タイプにより変動しますので、上表をご覧ください
瞳孔径　タイプにより変動しますので、上表をご覧ください
虹彩色　茶3種類(A, B, C)、黒1種類(D)
※可能な限り、製品の色に合わせていますが、印刷物のため多少異なります。 ※装用時に多少印象が変わることがあります。予めご了承ください。
SEED
9807/0805
No.9342(08A05)A

図 28-2　虹彩付 SCL のチャート
(株式会社シード提供)

処方されたクリアレンズと同じ度数でカラー CL を購入し，眼障害を発症する例も散見されるが，クリアレンズとベースカーブ，度数，サイズのすべてが同じであっても，カラー CL は色素の部分が入ることでレンズの sagittal depth(弧の深さ)が違ってくるので注意が必要である．

**d) 治療用**

角膜保護，疼痛軽減などのバンデージ効果，涙液保持などを目的に SCL が使用されることがある．わが国で治療用として認可されている SCL は非常に少ないので，医師の裁量権の下で使用されている例が多かったが．昨今は，SHCL の治療用レンズが登場したおかげで酸素透過性が高く，使いやすくなっている．さらに，SCL から薬液を徐放して治療の補助を目的にしたドラッグデリバリー効果を期待する例もある．先述したよう

に，コラーゲンシールド(図 28-1)に抗菌薬を浸漬させ，感染性角膜炎の治療に利用することも可能である．また，家兎を用いた研究ではあるが，デキサメタゾンを徐放させ角膜新生血管抑制効果をみた報告[9]などがある．本章 V「コンタクトレンズの可能性」の項で述べるが，抗アレルギー薬を含有した保存液を使用した SCL を日常診療で使用できるようになり，アレルギー症状のある例に対してドラッグデリバリー効果が期待されている．

### e）近視進行抑制

低加入度 SCL[10]や EDOF(extended depth of focus)SCL を含めた多焦点 SCL[11,12]，レンズ中心から周辺部の度数分布変化の少ない非球面デザインの SCL[13]，バイオレット光透過 SCL[14]による近視進行抑制効果に関して多数報告されている．さらに，本邦でも多焦点 SCL の使用による近視進行抑制に関する治験なども進行中(2022年現在)であり，これからますます研究が進むと思われる．

---

▶文献

1) 水谷由紀夫：コンタクトレンズ博物誌(その1)．日コレ誌 47：152-153，2005
2) 水谷由紀夫：コンタクトレンズ博物誌(その3)．日コレ誌 48：117-118，2006
3) 宮本裕子，稲葉昌丸，黒柳優子，他：酸素透過性ハードコンタクトレンズ「HZ-FR」の治験成績．日コレ誌 57：261-268，2015
4) 宮本裕子，月山純子，檜垣史郎，他：オルソケラトロジーにおける裸眼視力と屈折変化および中止後の戻りについて．日コレ誌 49：89-92，2007
5) Poland DE, Kaufman HE: Clinical uses of collagen shields. J Cataract Refract Surg 14: 481-491, 1988
6) 平岡玲亜，平岡孝浩，木内 岳，他：円錐角膜眼の矯正においてユーソフト®が極めて有用であった3症例．日コレ誌 62：156-161，2020
7) Su S, Johns L, Rah MJ, et al: Clinical performance of KeraSoft® IC in irregular corneas. Clin Ophthalmol 9: 1953-1964, 2015
8) 独立行政法人国民生活センター：報道発表資料 カラーコンタクトレンズの安全性 —カラコンの使用で目に障害も—．pp1-57，2014(https://www.kokusen.go.jp/pdf/n-20140522_1.pdf)
9) 小橋英長，Bengani L, Ross AE, 他：デキサメタゾン徐放性コンタクトレンズによる角膜血管新生抑制効果の検討．日コレ誌 60：3-7，2018
10) Fujikado T, Ninomiya S, Kobayashi T, et al: Effect of low-addition soft contact lenses with decentered optical design on myopia progression in children: a pilot study. Clin Ophthalmol 8: 1947-1956, 2014
11) Sankaridurg P, Bakaraju R, Naduvilath T, et al: Myopia control with novel central and peripheral plus contact lenses and extended depth of focus contact lenses: 2 year from a randomized clinical trial. Ophthalmic Physiol Opt 39: 294-307, 2019
12) Wallen JJ, Walker MK, Mutti DO, et al: Effect of high add power, medium add power, or single-vision contact lenses on myopia progression in children: The BLINK randomized clinical trial. JAMA 324: 571-580, 2020
13) Aller TA: Clinical management of progressive myopia. Eye 28: 147-153, 2014
14) Torii H, Kurihara T, Seko Y, et al: Violet light exposure can be a preventive strategy against myopia progression. EBioMedicine 15: 210-219, 2017

(宮本裕子)

# II コンタクトレンズの光学

光学特性はコンタクトレンズ(CL)も眼鏡レンズと異ならない．レンズが角膜に接していることから矯正効果に差が生じる．CL を処方するときに知っておく必要があるのは，頂点間距離補正，像の拡大縮小効果，見かけの調節力，涙液レンズ効果である．

## 1 頂点間距離補正

眼の屈折値は角膜から 12 mm 離れたところに位置して正視眼と同等に矯正される眼鏡レンズ度数で決定されている．CL は角膜に接しているため，同等の矯正効果を得るためのコンタクトレンズ度数と眼鏡レンズ度数は値が異なる．眼鏡レンズ度数 $Dsp$[D]を CL 度数 $Dcl$[D]に換算するときには次式を用いる．

$$Dcl = \frac{Dsp}{1 - 0.012 \cdot Dsp}$$

±4.00 D の範囲であれば 0.25 D の差が生じないので，補正を必要としないが，±4.00 D を超えるときには補正が必要である．換算表は CL フィッティングマニュアルなどに記載されているが，手持ちの計算ソフトで容易に算出できる(図

る度数はS−6.46 D○C−1.46 D Ax 180°となる．最も近い処方可能な度数を用いてS−6.50 D○−1.25 D Ax 180°を採用する．

## 2 像の拡大縮小効果

レンズが角膜に接しているため，網膜像の拡大縮小率も異なる．一般には近視では眼鏡からCLに変更すると，見るものは大きく感じ，遠視では小さく感じる．このため，完全矯正視力は，近視ではCLのほうが眼鏡よりもよくなり，遠視では悪くなる．また，有効視野は近視ではCLのほうが眼鏡よりも狭くなり，遠視では広くなると感じる．

像倍率で注意が必要なのは，網膜の疾患で求心性視野狭窄のある強度近視眼が眼鏡からCLに変更すると視野がさらに狭くなり不便に感じることがある．また，網膜疾患で矯正視力が低下している強度の遠視眼が眼鏡からCLに変更すると，矯正視力が低下したように感じて不便を訴えることがある．

不同視眼を矯正する場合には，不同視が主に軸性か屈折性かによって，不等像視の起こり方が異なる（第8章「軸性屈折異常と屈折性屈折異常」項参照，⇒74頁）．屈折性の不同視の場合は眼鏡よりもCLのほうが左右眼の網膜像の大きさの差が小さいが，軸性の不同視の場合には眼鏡よりもCLのほうが左右眼の網膜像の大きさの差が大きくなる．眼鏡レンズで不等像視を感じていない不同視をCLで矯正すると不等像視を訴えることがあるので注意が必要である．

## 3 見かけの調節力

眼鏡で矯正している場合には，実際に眼がもつ調節力と異なっている．これを見かけの調節力とよんでいるが，近視では実際の調節力よりも増加し，遠視では減少している（図 28-4）．臨床的には25歳以降で−5.00 Dを超える近視をCLで眼鏡と同じように矯正すると，見かけの調節力を失うため，近見作業に支障が生じることがある．処方時に説明して，眼鏡よりも少し弱めに処方する

| | A | B | C | D | E | F |
|---|---|---|---|---|---|---|
| 1 | 眼鏡度数 | CL度数 | 眼鏡度数 | CL度数 | | |
| 2 | −10.00 | −8.93 | +3.75 | +3.92 | | |
| 3 | −9.75 | −8.73 | +4.00 | +4.20 | | |
| 4 | −9.50 | −8.53 | +4.25 | +4.47 | | |
| 5 | −9.25 | −8.33 | +4.50 | +4.75 | | |
| 6 | −9.00 | −8.12 | +4.75 | +5.03 | | |
| 7 | −8.75 | −7.92 | +5.00 | +5.31 | | |
| 8 | −8.50 | −7.71 | +5.25 | +5.60 | | |
| 9 | −8.25 | −7.51 | +5.50 | +5.88 | | |
| 10 | −8.00 | −7.30 | +5.75 | +6.17 | | |
| 11 | −7.75 | −7.09 | +6.00 | +6.46 | | |
| 12 | −7.50 | −6.88 | +6.25 | +6.75 | | |
| 13 | −7.25 | −6.67 | +6.50 | +7.04 | | |
| 14 | −7.00 | −6.46 | +6.75 | +7.34 | | |
| 15 | −6.75 | −6.24 | +7.00 | +7.64 | | |
| 16 | −6.50 | −6.03 | +7.25 | +7.94 | | |
| 17 | −6.25 | −5.81 | +7.50 | +8.24 | | |
| 18 | −6.00 | −5.60 | +7.75 | +8.54 | | |
| 19 | −5.75 | −5.38 | +8.00 | +8.84 | | |
| 20 | −5.50 | −5.16 | +8.25 | +9.15 | | |
| 21 | −5.25 | −4.94 | +8.50 | +9.46 | | |
| 22 | −5.00 | −4.72 | +8.75 | +9.77 | | |
| 23 | −4.75 | −4.49 | +9.00 | +10.08 | | |
| 24 | −4.50 | −4.27 | +9.25 | +10.40 | | |
| 25 | −4.25 | −4.04 | +9.50 | +10.72 | | |
| 26 | −4.00 | −3.82 | +9.75 | +11.04 | | |
| 27 | −3.75 | −3.59 | +10.00 | +11.36 | | |
| 28 | | | | | | |

B2 セル：=A2/(1−0.012*A2)

**図 28-3 頂点間距離補正**
CLは角膜に接して矯正されるため，眼鏡レンズとは矯正度数が異なる．Excelなどの計算ソフトを使用して簡単に計算できる．

28-3）．もちろん，眼鏡レンズ度数をCL度数に置き換えるときに必要となる補正であり，トライアルレンズで使用しているCLの度数は補正の必要はない．例えば，−8.00 Dの眼鏡レンズで適正に矯正されている眼の場合，これと同等に矯正するCL度数は補正表から求めると−7.30 Dとなるが，−8.00 Dの眼に−3.00 Dの度数をもつトライアルレンズを装用して，眼鏡検眼レンズで追加矯正を求めたときに，−4.50 Dであった場合には検眼レンズの−4.50 Dのみを補正した値−4.27 Dをトライアルレンズの度数−3.00 Dに加えて，−7.27 DがCLで矯正するために必要な度数となる．トライアルレンズの度数を補正する必要はない．

乱視用SCLを処方するときには経線方向のそれぞれの頂点間距離補正をして，度数を決定することが必要になる．

例えば，眼鏡でS−7.00 D○C−1.75 D Ax 180°の場合，180°方向の度数は−7.00 D，90°方向の度数は−8.75 Dである．それぞれを頂点間距離補正すると−7.00 Dは−6.46 D，−8.75 Dは−7.92 Dであるので，乱視用SCLで矯正す

表 28-1 涙液レンズ効果

| フィッティング | フラット | パラレル | スティープ |
|---|---|---|---|
| 涙液レンズ | マイナスレンズ | プラノレンズ | プラスレンズ |

フィッティングがパラレルな場合には涙液レンズは度数をもたない．フラットフィッティングの場合にはマイナス度数をもつ．スティープフィッティングの場合にはプラス度数をもつ．

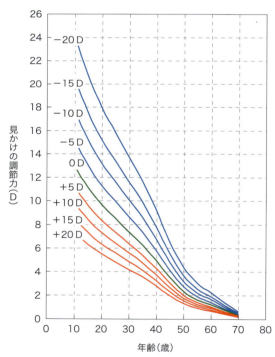

図 28-4　眼鏡レンズによる見かけの調節力と加齢変化

CL で矯正すると見かけの調節力が生じなくなる．0D のところが眼鏡を使用しない年齢調節力曲線である．

か，遠近両用 CL を処方するなどの配慮が必要である．遠視眼は眼鏡から CL に変更すると眼鏡レンズで失っていた見かけの調節力がなくなるため，近見作業時の調節負担が軽減する．

## 4 涙液レンズ効果

HCL の場合，CL と角膜の間に空間が生じ，この空間は涙液で満たされる．この涙液は矯正効果をもち，涙液レンズ効果という（表 28-1）．涙液レンズはフィッティングによって異なり，角膜と CL のカーブが一致してパラレルなフィッティングの場合には度数をもたないが，角膜の曲率半径よりも CL のベースカーブ曲率が小さいスティープなフィッティングの場合にはプラス度数をもち，角膜の曲率半径より CL のベースカーブ曲率が大きいフラットなフィッティングの場合にはマイナスレンズをもつ．この涙液レンズの度数 $Dte$ [D] は角膜屈折率を 1.3375 として，次式で計算される．空気の屈折率を 1.0000 として，

$$Dte = (1.0000 - 1.3375)\left(\frac{1}{K1} - \frac{1}{BC}\right)$$

$K1$ は角膜弱主経線曲率半径 [m]，$BC$ は HCL のベースカーブ [m] である．

臨床的には角膜曲率半径は 7.8 mm 付近であれば，概算で角膜曲率とベースカーブの差 0.05 mm を 0.25 D と考えてよいが，曲率半径の極端

に小さい値あるいは極端に大きい値では誤差が大きくなるので，上式で計算するのが望ましい．

フィッティング改善のために HCL のベースカーブを変更した場合には度数も変更する必要が生じる．

乱視の成因が角膜乱視の場合に球面 HCL で乱視矯正ができるのも，涙液レンズ効果のためである．

SCL では一般には涙液レンズ効果が生じないが，極端にスティープなフィッティングの場合には涙液レンズ効果が生じて，矯正視力が不安定な状態になっていることがある．SCL であっても適切なフィッティングが必要である．

（梶田雅義）

# III 多焦点コンタクトレンズのパワー分布

多焦点コンタクトレンズのパワー分布は，図28-5 に示すように大多数が中心が遠用か近用に分かれ，パワーの変化は，連続的か，遠近それぞれの一定パワーとその間を連続的に変化する形をしている．また，中心がディセンターしているもの，遠近が交互にリング状にあるパターンもある．

このようなパワー分布をもつレンズを使うときは，瞳孔の大きさによって，像質が変化するので，年齢と年代によってどのような瞳孔変化があるのかを図 28-6 に示す[1]．これを見ると，加齢とともに，小さくなるのがわかるが，ばらつきも多く，標準偏差が約 0.7 mm もあることがわかる．よって，年齢だけから判断するのではなくて，瞳孔径によって像の質が変わるので，瞳孔径を測定してから，レンズを選択する必要がある．そのこともここでは示す．

ここでは，図 28-7 に示すように中心が遠近どちらかで，中心から連続的にパワーが変化するもの，遠用，近用部が一定のパワーで，その中間部が急峻に変化するもので，−3 D の近視用で加入度が 1 D のレンズにおいて，瞳孔径を 2.6, 3, 4 mm と変えたときの距離ごとのシミュレーション結果を示す．図 28-8 は，図 28-7 の A で示すステップ状パワー分布のシミュレーション結果である．これを見ると，2.6 mm, 3 mm 瞳孔径では，十分な像質であるが，4 mm 瞳孔径では，よい像質は近方のみとなり，多焦点性を失っているのがわかる．図 28-9 は，図 28-7 の B で示す連続的パワー分布のシミュレーション結果である．これを見ると，2.6 mm では，十分な効果をもつが，3, 4 mm 瞳孔径では，−0.6 D 付近のみが良好な像質をもつようになり，多焦点性を失っているのがわかる．図 28-10 には，図 28-7 の C で示すステップ状変化のパワー分布のシミュレーション結果である．これを見ると，2.6 mm, 3

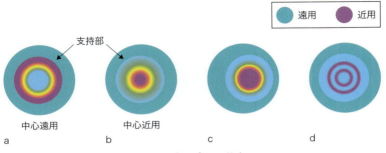

図 28-5　多焦点コンタクトレンズのパワー分布
a：中心遠用　b：中心近用　c：ディセンター　d：遠近交互

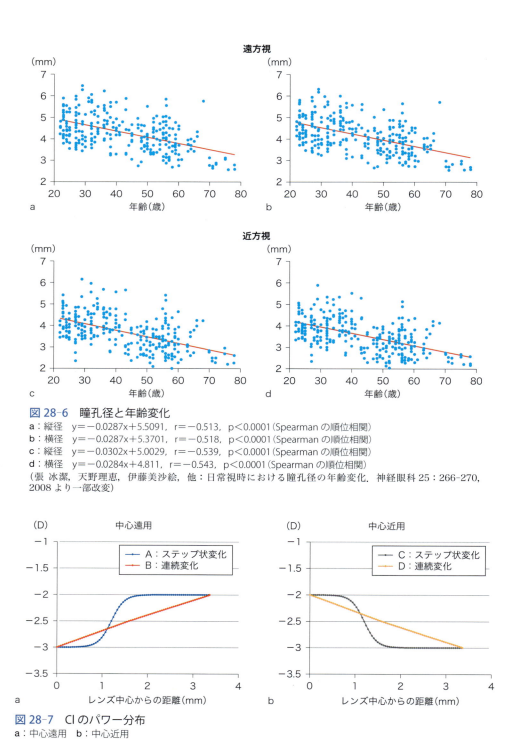

図 28-6　瞳孔径と年齢変化
a：縦径　　y＝－0.0287x＋5.5091，r＝－0.513，p＜0.0001（Spearman の順位相関）
b：横径　　y＝－0.0287x＋5.3701，r＝－0.518，p＜0.0001（Spearman の順位相関）
c：縦径　　y＝－0.0302x＋5.0029，r＝－0.539，p＜0.0001（Spearman の順位相関）
d：横径　　y＝－0.0284x＋4.811，r＝－0.543，p＜0.0001（Spearman の順位相関）
（張 冰潔，天野理恵，伊藤美沙絵，他：日常視時における瞳孔径の年齢変化．神経眼科 25：266-270，2008 より一部改変）

図 28-7　CI のパワー分布
a：中心遠用　b：中心近用

mm 瞳孔径では，十分な像質であるが，4 mm 瞳孔径では，よい像質は遠方のみとなり，多焦点性を失っているのがわかる．図 28-11 には，図 28-7b の D で示す連続的変化のパワー分布のシミュレーション結果である．これを見ると，2.6 mm では，十分な効果をもつが，3，4 mm 瞳孔

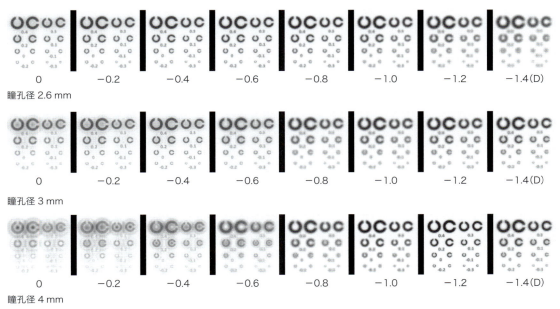

図 28-8　中心遠用　図 28-7 の A：ステップ状変化の距離ごとの光学像

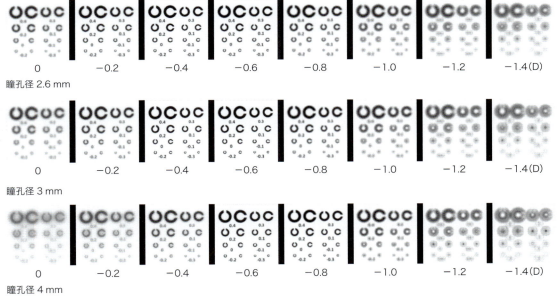

図 28-9　中心遠用　図 28-7 の B：パワー連続変化の距離ごとの光学像

径では，−0.4 D 付近のみが良好な画質をもつようになり，多焦点性を失っているのがわかる．ここでは，シミュレーション結果を示さないが，4 mm 瞳孔径の場合には A のパワー分布で，−3 D の値が 1.3 mm まで続き，また，−2 D になる位置を 2 mm くらいに変えることで，多焦点性でよい像が得られる．このような考えのもとに瞳孔径に対応したレンズを用意してある製品もあるので，ぜひ，瞳孔径を測定してから選択するような流れとなってほしい．また，EDF レンズのなか

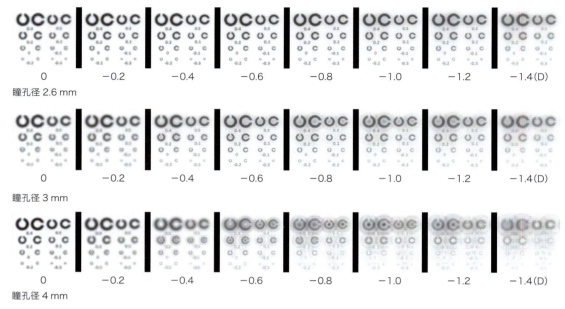

図 28-10　中心近用　図 28-7 の C：ステップ状変化の距離ごとの光学像

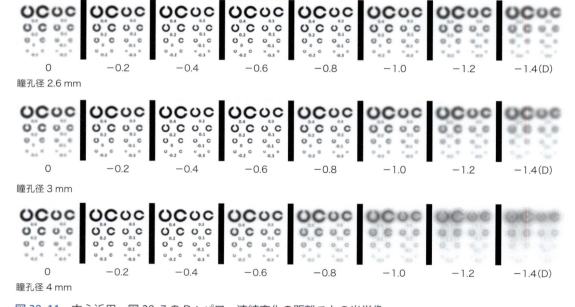

図 28-11　中心近用　図 28-7 の D：パワー連続変化の距離ごとの光学像

には 2.6 mm から 4 mm まで対応しているものもある．コンタクトレンズの関係者は，どのようなパワー分布であるのか，また瞳孔径によってどのような見え方になるのかを公表し，患者は，明暗，遠近での瞳孔径を測定して，自分に合ったレンズを選択してほしい．

▶文献
1) 張　冰潔，天野理恵，伊藤美沙絵，他：日常視時における瞳孔径の年齢変化．神経眼科 25：266-270，2008

（大沼一彦）

# IV　コンタクトレンズ処方のための検査

コンタクトレンズ（CL）処方のための検査は，一般的に表28-2のようになる．

## 1 問診

CL の処方を希望して来院された場合，まず必要な検査は問診となる．
(1) 適切な度数の眼鏡を持っているか．
(2) CL 使用の目的，頻度，時間，遠方視が中心か，近方視が中心か．
(3) すでに CL 使用者である場合は，使用しているレンズの種類，メーカー，規格，使用歴，現在の問題点，眼障害の既往など．
(4) 車やバイクを運転するか．
(5) パソコンやタブレット，スマートフォンを見る時間は長いか．

CL 処方を希望しても，眼鏡を持っていない，あるいは度数が適切でない場合には，眼鏡処方を優先する．これは，長時間装用を避け，調子の悪い日に無理に CL を装用しないためである．ただし，円錐角膜や強度角膜乱視など，眼鏡では視力が十分に得られない疾患の場合は，先にハード CL（HCL）を処方した後に，眼鏡処方をすることもある．

また，どのような目的で CL を使用するのかを確認しておく．スポーツや外出時のみに CL を使用するのか，毎日装用するのか，あるいは長時間使用するかなども聞いておく．

表28-2　CL 処方のための一般的な検査

問診
屈折検査，角膜曲率半径計測
角膜形状解析
視力検査
眼圧検査
角膜内皮細胞検査
細隙灯顕微鏡検査
涙液検査
眼底検査
CL 視力，CL 上視力矯正

## 2 屈折検査，角膜曲率半径計測

オートレフラクトメータを用いて屈折値，ケラトメータを用いて，角膜曲率半径を計測する．角膜中心から直径 3 mm 付近の曲率半径を計測している．CL 装用によって，屈折値や角膜曲率半径は影響を受ける．HCL による影響は大きいが，SCL によっても変化する．HCL 装用者では，レンズを外した後，20 分以上たってから測定することが望ましい．

## 3 角膜形状解析

角膜曲率半径計測だけでは，角膜全体の形状の把握は難しい．初期の円錐角膜や，CL による角膜変形など角膜形状異常を見逃さないためには，角膜形状解析装置が有用である．角膜曲率半径が 7.20 mm より小さい場合や，若年者の倒乱視や斜乱視の場合は，円錐角膜の可能性を考えて角膜形状解析を行ったほうがよい．図 28-12a は角膜斜乱視の 10 歳男児の角膜形状である．5 年後の 15 歳では明らかな円錐角膜へと進行している（図

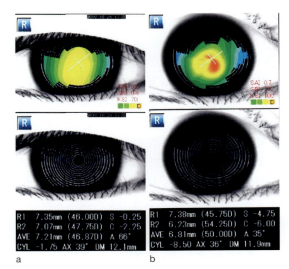

図 28-12　若年者の斜乱視は円錐角膜に注意
a：角膜斜乱視の 10 歳男児の角膜形状解析と屈折値．
b：5 年後，明らかな円錐角膜へと進行している．

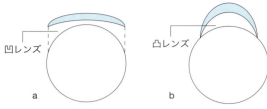

**図 28-13** 涙液レンズ
a：フラットフィッティングの場合．涙液は凹レンズの働きをする．
b：スティープフィッティングの場合．涙液は凸レンズの働きをする．

28-12b)．

## 4 視力検査

　初診時は，裸眼，矯正視力を測定し，トライアルレンズ上のCL視力，追加矯正視力，両眼開放下での視力（遠見，近見）を測定し，追加矯正度数が±4.00 D（±3.00 D）以上の場合，頂点間距離補正をし，左右のバランスのよい度数を決定する．HCLの場合，レンズ下の涙液層がレンズの役割をする（涙液レンズ）ため（図 28-13），ベースカーブを変更した場合は注意する．通常は，ベースカーブを一段階（0.05 mm）スティープに（小さく）すると，涙液レンズは＋0.25 Dの働きをするので，0.25 D近視側へ，逆にベースカーブを一段階フラットに（大きく）すると，涙液レンズは－0.25 Dの働きをするので0.25 D遠視側にする．

## 5 眼圧検査

　最初のスクリーニング検査時に忘れずに行っておく．定期検診時，HCLの場合は装用したまま計測できない．SCLでは，非接触式眼圧計を用いて，装用したまま計測すると，素材やデザインによって裸眼での測定時との差に違いがあることが報告されている[1]．大まかな眼圧を知ることはできるが，原則は，SCLを外して測定するのが望ましい．

## 6 角膜内皮細胞検査

　CL装用により，角膜内皮細胞に影響があるため，通常は保険適用ではないが，スペキュラーマ

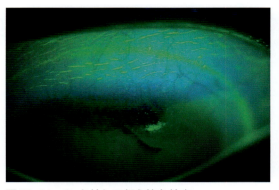

**図 28-14** CLを外して行う染色検査
CLを外して染色することで，角結膜上皮障害がわかりやすくなる．SCLによる結膜の圧痕と，SEALs (superior epithelial arcuate lesions)とよばれる上方の角膜上皮障害を認める．

イクロスコープで角膜内皮の状態も確認しておきたい．これまで，CLの装用だけで水疱性角膜症を起こした症例は報告されていないが，角膜内皮細胞密度が1,500〜2,000 cells/mm$^2$以下の場合，今後の加齢による減少や，将来の眼内手術への影響などを考慮し，CL装用の中止を勧めるという文献も散見される[2,3]．角膜内皮細胞の大きさのばらつきを示す変動係数（coefficient of variation：CV値）や六角形細胞出現率のほうが，より鋭敏に角膜内皮細胞の障害を現わす．CV値は0.35以上，六角形細胞出現率は50%以下が異常値とされている．

## 7 細隙灯顕微鏡検査

　CL装用前，CLのフィッティングや定期検査において欠かすことのできない検査であり，様々なチェックポイントがあるが，CL診療において特に注意すべきポイントは以下(1)〜(3)のようになる．CLを外し，染色検査でわかる角結膜上皮障害などもあり（図 28-14），CLを外した状態で診察することも大切である．

(1) 角結膜の状態（形状，上皮障害や混濁，充血，炎症所見，新生血管の侵入など）．
(2) 眼瞼の状態（形状，充血，炎症所見，上眼瞼を翻転しての充血，濾胞や乳頭，アレルギー性結膜炎の有無，マイボーム腺の状態など）．
(3) 涙液の状態〔涙液メニスカス，CL上の涙液，

CL 下の涙液交換，涙液層破壊時間 BUT（break up time）など〕．

涙液の量だけでなく，質的な異常がないかどうか，角結膜上皮に異常がないかをチェックする．角結膜上皮障害をみるには，フルオレセイン染色による観察を行う．ブルーフリーフィルターを用いると結膜上皮障害がわかりやすい．眼不快感や視機能異常などの自覚症状があって，BUT が5秒以下の場合，ドライアイと診断される[4]．CL はドライアイを悪化させることがあるので注意する．

## 8 眼底検査

CL 使用者は，近視が圧倒的に多く，強度近視も少なくない．緑内障や網膜裂孔，網膜剝離などに注意して定期的に眼底検査を行い，必要があれば散瞳下での精密眼底検査を行う．

## 9 レンズの選択とフィッティング検査

HCL 処方の場合は，角膜曲率半径の値がレンズ選択において重要になる．レンズによってフィッティングマニュアルが異なるが，最初にトライアルレンズとして用いるレンズを選択する方法には，以下の方法がある．

(1) 弱主経線（角膜のカーブが最もフラット）と強主経線（角膜のカーブが最もスティープ）の中間値から 0.05～0.10 mm 程度フラットなものを用いる．
(2) 弱主経線値に近い値を用いる．

ただし，あくまでここで選択したレンズはトライアルであって，実際に装用したフィッティングパターンを検査し，トライアル・アンド・エラーによって，最終のカーブの決定となる．また，症例によってはレンズサイズの変更も必要になる．HCL のフィッティングパターンは，最初は染色せずに観察し，その後フルオレセイン染色を行って観察する．図 28-15 に角膜曲率と CL のベースカーブの関係を示す．

ソフト CL(SCL)の場合は，弱主経線値よりも

図 28-15 角膜曲率とベースカーブの関係

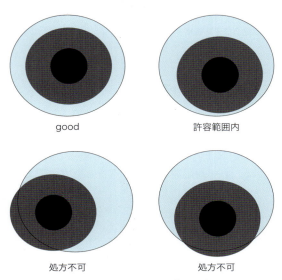

図 28-16 SCL のフィッティングの見方
上下，左右に眼を動かしたとき，SCL のエッジが角膜上に移動し，角膜が露出するようであれば不可．

0.7～1.0 mm フラットなベースカーブのトライアルレンズを選択するが，現在はほとんどがディスポーザブルレンズでベースカーブが1種類しかないものも多い．必ずフィッティング検査を行い，問題があれば別のメーカーやデザインの SCL に変更する．図 28-16, 17 に SCL のフィッティングの見方を示す．SCL の場合，同じベースカーブであっても，レンズの素材やデザインによって全くフィッティングパターンが異なることが多々ある．近年，インターネット通販などでの販売が拡大し，SCL があたかもフリーサイズであるというような誤解があるが，決してそうではなく，必ずトライアルレンズを用いてフィッティング検査を行い，トライアル・アンド・エラーで合わせるということを忘れてはならない．

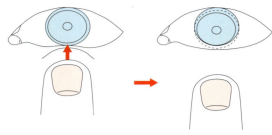

**図 28-17　プッシュアップテスト**
下眼瞼を指で軽く押して SCL を上にずらし，次に指を離して，CL が戻る様子を観察する．抵抗があって，レンズを上にずらすことができない場合は不可．

## 10　CL 視力測定

CL のフィッティングを確認したら CL 視力を測定し，CL 上の追加矯正をする．CL 上でのオートレフラクトメータを測定するとよい．遠近両用 CL は，必ず両眼開放下で，遠方と近方の視力を確認する．同時視型である遠近両用 SCL の場合は，遠方が単焦点レンズと比較して見えにくいという訴えが出がちなので，まずは近方視をしてもらい，実際にスマートフォンなどの見えやすさを実感していただいた後に，遠方視をしたほうが馴染みやすい．実生活での見え方が重要なので，CL のお試し期間を設け，トライアル・アンド・エラーで処方するようにする．

▶文献
1) 稲葉昌丸：非接触眼圧計によるソフトコンタクトレンズ装用眼の眼圧測定値．日コレ誌 50：247-251，2008
2) 宮本裕子：コンタクトレンズとの関係．澤 充(編)：眼科診療プラクティス〈88〉．角膜内皮細胞．pp35-37，文光堂，2002
3) 梶田雅義：コンタクトレンズと角膜内皮細胞．日コレ誌 39：107-110，1997
4) 島崎 潤，横井則彦，渡辺 仁：日本のドライアイの定義と診断基準の改訂(2016 年版)．あたらしい眼科 34：309-313，2017

（月山純子）

# V　コンタクトレンズの可能性（付加価値コンタクトレンズ）

近年は，屈折矯正目的のみならず，付加価値を有した CL が登場してきている．

## 1　眼圧測定コンタクトレンズ

2015 年，わが国で初めて株式会社シードが，スイスにある医療機器メーカー Sensimed が開発した Triggerfish® を用いて 24 時間モニター機器システム(医療機器クラスⅡ)の認証を得た．それから数年後に，わが国においても使用可能となった．SCL の中に 図 28-18a のようにセンサー，マイクロプロセッサーチップ，金属アンテナが内蔵され，角膜曲率半径を測定し情報を送信する．その変化から眼圧変動に変換するというもので，眼周囲にパッチを貼りつけ(図 28-18b)，パッチ内にもアンテナがあり，先の情報を受信し，有線でつながったレコーダーに記録されるというシステムである．顔にパッチを貼りつけるということと，レコーダーを持ち歩かなければならない煩わしさがある．SCL はシリコーン素材で，ベースカーブは 8.4 mm，8.7 mm および 9.0 mm の 3 種類がある．サイズは 14.1 mm，中心厚は 0.6 mm とかなり厚めで，低含水であるがシリコーン素材である．臨床的には，眼圧の日内変動を調べたいとき，患者を入院させ当直医が夜中に起きて測定をしなくてもすむのは便利である．しかし，1 日装着すると結膜充血や角膜上皮浮腫が生じ，一時的近視化が認められる[1]こともあるようだ．

## 2　血糖値測定コンタクトレンズ

血糖値を算定することのできるいわゆるスマート CL がある．2014 年に Google が Novartis にその技術をライセンスし，商用化に向けて取り組んでいると発表されていたがその後商用化には至っていない．SCL の中に無線チップが埋め込まれ，涙液中のグルコース量を測定し送信する．

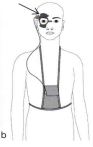

図 28-18 眼圧測定 CL
a：Triggerfish®
b：システム全体像
(Sensimed の厚意により転載)

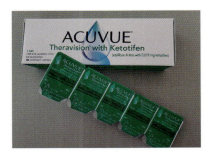

図 28-19 抗アレルギー薬徐放 SCL
抗アレルギー薬徐放 SCL のパッケージとブリスターパック

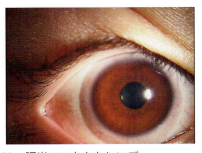

図 28-20 調光コンタクトレンズ
調光コンタクトレンズを装用したところ．光刺激で SCL の色が変化している

日本においては，東京医科歯科大学生体材料研究所が，涙液中のグルコースは，血液中のグルコースより 10 分遅れて増加すると報告[2]している．

### 3 抗アレルギー薬徐放 SCL

CL のブリスターパックの保存液内に抗アレルギー薬が含有されており，そこに SCL が浸漬されているので，装着後徐々に抗アレルギー薬が放出されるというレンズであり，その有効性が報告されている[3]．今のところ，あくまで治療するのではなくアレルギー症状を緩和するためのもので，医師の処方に基づきその管理下で使用されなければならない（ワンデーアキュビュー® セラビジョン®K）（図 28-19）．

### 4 調光コンタクトレンズ

すでに臨床現場で使用されているシリコーンハイドロゲル素材の SCL に調光機能を兼ね備えたレンズである（アキュビュー® オアシス® トランジションズスマート調光™）．光刺激によって図 28-20 に示すように SCL の色が変化する．CL 使用者で，屋外でだけではなく屋内でもまぶしさにストレスを感じる場合など，そのストレスを軽減でき良好な視機能が確保できる SCL である[4]．

2（血糖値測定コンタクトレンズ）以外の SCL は，検査目的や症状軽減目的で実臨床の場において使用可能となり，今後も新しい付加価値を有した CL が期待されている．

▶文献

1) 菊池正晃, 白石 敦：CL 型眼圧計（Wireless Contact Lens Sensor for Intraocular Pressure Monitoring）. 日コレ誌 56：262-263, 2014
2) Chu XM, Miyajima K, Takahashi D, et al: Soft contact lens biosensor for in situ monitoring of tear glucose as non-invasive blood sugar assessment. Talanta 83: 960-965, 2011
3) Pall B, Gomes P, Yi F, et al: Management of ocular allergy itch with an antihistamine-releasing contact lens. Cornea 38: 713-717, 2019
4) Renzi-Hammond L, Buch JR, Cannon J, et al: A contralateral comparison of the visual effects of a photochromic vs. non-photochromic contact lens. Cont Lens Anterior Eye 43: 250-255, 2020

（宮本裕子）

# 索引

*主要な説明のある箇所を**太字**で示す．

## 和文索引

### あ

アイサイズ　250
アイディアル型　223, 286
青色波長カット眼内レンズ　81
明るさ　45
　── の種類と単位　45
アコモドポリレコーダ　139
アセテートフレーム　251
圧入眼圧計　155
圧平式眼圧計　155
アッベ数　38
アトロピン硫酸塩　287
　── 点眼治療　300
アノマロスコープ　196
アパーレント光　52
アライメント
　──，レーザーフレアメータ　162
　── 基準マーク　228
　── 調整，眼底カメラ　171
アルバイトフレーム　257
暗所視　109

### い

医原性円錐角膜　99
石原色覚検査表　194
石原式近点計　139
位相変換素子　12
イニシャル波形　199
色
　── の混合　235
　── の表示　234
色収差　38, 241, 305
　──，眼球光学系　69
色分散　38
印点　145, 263
インドシアニングリーン蛍光眼底撮影
　　174

### う

ウェーブフロントアナライザー　140
薄肉レンズ　94
内掛け　258
内寄せ　223, 225
運転に使用するレンズ　237
雲霧機構　129

### え

エアリーディスク　10, 109
エアリーの回折像　72
エイリアシング　118
エキシマレーザー屈折矯正手術　97
　── に必要な検査　98
エキシマレーザー手術装置　57
液浸　23
エグゼクティブ型，多焦点レンズ
　　286
エポキシ樹脂フレーム　252
遠近(両用)累進屈折力レンズ
　　226, 310, **318**
遠近両用コンタクトレンズ，様々な屈
　　折矯正法における視野検査への影響
　　186
遠近両用ソフトコンタクトレンズ
　　384
遠近両用ハードコンタクトレンズ
　　383
遠見矯正の微調整　306
遠視　73
　──，小児の眼鏡処方　290
円錐角膜
　──，波面収差測定　143
　── スクリーニング　132
円柱回折格子　30
円柱レンズ　26
遠点　73, 208, **284**
遠点距離　**73**, 77
円偏光　12

遠用ビジュアルポイント　261
　── の測定と記録　279

### お

オイラーの式　215
黄斑色素　241
凹面鏡　21
大きさの恒常性　338
オートレフケラトメータ　126
オートレフラクトメータ　121
オーバーグラス型遮光眼鏡　370
オクトパス視野計　184
オクルア　375
オクルーダーレンズ　376
オルソケラトロジー　**100**, 383
　── の光学　100

### か

カーブ　214
カーブモード　265
開瞼補助　134
開口　8
開口数　22
開散麻痺，プリズム眼鏡　328
回折　8
　── の影響　109
回折型多焦点眼内レンズ　82
回折理論　8, 9
解像力　40
回転ドア感覚　306, **326**
界面活性剤　247
外面累進　227
可干渉性　55
隠しマーク　228
拡大鏡　362
角度依存性　245
角倍率　25
核白内障　143
角膜　62

角膜厚測定検査，屈折矯正手術の光学 99
角膜圧迫 200
角膜移植後の眼鏡処方検査 341
角膜曲率半径 126
　——，コンタクトレンズ 393
角膜屈折矯正 57
角膜屈折矯正用フェムト秒レーザー手術装置 60
角膜屈折力の計算 127
角膜形状解析 129, 159, 339
　——，コンタクトレンズ 393
角膜形状検査，屈折矯正手術の光学 99
角膜疾患の眼鏡処方検査 339
角膜上皮細胞細胞密度 153
角膜前面波形 199
角膜内皮細胞検査，コンタクトレンズ 394
角膜内皮細胞密度 153, 154
角膜内皮細胞面積の変動係数 154
角膜非接触 201
可視光(線) 3, 49
可視光線透過率 238
仮性同色表 194
画像解析式オートレフラクトメータ 121
合致式オートレフラクトメータ 123
加入屈折力 225
加入度 **78**, 225
花粉症用眼鏡 259
可変鏡 181
加法混色 235
下方寄せ 223
ガボール刺激 116
カラーコンタクトレンズ 384
ガラスレンズ 212
加齢黄斑変性 359
眼圧計 155
眼圧検査 155
　——，コンタクトレンズ 394
眼圧測定コンタクトレンズ 396
眼位検査，プリズム眼鏡 331
眼角動脈・静脈 271
眼科検査機器に関する光安全性 50
眼球-頭部協調運動 231
眼球光学(系) 62
　—— の光学性能 70
　—— の要因，空間周波数特性 115
　—— に対する作用 49
眼鏡 318
　——，小児の 287
　——，成人の 318
　—— の確認 315
　—— の掛け外し 253
　—— の加工 260
　—— の作製許容誤差 267
　—— の手入れ 253

　—— の倍率 23
　—— のフィッティング 270
　—— の持ち運び，保管 254
眼鏡矯正度数 77
眼鏡検査，プリズム眼鏡 331
眼鏡作製 262
眼鏡処方検査
　——，Marfan 症候群の 347
　——，角膜移植後の 341
　——，眼疾患の 339
　——，眼内レンズ挿入後の 349
　——，球状水晶体 348
　——，求心性視野異常の 363
　——，屈折矯正手術後の 342
　——，高次収差の 345
　——，視野異常の 363
　——，小児 IOL 挿入後の 351
　——，水晶体疾患の 344
　——，水晶体の形状異常 348
　——，水晶体偏位の 346
　——，多焦点 IOL 挿入後の 350
　——，単焦点 IOL 挿入後の 349
　——，調節障害の 353
　——，白内障の 344
　——，半盲の 365
　——，網膜色素変性症の 363
　——，網膜疾患の 359
　——，緑内障の 364
眼鏡処方箋の作成 313
眼鏡選択，小児 291
眼鏡調整の基本的検査 303
眼鏡度数，視線位置での 304
眼鏡倍率 78
眼鏡フレーム 248
眼鏡用途の聞き取り 303
眼鏡レンズ 212
　—— による屈折矯正 285
　—— の拡大縮小効果 78
　—— の光学系 220
　—— の収差 220
　—— の素材 212
　—— への着色 236
眼屈折 74
間欠性外斜視 298
間欠性斜視，プリズム眼鏡 329
換算 K 値 127
換算屈折率 127
換算小数視力値 112
眼軸長 74
眼軸長計測 198
眼疾患の眼鏡処方検査 339
干渉 6
眼振
　——，小児 291
　——，プリズム眼鏡 329
眼精疲労，プリズム眼鏡 329
間接照明法，細隙灯顕微鏡 151
杆体 189

杆体視 110
眼底カメラ 167
眼底共役点 135
眼底検査 166
　——，コンタクトレンズ 395
眼内レンズ 79
　—— の光学 79
眼内レンズ挿入後の眼鏡処方検査 349
眼内レンズ度数計算(式) 92
　——，人工知能による 96
顔面神経 272

## き

器械近視 125
幾何光学 2, **15**
　—— と波動光学との違い 4
幾何光学的収差 33
　——，眼の 67
基準球面 131
基底 19, 328
基底方向 332
輝度 45, 46
基本調整フィッティング 261, **273**
キャスト成型 223
球状水晶体，眼鏡処方検査 348
求心性視野異常の眼鏡処方検査 363
吸水性膜 247
急性斜視，プリズム眼鏡 328
球面収差 33
　——，眼球光学系 69
球面波 8
球面レンズ 26, 215
　—— の設計 221
　—— のプリズム屈折力分布 219
強主経線 126
矯正
　—— の光学 73
　—— の理論 77
強膜散乱法，細隙灯顕微鏡 151
共役点 65
虚像 16
近近(型)累進屈折力レンズ **227**, 310, 322
近見矯正の微調整 306
近見時の自覚的屈折検査 306
近視 73
　——，小児の眼鏡処方 290
近視矯正用ハードコンタクトレンズ 383
近視進行抑制眼鏡 230
近視進行抑制用ソフトコンタクトレンズ 386
金属アレルギー，眼鏡フレーム 253
金属フレーム 251
近点 75, 78, 208, **284**
　—— の変化，年齢による 285
近方専用型累進屈折力レンズ 227

近用目的距離　78

## く

空間感覚の異常　306
　　──，経線不等像視と　326
　　──，乱視　326
　　── に対する感覚的順応　327
空間周波数　114
空間周波数特性　114
　　── のモデル　116
屈折　5
屈折暗点　185
屈折異常　**73**, 284
　　──，屈折性　74
　　──，軸性　74
　　── の影響，視力　108
屈折型多焦点眼内レンズ　89
屈折矯正　284
　　──，眼鏡レンズによる　285
屈折矯正手術　97
　　──，波面収差測定　143
　　── の光学　97
屈折矯正手術後の眼鏡処方検査　342
屈折検査
　　──，眼鏡処方　304
　　──，コンタクトレンズ　393
　　──，小児の　287
屈折性屈折異常　74
屈折値の定義　77
屈折度　74
屈折補正　159
屈折率，眼鏡レンズの　244
屈折力　18
　　── の計算式　127
区分音速値算出法，超音波法　200
区分屈折率方式　203
曇り止めコート　246
グリスニング　32, 41
クリップオン型遮光眼鏡　370
グリルアミドフレーム　252
グレア　240
クロスシリンダー（レンズ）
　　　　　　　　　**26**, 305, 339
クロスニコル配置　29

## け

蛍光　172
蛍光眼底撮影　172
経線　26
経線不等像視　326
　　── と空間感覚の異常　326
結像式オートレフラクトメータ　123
血糖値測定コンタクトレンズ　396
ケラテクタジア　99
ケラトメータ　126
検影式オートレフラクトメータ　123
検影法　135
検査用具の光学　26

## こ

顕微鏡の倍率　25
顕微鏡ユニット，細隙灯顕微鏡　150
減法混色　235

## こ

抗アレルギー薬徐放，ソフトコンタクトレンズ　397
光学性能　32
　　──，眼球各部の　62
　　──，眼球光学（系）の　70
光学設計　213
光学中心高　262
光学的弱視視能矯正　290
光学の分類　2
光強度分布　9
光源色　233
虹彩　63
虹彩付ソフトコンタクトレンズ　384
光軸　15, 67
高次収差　339
　　── の眼鏡処方検査　345
高次非球面眼内レンズ　80
光線　4
光線追跡法　94
光束　46
公的補助
　　──，眼鏡作製　315
　　──，遮光眼鏡　371
光度　46
後発白内障　57
後部耳介動脈・静脈　271
後方散乱　159
光路長　33
ゴースト　244
固視　134
固視検査　166
小玉型二重焦点レンズ　223
コヒーレンス，レーザー光　55
コマ収差　33
　　──，眼球光学系　69
ゴムメタル　251
コラーゲンシールド　384
コリメータレンズ　146
混色　235
コンタクトレンズ　382
　　── 処方のための検査　393
　　── の可能性　396
　　── の光学　386
　　── の種類と変遷　382
　　── の倍率　23
コントラスト　113
　　──，視力表の　113
　　── の評価　113
コントラスト感度，視力と　113
コンビネーションフレーム　248
コンピュータレンズメータ　146
コンポジットプリズム　330

## さ

サーカディアンリズム　50
細隙灯顕微鏡　149
　　── 検査，コンタクトレンズ　394
最小可視角　106, 107, **110**
最小可読閾　107
最小視認閾　106
最小分離閾　107
最大許容露光量　52
ザイデルの5収差　33
錯視　116
作動距離調整，眼底カメラ　171
サングラスレンズ　236
三叉神経　271
三重焦点レンズ　222
参照球面　33
三焦点　286
酸素透過係数　382
酸素透過性ハードコンタクトレンズ
　　　　　　　　　382
散瞳型眼底カメラ　168
散瞳薬　287
残余遠視　96
残余角の中和，プリズム眼鏡　330
残余近視　96
残余乱視　218
散乱　**10**, 32, 41, 240

## し

シェイプファクター　**18**, 23
ジオプター　16
磁界　3
耳介　271
耳介形状異常への対応，フレーム
　　　　　　　　　256
紫外線　49
視角　106
自覚的屈折検査　304
　　──，近見時の　306
自覚的調節検査　138
自覚的調節力　208
時間周波数　118
時間周波数特性　118
視感透過率　236
色覚検査　189, **194**
色覚初期過程モデル　192
色覚モデル　189
色覚理論　189
色相配列検査　195
色度図　234
時空間周波数特性　119
軸外色収差　108
軸上色収差　108, **241**
軸性屈折異常　74
軸出し　263
シクロペントラート塩酸塩　288
指向性，レーザー光　55

視細胞　189
視軸　67
視神経乳頭　64
視線位置での眼鏡度数　304
実像　16
実体顕微鏡　150
自動式リキッドトライアルレンズ　187
自動式レンズメータ　146, 147
自発蛍光眼底撮影　174
視標提示時間　110
視標の明るさ，視力　109
絞り　22
縞刺激　114
斜位，プリズム眼鏡　329
視野異常の眼鏡処方検査　363
シャイネルの原理　171
シャインプルーク　130
弱視視能矯正，光学的　290
弱主経線　126
視野検査　183
視野検査時の光学的矯正　183
遮光眼鏡　239, 345, 367
　——，小児　291, 370
遮光レンズ　367
斜視近視　357
斜視弱視，小児の眼鏡処方　290
射出瞳　22, 33, 67
射出面　19
遮閉膜　376
斜乱視　75
収差　32, 33, 140
　——，眼鏡レンズの　220
　——，幾何光学的　33
　——，波動光学的　38
収差解析装置　140
　——の影響，視力　108
収差マップ　143
周波数　3
周辺視，錐体密度の低下と　117
周辺視特性　117
羞明　239, 367
主曲率　215
主光線　67
術後不同視　378
術後予測前房深度　92
主点　64
手動式レンズメータ　145, 146
主平面　17, 65
上下斜視，プリズム眼鏡　329
小細胞経路　120
硝子体　63
小数視力　107, 110
焦点　64
焦点距離　15, 65
焦点深度　70, 353
照度　46

小児
　——の眼鏡　287
　——の屈折検査　287
小児IOL挿入後の眼鏡処方検査　351
小児用フレーム　254
照明ユニット，細隙灯顕微鏡　149
省略眼　64
初期視覚経路との関連，時空間周波数特性　120
視力　106
　——とコントラスト感度　113
　——に影響する因子　108
　——に関係する尺度　106
　——の評価　108
視力検査　106
　——，屈折矯正手術　98
　——，コンタクトレンズ　394
　——，調節麻痺薬　289
視力検査基準　106
視力表
　——のコントラスト　113
　——の種類と特徴　110
シリンダーレンズ　26
シリンドリカルレンズ　26
神経系の要因，空間周波数特性　115
人工知能による眼内レンズ度数計算　96
心取り　263

## す

水泳用ゴーグル　257
水晶体　63
　——の形状異常，眼鏡処方検査　348
　——の全体図　345
水晶体偏位　347
　——の眼鏡処方検査　346
水晶体屈折力　208
水晶体後面波形　199
水晶体疾患の眼鏡処方検査　344
水晶体前面波形　199
水浸法，超音波法による眼軸長計測　199
錐体　189
　——の分光感度　189
錐体杆体ジストロフィ　181
錐体視　110
錐体密度の低下と周辺視　117
睡眠，LEDと　372
スウェプトソースOCT　177
スーパールミネッセントダイオード　56
据え置き型オートレフラクトメータ　121
スキアスコピー　123
スクレラルレンズ　383
スネルの法則　5, 218
スペキュラーマイクロスコープ　152

　——，コンタクトレンズ　394
スペクトラルドメインOCT　177
スペクトラルドメイン方式　56
スポーツゴーグル　257
スマートコンタクトレンズ　396
スラント感覚　306, **326**
スリット　28
スリットランプ　149

## せ

静荷重試験　246
正弦波格子縞　114
正視　73
成人の眼鏡　318
生体計測　198
生体に対する光の作用　49
精密模型眼　64
整容用ソフトコンタクトレンズ　384
正乱視　74
　——の矯正　77
　——の分類　75
正立像　16
生理的トーヌス　289
赤外線　49
赤外線オプトメータ　209
赤緑グラス　29
赤緑検査　108, **305**
接触型スペキュラーマイクロスコープ　152
接触式眼圧計　155
接触法，超音波法による眼軸長計測　199
絶対等色　196
節点　64
セミフィニッシュレンズ　227
ゼルニケ多項式　35, **142**
セルロイドフレーム　251
前眼部OCT　158
前眼部検査　149
線形光学　2
線状検影器　135
浅側頭動脈・静脈　271
選択的レーザー線維柱帯形成術　57
前房　63
前房蛋白によるレーザー光散乱　161

## そ

像焦点　15
像側焦点　65
相対視感度減衰率　238
像の拡大縮小効果，コンタクトレンズ　387
増分閾　113
像面彎曲　34
装用時前傾角　277, 280
装用テスト　310
装用度数の調整　306

## た

側頭骨　270
側抑制　115
ソフトコンタクトレンズ　383
そり角　261, 281
　　──，用途に合わせた　275

## た

帯域通過特性　118
第一主経面　74
大細胞経路　120
第3世代の理論式，眼内レンズ度数
　　計算式　92
大耳介神経　272
対数視力　111
第二主経面　74
タイムドメインOCT　177
タイムドメイン方式　56, **202**
太陽光　233
楕円偏光　12
他覚的調節検査　139
他覚的調節力　209
多焦点IOL，視野検査への影響　186
多焦点IOL挿入後の眼鏡処方検査
　　　　　　　　　　　　350
多焦点眼内レンズ　82
多焦点コンタクトレンズ　389
　　──のパワー分布　389
多焦点ソフトコンタクトレンズ　386
多焦点レンズ　**286**, 309
　　──の用途　309
縦色収差　**38**, 305
縦倍率　23
玉型　248
　　──の傾き　274
玉型幅　250
玉摺り加工　264
単一自由度の原理　189
単式タイプ，アルバイトフレーム
　　　　　　　　　　　　257
単焦点IOL挿入後の眼鏡処方検査
　　　　　　　　　　　　349
単焦点非球面レンズ　221
単焦点レンズ　**215**, 286, 308, 318
　　──の用途　308
単色性，レーザー光　55
短波長光と光受容器　242

## ち

チタンフレーム　251
着色IOL，視野検査への影響　187
着色眼内レンズ　80
　　──の効用　374
着色レンズ　233
　　──にかかわる規定　236
中近累進屈折力レンズ　310, 318
中心窩　64
超音波反射法　198

超音波法
　　──，眼軸長計測　198
　　──への換算，光干渉法から　204
頂角　19, 328
超広角走査型レーザー検眼鏡　179
調光コンタクトレンズ　397
調光レンズ　345
超視力　107
調節　63, **208**
　　──の加齢変化　210
　　──の生理的機構　208
調節遠点　138
調節機能解析装置　209
調節機能検査装置　138
調節緊張時間　138
調節緊張症　357
調節近点　138
調節痙攣　357
　　──，小児　300
調節検査　138
調節弛緩時間　138
調節障害
　　──，小児　300
　　──の眼鏡処方検査　353
調節性内斜視　294
　　──，非屈折性　296
調節性輻湊　294
調節微動　209
調節不全　357
調節不全（麻痺），小児　301
調節麻痺　357
調節麻痺薬　287
　　──使用による光学的変化　288
　　──の必要性　288
調節ラグ　138
調節リード　138
調節力　63, 138, 208, 284
　　──，自覚的　208
　　──，他覚的　209
　　──，見かけの　387
　　──の年齢による変化　284
頂点　19
頂点間距離　77, 276, **277**, 279
　　──，小児　291
頂点間距離補正，コンタクトレンズ
　　　　　　　　　　　　386
直截曲線曲率　215
直接照明法，細隙灯顕微鏡　150
直截面　215
直線偏光　12
直像眼底鏡　166
直乱視　75
直角プリズム　21
ちらつき感度　118

## つ

ツーポイント　248
ツーポイントフレーム　266

ツボクリ加工　223

## て

低矯正眼鏡　231
ディスレクシア　302
滴状角膜　154
テクノストレス眼症　357
徹照法，細隙灯顕微鏡　151
デフォーカス組み込み眼鏡　232
手持ち型オートレフラクトメータ
　　　　　　　　　　　　121
電界　3
電磁波　2, 3
点像強度分布　10
テンプル　251
　　──の傾き　274
　　──の曲がり，幅　274
テンプルチップ　**252**, 270, 277
　　──の曲げ　275
テンプル幅の調整方法　276

## と

投影式レンズメータ　145
等価球面　377
同格屈折率　127
等価屈折率　127
等価屈折率方式　203
瞳径　22
瞳孔　63
瞳孔括約筋　287
瞳孔間距離　262, 306
　　──，小児　291
　　──の測定　306
瞳孔緊張症　357
瞳孔径　63
　　──，視力　109
瞳孔反応　63
等色関数　191, 234
等色の原理　190
動的検影法　356
瞳点　64
頭部
　　──，顔面部の解剖　270
　　──の解剖　270
　　──骨格　270
倒乱視　75
倒立像　16
トーリック眼内レンズ　81
トーリックソフトコンタクトレンズ
　　　　　　　　　　　　384
トーリックハードコンタクトレンズ
　　　　　　　　　　　　383
トーリックレンズ　26
特殊フレーム　257
度数転換　216
凸面鏡　21
凸レンズ　26
トポグラフィ　129

## な

トロイダル面　215
トロイダルレンズ　26
ドロップボールテスト　246

## な

内因性光感受性網膜神経節細胞
　　　　　　　　　　242, 372
内面累進　227
ナイロールフレーム　248, 265

## に

二重焦点レンズ　**222**, 322
　――, 非屈折性調節性内斜視　296
二焦点　286
入射瞳　**22**, 67
入射面　19
乳児用フレーム　254

## ね・の

熱放射　3
納品時フィッティング　273
ノミナルカーブ　214

## は

バージェンス　**18**, 26, 213
バージェンスプリズム　329, 330
バージェンス理論　18
バージョンプリズム　329, 330
ハードコート　246
ハードコンタクトレンズ　382
ハーマン格子　115
背景光　113
媒質　5
倍率　23
倍率色収差　109
白色点　235
白内障
　――, 小児の眼鏡処方　290
　――, 波面収差測定　143
　――の眼鏡処方検査　344
白内障手術の睡眠への効果　374
白内障手術用フェムト秒レーザー手術
　　装置　60
バゴリーニ線条レンズ　30
パターンスキャニングレーザー光凝固
　　装置　59
パターンレス玉摺り加工機　263
　――のオート加工　265
波長　3
　――と振動数との関係　4
発光ダイオード　372
パッド　**252**, 270
　――の位置, 幅　277
　――の向き, 位置　274
波動光学　2
波動光学的収差　38
跳ね上げフレーム　257
波面　4
　――と位相　39
波面収差　33, **140**
波面収差解析　339
パラメータ　227
パルス YAG レーザー手術装置　57
ハルトマン-シャック波面センサー
　　　　　　　　　　37, **140**
パワーファクター　23
反射　4
　――の作用, プリズムの　21
反射防止コート（コーティング）
　　　　　　　　　　8, 244
販売時フィッティング　273
半盲の眼鏡処方検査　365
汎網膜光凝固　59

## ひ

光
　――による眼への影響　49
　――の性質　2
　――の波長と色　233
光安全性　49
　――, 眼科検査機器に関する　50
光干渉　130
光干渉断層計　56
光干渉法
　――, 眼軸長計測　201
　――から超音波法への換算　204
光凝固　58
ピギーバック IOL の度数計算　96
非球面眼内レンズ　79
非球面レンズ　215
　――, 単焦点　221
非屈折性調節性内斜視　296
鼻骨　270
比視感度関数　45
皮質拡大係数　117
皮質白内障　144
被写界深度　71
ビジュアルポイント　280
ビズスコープ　166, **167**
非接触型スペキュラーマイクロスコー
　　プ　152
非接触式眼圧計　156
非線形光学　2
非対称な顔貌への対応, フレーム
　　　　　　　　　　256
びっくり仰天現象　185
びっくり箱現象　185
非点収差　**33**, 220
　――, 眼球光学系　69
微度色覚異常　195
非トロイダル面レンズ　222
標準色覚検査表　194
標準比視感度関数　45, 237
表色系　234
ピンホール　28
ピンホール眼鏡　72

## ふ

フィッティング　261, **270**
　――, コンタクトレンズ　395
　――と光学的影響　279
　――の基本的な確認方法　275
　――の分類と基本項目　273
フィッティング不良の原因　281
フーコー法　123
フーリエドメイン OCT　177
フーリエドメイン方式　202
フーリエ変換　9
フェムト秒レーザー手術装置　60
フォーカス合わせ, 眼底カメラ　171
付加価値コンタクトレンズ　396
不可視光と羞明　240
複屈折　244
複視, プリズム眼鏡　328
複式タイプ, アルバイトフレーム
　　　　　　　　　　258
副尺視力　107
複数レンズによる結像　17
輻湊不全, プリズム眼鏡　328
不正乱視　**75**, 339
不正乱視用ハードコンタクトレンズ
　　　　　　　　　　383
縁なしフレーム　248
　――の加工　266
プッシュアップテスト　396
物体焦点　15
物体色　233
物体側焦点　65
不同視　322
　――, コンタクトレンズ　387
　――, 術後　378
　――, 小児の眼鏡処方　290
　――の原因　322
不等像視　324
　――, コンタクトレンズ　387
負の混色　191
プライマー　246
フラウンフォーファー回折像　9
プラスチックフレーム　248, 251
プラスチックレンズ　212
プラチド　129
プリズム　19
　――の屈折作用　19
　――の合成　335
　――の反射の作用　21
　――のレンズへの組み込み　332
プリズム眼鏡　328
プリズム換算表　335
プリズム基底　219
プリズム許容誤差　268
プリズム屈折力　218
プリズム屈折力分布, 球面レンズの
　　　　　　　　　　219
プリズムコンペンセータ　147

プリズム作用，眼鏡レンズ　324
プリズムジオプター　19, 21
プリズムシニング　223, 227, **333**
プリズム装用検査　332
プリズムバー　19
プリズムレンズ　218
ブルーライト　50, **372**
　──による睡眠障害と眼疾患　374
　──の眼毒性　373
　──の全身的・精神神経的作用
　　　　　　　　　　　　　372
フルオレセイン蛍光眼底撮影　173
プルキンエ-サンソン第1像　126
フレア　244
フレア光への対策，眼底カメラ　169
フレーム　251
　──，小児　272, 292
フレームカーブ　264
　──の選定　260
フレネル回折像　9
フレネル-キルヒホッフの回折積分
　　　　　　　　　　　　　　9
フレの角　19
プレンティスの式　219, 291, **333**
プレンティスの法則　21
プレンティスポジション　19
フロンタルプレインポジション　21
フロント角　274
分光感度　190
分光透過率　233
分光透過率曲線　368
分光反射率　233
分散　6
分散能　38
分数視力　110

## へ

平均音速値算出法，超音波法　200
平均屈折力　220
平均屈折力誤差　220
平面波　8
平面プリズム　218
ベースカーブ　214, 221
べっ甲フレーム　252
ヘルマン格子　115
偏位量　262
偏角　19
片眼疾患の眼鏡調整　375
偏光　11
　──の種類　12
偏光板　11
偏光フィルター　29
偏光面　3
偏光レンズ　11, 29, 243

## ほ

ホイヘンス-フレネルの原理　8
方位の影響，空間周波数特性　115

望遠鏡式レンズメータ　145
望遠鏡の倍率　25
放射輝度　46
放射限界値　50
放射光度　46
放射状角膜切開術　97
放射照度　46
放射束　46
防塵眼鏡　259
ボクシング・システム　249
補償光学　56, **180**
補償光学眼底カメラ　180
ポリカーボネイトフレーム　251
ポリフェニルサルフォンフレーム
　　　　　　　　　　　　　251
ホワイトニング　32

## ま

マーチンの式　280
マイクロレンズアレイ　146
マイケルソン干渉計　8
前掛け　258
膜プリズム　**334**, 365
マックスウェル視　47
麻痺性斜視，プリズム眼鏡
　　　　　　　　　　328, 329

## み・む

ミー散乱　11
見かけの調節力　387
溝掘り加工　265
溝掘りフレーム　248
無散瞳型眼底カメラ　168

## め

明視域　284
明視距離　24
明所視　109
メジャリングプリズム　155
メタメリックマッチング　190
メタルフレーム　248, 251
眼の幾何光学的収差　67
メラノプシン　242
面カーブ　214
面取り，レンズの　267
面の屈折力　213

## も

モアレ　118
網膜　64
網膜色素変性症の眼鏡処方検査　363
網膜疾患の眼鏡処方検査　359
網膜照度　47
網膜内の神経細胞結合，色覚　192
網膜波形　199
網膜反射，光干渉法の　201
網膜面における結像状態　108
毛様体筋　208, 287

毛様体小帯　208
模型眼　64
　──の主要点　64
　──の種類　64

## や・ゆ

夜間近視　343
ヤゲン　264
ヤゲンカーブ　264
ヤゲン強制加工　265
ヤングの干渉縞　7
融像野両眼単一視　337

## よ

幼児用フレーム　254
横色収差　38
横収差　33
横波　3
横倍率　23
読み障害　302

## ら

乱視　74
　──，小児の眼鏡処方　290
　──への対応，眼鏡処方　326
乱視軸　75
　──の許容誤差　269
乱視度数　74
　──の合成　216
　──の微調整　306
　──の表記　216
乱視表　305
乱視用ソフトコンタクトレンズ　384
乱視用ハードコンタクトレンズ　383
乱視レンズ　216

## り

リキッドレンズテクノロジー　187
リバースジオメトリーハードコンタクトレンズ　383
リポフスチン　175
略式模型眼　64
両眼開放定屈折近点計　139
両眼視下の視力　110
両面累進　227
量子光学　2
緑内障の眼鏡処方検査　364
臨界角　21
臨界融合周波数　118
輪状暗点　185

## る

涙液層　134
涙液レンズ　388
累進屈折力眼鏡　230
累進屈折力レンズ
　　　　78, **223**, 286, 310, 318
　──，収差図　225

——，非屈折性調節性内斜視　296
——　の設計　225
——　のマーク，度数測定方法　228
——　の用途　310
——　への組み込み，プリズム　333
累進屈折力レンズ用フレーム　254
累進帯　225
ルーペ倍率　24
ルミネッセンス　3

## れ

励起　172
レイリー散乱　**10**, 162
レーザー光
　——　に関する光安全性　52
　——　の性質と特徴　54
　——　を用いた検査機器　55
レーザー光学　54
レーザー光凝固装置　58
レーザー光散乱，前房蛋白による　161
レーザー治療機器　57
レーザーフレアメータ　161
レッドフリー照明光　167
レンズ　212
　——，運転に使用する　237
　——　による結像　15
　——　の明るさ　39
　——　の屈折力　213
　——　の選択，コンタクトレンズ　395
　——　の選択，小児　272
　——　の素材と特徴　212
　——　の倍率　23
　——　の面取り　267
レンズ印点　263
レンズオーダーの手順　261
レンズカーブ　264
レンズ間距離　250
レンズコーティング　244
レンズサイズの調整　267
レンズタイプの選択，眼鏡処方　307
レンズ補正，視野検査　183
レンズメータ　145, 263, 304
レンチキュラーレンズ　30

## ろ

老視　76, 210, 353
　——　の矯正　78
六角形細胞出現率　**154**, 394

## わ

歪曲収差　34

# 欧文索引

## 数字

1/4 波長板　14
3 色性の法則　190

## A

A 定数　92
A モード法　198
Abbe 数　38
aberration　32
　——, geometric-optical　33
　——, wave-optical　38
AC/A　296
acute strabismus　328
adaptive optics retinal camera　180
adaptive optics (AO)　56, **180**
Adie 症候群　357
age related macular degeneration (AMD)　359
Airy disc　10
AMD (age related macular degeneration)　359
ametropia　73
angular magnification　25
anti-reflection coating　8
AO (adaptive optics)　56, **180**
AO-OCT　56
aperture　8
aperture stop　22
apex　19
apex angle　19
asthenopia　329
astigmatic axis　75
astigmatism　33, 69, 74
axial magnification　23
axial map　131

## B

Bagolini 線条レンズ　30
Bagolini striated lenses　30
Bangerter occlusion foil　376
Barrett Universal II 式　94
base　19
best fit sphere　132
Brewster 角　12
brightness　45

## C

CASIA2　158
cataract　344
CD 値 (cell density)　153
CFF (critical fusion frequency)　118
chromatic aberration　38
chromatic dispersion　38
circadian rhythm　50
circular polarization　12
CL (contact lens)　382
classification of regular astigmatism　75
coefficient of variation 値　394
coma　33
concave mirror　21
cone　189
contact lens (CL)　382
convergence insufficiency　328
convex mirror　21
cortical magnification factor　117
critical angle　21
critical fusion frequency (CFF)　118
CV 値　394

## D

decimal visual acuity　110
defocus incorporated multiple segments (DIMS)　232
deformable mirror　181
depth of focus (DOF)　353
deviation angle　19
diffraction　8
diffraction theorem　9
diffuse 双極細胞　192
DIMS (defocus incorporated multiple segments)　232
diopter　16
diplopia　328
dispersion　6
distance of distinct vision　24
distortion　33
　—— of spatial localization　306
divergence palsy　328
Dk 値　382
DOF (depth of focus)　353
duochrome test　108
dynamic retinoscopy　356

## E

early treatment diabetic retinopathy study (ETDRS)　107
electric field　3
electromagnetic waves　3
elevation map　131
ellipsoid zone　8, **201**
elliptic polarization　12
emmetropia　73
entrance pupil　22

epi-LASIK　97
epiretinal membrane(ERM)　359
erect image　16
ERM(epiretinal membrane)　359
ETDRS チャート　111
Euler の式　215
EX 型二重焦点レンズ　222
exit pupil　**22**, 33
extended DOF　354
eye-head coordination　231

## F

F ナンバー　22
FA(fluorescein angiography)　173
FAF(fundus autofluorescene)　174
FD-OCT　56, **177**
FDT スクリーナー　184
field curvature　33
Fk-map　210, 211
FLEx　60
fluorescein angiography(FA)　173
focal length　15
Foucault 法　123
Fourier 解析　341
Fourier domain-OCT　56, **177**
Fourier transformation　9
fractional visual acuity　110
Fraunhofer 回折像　10
frequency　3
Fresnel 膜プリズム　365
Fresnel レンズ　31
Fresnel diffraction pattern　9
Fresnel-Kirchhoff, integral theorem　9
frontal plain position　21
fundus autofluorescene(FAF)　174

## G

Gabor 刺激　116
Galileo 型顕微鏡ユニット　150
geometric-optical aberration　33
geometrical optics　2, 15
Gills refractive formula　96
glare　240
Goldmann 圧平眼圧計　155
Goldmann 型照明ユニット　150
Goldmann 視野計　183
Greenough 型顕微鏡ユニット　150
Gullstrand 模型眼　127

## H

Haigis 式　94
Hartmann-Shack 波面センサー　140
Hermann 格子　116
heterophoria　329
HEX 値　154
hexagonality　154
higher-order aberration　345

Hill-RBF　96
Hoffer Q 式　92
Holladay 式　93
Humphrey フィールドアナライザー　183
Humphrey FDT スクリーナー　184
Huygens-Fresnel の原理　8
hyper acuity　107
hyperopia　73

## I

IA(indocyanine green angiography)　174
illuminance　46
image focal point　15
imaging　15
Imbert-Fick の法則　155
indocyanine green angiography(IA)　174
inset　223
instantaneous map　131
integral theorem of Fresnel-Kirchhoff　9
intensity distribution　9
interference　7
intermittent strabismus　329
inverted image　16
IOL(intraocular lens)　79
IOL 度数計算式　92
ipRGC　242
irradiance　46

## J・K

jack-in-the-box phenomena　185
Kane 式　96

## L

L 錐体　190
Landolt 環　110
laser　54
laser flare photometer　161
Laser Ray Tracing(LRT)　141
LASIK　58, 60, **97**
——, 視野検査への影響　187
lateral chromatic aberration　38
lateral magnification　23
LED(light emitting diode)　233, **372**
LED と睡眠　372
lens dislocation　346
lens optic axis　280
light emitting diode(LED)　233, **372**
linear magnification　23
linear optics　2
linear polarization　12
logarithmic visual acuity　111
logMAR 値　111
longitudinal color aberration　38
longitudinal magnification　23

LRT(Laser Ray Tracing)　141
luminance　45
luminous flux　46
luminous intensity　46

## M

M 錐体　190
Maddox 杆　31
magnetic field　3
magnification　23
Marfan 症候群の眼鏡処方検査　347
Martin の式　280
Maxwellian view　47
mean oblique error(MOE)　220
mean oblique power(MOP)　220
medium　5
meridional aniseikonia　326
midget 神経節細胞　192
midget 双極細胞　192
Mie 散乱　240
minimum legible　107
minimum separable　107
minimum visible　106
minimum visual angle　107
Minkwitz の法則　225
modulation transfer function(MTF)　10, 32, **42**
MOE(mean oblique error)　220
MOP(mean oblique power)　220
MTF(modulation transfer function)　10, 32, **42**
Müller 筋　287
Munnerlyn 式　97
myopia　73

## N

*NA*(numerical aperture)　22
nominal curve　214
nonlinear optics　2
Nott 動的検影法　357
NT 合金　251
numerical aperture(*NA*)　22
nystagmus　329

## O

OAE(oblique astigmatic error)　220
object focal point　15
oblique astigmatic error(OAE)　220
OCT　56, 130, 158, **177**
——Angiography　178
——の基本原理　8
OCT-A　178
ocular refraction　74
OKULIX　94
OPD-Scan　142
optical axis　15
optical path length　33

optical transfer function (OTF) 42, 43
Optos 179
orthokeratology 100
OTF (optical transfer function) 42, 43

## P

P偏光 11
pachymetry map 132
PAL (progressive addition lens) 224, 230
Panel D-15 195
panretinal photocoagulation (PR) 59
pantoscopic angle 280
parallel 偏光 11
paralytic strabismus 328
parasol 神経節細胞 192
PD (pupillary distance) 262
Pelli-Robson Chart 114
personalized ACD (pACD) 93
*PF* (power factor) 23
PhacoOptics 95
phase transfer function (PTF) 32, **42**, 43
photorefractive keratectomy (PRK) 97
pigmentary retinal dystrophy 363
plane wave 8
point spread function (PSF) **10**, 32, 39
polarization 11
polarizer 12
power factor (*PF*) 23
PR (panretinal photocoagulation) 59
Prentice position 19
Prentice の式 333
Prentice の法則 21
presbyopia 76, 353
principal planes 17
principle of univariance 189
prism diopters 19
prism thinning 223, 227, 333
PRK (photorefractive keratectomy) 97
progressive addition lens (PAL) 224, 230
PSF (point spread function) **10**, 32, 39
PTF (phase transfer function) 32, **42**, 43
pupil diameter 22
pupillary distance (PD) 262
Purkinje-Sanson 第1像 126

## Q

quantum optics 2
quarter-wave plate 12

## R

radial keratotomy (RK) 97
radiance 46
radiant flux 46
radiant intensity 46
ray 4
ray aberration 33
Rayleigh
── scattering 10, 240
── 散乱 10, 240
── の解像限界 72
── の分解能 180
real image 16
red-green test 108
red-green glass 29
reference sphere 33
reflection 4
refraction 5
refractive map 131
refractive power 18
regular astigmatism, classification of 75
resolution 40
retinal illumination 47
RGPCL (rigid gas permeable contact lens) 382
rigid gas permeable contact lens (RGPCL) 382
ring scotoma 185
RK (radial keratotomy) 97
rod 189

## S

S錐体 242
S錐体 bistratified 神経節細胞 192
S偏光 11
scanning laser ophthalmoscope (SLO) 56, 172, 177, **178**
scattering **10**, 32
Scheiner の原理 171
SD-OCT 56, **177**
Seidel 収差 220
Seidel の5収差 33
selective laser therapy (SLT) 57
semi finish lens 227
senkrecht 偏光 11
SF (shape factor) 18
Shammas の式 96
shape factor (SF) 18
short-wavelength automated perimetry (SWAP) 187
SLD (super luminescent diode) 56

SLO (scanning laser ophthalmoscope) 56, 172, 177, **178**
── の基本原理 178
SLT (selective laser therapy) 57
SM レンズ 152
small incision lenticule extraction (SMILE) 60, 97
SMILE (small incision lenticule extraction) 60, 97
Snell の法則 218
Snellen 視力表 110
spectral domain OCT 177
Spektralfarben anomale 195
spherical aberration 33
spherical wave 8
SPP (Standard Pseudoisochromatic Plates) 194
SRK 式 93
SRK/T 式 92
SS-OCT 56, **177**
SSNG (sub-surface nano glistening) 32, 41
Standard Pseudoisochromatic Plates (SPP) 194
standard relative luminous efficiency 45
startling phenomena 185
straylight parameter 42
sub-surface nano glistening (SSNG) 32, 41
super luminescent diode (SLD) 56
SWAP (short-wavelength automated perimetry) 187
swept source-OCT 56, **177**

## T

Tangential map 131
TD-OCT 56, **177**
thin lens optics 94
time domain-OCT 56, **177**
transverse waves 3
Tscherning 収差計 141
Tscherning の楕円 221

## V

VD (vertex distance) 279
vergence **18**, 26
vernier acuity 107
vertex distance (VD) 279
virtual image 16
visual acuity 106
visual acuity conversion chart 112
visual point 280

## W

Watson らの空間周波数特性モデル 116

wave aberration　33
wave front　4
wave optics　2
wave-optical aberration　38
Weber 比　113

## X・Y

XYZ 表色系　234
Young の干渉縞　7

## Z

Zeiss 型照明ユニット　150
Zernike 多項式　142
Zinn 小帯　208